D1586569

Trouweloos

KARIN SLAUGHTER

Nachtschade
Zoenoffer
Een lichte koude huivering
Onzichtbaar

Vervloekt geluk (verhalen)

BIJ CARGO

Karin Slaughter

Trouweloos

Vertaling Ineke Lenting

2005
DE BEZIGE BIJ
AMSTERDAM

Cargo is een imprint van uitgeverij De Bezige Bij, Amsterdam

Copyright © 2005 Karin Slaughter
Copyright Nederlandse vertaling © 2005 Ineke Lenting
Oorspronkelijke titel *Faithless*
Oorspronkelijke uitgever Century, Londen
Omslagontwerp Marry van Baar
Omslagillustratie Trevillion
Foto auteur John Voermans
Vormgeving binnenwerk Peter Verwey, Heemstede
Druk Nørhaven, Viborg
ISBN 90 234 1811 5
NUR 305

www.uitgeverijcargo.nl

Voor Robbert Ammerlaan,
met buitengewone waardering

Zondag

Een

Sara Linton stond bij de voordeur van haar ouderlijk huis en hield zo veel plastic boodschappentassen in haar handen geklemd dat ze haar vingers niet meer voelde. Met haar elleboog probeerde ze de deur te openen, maar het enige wat er gebeurde was dat ze met haar schouder tegen de ruit knalde. Ze schuifelde een stukje naar achteren en zette haar voet tegen de kruk, maar nog steeds zat er geen beweging in. Uiteindelijk gaf ze het op en tikte met haar voorhoofd tegen de deur.

Ze tuurde door het geribbelde glas de gang in en zag haar vader aankomen. Met een norse frons die helemaal niet bij hem paste, deed hij de deur open.

'Waarom ben je niet twee keer op en neer gelopen?' vroeg Eddie terwijl hij een paar tassen van haar overnam.

'Waarom zit de deur op slot?'

'Je auto staat nog geen vijf meter hiervandaan.'

'Pap,' drong Sara aan, 'waarom zit de deur op slot?'

Hij keek langs haar heen. 'Je auto is smerig.' Hij zette de tassen op de vloer en zei: 'Denk je dat je het redt, twee keer op en neer naar de keuken met die dingen?'

Sara wilde antwoorden, maar hij liep het verandatrapje al af. 'Waar ga je naartoe?' vroeg ze.

'Je auto wassen.'

'Weet je wel hoe koud het is?'

Hij keerde zich om en keek haar veelbetekenend aan. 'Vuil is hardnekkig, ongeacht het seizoen,' zei hij gedragen, eerder een Shakespeare-acteur dan een loodgieter uit een provinciestadje in Georgia.

9

Tegen de tijd dat ze haar antwoord klaar had, was hij al in de garage.

Sara stond nog steeds op de veranda toen haar vader weer naar buiten kwam met allerlei benodigdheden om haar auto te wassen. Hij sjorde de pijpen van zijn trainingsbroek omhoog, ging op zijn hurken zitten en vulde de emmer met water. Sara herkende de broek nog van de middelbare school – haar eigen middelbare school; zij had hem altijd gedragen tijdens de hardlooptraining.

'Wat dacht je: ik laat de kou er lekker in?' vroeg Cathy. Ze trok Sara naar binnen en deed de deur dicht.

Sara boog zich voorover zodat haar moeder haar op haar wang kon kussen. Toen Sara in groep 7 zat was ze tot haar ontzetting al ruim dertig centimeter langer dan haar moeder. Terwijl Tessa, Sara's jongere zus, hun moeders tengere bouw, blonde haar en moeiteloze bevalligheid had geërfd, leek Sara net het kind van de buren dat op een middag was komen mee-eten en meteen maar had besloten te blijven.

Cathy bukte zich al om een paar boodschappentassen van haar over te nemen, maar leek zich te bedenken. 'Neem jij ze maar mee, wil je?'

Met gevaar voor haar vingers hees Sara alle acht tassen weer van de vloer. 'Wat is er aan de hand?' vroeg ze, want haar moeder maakte een wat terneergeslagen indruk.

'Isabella,' zei Cathy, en Sara moest een lachje onderdrukken. Haar tante Bella was de enige persoon die Sara kende die altijd met een eigen voorraadje drank op reis ging.

'Rum?'

'Tequila,' fluisterde Cathy, op dezelfde toon waarop ze 'kanker' zou zeggen.

Sara's gezicht vertrok van medeleven. 'Heeft ze gezegd hoe lang ze blijft?'

'Nog niet,' antwoordde Cathy. Bella, die Grant County haatte en sinds de geboorte van Tessa niet meer op bezoek was geweest, was twee dagen daarvoor komen opdagen, zonder opgaaf van redenen en met drie koffers in de achterbak van haar Mercedes cabriolet.

Normaal zou Bella zich niet lang achter geheimzinnigdoenerij hebben kunnen verschuilen, maar nu de familie Linton een nieuwe stelregel had aangenomen – 'wie niks vraagt, hoeft ook niks te vertellen' – had niemand op een verklaring aangedrongen. Er was veel veranderd sinds Tessa het vorige jaar was aangevallen. Iedereen verkeerde nog in een soort verdoving, al wilde niemand er blijkbaar over praten. In een fractie van een seconde had Tessa's belager niet alleen haarzelf, maar de hele familie tot in de ziel geraakt. Sara vroeg zich regelmatig af of ook maar een van hen het volledig te boven zou komen.

'Waarom zat de deur op slot?' vroeg Sara.

'Dat zal Tessa wel geweest zijn,' zei Cathy, en even trok er een floers voor haar ogen.

'Mama...'

'Ga maar naar binnen,' zei Cathy, met een knik in de richting van de keuken. 'Ik kom zo.'

Sara greep de tassen weer beet en liep de gang door. Haar blik streek langs de foto's aan de muren. Niemand kon van de voordeur naar achteren lopen zonder een beeldoverzicht te krijgen van de jeugdjaren van de zusjes Linton. Op de meeste foto's was Tessa uiteraard een slanke schoonheid. Daar kon Sara niet aan tippen. Er was één buitengewoon afschuwelijke foto bij van Sara op zomerkamp, toen ze in de brugklas zat; ze zou het ding het liefst van de muur hebben gerukt, maar dan kreeg ze het met haar moeder aan de stok. Sara stond in een boot en droeg een badpak dat nog het meest weg had van een stuk zwart knutselpapier dat aan haar knokige schouders zat vastgespeld. Haar neus was bezaaid met sproeten en over haar huid lag een onflatteuze oranje gloed. Haar rode haar was opgedroogd in de zon zodat ze net een clown met afrokapsel leek.

'Schatje!' klonk het verheugd, en toen Sara de keuken binnenkwam, stond Bella haar met uitgespreide armen op te wachten. 'Kijk nou toch!' zei ze bij wijze van compliment.

Sara wist maar al te goed dat ze er niet op haar voordeligst uitzag. Ze was een uur geleden haar bed uit getuimeld en had niet eens de moeite genomen om een kam door haar haar te halen. Als rechtgeaarde dochter van haar vader had ze nog steeds het shirt aan waarin ze geslapen had. Haar trainingsbroek, die stamde uit de tijd dat ze deel uitmaakte van het studentenatletiekteam, was al bijna even exclusief. Bella daarentegen droeg een zijdeachtige blauwe jurk, die waarschijnlijk een vermogen had gekost. In haar oren fonkelden diamanten en de vele ringen die ze aan haar vingers droeg, glansden in het zonlicht dat door de keukenramen naar binnen stroomde. Zoals gewoonlijk was ze perfect gekapt en opgemaakt, en ook al was het zondagochtend elf uur, ze zag er betoverend uit.

'Sorry dat ik niet eerder ben langsgekomen,' zei Sara.

'Och!' Haar tante maakte een achteloos gebaar en ging zitten. 'Sinds wanneer doe jij de boodschappen voor je moeder?'

'Sinds ze al twee dagen niet van huis kan omdat ze jou moet bezighouden.' Sara zette de tassen op het keukenblad en wreef in haar handen om de bloedsomloop weer op gang te brengen.

'Zo'n karwei is het anders niet om mij bezig te houden,' zei Bella. 'Je moeder zou er zelf eens meer op uit moeten.'

'Met een fles tequila?'

Bella glimlachte schalks. 'Die heeft nog nooit tegen drank gekund. Ik weet zeker dat dat de enige reden is waarom ze met je vader is getrouwd.'

Sara moest lachen en zette de melk in de koelkast. Haar hart maakte een sprongetje van vreugde toen ze een schaal zag staan met daarop een stapel kippenbouten, klaar om gebraden te worden.

'We hebben gisteravond ook nog boontjes schoongemaakt,' deelde Bella mee.

'Lekker,' mompelde Sara, voor wie dit het beste nieuws was dat ze die week had gehoord. Cathy's bonenstoofpot met gebraden kip: een betere combinatie was er niet.

'Hoe was de kerkdienst?'

'Iets te veel hel en verdoemenis naar mijn smaak,' moest Bella bekennen, en ze pakte een sinaasappel van de schaal op tafel. 'Vertel eens hoe het ermee staat. Nog wat interessants meegemaakt?'

'Alles gaat zijn gewone gangetje,' zei Sara terwijl ze de blikjes sorteerde.

Bella pelde de sinaasappel en zei met enige teleurstelling

in haar stem: 'Nou ja, sleur kan ook iets troostends hebben.'

'Hmm,' bromde Sara, en ze zette een blik met soep op de plank boven het fornuis.

'Echt.'

'Hmm,' klonk het nogmaals, want Sara wist precies waar dit op uit zou draaien.

Toen Sara medicijnen studeerde aan Emory University in Atlanta had ze korte tijd bij haar tante Bella ingewoond. De feestjes tot diep in de nacht, het gezuip en de niet-aflatende stroom mannen hadden uiteindelijk tot een breuk geleid. Sara stond elke ochtend vroeg op om naar college te gaan, en 's avonds wilde ze in alle rust kunnen studeren. Het moest gezegd worden dat Bella echt een poging had gedaan om haar sociale leven wat te stroomlijnen, maar uiteindelijk waren ze tot de conclusie gekomen dat Sara beter een eigen onderkomen kon zoeken. Hun relatie bekoelde pas toen Bella aan Sara voorstelde eens een kijkje te gaan nemen in het bejaardenhuis aan Clairmont Road.

Cathy verscheen in de keuken, haar handen afvegend aan haar schort. Ze verschoof het soepblik dat Sara zojuist op de plank had gezet en duwde haar daarbij aan de kant. 'Heb je alles meegebracht wat er op het lijstje stond?'

'Alles behalve de keukensherry,' zei Sara, die nu tegenover Bella ging zitten. 'Wist je dat je op zondag geen alcohol kunt kopen?'

'Ja, dat wist ik,' zei Cathy, en het klonk als een verwijt. 'Daarom zei ik ook dat je gisteravond boodschappen moest doen.'

'Sorry,' zei Sara. Ze nam een sinaasappelpartje van haar tante aan. 'Ik heb tot acht uur met een verzekeringsmaatschappij ergens uit het westen zitten onderhandelen. Het was het enige moment dat daar tijd voor was.'

'Je bent arts,' zei Bella, alsof ze iets nieuws vertelde. 'Waarom moet je in godsnaam met verzekeringsmaatschappijen overleggen?'

'Omdat ze weigeren te betalen voor de onderzoeken die ik laat uitvoeren.'

'Dat is toch hun plicht?'

Sara haalde haar schouders op. Hoewel ze een tijdje geleden iemand fulltime in dienst had genomen om de obstakels uit de weg te ruimen die de verzekeringsmaatschappijen voor haar opwierpen, was ze op de kinderkliniek nog steeds twee tot drie uur per dag kwijt aan het invullen van saaie formulieren of aan telefoontjes naar verzekeringsagenten, waarbij ze niet altijd een blad voor de mond nam. Ze ging nu al elke dag een uur eerder naar haar werk om niet achterop te raken, maar wat ze ook deed, veel schoot ze er niet mee op.

'Belachelijk,' mompelde Bella, op een sinaasappelpartje sabbelend. Ze was al een aardig eind in de zestig, maar voorzover Sara wist was ze nog nooit in haar leven een dag ziek geweest. Misschien viel er toch iets te zeggen voor kettingroken en tot in de kleine uurtjes tequila hijsen.

Cathy rommelde in de tassen en vroeg: 'Heb je ook salie meegebracht?'

'Ik geloof het wel.' Sara kwam overeind om haar te helpen zoeken, maar Cathy joeg haar weg. 'Waar is Tess?'

'Naar de kerk,' antwoordde Cathy. Sara was zo verstandig haar moeders misprijzende toon te negeren. Bella dacht er blijkbaar net zo over, ook al trok ze een wenkbrauw op toen ze Sara een tweede partje aanbood. Tegenwoordig hield Tessa de Primitive Baptist – de kerk die Cathy sinds haar jeugd had bezocht – voor gezien en zocht ze haar geestelijk heil bij een kleinere kerk in een aangrenzend district. Onder normale omstandigheden zou Cathy blij zijn geweest dat in elk geval een van haar dochters geen goddeloze heiden was, maar kennelijk zat Tessa's keuze haar toch niet helemaal lekker. Zoals zo vaak de laatste tijd stelde niemand het echter ter discussie.

Cathy deed de koelkast open, schoof de melk naar de andere kant van het vak en vroeg: 'Hoe laat was je thuis gisteravond?'

'Uur of negen,' zei Sara, die een tweede sinaasappel begon te pellen.

'We gaan straks lunchen, bederf je eetlust nou niet,' zei Cathy berispend. 'Heeft Jeffrey zijn spullen al overgebracht?'

'Bijn...' Sara hield zich op het nippertje in, maar de vlammen sloegen van haar wangen. Ze slikte een paar keer voor ze weer kon praten. 'Hoe weet je dat?'

'O liefje,' gniffelde Bella. 'Als je wilt dat niemand zich met je zaken bemoeit, moet je gaan verhuizen. Dat is de voornaamste reden waarom ik naar het buitenland ben vertrokken zodra ik geld had voor een ticket.'

'Zodra je een vent had die het wilde betalen, zul je bedoelen,' voegde Cathy er spottend aan toe.

Weer schraapte Sara haar keel. Haar tong voelde wel twee keer zo dik. 'Weet papa ervan?'

Cathy trok een wenkbrauw op, net als haar zus daarvoor had gedaan. 'Wat denk je?'

Sara ademde diep in en liet de lucht sissend tussen haar tanden ontsnappen. Opeens snapte ze die opmerking van haar vader, over vuil dat hardnekkig is. 'Is hij kwaad?'

'Een beetje,' moest Cathy toegeven. 'Maar vooral teleurgesteld.'

'Tss!' zei Bella. 'Bekrompen stadjes, bekrompen geesten.'

'Het ligt niet aan de stad,' wierp Cathy tegen. 'Het ligt aan Eddie zelf.'

Bella ging er eens goed voor zitten en stak van wal. 'Ik heb ooit met een jongen in zonde geleefd. Ik had nog maar net mijn studie afgemaakt, was nog maar net naar Londen vertrokken. Hij was lasser, maar die handen... O, hij had de handen van een kunstenaar. Heb ik je weleens verteld...'

'Ja, Bella,' zei Cathy op een verveeld toontje. Bella was haar tijd altijd vooruit geweest: eerst als beatnik, toen als hippie en later als strikte vegetariër. Tot haar grote ergernis was ze er nooit in geslaagd haar familie te choqueren. Sara was ervan overtuigd dat haar tante het land onder andere had verlaten om tegen iedereen te kunnen zeggen dat ze het zwarte schaap van de familie was. In Grant trapte niemand daar in. Oma Earnshaw, die voor het vrouwenkiesrecht had gestreden, was trots geweest op het lef van haar dochter, en Big Daddy had Bella tegenover iedereen die het horen wilde altijd zijn 'zevenklappertje' genoemd. De enige keer dat het Bella was gelukt de verontwaardiging van de familie over zich af te roepen, was toen ze aankondigde te gaan trouwen met een effectenmakelaar genaamd Colt, met wie ze in een buitenwijk zou gaan wonen. Godzijdank had dat huwelijk maar een jaar standgehouden.

Sara voelde haar moeders borende blik, fel als een laserstraal. Uiteindelijk gaf ze haar verzet op en vroeg: 'Wat is er?'

'Ik snap niet waarom je niet gewoon met hem trouwt.'

Sara draaide aan de ring rond haar vinger. Jeffrey had football gespeeld voor Auburn University, en tegenwoordig droeg ze zijn jaarring, als een smoorverliefde puber.

Bella verwoordde wat iedereen al wist, maar zoals zij het zei, klonk het zeer aanlokkelijk: 'Je vader kan hem niet uitstaan.'

Cathy sloeg haar armen over elkaar. 'Waarom niet?' vroeg ze nogmaals aan Sara. Een paar tellen zweeg ze. 'Waarom trouw je niet gewoon met hem? Híj wil wel, of niet soms?'

'Ja.'

'Zeg dan gewoon ja, dan heb je het maar weer gehad.'

'Het ligt wat ingewikkelder,' antwoordde Sara, die hoopte dat ze het daarbij kon laten. Beide vrouwen kenden de geschiedenis die ze met Jeffrey deelde, van het moment dat ze verliefd op hem werd tot de avond dat Sara, inmiddels met hem getrouwd, vroeg thuiskwam van haar werk en hem met een ander in bed aantrof. De volgende dag had ze de scheiding aangevraagd, maar om een of andere reden was Sara er niet in geslaagd zich van hem los te maken.

Het moest gezegd worden dat Jeffrey de afgelopen vijf jaar wel veranderd was. Hij was uitgegroeid tot de man die ze bijna vijftien jaar geleden al in hem had vermoed. De liefde die ze nu voor hem voelde was nieuw, in zeker opzicht nog opwindender dan de eerste keer. Die duizelingwekkende bezetenheid van toen – dat gevoel van ik-ga-dood-als-hij-me-niet-belt – was verdwenen. Ze voelde zich prettig bij hem. Als het erop aankwam, wist ze, kon ze op hem rekenen. Na vijf jaar op zichzelf wist ze ook dat een leven zonder hem niet veel voorstelde.

'Je bent veel te trots,' zei Cathy. 'Als het een kwestie van je ego is...'

'Het gaat niet om mijn ego,' viel Sara haar in de rede. Ze wist niet hoe ze haar gedrag moest uitleggen en kon het al helemaal niet verkroppen dat ze zich daartoe verplicht voelde. Hoe was het toch mogelijk dat haar relatie met Jeffrey zo ongeveer het enige was waarover haar moeder nog met haar kon praten?

Sara liep naar de gootsteen om het sinaasappelsap van haar handen te wassen. Om het gesprek een andere wending te geven vroeg ze aan Bella: 'Hoe was het in Frankrijk?'

'Frans,' was Bella's reactie. Zo gemakkelijk kwam Sara er echter niet van af. 'Vertrouw je hem eigenlijk wel?'

'Ja,' zei ze. 'Meer dan de eerste keer, en daarom heb ik ook geen papiertje nodig om te weten hoe ik me voel.'

De zelfingenomenheid droop ervanaf toen Bella zei: 'Ik wist wel dat jullie weer bij elkaar zouden komen.' Ze richtte haar vinger op Sara. 'Als je je die eerste keer echt van hem had willen losmaken, had je dat lijkschouwersbaantje eraan gegeven.'

'Dat is maar parttime,' zei Sara, hoewel ze wist dat Bella niet helemaal ongelijk had. Jeffrey was commissaris van politie in Grant County. Sara bekleedde de functie van patholoog-anatoom. Bij elk verdacht sterfgeval in een van de drie steden in het district was hij weer in haar leven verschenen.

Cathy pakte de laatste boodschappentas en haalde er een literfles cola uit. 'Wanneer was je van plan het ons te vertellen?'

'Vandaag,' loog Sara. Uit de blik die Cathy haar over haar schouder toewierp, maakte ze op dat het leugentje niet buitengewoon geslaagd was. 'Ooit,' verbeterde Sara zichzelf, en terwijl ze haar handen droogwreef aan haar broek, ging ze weer aan tafel zitten. 'Maak je braadstuk voor morgen?'

'Ja,' luidde Cathy's antwoord, maar ze liet zich niet van haar koers afbrengen. 'Je woont nog geen anderhalve kilometer bij ons vandaan, Sara. Dacht je nou echt dat je vader niet elke ochtend Jeffreys auto op je oprit zou zien staan?'

'Uit wat ik begrepen heb,' zei Bella, 'staat die er toch wel, of hij nou bij haar intrekt of niet.'

Sara keek toe terwijl haar moeder een liter cola in een grote plastic kom goot. Ze zou er wat ingrediënten aan toevoegen, het vlees er een nacht in laten marineren en het dan de hele volgende dag in een aardewerken pot laten sudderen.

17

Het eindresultaat was het malste stuk vlees dat ooit met een bord in aanraking was geweest, en ook al leek het zo simpel, Sara was er nog nooit in geslaagd het haar moeder na te doen. Het gekke was dat ze tijdens haar studie aan een van de zwaarste medische faculteiten van het land een kei in scheikunde was geweest, terwijl ze met de beste wil van de wereld haar moeders colabraadstuk niet kon bereiden.

In gedachten verzonken deed Cathy nog wat kruiden in de kom en toen herhaalde ze haar vraag: 'Wanneer was je van plan het ons te vertellen?'

'Ik weet het niet,' zei Sara. 'We wilden eerst zelf aan het idee wennen.'

'Dat zie ik je vader nog niet zo snel doen,' meende Cathy. 'Je kent zijn ideeën op dat punt.'

Bella begon luid te lachen. 'En dat terwijl hij al in geen veertig jaar een stap in de kerk heeft gezet.'

'Het heeft bij hem niks met geloof te maken,' verduidelijkte Cathy. Tegen Sara zei ze: 'We weten allebei nog veel te goed hoe hard het bij je aankwam toen je ontdekte dat Jeffrey aan het rotzooien was. Voor je vader is het onverteerbaar om eerst mee te maken hoe kapot je was en dan Jeffrey weer doodleuk je leven te zien binnenwalsen.'

'Ik zou het bepaald geen walsje noemen,' zei Sara. Hun verzoening was in geen enkel opzicht over rozen gegaan.

'Ik weet niet of je vader hem ooit zal vergeven.'

'Eddie heeft jou anders wel vergeven,' merkte Bella fijntjes op.

Sara zag alle kleur uit haar moeders gezicht wegtrekken. Met strakke, beheerste gebaren veegde Cathy haar handen af aan haar schort. Zachtjes zei ze: 'Nog een paar uur, dan gaan we lunchen', en toen liep ze de keuken uit.

Bella trok haar schouders op en slaakte een diepe zucht. 'Ik heb mijn best gedaan, snoes.'

Sara verbeet zich. Een paar jaar geleden had Cathy Sara verteld over een misstap, zoals zij het noemde, die ze tijdens haar huwelijk had begaan, nog voor Sara was geboren. Hoewel haar moeder zei dat ze nooit met die ander naar bed was geweest, was het bijna op een scheiding uitgelopen. Sara kon zich voorstellen dat haar moeder liever niet aan deze donkere episode in haar verleden herinnerd werd, vooral niet waar haar oudste dochter bij zat. Sara vond het zelf ook niet prettig om te horen.

'Hallo?' hoorde ze Jeffrey vanuit de vestibule roepen. Sara probeerde haar opluchting te verbergen. 'We zitten hier!' riep ze terug.

Hij kwam binnen met een glimlach op zijn gezicht, en Sara concludeerde dat haar vader te druk met haar auto was geweest om het Jeffrey lastig te maken.

'Kijk kijk,' zei hij en waarderend liet hij zijn blik van de ene vrouw naar de andere gaan. 'Als ik hierover droom, zijn we meestal allemaal naakt.'

'Ouwe rakker,' zei Bella vermanend, maar Sara zag haar ogen fonkelen van plezier. Ook al had ze jaren in Europa gewoond, ze was nog steeds op en top de belle uit het zuiden.

Jeffrey nam haar hand en drukte er een kus op. 'Telkens als ik je zie ben je weer mooier geworden, Isabella.'

'Dat komt van al die goeie wijn, makker,' zei Bella met een knipoog. 'Maar dan moet je wel doordrinken!'

Jeffrey lachte en pas toen iedereen weer wat bedaard was, vroeg Sara: 'Heb je mijn vader nog gezien?'

Jeffrey schudde zijn hoofd, en op dat moment sloeg de voordeur dicht. Eddies voetstappen dreunden door de gang.

Sara greep Jeffreys hand. 'Laten we een stukje gaan wandelen,' zei ze, en ze sleurde hem praktisch mee de deur door. 'Wil je tegen mama zeggen dat we op tijd terug zijn voor de lunch?' vroeg ze aan Bella.

Ze trok een strompelende Jeffrey het trapje van de veranda af naar de zijkant van het huis, waar ze uit het zicht van de keukenramen waren.

'Wat is er aan de hand?' Hij wreef over zijn arm alsof hij daar pijn had.

'Is het nog steeds gevoelig?' vroeg ze. Een tijdje terug had hij zijn schouder geblesseerd en ondanks de fysiotherapie was het gewricht nog pijnlijk.

Niet al te overtuigend haalde hij zijn schouders op. 'Nee hoor, nergens last van.'

'Sorry,' zei ze en ze legde haar hand op zijn goede schouder. Daar kon ze het niet bij laten: ze sloeg haar armen om hem heen en begroef haar gezicht in de welving van zijn hals. Ze snoof zijn lucht diep op, zo lekker vond ze hem ruiken. 'Jezus, wat heerlijk om je weer eens te voelen.'

Hij streelde haar haar. 'Wat heb je?'

'Ik mis je.'

'Ik ben er nu toch?'

'Nee.' Ze leunde naar achteren, zodat ze hem beter kon zien. 'Ik heb je deze week gemist.' Zijn haar werd weer lang aan de zijkant en met haar vingers streek ze het achter zijn oren. 'Je komt binnenvallen, dumpt een paar dozen en dan ben je weer weg.'

'De huurders komen dinsdag al. Dan zou ik de keuken klaar hebben, heb ik tegen ze gezegd.'

Ze drukte een kus op zijn oor en fluisterde: 'Ik was helemaal vergeten hoe je eruitziet.'

'Het is de laatste tijd ook zo druk op het werk.' Hij week iets terug. 'Al die papiertroep en zo. Met het huis erbij blijft er helemaal geen tijd meer over voor mezelf, laat staan voor jou.'

'Dat is het niet,' zei ze, verbaasd over zijn defensieve toon. Ze werkten allebei te hard; zij was wel de laatste die hem iets kon verwijten.

Hij deed weer een stapje terug en zei: 'Ik weet dat ik je een paar keer niet heb teruggebeld.'

'Jeff,' onderbrak ze hem. 'Ik ben er gewoon van uitgegaan dat je het druk had. Daar gaat het helemaal niet om.'

'Waar gaat het dan wel om?'

Sara sloeg haar armen over elkaar en voelde zich opeens verkillen. 'Mijn vader weet het.'

Het leek wel of hij zich wat ontspande, vond ze, en ze vroeg zich af of hij iets anders had verwacht.

'Je dacht toch niet dat we het geheim konden houden, hè?' vroeg hij.

'Eigenlijk niet, nee,' gaf Sara toe. Ze zag dat hij ergens mee zat, maar ze wist niet goed hoe ze hem aan het praten moest krijgen. 'Laten we een stukje langs het meer lopen,' stelde ze voor. 'Goed?'

Hij keek even naar het huis en toen naar haar. 'Oké.'

Ze leidde hem de achtertuin door en nam toen het stenen

pad naar de oever, dat haar vader al voor haar geboorte had aangelegd. Ontspannen zwijgend wandelden ze hand in hand over het zandpad langs het water. Ze gleed uit op een glibberig stuk rots en hij greep haar bij haar elleboog, glimlachend omdat ze zo'n kluns was. Boven hun hoofden hoorde Sara het gekwebbel van eekhoorns, en een grote buizerd scheerde met een boog over de boomtoppen, zijn vleugels schrap tegen de bries die van het water kwam. Lake Grant was een door mensenhand geschapen meer van dertienhonderd hectare. Op sommige plekken was het wel negentig meter diep. De toppen van de bomen die in het dal hadden gestaan voor het onder water werd gezet, staken nog steeds boven het oppervlak uit. Sara moest vaak denken aan de verlaten huizen daar op de bodem en dan vroeg ze zich af of er nu vissen in woonden. Eddie bezat een foto van voor de aanleg van het meer. Het gebied leek op de landelijke delen van het district: mooie huisjes van één verdieping en hier en daar een blokhut. Onder het wateroppervlak stonden winkels en kerken, en een katoenfabriek die de Burgeroorlog en de Reconstructie had overleefd, maar tijdens de crisisjaren de poort had moeten sluiten. Dat alles was weggevaagd door het donderende watergeweld uit de Ochawahee River, alleen om Grant van een betrouwbare energiebron te voorzien. In de zomer daalde en steeg het peil, afhankelijk van de hoeveelheid water die nodig was voor de dam, en als kind had Sara vaak alle lampen in het huis uitgedaan, want ze meende dat het water in het meer dan hoog genoeg zou blijven om erop te kunnen waterskiën.

Het mooiste stuk meer was eigendom van Nationaal Bosbeheer: zo'n vierhonderd hectare, als een kap rond de oever geplooid. Aan één kant grensde het aan het woongebied waar Sara's huis en ook dat van haar ouders stonden, en aan de andere kant vormde het een barrière voor de hogeschool van Grant. Zestig procent van de honderdtwintig kilometer lange oever was beschermd gebied, en daar bevond zich ook Sara's lievelingsplek. Kampeerders mochten hun tenten in het bos opslaan en net zo lang blijven als ze het uithielden, maar het rotsachtige terrein vlak bij de oever was te hard en te steil voor enige vorm van recreatie. Wel kwamen er regelmatig tieners om een potje te vrijen of om een tijdje van hun ouders verlost te zijn. Sara's huis stond pal tegenover een spectaculaire rotsformatie die waarschijnlijk nog door de indianen was gebruikt voor ze uit het gebied werden verdreven, en soms, in de schemering, zag ze een lucifer opvlammen als iemand een sigaret of iets anders opstak.

Van het water kwam een kille wind opzetten. Ze huiverde en Jeffrey sloeg zijn arm om haar heen. 'Dacht je nou echt dat ze er niet achter zouden komen?' vroeg hij.

Sara bleef staan en keerde zich naar hem toe. 'Dat hoopte ik, geloof ik.'

Hij schonk haar het scheve glimlachje waarop hij patent had, en ze wist uit ervaring dat hij zich nu ging verontschuldigen. 'Het spijt me dat ik de laatste tijd voortdurend moest werken.'

'Zelf ben ik deze week ook geen avond voor zeven uur thuis geweest.'

'Heb je die zaak met de verzekeringsmaatschappij nog rond gekregen?'

Ze kreunde. 'Zullen we het ergens anders over hebben?'

'Oké,' zei hij. In een poging een ander onderwerp aan te snijden vroeg hij: 'Hoe gaat het met Tess?'

'Zullen we het daar ook maar niet over hebben?'

'Oké...' Weer die glimlach. Het zonlicht viel op zijn blauwe irissen en er ging een rilling door Sara heen.

Hij vatte haar reactie verkeerd op en vroeg: 'Wil je liever terug?'

'Nee,' zei ze terwijl ze haar handen om zijn nek vouwde. 'Als je me nou eens meesleurde naar die bomen daar en mijn eerbaarheid schond?'

Hij lachte, maar verstomde toen hij zag dat het geen grapje was. 'Hier, waar iedereen ons kan zien?'

'Er is niemand in de buurt.'

'Je meent het toch niet, hè?'

'Het is al twee weken geleden,' zei ze, hoewel dat nu pas tot haar doordrong. Het was niks voor hem om de zaken zo lang op hun beloop te laten.

'Het is koud,' zei hij.

Ze drukte haar lippen tegen zijn oor en fluisterde: 'Maar in mijn mond is het warm.'

'Ik ben eigenlijk te moe,' zei hij, al was dat niet bepaald te merken aan de reactie van zijn lichaam.

Ze drukte zich dichter tegen hem aan. 'Op mij maak je anders geen vermoeide indruk.'

'Het kan elk moment gaan regenen.' De lucht was betrokken, maar Sara had op het nieuws gehoord dat de regen nog wel een uur of drie op zich zou laten wachten. 'Kom op,' zei ze. Ze boog zich naar hem toe en wilde hem kussen, maar hield zich in toen ze zijn aarzeling zag. 'Wat is er?'

Hij deed een stap naar achteren en keek naar het meer. 'Ik zei toch dat ik moe was?'

'Je bent anders nooit moe,' zei ze. 'Niet in dit opzicht tenminste.'

Hij gebaarde in de richting van het meer. 'Het is ijskoud hier buiten.'

'Zo koud is het echt niet.' Inmiddels trok achterdocht een angstspoor langs haar rug. Na vijftien jaar was Jeffrey een open boek voor haar. Hij peuterde aan de nagel van zijn duim als hij zich schuldig voelde en hij plukte aan zijn rechterwenkbrauw als hij over een zaak zat te dubben. Na een bijzonder zware dag liet hij zijn schouders hangen en sprak hij met monotone stem, tot ze hem overhaalde zijn hart te luchten. De trek die zijn mond nu vertoonde, duidde erop dat hij haar iets moest vertellen, iets wat hij liever verzweeg of waarvoor hij de woorden niet kon vinden.

Ze sloeg haar armen over elkaar. 'Wat heb je?'

'Niks.'

'Niks?' herhaalde ze, en ze staarde Jeffrey aan alsof ze de waarheid met pure wilskracht kon afdwingen. Zijn lippen waren nog steeds een strakke streep, hij hield zijn handen verstrengeld voor zich en wreef met zijn rechterduim over de nagelriem van de linker. Ze kreeg het gevoel dat ze dit al eens eerder hadden meegemaakt en als met een mokerslag drong tot haar door wat er gaande was. 'O jezus,' fluisterde ze. Ineens begreep ze het. 'O god,' zei ze en ze legde haar hand op haar buik om de opkomende misselijkheid te bedwingen.

'Wat?'

Ze liep het pad af. Ze had zich nog nooit zo dom gevoeld en tegelijkertijd was ze woest op zichzelf. Het duizelde haar, de gedachten tolden door haar hoofd.

'Sara...' Hij legde zijn hand op haar arm, maar ze rukte zich los. Hij draafde een stukje verder en ging voor haar staan zodat ze hem in de ogen moest kijken. 'Wat is er aan de hand?'

'Wie is het?'

'Wie is wat?'

'Wie is ze?' verduidelijkte Sara. 'Wie is het, Jeffrey? Is het dezelfde van toen?' Ze klemde haar kiezen zo stijf op elkaar dat haar kaken er pijn van deden. Het klopte allemaal: de afwezige blik in zijn ogen, de afwerende houding, de kloof die hen scheidde. Hij was deze week elke avond met een smoesje aangekomen om maar niet bij haar te hoeven slapen: hij moest dozen inpakken, hij moest overwerken, die stomme keuken die hij al tien jaar aan het opknappen was, moest nu eindelijk af. Telkens als ze hem toeliet, telkens als ze haar achterdocht liet varen en zich ontspande, bedacht hij weer een manier om haar van zich af te duwen.

'Met wie lig je nu weer te neuken?' vroeg Sara op de man af.

Hij deed een stap naar achteren, een beduusde uitdrukking op zijn gezicht. 'Je denkt toch niet...'

Ze voelde tranen opwellen en sloeg haar handen voor haar ogen om ze voor hem te verbergen. Hij mocht eens denken dat ze gekwetst was, terwijl ze in werkelijkheid zo razend was dat ze met haar blote handen zijn strot kon openscheuren. 'God,' fluisterde ze, 'wat ben ik een stomme koe.'

'Hoe kun je dat nou denken?' vroeg hij, bijna verongelijkt.

Ze liet haar handen zakken; het maakte haar niet langer uit wat hij zag. 'Doe me een lol, oké? Lieg deze keer niet tegen me. Waag het niet nog één keer tegen me te liegen.'

'Ik lieg ook helemaal niet tegen je,' zei hij met klem, en naar zijn stem te oordelen was hij even woedend als zij. Het zou meer indruk op haar gemaakt hebben als hij die toon niet al eens eerder tegen haar had gebruikt.

'Sara...'

'Rot toch op!' zei ze en ze liep in de richting van het meer. 'Het is toch niet te geloven? Hoe kan een mens zo stom zijn?'

'Ik ga niet vreemd,' zei hij, achter haar aan lopend. 'Luister nou naar me.' Hij ging voor haar staan en versperde haar de weg. 'Ik ga echt niet vreemd.'

Ze bleef staan en staarde hem aan. Kon ze hem maar geloven.

'Kijk me niet zo aan,' zei hij.

'Ik zou niet weten hoe ik je anders aan moet kijken.' Hij slaakte een diepe zucht, alsof er een enorm gewicht op zijn borstkas drukte. Voor iemand die beweerde onschuldig te zijn, gedroeg hij zich buitengewoon betrapt.

'Ik ga terug,' liet ze hem weten, maar toen keek hij op en bij het zien van de blik in zijn ogen bleef ze verschrikt staan.

Hij sprak zo zacht dat ze hem slechts met moeite kon verstaan. 'Ik ben misschien ziek.'

'Ziek?' herhaalde ze, opeens door paniek bevangen. 'Hoezo ziek?'

Hij liep een stukje terug en ging met hangende schouders op een rotsblok zitten. Nu liep Sara naar hem toe. 'Jeff?' vroeg ze, en ze knielde naast hem neer. 'Wat is er aan de hand?' Weer stonden de tranen in haar ogen, maar deze keer sloeg haar hart over van angst in plaats van woede.

Van alle dingen die hij had kunnen zeggen, had niets haar zo diep kunnen treffen als wat er nu over zijn lippen kwam. 'Jo heeft gebeld.'

Sara ging op haar hurken zitten. Ze vouwde haar handen samen in haar schoot en staarde ernaar. Op de middelbare school was Jolene Carter de absolute tegenpool van Sara geweest: sierlijk, slank en toch welgevormd, het populairste meisje van de school, dat de populaire jongens voor het uitkiezen had. Ze was de koningin van het bal, de aanvoerster van de cheerleaders, de klassenvertegenwoordigster van de eindexamenleerlingen. Ze was blond van zichzelf en had blauwe ogen; op haar rechterwang zat een schoonheidsvlekje dat haar volmaakte gezicht iets mondains en exotisch gaf. Zelfs toen ze de veertig naderde, had Jolene Carter nog altijd

25

een perfect lijf – Sara wist dit omdat ze vijf jaar geleden was thuisgekomen en Jo daar spiernaakt met Jeffrey in hun bed had aangetroffen, haar perfecte kont in de lucht gestoken. 'Ze heeft hepatitis,' zei Jeffrey.

Sara zou in lachen zijn uitgebarsten als ze er de energie voor had gehad. Het enige wat ze nu uit kon brengen was: 'Welk soort?'

'Het erge soort.'

'Er zijn een paar erge soorten,' deelde Sara hem mee, en ondertussen vroeg ze zich verbijsterd af hoe ze hierin verzeild was geraakt.

'Ik ben sindsdien nooit meer met haar naar bed geweest. Dat weet je toch, Sara?'

Een paar tellen keek ze hem aan, in tweestrijd, want hoewel ze het het liefst op een lopen zou zetten, wilde ze tegelijk alle details horen. 'Wanneer heeft ze je gebeld?'

'Vorige week.'

'Vorige week,' herhaalde ze, en na nog eens diep ingeademd te hebben vroeg ze: 'Op welke dag?'

'Weet ik niet meer. Het begin van de week.'

'Maandag? Dinsdag?'

'Wat doet dat ertoe?'

'Wat doet dat ertoe?' bauwde ze hem na, haar blik een en al ongeloof. 'Ik ben kinderarts, Jeffrey. Ik geef kinderen – kleine kinderen – aan de lopende band injecties. Ik neem ze bloed af. Ik raak met mijn vingers hun schaafwonden en sneetjes aan. Natuurlijk zijn er voorzorgsmaatregelen. Je hebt allerlei...' Haar stem stierf weg en ze vroeg zich af hoeveel kinderen ze aan besmetting had blootgesteld; ze probeerde zich elke spuit, elke prik te herinneren. Had ze wel voorzichtig genoeg gehandeld? Ze prikte zich voortdurend aan naalden. Aan het risico voor haar eigen gezondheid dacht ze maar niet. Dat was gewoon te veel.

'Ik ben gisteren bij Hare geweest,' zei hij, alsof het feit dat hij een week na de onheilstijding een bezoek aan de dokter had gebracht hem op de een of andere manier vrijpleitte.

Ze klemde haar lippen opeen en probeerde de juiste vragen te formuleren. Haar eerste zorg gold haar patiëntjes, maar nu drongen de verdere implicaties in volle omvang tot haar door. Misschien was ze zelf ook ziek. Het was heel goed mogelijk dat Jeffrey een of andere chronische, wellicht dodelijke kwaal op haar had overgedragen.

Sara slikte en probeerde iets te zeggen, ook al zat haar keel dichtgesnoerd. 'Zet hij wel spoed achter die test?'

'Ik weet het niet.'

'Je weet het niet,' herhaalde ze zijn woorden. Het was geen vraag. Natuurlijk wist hij het niet. Waar het zijn eigen gezondheid betrof, leed Jeffrey aan het typisch mannelijke ontkenningssyndroom. Hij kon je meer vertellen over de onderhoudsgeschiedenis van zijn auto dan over zijn eigen welzijn. Ze zag hem al in Hares spreekkamer zitten, een wezenloze blik in zijn ogen terwijl hij een smoes probeerde te verzinnen om zo snel mogelijk zijn hielen te kunnen lichten.

Sara kwam overeind. Ze kon niet langer stil blijven zitten. 'Heeft hij je onderzocht?'

'Hij zei dat ik geen symptomen had.'

'Ik wil dat je naar een andere arts gaat.'

'Wat is er mis met Hare?'

'Hij...' Ze zocht naar woorden. Haar hersens weigerden dienst.

'Dat hij toevallig jouw maffe neefje is, wil nog niet zeggen dat hij geen goede arts is.'

'Hij heeft me er niks over verteld,' zei ze, en ze voelde zich door hen beiden verraden.

Jeffrey keek haar onderzoekend aan. 'Ik heb hem gevraagd om dat niet te doen.'

'Uiteraard,' zei ze, en verbijstering won het van woede. 'Waarom heb je het mij niet verteld? Waarom heb je mij niet meegenomen zodat ik de juiste vragen kon stellen?'

'Hierom,' zei hij, doelend op haar geijsbeer. 'Je hebt al genoeg aan je hoofd. Ik wilde je niet laten schrikken.'

'Allemaal gezeik, en dat weet je best.' Jeffrey vond het vreselijk om de boodschapper van slecht nieuws te zijn. Op zijn werk moest hij keihard zijn, maar thuis ging hij het nietigste probleem nog uit de weg. 'Heb je daarom geen zin meer in seks?'

'Dat was uit voorzorg.'

'Voorzorg,' zei ze smalend.

'Volgens Hare zou ik weleens drager kunnen zijn.'

'Je was gewoon te schijterig om het me te vertellen.'

'Ik wilde je niet ongerust maken.'

'Je wilde geen ruzie met me, zul je bedoelen,' corrigeerde ze hem. 'Het ging je er niet om mijn gevoelens te sparen. Je was bang dat ik kwaad op je zou worden.'

'Ophouden, alsjeblieft.' Hij wilde haar hand pakken, maar die trok ze terug. 'Ik kan het toch niet helpen?' Hij deed een nieuwe poging: 'Het is alweer jaren geleden, Sara. Ze moest het me vertellen van haar arts.' Alsof dat de zaak minder erg maakte, zei hij: 'Zij is ook patiënt van Hare. Bel hem maar. Hij vond dat ik het moest weten. Het is gewoon uit voorzorg. Je bent zelf arts. Jij snapt dat toch wel?'

'Kappen,' zei ze, en ze hief haar handen omhoog. De woorden lagen op het puntje van haar tong, maar ze hield zich in, hoeveel moeite het ook kostte. 'Ik kan er nu niet over praten.'

'Waar ga je naartoe?'

'Weet ik niet,' zei ze. Ze liep in de richting van de oever. 'Naar huis,' liet ze hem weten. 'Slaap jij vannacht maar in je eigen huis.'

'Zie je wel?' zei hij, alsof hij zijn gelijk wilde halen. 'Dat is nou precies waarom ik het je niet verteld heb.'

'Wel ja, geef mij maar de schuld!' beet ze hem toe. Haar keel zat dichtgesnoerd. Ze wilde het uitschreeuwen, maar ze stikte van woede en kon haar stem niet eens verheffen. 'Ik ben niet kwaad op je omdat je ooit vreemd bent gegaan, Jeffrey. Ik ben kwaad op je omdat je dit voor me verzwegen hebt. Ik heb er recht op het te weten. Ook al levert het geen enkel gevaar op voor mij of mijn gezondheid of die van mijn patiënten, dan loop jij nog altijd risico.'

Hij zette het op een drafje om haar bij te kunnen houden. 'Ik voel me anders prima.'

Ze bleef staan en keerde zich naar hem toe. 'Weet je eigenlijk wel wat hepatitis is?'

Hij trok zijn schouders op. 'Ik dacht dat ik me daar wel in zou verdiepen wanneer ik er niet meer onderuit kon. Als ik er echt niet meer onderuit zou kunnen.'

'Jezus,' fluisterde Sara, en omdat ze niet wist wat ze moest doen, liep ze maar weg. Ze liep in de richting van de straat, want als ze met een omweg naar het huis van haar ouders terugkeerde, kon ze wat tot bedaren komen. Haar moeder zou haar lol niet op kunnen als ze dit hoorde, en ze gaf haar geen ongelijk.

Jeffrey volgde haar. 'Waar ga je naartoe?'

'Ik bel je over een paar dagen wel.' Ze wachtte zijn antwoord niet af. 'Ik heb tijd nodig om na te denken.'

Hij haalde haar in en zijn vingers streken langs de achterkant van haar arm. 'We moeten praten.'

Ze lachte. 'Dus nu wil je er wel over praten?'

'Sara...'

'Er valt niks te zeggen,' deelde ze hem mee en ze versnelde haar pas. Jeffrey liep achter haar aan; ze hoorde zijn dreunende voetstappen vlak achter zich. Ze wilde het net op een rennen zetten toen hij van achteren tegen haar aan knalde. Sara belandde met een doffe, holle klap op de grond en ze hapte naar adem. De dreun waarmee ze tegen de grond was gesmakt, weergalmde als een verre echo in haar oren.

Ze duwde hem van zich af en zei woedend: 'Wat ben je...'

'Jezus, sorry. Gaat het?' Hij knielde voor haar neer en plukte een twijgje uit haar haar. 'Het was niet mijn bedoeling...'

'Wat ben je toch een sukkel,' snauwde ze. Ze was vooral geschrokken en van de weeromstuit werd ze nog kwader.

'Wat is er met je aan de hand?'

'Ik struikelde,' zei hij, terwijl hij haar overeind wilde helpen.

'Raak me niet aan!' Ze sloeg zijn hand weg en stond zonder zijn hulp op.

Hij veegde de aarde van haar broek en herhaalde: 'Gaat het echt wel?'

Ze week terug. 'Maak je over mij maar niet druk.'

'Zeker weten?'

'Ik ben niet van porselein.' Ze wierp een norse blik op haar besmeurde sporttrui. De mouw was bij de schouder gescheurd. 'Wat is er in godsnaam met je aan de hand?'

'Ik struikelde, dat zei ik toch? Je denkt toch niet dat ik het met opzet deed?'

'Nee,' zei ze, maar haar woede werd er niet minder om.

29

'God, Jeffrey.' Voorzichtig strekte ze haar knie en ze voelde de pees wringen. 'Dat deed echt pijn.'

'Sorry,' zei hij nogmaals, en weer plukte hij een twijgje uit haar haar.

Ze keek naar haar gescheurde mouw en haar woede sloeg om in ergernis. 'Wat gebeurde er eigenlijk?' Hij draaide zich om en keek speurend om zich heen. 'Er moet ergens...' Hij zweeg.

Ze volgde zijn blik en zag een metalen buis uit de grond steken. Aan de bovenkant zat ijzergaas, op de plaats gehouden met een stuk elastiek.

'Sara,' was het enige wat hij zei. Toen ze de huiver in zijn stem hoorde, ging er een schok door haar heen.

In gedachten zag ze de hele scène weer voor zich en opnieuw hoorde ze de doffe klap waarmee ze tegen de grond was gesmakt. Het had een compacte dreun moeten zijn, niet die holle galm. Er was daar iets, onder hun voeten. Er lag iets begraven in de grond.

'Jezus,' fluisterde Jeffrey, en met een ruk trok hij het gaas weg. Hij tuurde door de buis, maar die had een doorsnee van zo'n anderhalve centimeter en Sara wist ook wel dat je er niets door zou kunnen zien.

'Zie je iets?' vroeg ze niettemin.

'Nee.' Hij probeerde de buis heen en weer te wrikken, maar er zat geen beweging in. Het ding was stevig vastgemaakt aan iets wat zich onder de grond bevond.

Ze liet zich op haar knieën vallen en veegde bladeren en dennennaalden weg. Achteruitwerkend legde ze een patroon van losse aarde bloot. Ze was ongeveer anderhalve meter van Jeffrey verwijderd toen het tot hen doordrong wat er wellicht onder hen lag.

Angst greep Sara bij de keel toen ze zag hoe Jeffrey gealarmeerd met zijn vingers in de grond begon te wroeten. De aarde liet zich moeiteloos verwijderen, alsof iemand er kort tevoren nog in had gegraven. Het volgende moment zat Sara op haar knieën naast hem en trok stenen en brokken aarde weg, uit alle macht de gedachte verdringend aan wat ze zouden kunnen aantreffen.

'Kut!' Jeffreys hand schoot omhoog en Sara zag een flinke

jaap aan de zijkant van zijn handpalm, waar iets scherps zijn huid had opengehaald. De snee bloedde hevig, maar hij ging verder met zijn karwei en begon weer te graven, het zand opzij werpend.

Sara's vingers schraapten over iets hards en toen ze haar handen wegtrok, zag ze dat er houtsplinters onder haar nagels zaten. 'Jeffrey,' zei ze, maar hij groef gestaag door. 'Jeffrey.'

'Ik zie het ook,' zei hij. Hij had een deel van het hout rond de buis blootgelegd. Om de pijp zat een metalen sluitring die hem op zijn plaats hield. Jeffrey haalde zijn zakmes te voorschijn en terwijl Sara alleen maar kon toekijken, probeerde hij de schroeven los te peuteren. Door het bloed dat uit de snee stroomde glibberden zijn handen telkens langs het heft naar beneden en uiteindelijk gaf hij het op, gooide het mes aan de kant en greep de buis vast. Hij wierp zijn schouder in de strijd, zijn gezicht verkrampend van de pijn. Toch bleef hij duwen tot het hout onheilspellend begon te kraken en vervolgens versplinterde, waarop de sluitring losschoot.

Een muffe stank steeg op en Sara sloeg haar hand voor haar neus.

Het gat was zo'n acht centimeter in doorsnee en scherpe splinters staken als tanden uit de opening.

Jeffrey tuurde door het gat in het hout. Hij schudde zijn hoofd. 'Ik zie niks.'

Sara groef door. Ze werkte in achterwaartse richting, in de lengte van het hout. Bij elk nieuw gedeelte dat ze blootlegde, had ze het gevoel alsof haar hart door haar mond naar buiten kon barsten. Een verzameling smalle planken zat aan elkaar vast getimmerd en vormde de bovenkant van iets wat op een lange, rechthoekige kist leek. De adem stokte in haar keel en ondanks de koude wind brak het klamme zweet haar uit. Haar trui leek opeens een dwangbuis; ze trok het ding over haar hoofd en gooide het aan de kant zodat ze zich vrijer kon bewegen. Het duizelde haar toen ze alle mogelijkheden de revue liet passeren. Sara bad zelden, maar bij de gedachte aan wat er wellicht onder de grond lag, begon ze wie er ook maar wilde luisteren om hulp te smeken.

'Kijk uit,' waarschuwde Jeffrey, die nu met behulp van de

buis de houten latten probeerde los te wrikken. Sara ging op haar knieën zitten en schermde haar ogen af tegen de aarde die alle kanten op vloog. Het hout, dat nog grotendeels onder de grond zat, versplinterde, maar Jeffrey ging door en met zijn handen brak hij de dunne planken in tweeën. Er klonk een zacht, krakend gekreun, als een doodskreet, toen de spijkers het begaven. De stank van verse ontbinding walmde Sara als een muffe windvlaag tegemoet, maar ze wendde haar blik niet af toen Jeffrey plat op de grond ging liggen en zijn arm in de nauwe opening stak.

Rondtastend keek hij haar aan, zijn kaken strak op elkaar geklemd. 'Ik voel iets,' zei hij. 'Iemand.'

'Ademhaling?' vroeg Sara, maar hij schudde zijn hoofd nog voor ze het woord had uitgesproken.

Nu ging Jeffrey langzamer en omzichtiger te werk. Hij wrikte nog een stuk hout los. Hij keek naar de onderkant en gaf het toen aan Sara. Ze zag krassen in het zachte hout, als van een in de val gelopen dier. In het volgende stuk hout dat Jeffrey haar aanreikte, stak een vingernagel – ongeveer even groot als die van haarzelf – en Sara legde de plank met de onderkant naar boven op de grond. Weer kwam er een lat, nu met nog diepere krassen, en die legde ze naast de vorige, in een soort patroon, zo goed en zo kwaad als het ging, want het was per slot van rekening bewijsmateriaal. Het zou een dier kunnen zijn. Misschien had een kind iets uitgespookt. Of mogelijk was het een oude indiaanse begraafplaats. De ene verklaring na de andere flitste door haar hoofd terwijl ze keek hoe Jeffrey de planken wegbrak, en elke lat was als een splinter in Sara's hart. Het waren er bijna twintig, maar bij de twaalfde zagen ze al wat eronder lag.

Jeffrey staarde in de kist; hij slikte en zijn adamsappel bewoog. Hij was sprakeloos, evenals Sara.

Het slachtoffer was een jonge vrouw, waarschijnlijk tegen de twintig. Haar lange haar reikte tot op haar middel en omhulde haar bovenlichaam. Ze droeg een eenvoudige blauwe jurk die tot halverwege haar kuiten kwam, en daaronder witte sokken, maar geen schoenen. Haar mond en ogen stonden wijd open in een panische angst die Sara bijna kon proeven. Eén hand stak omhoog, de vingers samengetrokken, alsof het meisje zich nog steeds naar buiten probeerde te klauwen. De harde oogrok was bespikkeld met bloeduitstortinkjes, opgedroogde tranen hadden dunne rode streepjes achtergelaten die door het wit heen schemerden. In de kist lagen enkele lege waterflesjes en ook was er een pot, kennelijk voor uitwerpselen en urine. Rechts van haar lag een zaklantaarn, links een stuk half opgegeten brood. Aan de randen zat schimmel. Ook op de bovenlip van het meisje zat schimmel, als een wazig snorretje. De jonge vrouw was geen buitengewone schoonheid geweest, maar waarschijnlijk wel aantrekkelijk, op haar eigen, bescheiden manier.

Langzaam ademde Jeffrey uit en hij zeeg neer op de grond. Net als Sara zat hij onder de aarde. Net als Sara leek het hem niet te deren.

Ze staarden naar het meisje, zagen hoe de wind die van het meer kwam door haar dikke haren streek en de lange mouwen van haar jurk beroerde. Sara's blik viel op een bijpassend blauw lint in het haar van het meisje en ze vroeg zich af wie dat erin had gedaan. Zou haar moeder of haar zusje het voor haar hebben bevestigd? Had ze in haar kamer voor de spiegel gezeten en het zelf gestrikt? En wat was er toen gebeurd? Wat had haar naar deze plek gevoerd?

Jeffrey veegde zijn handen af aan zijn spijkerbroek en liet bloederige vingerafdrukken op de stof achter. 'Ze wilden haar niet vermoorden,' vermoedde hij.

'Nee,' beaamde Sara, in de greep van een verpletterend verdriet. 'Ze wilden haar alleen de doodsschrik op het lijf jagen.'

Twee

In de kliniek hadden ze Lena gevraagd hoe ze aan die blauwe plekken kwam.

'Gaat het?' had de oudere zwarte vrouw gezegd, een bezorgde frons op haar voorhoofd.

'Ja hoor,' had Lena werktuiglijk geantwoord, en pas toen de verpleegster weg was, had ze zich aangekleed.

Sommige blauwe plekken en littekens hoorden er nou eenmaal bij als je politiewerk deed: de schuurplek op je heup waar je pistool zo hard tegenaan drukte dat het soms was alsof er een deuk in het bot zat. De dunne blauwe streep die als een krijtspoor over je onderarm liep, van het brok staal dat je zo stevig mogelijk tegen je zij drukte om voor het publiek te verbergen dat je een wapen droeg.

Toen Lena een groentje was, waren de problemen nog groter: pijn in de rug, schaafwondjes van de holsterriem, striemen van de knuppel die tegen haar been sloeg als ze een sprintje trok om een dader bij z'n kladden te grijpen. Tegen de tijd dat ze zo'n figuur te pakken had, liet ze de knuppel met alle genoegen op hem los, zodat hij eens kon voelen hoe het was om bij een temperatuur van meer dan dertig graden een kilometer lang achter iemands stomme reet aan te moeten jagen met vijfendertig kilo uitrusting om je lijf. En niet te vergeten het kogelvrije vest. Lena had agenten gekend – grote, forse kerels – die waren flauwgevallen van de hitte. In augustus was het zo warm dat ze soms de kansen afwogen: een kogel in de borst of een beroerte van de hitte.

Maar toen ze uiteindelijk haar gouden rechercheurspenning in ontvangst had genomen, haar uniform en pet had ingeleverd en voor het laatst haar portofoon had afgetekend, miste ze het gewicht van de hele handel. Ze miste dat vrachtje dat haar er altijd aan herinnerde dat ze een politievrouw was. Als rechercheur moest je je zien te redden zonder al die extra hulpmiddelen. Op straat kon je je uniform niet het woord laten doen, en je patrouillewagen hield het verkeer op, ook als iedereen zich aan de maximumsnelheid hield. Je moest andere manieren bedenken om de slechteriken te intimideren. Alleen je hersens lieten je weten dat je nog altijd een smeris was.

Nadat de zuster haar in die kamer in Atlanta – in de verkoeverkamer, zoals ze het noemden – had achtergelaten, had Lena de oude kneuzingen nog eens bekeken en ze vergeleken met de nieuwe. Vingerstriemen als een band om haar arm. Haar pols, opgezwollen nadat hij was verdraaid. De vuistvormige afdruk boven haar linkernier kon ze niet zien, maar ze voelde hem wel telkens als ze een verkeerde beweging maakte.

Tijdens haar eerste jaar in uniform had ze alles zien langskomen. Vrouwen die na een echtelijke ruzie stenen naar je patrouillewagen smeten in de hoop dat dat je ervan zou weerhouden hun gewelddadige echtgenoot bij de gevangenis af te leveren. Buren die elkaar neerstaken vanwege een moerbeiboom die te ver overhing of een verdwenen grasmaaier die uiteindelijk ergens in de garage stond, vaak naast een zakje wiet of soms iets sterkers. Kleine kinderen die zich aan hun vader vastklampten en je smeekten hem niet mee te nemen, en als je hen dan naar het ziekenhuis had gebracht, troffen de artsen vaginale of anale scheurtjes aan. Soms was hun keel een heel eind opgerekt en zaten er wondjes aan de binnenkant, van alle keren dat ze bijna waren gestikt.

Op de academie probeerden de instructeurs je op dat soort dingen voor te bereiden, maar echt voorbereid was je nooit. Je moest het zelf zien, proeven, voelen. Niemand kon je uitleggen hoe angstaanjagend het was om een of andere onbekende aan te houden en dan met bonzend hart naar zijn portier te lopen, je hand aan je wapen, terwijl je je afvroeg of die vent in de auto ook zijn hand aan zijn wapen had. In de leerboeken stonden foto's van doden en Lena herinnerde zich hoe de jongens in de klas om sommige van die plaatjes hadden moeten lachen. De dronken dame die buiten westen was geraakt in de badkuip, met haar panty om haar enkels gesnoerd. De vent die klaarkwam terwijl hij zich ophing, en met een schok besefte je dat het ding dat hij in zijn hand hield helemaal geen rijpe pruim was. Waarschijnlijk was hij vader, echtgenoot, in elk geval iemands zoon, maar voor alle studenten van de politieacademie was hij 'die gestoorde pruimengozer'.

Niets van dat alles bereidde je voor op de aanblik en de geur van de werkelijkheid. Je opleidingsofficier kon de beklemming van de dood niet beschrijven die je voelde als je een vertrek betrad en je nekharen overeind gingen staan, zodat je wist dat er iets gruwelijks was gebeurd of – erger nog – te gebeuren stond. Je chef kon je niet behoeden voor de gewoonte met je lippen te smakken om de smaak maar uit je mond te krijgen. Niemand vertelde je dat, ongeacht hoe vaak je je lichaam afboende, alleen de tijd de geur van de dood van je huid kon slijten. Je rende vijf kilometer per dag in de brandende zon, ging op de sportschool met gewichten aan de slag, het zweet gutste van je lijf als regen uit een donderwolk, tot je eindelijk van die lucht bevrijd was – om vervolgens naar een tankstation te worden geroepen, naar een achtergelaten auto, naar het huis van de buren waar de kranten zich opstapelden op de oprit en de post uit de brievenbus puilde, om daar een grootmoeder of broer of zus of oom aan te treffen die je weer uit je systeem moest zien te zweten.

Niemand kon je vertellen wat je doen moest als de dood je eigen leven binnendrong. Niemand kon het verdriet wegnemen als je wist dat er door jouw optreden een eind aan een leven was gekomen – hoe ellendig dat leven ook was geweest. Dat was de adder onder het gras. Als smeris had je al snel door dat de wereld uit 'wij' en 'zij' bestond. Lena had niet gedacht dat ze ooit rouwig zou zijn om het verlies van een van die 'zij', maar de laatste tijd kon ze aan weinig anders meer denken. En nu was er weer een leven verloren gegaan, weer had ze schuld aan een dood.

De laatste paar dagen had ze de dood tot op het bot ge-

36

voeld en niets kon haar zintuigen ervan verlossen. Ze had een wrange smaak in haar mond; telkens als ze inademde zoog ze de geur van ontbinding op. In haar oren klonk ononderbroken een snerpende sirene en over haar huid lag de klamheid van het graf. Ze had geen zeggenschap meer over haar lichaam, haar geest had ze niet meer in de hand. Vanaf de seconde dat ze de kliniek had verlaten, tijdens die nacht op de hotelkamer in Atlanta, tot en met het moment waarop ze over de drempel van haar ooms huis was gestapt, had ze slechts kunnen denken aan wat ze gedaan had, aan de verkeerde beslissingen die haar naar dit punt hadden gevoerd.

Lena lag nu in bed en keek uit het raam, naar de deprimerende achtertuin. Sinds Lena's kindertijd was er niets meer aan Hanks huis veranderd. In een hoek van haar slaapkamer zat nog steeds een bruine lekkagevlek van de keer dat er tijdens een storm een tak door het dak was gekomen. De verf bladderde van de muren omdat Hank ooit de verkeerde grondverf had gebruikt, en het behang had zo veel nicotine geabsorbeerd dat over alles een ziekelijk geel waas hing.

Lena was hier opgegroeid, samen met Sibyl, haar tweelingzus. Hun moeder was in het kraambed gestorven en Calvin Adams, hun vader, was een paar maanden daarvoor doodgeschoten toen hij een automobilist staande hield. Drie jaar geleden was Sibyl vermoord. Weer had ze iemand verloren, weer bleef ze achter. Misschien was de aanwezigheid van haar zus in haar leven een soort anker voor Lena geweest. Nu was ze op drift, nam ze de ene verkeerde beslissing na de andere en deed ze geen enkele moeite om haar fouten te herstellen. Ze moest leven met de gevolgen van haar daden. Ze balanceerde op het randje, dat was wellicht een betere omschrijving.

Lena bracht haar vingers naar haar buik, naar de plek waar nog geen week geleden de baby had gezeten. Er was maar één persoon die met de gevolgen moest leven. Slechts één persoon had het overleefd. Zou het kind haar donkere teint hebben gehad, zouden de genen van haar Mexicaans-Amerikaanse grootmoeder opnieuw de kop hebben opgestoken, of zou het de staalgrijze ogen en bleke huid van de vader hebben geërfd?

Ze kwam iets overeind, schoof haar vingers in haar achterzak en trok er een langwerpig zakmes uit. Voorzichtig peuterde ze het lemmet open. De punt was afgebroken en in een halve cirkel van opgedroogd bloed stond Ethans vingerafdruk.

Ze keek naar haar arm, naar de donkere kneuzing waar Ethan haar had vastgegrepen, en vroeg zich verbaasd af hoe de vinger die de golvende afdruk op het lemmet had achtergelaten, de hand die dit mes had omvat, de vuist die haar zo veel pijn had gedaan, op andere momenten zo behoedzaam hun weg konden zoeken over haar lichaam.

De rechercheur in haar wist dat ze hem zou moeten arresteren. De vrouw in haar wist dat hij slecht was. De realist wist dat hij haar op een dag zou doden. Een naamloze plek diep in haar binnenste verzette zich tegen deze gedachten, en ze besefte dat ze een eersteklas lafaard was. Zij was de vrouw die stenen naar de patrouillewagen wierp. Zij was de buur met het mes. Zij was het geschifte kind dat zich vastklampte aan degene die haar misbruikte. Zij was het meisje met de scheurtjes diep in haar keel, dat zowat stikte in wat hij haar liet doorslikken.

Er werd op de deur geklopt. 'Lee?'

Ze pakte het lemmet bij de rand vast, klapte het mes dicht en schoot te snel overeind. Toen Hank de deur opendeed, klemde ze haar buik vast, want het voelde alsof er vanbinnen iets uiteengereten werd.

Hij kwam naar haar toe en bleef staan, zijn vingers uitgestrekt naar haar schouder, maar zonder haar echt aan te raken. 'Gaat het?'

'Ik kwam te snel overeind.'

Hij liet zijn hand zakken en stopte hem in zijn zak. 'Wil je iets eten?'

Ze knikte, haar lippen iets geopend zodat ze snel een paar keer kon inademen.

'Zal ik je overeind helpen?'

'Het is nou een week geleden,' zei ze, alsof dat een antwoord op zijn vraag was. Ze hadden gezegd dat ze twee dagen na de ingreep weer aan het werk kon, maar Lena snapte niet hoe vrouwen dat voor elkaar kregen. Ze maakte al twaalf jaar deel uit van het Grant County-team en had tot nu toe nooit een vakantiedag opgenomen. Als het iets was waarom je kon lachen zou het grappig zijn.

'Ik heb op weg naar huis wat voor de lunch opgepikt,' zei hij. Te oordelen naar zijn keurig gestreken hawaïhemd en witte spijkerbroek had hij de hele ochtend in de kerk gezeten. Lena wierp een blik op de klok; het was al twaalf uur geweest. Ze had vijftien uur geslapen.

Daar stond Hank, zijn handen nog steeds in zijn zakken, alsof hij een reactie van haar verwachtte.

'Ik kom zo,' zei ze.

'Heb je nog iets nodig?'

'Zoals wat bijvoorbeeld, Hank?'

Hij perste zijn dunne lippen op elkaar en krabde over zijn armen alsof hij jeuk had. De sporen die de naalden op zijn huid hadden achtergelaten, waren na al die jaren nog duidelijk zichtbaar. Lena kon er amper naar kijken, want tot haar ergernis scheen het hem niet te deren dat ze haar telkens weer herinnerden aan alles wat er fout zat tussen hen.

'Ik maak wel een bord voor je klaar,' zei hij.

'Bedankt,' kreeg ze er met moeite uit. Ze liet haar benen over de rand van het bed hangen, zette haar voeten stevig op de vloer en probeerde zich te bepalen tot deze plek, hier in deze kamer. De hele afgelopen week had ze in gedachten een reis gemaakt, had ze oorden bezocht waar het prettiger was, veiliger. Sibyl was er nog. Ethan Green was nog niet in haar leven verschenen. Alles was gemakkelijker.

Een lekker lang, warm bad zou heerlijk zijn geweest, maar Lena moest nog minstens een week wachten voor ze weer in een badkuip mocht zitten. Het zou nog twee keer zo lang duren voor ze weer seks mocht hebben, en telkens als ze een smoes wilde verzinnen, een of ander verhaal om het voor Ethan aannemelijk te maken dat ze niet beschikbaar was, bedacht ze dat het eenvoudiger zou zijn om hem maar zijn gang te laten gaan. Eventuele schade zou ze dan aan zichzelf te wijten hebben. Ooit zou ze verantwoording moeten afleggen voor wat ze gedaan had. Ooit kwam er een dag dat ze gestraft zou worden voor de leugen die haar leven was geworden.

Snel nam ze een douche om wakker te worden, maar ze zorgde ervoor dat haar haar niet nat werd, want ze werd al moe bij de gedachte aan de föhn die ze dan minutenlang zou moeten vasthouden. Ze werd vreselijk lui van dit alles, van al dat rondhangen en uit het raam staren, alsof de modderige achtertuin met zijn eenzame autobandenschommel en de Cadillac uit 1959 – die al op blokken had gestaan toen Lena en Sibyl nog geboren moesten worden – het begin en het einde van haar wereld vormden. Dat zou trouwens heel goed kunnen. Hank had zich meer dan eens laten ontvallen dat ze zo weer bij hem in kon trekken, en het aanbod klonk zo aantrekkelijk dat ze heen en weer werd geslingerd als in een onderstroom van de zee. Als ze niet snel vertrok, zou ze op drift raken zonder hoop op een haven. Nooit zou ze meer vaste grond onder haar voeten voelen.

Eerst had Hank er niets van willen weten toen ze hem vroeg haar naar de kliniek in Atlanta te brengen, maar het strekte hem tot eer dat hij haar beslissing uiteindelijk had gerespecteerd. Door de jaren heen had Hank wel meer dingen voor Lena gedaan waar hij zelf misschien niet in geloofde – om religieuze redenen of vanwege zijn eigen stomme koppigheid – en ze besefte nu pas goed wat een godsgeschenk dat was. Niet dat ze dat tegenover hem ooit zou toegeven. Hank Norton was dan wel een van de weinige constante factoren in haar leven geweest, maar tegelijkertijd was Lena zich er terdege van bewust dat zij voor hem het enige houvast vormde dat hij nog overhad. Als ze minder egocentrisch was geweest, zou ze medelijden hebben gehad met de oude man.

De badkamer kwam uit op de keuken, en ze sloeg haar ochtendjas om zich heen voor ze de deur opendeed. Hank stond bij de gootsteen en trok het vel van een stuk gebraden kip. Dozen van Kentucky Fried Chicken lagen verspreid over het aanrecht, en ook stond er een wegwerpbord gevuld met aardappelpuree, koolsla en een paar koekjes.

'Ik wist niet welk stuk jij wilde,' zei hij.

Lena zag de bruine jus half gestold op de aardappelpuree liggen, en haar maag kromp ineen toen ze de mayonaise in de koolsla rook. Alleen al bij de gedachte aan eten kreeg ze braakneigingen. Als ze het zag of rook ging ze helemaal over haar nek.

'Ga zitten,' zei Hank. Hij legde de kippenpoot op het aanrecht en stak zijn handen uit, alsof ze elk moment kon vallen. Voor deze ene keer deed ze wat haar werd gezegd en ze trok een wiebelige stoel onder de keukentafel vandaan. Op de tafel lagen stapels folders – Hank sloeg geen bijeenkomst voor drugs- en alcoholverslaafden over –, maar hij had een plekje voor haar vrijgemaakt waar ze kon eten. Ze zette haar ellebogen op tafel en steunde met haar hoofd op haar hand, niet zozeer duizelig als wel ontheemd.

Hij wreef over haar rug en zijn eeltige vingers bleven haken aan de stof van haar ochtendjas. Ze klemde haar kiezen op elkaar; ze verdroeg zijn aanraking nauwelijks, maar vreesde de gekwetste blik in zijn ogen als ze zich van hem zou losrukken.

Hij schraapte zijn keel. 'Zal ik de dokter voor je bellen?'

'Ik voel me prima.'

Ten overvloede zei hij: 'Je hebt nooit een sterke maag gehad.'

'Ik voel me prima,' herhaalde ze. Het leek wel of hij haar aan hun gezamenlijke geschiedenis probeerde te herinneren, aan het feit dat hij haar door zowat alle rampspoed in haar leven heen had gesleept.

Hij pakte zelf ook een stoel en ging tegenover haar zitten. Lena voelde zijn blik, maar pas na enige tijd richtte ze haar hoofd op. Als kind had ze Hank al oud gevonden, maar nu ze zelf vierendertig was, de leeftijd waarop Hank de tweelingdochtertjes van zijn overleden zus in huis had genomen, leek hij oeroud. Het leven dat hij had geleid, had scherpe groeven in zijn gezicht gekerfd, zoals ook de naalden die hij in zijn aderen had geduwd hun sporen hadden achtergelaten. IJzig blauwe ogen keken haar aan en ze zag de woede die achter zijn bezorgdheid schuilging. Woede was altijd Hanks vaste metgezel geweest en als ze naar hem keek, zag Lena soms haar eigen toekomst in zijn verweerde trekken.

Tijdens de rit naar de kliniek in Atlanta hadden ze vooral gezwegen. Ze hadden elkaar nooit veel te melden, maar

41

nu had de stilte als een loden last op Lena's borst gedrukt. Ze had tegen hem gezegd dat ze in haar eentje naar binnen wilde, maar toen ze eenmaal in de kliniek was – waar de tl-lampen leken te pulseren, alsof ze wisten wat ze ging doen – had Lena zijn aanwezigheid toch gemist.

Er had nog een vrouw in de wachtkamer gezeten, vaalblond en mager, op het zielige af. Haar handen bewogen onrustig en ze vermeed Lena's blik bijna even nadrukkelijk als Lena de hare. Ze was een paar jaar jonger dan Lena, maar met dat haar in een strakke knot boven op haar hoofd leek ze net een oud dametje. Lena vroeg zich af wat deze jonge vrouw hiernaartoe had gevoerd. Studeerde ze nog en was haar zorgvuldig geplande leventje uit de koers geraakt? Was ze een zorgeloze flirt, die na een feestje iets te ver was gegaan? Of het slachtoffer van de dronken attenties van een of andere oom?

Lena vroeg het haar niet – ze had er het lef niet voor en bovendien wilde ze niet het risico lopen dat ze een vergelijkbare vraag moest beantwoorden. Zo zaten ze bijna een uur lang tegenover elkaar, twee gevangenen die wachtten op hun doodvonnis, beiden verteerd door schuldgevoel om wat ze misdaan hadden. Lena was bijna blij geweest toen ze werd meegenomen naar de behandelkamer, en toen ze uiteindelijk in een rolstoel naar het parkeerterrein werd gebracht en Hank daar zag, was haar opluchting compleet. Kennelijk had hij de hele tijd rond zijn auto lopen ijsberen en de ene sigaret na de andere gerookt. Het wegdek lag bezaaid met bruine peuken, die hij tot op het filter had opgepaft.

Na afloop had hij haar meegenomen naar een hotel aan Tenth Street, want ze zouden nog een tijdje in Atlanta blijven voor het geval ze complicaties kreeg en hulp nodig had. Reese, waar Hank Lena en Sibyl had grootgebracht en waar hij nog steeds woonde, was een klein plaatsje, en ongeveer het enige wat de mensen daar te doen hadden, was over hun buren roddelen. Bovendien hadden ze er geen van beiden ook maar enig vertrouwen in dat de plaatselijke huisarts wist wat hij moest doen als Lena hulp nodig had. De man weigerde recepten voor anticonceptiemiddelen uit te schrijven, en in het plaatselijke krantje had hij menigmaal verkondigd dat de problemen met de bandeloze jeugd te wijten waren aan de moeders, die uit werken gingen in plaats van thuis te blijven en hun kinderen op te voeden, zoals God het bedoeld had.

Lena had nog nooit in zo'n mooie hotelkamer gelogeerd: het was een soort minisuite met een zithoek. Hank had de hele tijd op de bank tv zitten kijken met het geluid op zacht, en als er gegeten moest worden, had hij de roomservice gebeld. Hij ging zelfs niet naar buiten om te roken. 's Avonds plooide hij zijn slungelige lijf op de bank; zijn zachte gesnurk hield Lena uit de slaap, maar tegelijkertijd had het iets troostends.

Ze had tegen Ethan gezegd dat ze naar het laboratorium van het Georgia Bureau of Investigation ging, waar ze van Jeffrey een cursus moest volgen over de procedure op de plaats delict. Tegen Nan, haar huisgenote, had ze gezegd dat ze bij Hank ging logeren om wat spullen van Sibyl uit te zoeken. Achteraf besefte ze dat ze beter aan beiden hetzelfde smoesje had kunnen vertellen, maar om de een of andere reden had Lena niet goed geweten hoe ze tegen Nan moest liegen. Nan en haar zus waren geliefden geweest, hadden samen een leven opgebouwd. Na Sibyls dood had Nan zich over haar proberen te ontfermen, en ook al was Lena een armzalig surrogaat voor Sibyl, ze had in elk geval haar best gedaan. Lena snapte nog steeds niet waarom ze zich er niet toe kon zetten haar de ware reden voor het uitstapje te vertellen.

Nan was lesbisch en bovendien feministe, te oordelen naar het soort post dat ze ontving. Het zou gemakkelijker zijn geweest om haar, en niet Hank, mee te nemen naar de kliniek; ze zou haar solidariteit hebben betuigd in plaats van zwijgend haar afkeuring te verbijten. Nan zou waarschijnlijk haar vuist hebben geheven naar de demonstranten buiten, die 'babydoder' en 'moordenaar' riepen toen de verpleegster Lena in een knerpende oude rolstoel naar de auto reed. Nan zou Lena waarschijnlijk getroost hebben, ze zou haar thee hebben gebracht en eten voor haar hebben bereid; ze zou niet hebben toegestaan dat ze zich aan haar honger vastklampte alsof het een straf was, of zich overgaf aan de duizeligheid en de verzengende pijn in haar buik. Ze had het zeker niet goedgevonden dat Lena de hele dag maar een beetje uit het raam lag te staren.

Een heel goede reden dus om dit alles voor haar te verzwijgen. Nan wist toch al veel te veel negatiefs over Lena. Ze hoefde niet nog een mislukking aan het lijstje toe te voegen.

'Je moet met iemand gaan praten,' zei Hank.

Lena legde haar wang tegen de palm van haar hand en staarde over zijn schouder. Ze was zo moe dat haar oogleden trilden als ze knipperde. Vijf minuten. Hij kreeg vijf minuten, dan ging ze weer naar bed.

'Wat jij gedaan hebt...' Zijn stem stierf weg. 'Ik snap wel waarom je het gedaan hebt. Echt waar.'

'Bedankt,' zei ze, iets te gladjes.

'Ik wou dat ik het in me had,' begon hij weer, en hij balde zijn vuisten. 'Dan zou ik die knaap aan stukken scheuren en hem ergens begraven waar niemand hem ooit zou vinden.'

Ze hadden het hier vaker over gehad. Meestal voerde Hank het woord en staarde Lena voor zich uit, in afwachting van het moment waarop het tot hem doordrong dat ze niet deelnam aan het gesprek. Hij was gewoon naar te veel bijeenkomsten geweest, hij had te veel dronkelappen en drugsverslaafden hun hart horen uitstorten tegenover een verzameling vreemden, alleen om een plastic kaartje bij zich te mogen dragen.

'Ik had het wel groot willen brengen,' zei hij voor de zoveelste keer. 'Net zoals ik je zus en jou heb grootgebracht.'

'Ja hoor.' Ze sloeg de ochtendjas nog strakker om zich heen. 'Dat heb je ook fantastisch gedaan.'

'Je hebt me nooit een kans gegeven.'

'Waarvoor?' vroeg ze. Sibyl was altijd zijn lievelingetje geweest. Als kind was ze veel volgzamer geweest, had ze het hem graag naar de zin gemaakt. Op Lena had hij nooit vat kunnen krijgen, die probeerde altijd de grenzen op te rekken.

Ze besefte dat ze weer over haar buik zat te wrijven en hield er onmiddellijk mee op. Ethan had haar met zijn volle vuist in haar maag gestompt toen ze tegen hem zei dat ze echt niet zwanger was, dat het vals alarm was. Hij had gedreigd haar te vermoorden als ze ooit een kind van hen zou doden, maar hij dreigde wel vaker met van alles en nog wat zonder dat ze zich er iets van aantrok.

'Je bent zo'n sterke meid,' zei Hank. 'Ik snap niet waarom je je door die vent laat ringeloren.'

Ze zou het hebben uitgelegd als ze had geweten hoe. Mannen snapten het niet. Ze begrepen niet dat het niet uitmaakte hoe sterk je was, geestelijk of lichamelijk. Het enige wat ertoe deed was dat verlangen dat je diep in je binnenste voelde, die pijn die alleen een man kon wegnemen. Lena had vroeger altijd gewalgd van vrouwen die zich door mannen lieten toetakelen. Wat mankeerde hun? Wat maakte hen zo slap dat ze niets meer om zichzelf gaven? Zielig waren ze, en ze kregen hun verdiende loon. Soms had ze die vrouwen zelf wel om de oren willen slaan, tegen hen willen zeggen dat ze voor zichzelf moesten opkomen, dat ze zich niet langer als voetveeg moesten laten gebruiken.

Als je ermiddenin zat, was het heel anders. Ook al was het nog zo gemakkelijk om Ethan te haten als hij niet in de buurt was, zodra hij bij haar was en lief tegen haar deed, wilde ze hem voor geen goud kwijt. Hoe rampzalig haar leven ook was, hij kon het mooier of nog ellendiger maken, afhankelijk van zijn stemming. Het was bijna een opluchting om hem die macht, die verantwoordelijkheid in handen te geven: weer iets waar ze zich niet meer druk om hoefde te maken. Trouwens, soms mepte ze terug. Soms was ze hem voor.

Ook al hoorde je elke vrouw die ooit was geslagen altijd beweren dat ze erom gevraagd had, dat ze haar vriend of man ertoe gedreven had door hem kwaad te maken of het eten te laten aanbranden of wat dan ook waarmee ze goed wilde praten dat ze zich had laten afranselen, toch wist Lena zeker dat zij het slechte in Ethan bovenbracht. Hij had wel degelijk willen veranderen. Toen ze elkaar pas kenden, deed hij heel erg zijn best om een ander mens te worden, een beter mens. Als Hank hiervan op de hoogte was geweest, zou hij geschokt zijn, er misschien van gewalgd hebben. Niet Ethan had die blauwe plekken veroorzaakt, maar Lena zelf. Zij was degene die hem telkens weer naar zich toe trok. Zij was degene die hem lokte en tartte tot hij barstte van woede, en als hij zich op haar stortte, als hij haar sloeg of haar neukte, dan voelde ze zich pas echt leven. Dan voelde ze zich als herboren. Onmogelijk dat zij ooit een kind op deze wereld had kunnen zetten. Ze wenste niemand zo'n verkloot leven toe.

Hank plantte zijn ellebogen op zijn knieën. 'Ik probeer het alleen maar te begrijpen.'

Met zijn voorgeschiedenis zou Hank het toch als eerste moeten begrijpen. Ethan was slecht voor haar. Hij veranderde haar in het soort vrouw dat ze verachtte, en toch vroeg ze telkens om meer. Hij was een verslaving van het allerergste soort, want alleen Lena begreep de aantrekkingskracht die hij op haar uitoefende.

Er klonk een riedeltje uit de slaapkamer en het duurde een paar tellen voor Lena doorhad dat het van haar mobiel afkomstig was.

'Ik neem hem wel,' zei Hank toen hij zag dat ze op wilde staan, en voor ze hem kon tegenhouden verdween hij naar de slaapkamer. 'Ogenblikje,' hoorde ze hem zeggen.

Met strakke kaken kwam hij de keuken weer binnen. 'Je baas,' zei hij en hij overhandigde haar het telefoontje.

Jeffreys stem was al even grimmig als Hanks humeur. 'Lena,' begon hij, 'ik weet dat je nog één dag vakantie hebt, maar ik heb je nodig.'

Ze wierp een blik op de klok aan de muur en berekende hoe lang het zou duren om haar spullen te pakken en terug te keren naar Grant County. Voor het eerst die week voelde ze haar hart weer kloppen, de adrenaline weer door haar aderen stromen, en het was alsof ze uit een diepe slaap ontwaakte.

'Ik kan er over drie uur zijn,' zei ze, Hanks blik ontwijkend.

'Prima,' zei Jeffrey. 'Dan zien we elkaar in het mortuarium.'

Drie

Met een van pijn vertrokken gezicht wikkelde Sara een pleister om haar gebroken vingernagel. Haar handen waren gekneusd van het graven, haar vingertoppen zaten vol krasjes die als speldenprikken aanvoelden. Ze zou deze week tijdens haar werk in de kliniek extra voorzichtig moeten zijn en moeten zorgen dat de wondjes bedekt bleven. Terwijl ze haar duim verbond, zag ze in een flits de nagel weer voor zich die ze in het stuk hout had aangetroffen, en ze voelde zich schuldig omdat ze zich druk maakte om haar eigen onnozele problemen. Sara kon zich geen voorstelling maken van de laatste minuten van het meisje, maar voor het einde van de dag zou ze dat nu net wel moeten, wist ze.

Door haar werk in het mortuarium had Sara van nabij gezien op wat voor gruwelijke manieren mensen soms om het leven werden gebracht: neergestoken, doodgeschoten, in elkaar geslagen, gewurgd. Ze probeerde elk geval altijd met een klinisch oog te bekijken, maar soms werd een slachtoffer een levend, ademend wezen dat Sara om hulp smeekte. Het meisje dat daar dood in die kist in het bos had gelegen, had een beroep op Sara gedaan. De angst die in elke rimpel op haar gezicht stond gegrift, de hand die een laatste greep naar het leven had gedaan, het was één grote smeekbede om hulp. De laatste minuten van haar leven moesten gruwelijk zijn geweest. Levend begraven worden was het ergste wat Sara kon bedenken.

De telefoon ging en Sara rende naar de andere kant van haar kantoortje om het antwoordapparaat voor te zijn. Ze was een seconde te laat: toen ze opnam hoorde ze krakend geruis uit de hoorn komen.

47

'Sara?' Het was Jeffrey.

'Ja,' antwoordde ze en ze schakelde het apparaat uit. 'Sorry.'

'We hebben niks gevonden,' zei hij, en ze hoorde de frustratie in zijn stem.

'Er wordt niemand vermist?'

'Een meisje, een paar weken geleden,' was zijn antwoord. 'Maar dat is gisteren bij haar grootmoeder opgedoken. Wacht even.' Ze hoorde hem iets mompelen en toen kwam hij weer aan de lijn. 'Ik bel je zo terug.'

Voor Sara kon reageren klonk er een klik. Ze leunde achterover op haar stoel en keek naar haar bureau, naar de nette stapels papieren en memo's. Al haar pennen waren in een beker gezet en de telefoon stond keurig opgesteld langs de rand van het metalen blad. Carlos, haar assistent, werkte fulltime in het mortuarium, maar er waren dagen dat hij niks anders te doen had dan duimendraaien en wachten tot er iemand doodging. Blijkbaar had hij zich nuttig gemaakt en haar kantoortje opgeruimd. Sara trok haar nagel door een barst in het formica en besefte opeens dat ze in al die jaren dat ze hier werkte nooit had gezien dat het nephout was.

Ze dacht aan het hout van de kist waarin het meisje had gelegen. De planken leken nieuw en het ijzergaas dat de buis afsloot, was er duidelijk omheen gewikkeld om te voorkomen dat rommel de luchttoevoer zou afsluiten. Iemand had het meisje daar verstopt, had haar daar gevangengehouden voor zijn eigen zieke doeleinden. Dacht haar ontvoerder op dit moment aan haar, zoals ze daar in die kist lag en geen kant op kon, en gaf het hem een kick dat hij haar in zijn macht had? Was hij misschien al aan zijn gerief gekomen door haar daar simpelweg dood te laten hongeren?

Sara schrok op van de telefoon. Ze nam op en vroeg: 'Jeffrey?'

'Ogenblikje.' Met zijn hand op de hoorn wisselde hij een paar woorden met iemand anders en Sara wachtte tot hij weer aan de lijn kwam. 'Hoe oud denk je dat ze is?'

Sara sloeg er liever geen slag naar, maar niettemin zei ze: 'Ergens tussen de zestien en de negentien. Moeilijk te zeggen in dit stadium.'

Hij gaf de informatie door aan iemand ter plekke en vroeg toen: 'Denk je dat ze gedwongen is om die kleren aan te trekken?'

'Ik weet het niet,' antwoordde ze. Ze vroeg zich af waar hij op aanstuurde.

'Haar sokken zijn aan de onderkant nog schoon.'

'Misschien heeft hij haar schoenen uitgetrokken nadat hij haar in de kist had gelegd,' opperde Sara, maar toen ze besefte wat hem dwarszat, voegde ze eraan toe: 'Pas als ze op de sectietafel ligt kan ik je vertellen of er sprake is van een seksueel misdrijf.'

'Misschien stelde hij dat nog even uit,' meende Jeffrey, en beiden zwegen terwijl ze de mogelijkheid lieten bezinken. 'De regen komt hier met bakken naar beneden,' zei hij. 'We proberen de kist uit te graven, misschien vinden we nog iets.'

'Het hout zag er nieuw uit.'

'Aan de zijkant zit schimmel,' vertelde hij. 'Misschien is het nog niet zo verweerd omdat het in de grond heeft gezeten.'

'Is het geïmpregneerd?'

'Ja,' zei hij. 'En de voegen zijn allemaal in verstek gezaagd. Degene die dit in elkaar heeft gezet, wist waar hij mee bezig was. Het was een vakman.' Tijdens de stilte die viel hoorde ze hem evenmin met iemand anders praten. Ten slotte zei hij: 'Het is nog een meisje, Sara.'

'Ik weet het.'

'Iemand moet haar missen,' zei hij. 'Ze is niet zomaar weggelopen.'

Sara zei niets. Ze had tijdens autopsies te veel geheimen blootgelegd om een overhaast oordeel over het meisje te vellen. Je kon alleen maar gissen naar de omstandigheden die haar naar die duistere plek in het bos hadden gevoerd.

'We hebben haar op de telex gezet,' zei Jeffrey. 'In de hele staat.'

'Denk je dat ze van elders kwam?' vroeg Sara verbaasd. Om de een of andere reden was ze ervan uitgegaan dat het een meisje uit de streek was.

'Het bos is openbaar gebied,' zei hij. 'Er komen hier voortdurend alle mogelijke mensen.'

49

'Maar die plek...' Sara maakte haar zin niet af. Ze vroeg zich af of ze wellicht de vorige week op een avond een blik uit het raam had geworpen op hetzelfde moment dat in het donker aan de overkant van het meer het meisje door haar ontvoerder levend werd begraven.

'Hij zal toch af en toe bij haar langs zijn gegaan,' zei Jeffrey, en daarmee verwoordde hij Sara's eerdere gedachten over degene die het meisje had ontvoerd. 'We zijn met een buurtonderzoek bezig en vragen de mensen of ze hier de laatste tijd iemand hebben gezien die er niet leek te horen.'

'Ik kom daar altijd langs als ik aan het joggen ben,' zei Sara. 'Ik heb er nog nooit iemand gezien. Als jij niet gestruikeld was, hadden we niet eens geweten dat ze daar lag.'

'Brad onderzoekt die buis op vingerafdrukken.'

'Misschien kun jij dat beter doen,' zei ze. 'Of anders ik.'

'Brad weet heel goed wat hij doet.'

'Nee,' zei ze. 'Jij hebt je hand opengehaald. Jouw bloed zit aan die buis.'

Jeffrey zweeg even. 'Hij draagt handschoenen.'

'Ook een beschermende bril?' vroeg ze. Ze voelde zich net een schoolopzichter, maar ze wist dat ze de kwestie ter sprake moest brengen. Jeffrey reageerde niet en daarom legde ze het nog maar eens uit. 'Ik wil hier niet vervelend over doen, maar zolang we geen zekerheid hebben, moeten we voorzichtig zijn. Je zou het jezelf nooit vergeven als...' Ze zweeg en liet hem de rest zelf invullen. Toen hij nog steeds niet reageerde, vroeg ze: 'Jeffrey?'

'Ik stuur het zaakje met Carlos mee terug,' klonk het, maar ze merkte dat hij geïrriteerd was.

'Sorry,' zei Sara, hoewel het haar niet helemaal duidelijk was waarvoor ze zich verontschuldigde.

Aan de andere kant van de lijn bleef het weer stil. Ze hoorde het geknetter van zijn mobiel toen hij van houding veranderde, waarschijnlijk omdat hij weg wilde van de plek waar het gebeurd was.

'Hoe is ze volgens jou gestorven?' vroeg hij.

Sara zuchtte voor ze antwoord gaf. Met speculeren had ze niet veel op. 'Te oordelen naar hoe we haar gevonden hebben, zou ik zeggen aan zuurstofgebrek.'

'Maar die buis dan?'

'Misschien was die te nauw. Misschien is ze in paniek geraakt.' Ze zweeg even. 'Daarom doe ik ook liever geen uitspraken als ik nog niet alle feiten heb. Er zou een achterliggende reden kunnen zijn, iets met haar hart bijvoorbeeld. Of misschien had ze diabetes. Ze kan wel van alles hebben gehad. Ik weet het pas als ik haar hier op tafel heb, en ook dan weet ik het misschien pas zeker als alle testuitslagen binnen zijn, hoewel het altijd afwachten blijft.'

Jeffrey leek over de verschillende opties na te denken. 'Je denkt dus dat ze in paniek is geraakt?'

'Zelf zou ik zeker in paniek zijn geraakt.'

'Ze had een zaklantaarn bij zich,' benadrukte hij. 'De batterijen deden het nog.'

'Schrale troost.'

'Zodra ze schoongemaakt is, wil ik een goede foto van haar nemen, eentje die ik kan rondsturen. Er moet toch iemand naar haar op zoek zijn.'

'Ze had een voorraadje eten en drinken bij zich. Ik kan me niet voorstellen dat degene die haar begraven heeft van plan was haar daar voor onbepaalde tijd te laten liggen.'

'Ik heb Nick gebeld,' zei hij, doelend op de lokale agent van het Georgia Bureau of Investigation. 'Hij gaat nu naar het bureau om te zien of de computer iets in die richting oplevert. Misschien is ze ontvoerd, wilden ze een losprijs.'

Ergens vond Sara dat prettiger dan de gedachte dat iemand het meisje met een sadistischer motief uit haar omgeving had weggerukt.

'Lena kan binnen een uur in het mortuarium zijn,' zei hij.

'Zal ik je bellen als ze hier is?'

'Nee,' zei hij. 'Het is nu bijna donker. Ik kom eraan zodra we de plaats delict hebben afgezet.' Hij aarzelde, alsof hij nog iets wilde zeggen.

'Wat is er?' vroeg Sara.

'Het is eigenlijk nog een meisje.'

'Ik weet het.'

Hij schraapte zijn keel. 'Iemand is nu naar haar op zoek, Sara. We moeten erachter komen wie ze is.'

'Dat gaat ook lukken.'

Het was even stil en toen zei hij: 'Ik kom zo snel mogelijk.'

Zachtjes legde ze de telefoon neer, maar Jeffreys woorden klonken nog na in haar hoofd. Iets meer dan een jaar geleden had hij tijdens een politieoptreden een meisje moeten neerschieten. Sara was erbij geweest, het hele drama had zich als in een nachtmerrie voor haar ogen voltrokken, en ze wist dat Jeffrey geen andere keus had gehad, zoals ze ook wist dat hij zichzelf zijn aandeel aan de dood van het meisje nooit zou vergeven.

Sara liep naar de dossierkast die tegen de muur stond en zocht de papieren bij elkaar die ze voor de autopsie nodig had. Hoewel de doodsoorzaak waarschijnlijk verstikking was, hoorde het bij de procedure om veneus bloed en urine af te nemen, van een etiket te voorzien en op te sturen naar het staatslaboratorium, waar de monsters eindeloos in een la zouden blijven liggen tot het overbelaste personeel van het Georgia Bureau of Investigation er tijd voor vond. Weefsel moest worden geprepareerd en minstens drie jaar in het mortuarium worden bewaard. Sporenmonsters moesten worden verzameld, gedateerd en in verzegelde papieren zakken opgeborgen. Afhankelijk van wat Sara aantrof, zou er op verkrachting worden getest: vingernagels zouden worden schoongeschraapt en afgeknipt, van vagina, anus en mond zouden monsters worden genomen, DNA zou worden verzameld en verwerkt. Organen moesten gewogen worden, armen en benen opgemeten. Haarkleur, kleur van de ogen, moedervlekken, leeftijd, ras, sekse, aantal tanden, littekens, kneuzingen, anatomische afwijkingen – al die dingen moesten op het juiste formulier worden ingevuld. In de loop van de volgende paar uur zou Sara Jeffrey alles kunnen vertellen wat er over het meisje te melden viel, behalve dat ene, dat voor hem zo belangrijk was: haar naam.

Ze sloeg haar logboek open en gaf de zaak een nummer. Voor de rechter van instructie zou het meisje voortaan nummer 8472 zijn. Tot op heden had Grant County nog maar twee keer met een ongeïdentificeerd lijk te maken gehad, en de politie zou haar voortaan Jane Doe nummer drie noemen. Aangeslagen schreef Sara die naam in het logboek. Tot er

52

een familielid werd gevonden, zou het slachtoffer simpelweg een reeks getallen zijn.

Sara pakte een tweede stapel formulieren en bladerde die door tot ze de standaardoverlijdensakte had gevonden. De wet gaf Sara achtenveertig uur om een overlijdensakte voor het meisje op te stellen. Het proces waarin het slachtoffer van een persoon in een serie getallen veranderde, versnelde bij elke volgende stap. Na de autopsie zou Sara de code opzoeken die bij de specifieke doodsoorzaak hoorde en die invullen in het juiste vakje op het formulier. Het formulier zou naar het Nationaal Centrum voor Gezondheidsregistratie worden verzonden, en die instantie zou het overlijden weer doorgeven aan de Wereldgezondheidsorganisatie. Eenmaal daar beland zou het meisje in een categorie worden ingedeeld en geanalyseerd en van nog meer codes en nummers voorzien, en dat alles zou worden opgenomen in een databank met gegevens uit het hele land, en vervolgens uit de hele wereld. Het feit dat ze familie had, vrienden, misschien een geliefde, maakte geen deel uit van de getallenreeks.

Weer zag Sara het meisje in haar houten kist liggen met die panische uitdrukking op haar gezicht. Ze was iemands dochter. Toen ze geboren werd, had iemand het kind aangekeken en een naam gegeven. Iemand had van haar gehouden.

Het stokoude raderwerk van de lift kwam zoemend tot leven en terwijl Sara de paperassen aan de kant schoof stond ze op van haar stoel. Ze ging bij de deuren van de lift staan en luisterde naar het gekreun van het mechanisme dat de kooi door de schacht naar beneden liet zakken. Carlos was ongelooflijk serieus, en een van de weinige grapjes die Sara hem ooit had horen maken, kwam erop neer dat hij in het antieke apparaat naar beneden stortte en zo de dood vond.

Boven de deuren zat een soort wijzer die de nummers van de verdiepingen aangaf. Het was een ouderwets ding: een klok met drie cijfers. De naald zweefde tussen de een en de nul en er zat nauwelijks beweging in. Sara leunde tegen de muur en in gedachten telde ze de seconden af. Ze was bij achtendertig en stond op het punt de onderhoudsdienst te bellen toen door de betegelde ruimte een luide galm weerklonk en de deuren langzaam openschoven.

53

Carlos stond achter de brancard, zijn ogen wijd opengesperd. 'Ik dacht dat hij was blijven steken,' mompelde hij met zijn zware accent.

'Ik help je wel even,' bood ze aan, en ze pakte het uiteinde van de brancard vast zodat hij die niet in zijn eentje naar buiten hoefde te manoeuvreren. De arm waarmee het meisje zich een uitweg uit de kist had proberen te klauwen stak nog steeds in een rechte hoek omhoog, en Sara moest de brancard bij het draaien een stukje optillen omdat de arm anders achter de deur zou blijven haken.

'Heb je boven al röntgenfoto's genomen?' vroeg ze.

'Ja.'

'Hoe zwaar is ze?'

'Eenenvijftig kilo,' zei hij. 'Een meter zevenenvijftig lang.'

Sara schreef het op het bord aan de muur. Ze drukte de dop op de markeerstift en zei toen: 'Kom, dan leggen we haar op tafel.'

Op de plaats delict had Carlos het meisje in een zwarte lijkenzak gedaan en nu grepen ze samen de hoeken van de zak en tilden haar op tafel. Sara hielp hem met de rits en vervolgens maakten ze het meisje in alle rust gereed voor de autopsie. Nadat hij schone handschoenen had aangetrokken, knipte Carlos de bruine papieren zakken open die over haar handen waren geschoven om eventuele sporen te bewaren. Haar lange haar klitte op sommige plekken, maar niettemin viel het als een waterval over de zijkant van de tafel. Sara trok zelf ook handschoenen aan en streek het haar langs het lichaam. Het gezicht van het meisje was een van afschuw vertrokken masker, en Sara merkte dat ze angstvallig vermeed ernaar te kijken. Ze wierp een blik op Carlos en zag dat hij hetzelfde deed.

Terwijl Carlos het meisje uitkleedde, liep Sara naar de metalen kast bij de spoelbakken en haalde er een operatieschort en een beschermende bril uit, die ze op een blad naast de tafel legde. Weer kwam dat bijna ondraaglijke verdriet opzetten toen Carlos het melkwitte vlees van het meisje blootstelde aan de felle mortuariumlampen. Haar kleine borsten waren in een sportbehaatje gehuld en ze droeg een katoenen slip met pijpjes, zo'n ding dat Sara altijd met oudere dametjes associeerde; oma Earnshaw had Sara en Tessa elk jaar met kerst een pak van tien gegeven, van het soort dat Tessa omaslipjes noemde.

'Geen label,' zei Carlos. Sara liep naar hem toe en bekeek het met eigen ogen. Hij had de jurk op een stuk bruin papier uitgespreid om geen enkele aanwijzing over het hoofd te zien. Om besmetting van bewijsmateriaal te voorkomen verwisselde Sara haar handschoenen voor ze de stof aanraakte. De jurk was naar een simpel patroon gemaakt en had lange mouwen en een gesteven kraagje. Ze vermoedde dat de stof uit een degelijk katoenmengsel bestond. Sara bestudeerde de naden en zei: 'Zo te zien komt hij niet uit een fabriek.' Dat zou op zichzelf al een aanwijzing kunnen zijn. Hoewel ze op de middelbare school ooit een tot mislukken gedoemde cursus huishoudkunde had gevolgd, kon Sara hooguit een knoop aannaaien. Degene die deze jurk had gemaakt, had er onmiskenbaar verstand van.

'Die zien er behoorlijk schoon uit,' zei Carlos toen hij de slip en de beha op het papier legde. De kledingstukken waren vaak gedragen, maar wel smetteloos schoon. Door het vele wassen waren de labeltjes echter vervaagd.

'Kun je ze even onder de uv-lamp houden?' vroeg ze, maar hij was al op weg naar de kast om de lamp te pakken.

Sara keerde terug naar de sectietafel en tot haar opluchting vond ze op de schaamstreek en de dijen van het meisje geen tekenen van kneuzing of trauma. Ze wachtte tot Carlos de stekker van de uv-lamp in het stopcontact had gestoken en het licht op de kleren liet schijnen. Er gloeide niks op en dat betekende dat er geen sperma- of bloedsporen op zaten. Het verlengsnoer achter zich aan slepend liep hij naar het lichaam en gaf de lamp aan Sara.

'Doe jij het maar,' zei ze, en langzaam liet hij het licht over het lichaam van het meisje gaan. Hij had een vaste hand en zijn blik was geconcentreerd. Sara droeg Carlos wel vaker dit soort karweitjes op, want ze wist dat hij zich soms stierlijk verveelde als hij de hele dag in het mortuarium rondhing. Toen ze ooit de mogelijkheid van een vervolgstudie had geopperd, had hij echter verbijsterd zijn hoofd geschud, alsof ze hem met een raket naar de maan wilde sturen.

'Schoon,' zei hij, en hij schonk haar een van zijn zeldzame glimlachjes, zijn tanden paars in het licht van de lamp. Hij knipte de lamp uit en rolde het snoer op, waarna hij hem weer in de kast opborg.

Sara reed de bladen met instrumenten naar de tafel. Carlos had alle benodigdheden voor de autopsie al klaargelegd, en hoewel hij zich zelden vergiste, keek Sara het toch even na, want ze wilde er zeker van zijn dat alles bij de hand was. Scalpels lagen op een rij naast verschillende soorten chirurgische scharen. Op het tweede blad lagen tangen in uiteenlopende maten, haken, sondes, kniptangen en een broodmes. De oscillerende zaag en de autopsiebeitel lagen aan het voeteneinde van de tafel, de weegschaal voor de organen bevond zich aan het hoofdeinde. Bij de spoelbak stonden potten en reageerbuisjes van onbreekbaar glas, waarin weefselmonsters bewaard zouden worden. Een meetlat en een liniaaltje lagen naast de camera, die gebruikt werd om alle abnormale vondsten vast te leggen.

Toen Sara zich weer naar Carlos toe keerde, legde hij net de schouders van het meisje op een rubberen blok om haar hals te strekken. Met Sara's hulp vouwde hij een wit laken open en bedekte daarmee haar lichaam, met uitzondering van haar gebogen arm. Hij was heel voorzichtig met het lichaam, alsof het meisje nog leefde en alles kon voelen. Sara besefte weer eens dat ze ruim tien jaar met Carlos had samengewerkt en nog steeds heel weinig over hem wist.

Zijn horloge gaf drie piepjes en met een druk op een van de vele knopjes zette hij het uit. 'De röntgenfoto's zijn nu ongeveer klaar,' liet hij Sara weten.

'Ik zorg wel voor de rest,' zei ze, hoewel er niet veel meer te doen was.

Pas toen ze zijn zware voetstappen in het trappenhuis hoorde, was ze in staat naar het gezicht van het meisje te kijken. In het licht van de operatielamp boven haar hoofd zag ze er ouder uit dan Sara eerst had gedacht. Misschien was ze al begin twintig. Misschien was ze getrouwd. Misschien had ze wel een kind.

Weer hoorde Sara voetstappen op de trap. Deze keer waren ze niet van Carlos afkomstig, maar van Lena Adams, die de klapdeur openduwde en het vertrek betrad.

'Hoi,' zei Lena, en ze keek het mortuarium rond alsof ze alles in zich op wilde nemen. Ze had haar handen in de zij en haar pistool stak onder haar arm uit.

Lena stond als een echte smeris: voeten uit elkaar, schouders recht, en hoewel ze klein was, had ze een uitstraling waarmee ze de hele ruimte vulde.

Sara voelde zich nooit helemaal op haar gemak in de nabijheid van de jonge rechercheur en ze zorgde ervoor dat ze zelden met haar alleen was.

'Jeffrey is er nog niet,' zei Sara, die een cassettebandje pakte voor de dictafoon. 'Je mag wel in mijn kantoortje wachten als je wilt.'

'Nee, niet nodig,' antwoordde Lena. Ze liep naar het lichaam, liet haar blik even op het meisje rusten en floot toen zachtjes. Sara keek naar Lena en had het gevoel dat er iets aan haar veranderd was. Gewoonlijk hing er iets bozigs om haar heen, maar nu leek het alsof ze haar defensieve houding wat had laten varen. Haar ogen waren roodomrand van vermoeidheid en ze was zichtbaar afgevallen, wat haar toch al slanke bouw niet ten goede kwam.

'Gaat het?' vroeg Sara.

In plaats van te antwoorden wees Lena op het meisje en zei: 'Wat is er met haar gebeurd?'

Sara stopte het bandje in het cassettevak. 'Ze is levend begraven in een houten kist, vlak bij het meer.'

Lena huiverde. 'Jezus.'

Sara tikte met haar voet op het pedaal onder de tafel om de cassetterecorder in werking te stellen. 'Test,' zei ze een paar keer achter elkaar.

'Hoe weet je dat ze nog leefde?' vroeg Lena.

'Ze heeft aan de planken gekrabd,' legde Sara uit terwijl ze het bandje terugspoelde. 'Iemand had haar onder de grond gestopt om haar te... Ik weet het niet. Hij hield haar daar met een bepaalde bedoeling.'

Lena haalde diep adem, haar schouders opgetrokken. 'Steekt haar arm daarom in de lucht? Omdat ze zich naar buiten probeerde te werken?'

'Dat zou je wel denken.'

'Jezus.'

57

De terugspoelknop van de cassetterecorder sprong omhoog. Ze zwegen beiden toen ze Sara's stem 'test, test' hoorden zeggen.

Lena wachtte even en vroeg toen: 'Enig idee wie het is?'

'Nee.'

'Kreeg ze geen lucht meer?'

Sara staakte haar bezigheden en vertelde haar wat er allemaal gebeurd was. Lena luisterde aandachtig, met een uitdrukkingsloos gezicht. Sara wist dat ze zich had aangeleerd geen reactie te tonen, maar niettemin vond ze het beklemmend hoe gemakkelijk Lena afstand kon nemen van zo'n gruwelijke misdaad.

'Shit!' fluisterde ze toen Sara haar verhaal had beëindigd.

'Zeg dat wel,' beaamde Sara. Ze wierp een blik op de klok en vroeg zich net af waar Carlos bleef, toen hij binnen kwam wandelen in gezelschap van Jeffrey.

'Lena,' zei Jeffrey. 'Fijn dat je gekomen bent.'

'Kleine moeite,' zei ze schouderophalend.

Jeffrey keek nog eens goed naar Lena. 'Gaat het wel?'

Lena's ogen schoten naar Sara met iets van schuld in haar blik. 'Ja hoor,' zei Lena. Ze wees naar het dode meisje. 'Weet je al hoe ze heet?'

Jeffreys kaak verstrakte. Ze had hem geen slechtere vraag kunnen stellen. 'Nee,' kreeg hij er met moeite uit.

Met een gebaar naar de spoelbak zei Sara: 'Je moet die wond aan je hand wassen.'

'Heb ik al gedaan.'

'Doe het dan nog maar een keer,' gebood ze. Ze sleepte hem mee en draaide de kraan open. 'Er zit nog allemaal vuil in.'

Hij siste tussen zijn opeengeklemde tanden toen ze zijn hand onder de warme waterstraal hield. De wond moest eigenlijk gehecht worden, maar er was te veel tijd verstreken om hem dicht te kunnen naaien zonder een infectie te riskeren. Sara zou zich met hechtpleister moeten behelpen en het beste ervan hopen. 'Ik zal straks een recept uitschrijven voor antibiotica.'

'Fantastisch.' Hij schonk haar een geërgerde blik toen ze een nieuw paar handschoenen aantrok. Hij kreeg een vergelijkbare blik terug toen ze zijn hand verbond, want ze wisten allebei dat ze deze discussie beter niet konden voeren in het bijzijn van anderen.

'Dokter Linton?' zei Carlos. Hij stond bij de lichtbak en bekeek de röntgenfoto's van het meisje. Toen Sara klaar was met Jeffreys hand kwam ze naast hem staan. Er hingen verschillende afbeeldingen op een rij, maar haar blik ging onmiddellijk naar de foto's van de buik.

'Ik ben bang dat die over moeten,' zei Carlos. 'Deze hier is een beetje wazig.'

Het röntgenapparaat was ouder dan Sara, maar ze wist dat er niets met de foto aan de hand was. 'Nee,' fluisterde ze en een golf van ontzetting overspoelde haar.

Jeffrey had zich bij hen gevoegd. Hij peuterde nu al aan het verband dat ze om zijn hand had aangebracht. 'Wat is er?'

'Ze was zwanger.'

'Zwanger?' herhaalde Lena.

Sara bestudeerde de foto en maakte zich in gedachten een voorstelling van de taak die haar wachtte. Sectie op een baby was iets vreselijks. Dit zou het jongste slachtoffertje zijn dat ze ooit in het mortuarium had gehad.

'Weet je het zeker?' vroeg Jeffrey.

'Hier zie je het hoofdje,' legde Sara uit, en ze gaf de vorm aan. 'Beentjes, armpjes, de romp...'

Lena was dichterbij gekomen om het beter te kunnen zien en bijna fluisterend vroeg ze: 'Hoe ver was ze?'

'Ik weet het niet,' antwoordde Sara en het was alsof er een glasscherf in haar borst stak. Ze zou de foetus moeten vastpakken, hem moeten ontleden alsof ze een vrucht in partjes sneed. Het schedeltje zou zacht zijn, de ogen en de mond waren hooguit een paar donkere streepjes onder een papierdunne huid. Bij dit soort zaken haatte ze haar werk.

'Hoeveel maanden? Of weken?' drong Lena aan.

Sara wist het niet. 'Dat moet ik eerst onderzoeken.'

'Een dubbele moord dus,' zei Jeffrey.

'Dat hoeft niet,' benadrukte Sara. Afhankelijk van de partij die de grootste mond opzette, werd de wet betreffende de dood van een foetus praktisch dagelijks door politici veranderd. Gelukkig had Sara zich er nog nooit in hoeven verdiepen. 'Dat zal ik met de overheid moeten opnemen.'

'Waarom?' vroeg Lena. Haar stem klonk zo vreemd dat Sara zich naar haar toe keerde. Lena staarde naar de röntgenfoto alsof er in het hele vertrek verder niets meer bestond.

'De wet gaat niet langer uit van levensvatbaarheid,' vertelde Sara, die zich afvroeg waarom Lena erop doorging. Ze leek Sara niet het type dat dol was op kinderen, maar Lena werd ook wat ouder. Misschien begon haar biologische klok zo langzamerhand te tikken.

Met een knikje naar de foto en haar armen strak over elkaar geslagen vroeg Lena: 'Was dit levensvatbaar?'

'In de verste verte niet,' zei Sara, en ter verduidelijking voegde ze eraan toe: 'Ik heb weleens over foetussen gelezen die met drieëntwintig weken ter wereld kwamen en bleven leven, maar het is erg ongewoon om...'

'Dat is dus in het tweede trimester,' onderbrak Lena haar.

'Precies.'

'Drieëntwintig weken?' herhaalde Lena. Sara zag haar slikken en wisselde een blik met Jeffrey.

Hij haalde zijn schouders op en vroeg toen aan Lena: 'Gaat het echt wel?'

'Ja hoor,' zei ze, maar ze leek haar blik slechts met moeite van de röntgenfoto te kunnen losmaken. 'Ja,' zei ze nogmaals. 'Laten we maar... eh... beginnen.'

Carlos hielp Sara in haar operatieschort en samen onderzochten ze elke vierkante centimeter van het lichaam van het meisje. Het weinige dat ze vonden, maten ze op en fotografeerden ze. Rond haar keel zaten wat krabben, waarschijnlijk door haarzelf aangebracht, een veelvoorkomend verschijnsel bij ademnood. De huid op de toppen van de rechterwijs- en middelvinger ontbrak en Sara vermoedde dat ze die terug zouden vinden op de houten planken die boven haar hoofd hadden gezeten. Onder haar nagels vond ze splinters, stille getuigen van haar pogingen zich naar buiten te vechten, maar weefsel of huidresten trof Sara er niet aan.

Er zat geen vuil in de mond van het meisje, en het zachte huidweefsel vertoonde geen scheurtjes of kneuzingen. Haar gebit was vrij van vullingen of andere tandheelkundige ingrepen, hoewel er een heel klein gaatje in een kies rechtsachter zat. Alle verstandskiezen waren aanwezig en twee ervan kwamen al door. Onder de rechterbil van het meisje zat een stervormige moedervlek en op haar rechteronderarm had ze een stukje droge huid. Ze had een jurk met lange mouwen gedragen, en Sara concludeerde dat het om hardnekkig eczeem ging. In de winter hadden mensen met een lichte huid het altijd moeilijker.

Voordat Jeffrey polaroids maakte voor de identificatie, probeerde Sara de lippen van het meisje dicht te drukken en haar ogen te sluiten om haar gezicht een wat zachtere uitdrukking te geven. Toen ze dat zo goed mogelijk had gedaan, nam ze een dun mesje en schraapte de schimmel van haar bovenlip. Er zat niet veel, maar niettemin stopte ze het in een potje om het naar het lab te sturen.

Jeffrey boog zich over het lichaam heen en hield de camera vlak bij het gezicht. Het flitslicht vonkte op en een luide knal echode door het vertrek. Sara moest een paar keer met haar ogen knipperen voor ze weer goed kon zien. De stank van brandend plastic die van de goedkope camera af kwam verdreef tijdelijk de andere geuren in het mortuarium.

'Nog eentje,' zei Jeffrey, en weer boog hij zich over het meisje. Opnieuw klonk er een knal; de camera zoemde en spuwde een tweede foto uit.

Lena zei: 'Zo te zien was het geen zwerfster.'

'Nee,' beaamde Jeffrey, die naar zijn toon te oordelen vertwijfeld een verklaring zocht. Hij wapperde de polaroid heen en weer, alsof die daardoor sneller zou worden ontwikkeld.

'We gaan vingerafdrukken nemen,' zei Sara en ze controleerde de spanning in de opgeheven arm van het meisje.

Er was minder weerstand dan ze had verwacht. Kennelijk stond de verbazing op haar gezicht te lezen, want Jeffrey vroeg: 'Hoe lang denk je dat ze al dood is?'

Sara duwde de arm naar beneden, langs de zij van het meisje, zodat Carlos haar vingers kon inkten om er een afdruk van te maken. Ze zei: 'Zes tot twaalf uur na de dood is de lijkstijfheid volledig. Te oordelen naar de mate waarin die nu weer verdwijnt, schat ik dat ze een dag, op z'n hoogst twee dagen dood is.' Ze wees naar de verkleuringen op de rug van het lichaam en drukte haar vingers in de paarsige vlekken. '*Livor mortis* is ingetreden. Ze begint te ontbinden. Het moet koud zijn geweest daar onder de grond. Het lichaam is nog in goede staat.'

'En die schimmel rond haar mond?'

Sara bekeek de kaart die Carlos haar had overhandigd om na te gaan of hij goede afdrukken had gemaakt van de vingertoppen die nog intact waren. Ze knikte, gaf de kaart aan hem terug en zei tegen Jeffrey: 'Er zijn schimmels die zich heel snel verspreiden, vooral in een dergelijke omgeving. Misschien heeft ze overgegeven en is dat gaan schimmelen.'

Opeens kreeg ze een inval. 'Bepaalde schimmelsoorten onttrekken zuurstof aan een afgesloten ruimte.'

'Er zat ook wat aan de binnenkant van de kist,' herinnerde Jeffrey zich. Weer bekeek hij de foto van het meisje en toen liet hij hem aan Sara zien. 'Het is minder erg dan ik had gedacht.'

Sara knikte, hoewel ze zich niet kon voorstellen hoe het zou zijn als je het meisje levend gekend had en dan deze foto van haar onder ogen kreeg. Ook al had Sara haar best gedaan op het gezicht, het was onmiskenbaar dat ze een gruwelijke dood was gestorven.

Jeffrey reikte Lena de foto aan, maar die schudde haar hoofd. 'Denk je dat ze misbruikt is?'

'Daar gaan we nu naar kijken,' zei Sara en ze realiseerde zich dat ze het onvermijdelijke voor zich uit had geschoven.

Carlos overhandigde haar het speculum en rolde een verplaatsbare lamp dichterbij. Met ingehouden adem keken ze toe terwijl Sara het bekkenonderzoek verrichtte, en toen ze zei dat er geen tekenen waren die wezen op seksueel misdrijf, leek iedereen als één man uit te ademen. Sara wist niet waarom verkrachting zo'n zaak nog afschuwelijker maakte, maar ze kon niet om het feit heen dat ze opgelucht was toen bleek dat die vernedering het meisje in elk geval bespaard was gebleven.

Vervolgens controleerde Sara de ogen, en het viel haar op dat die bezaaid waren met bloeduitstortinkjes. De lippen van het meisje waren blauw, haar iets naar buiten stekende tong was donkerpaars. 'Meestal zie je geen puntbloedinkjes bij een dergelijk geval van verstikking,' zei ze.

'Denk je dat ze ergens anders aan gestorven is?' vroeg Jeffrey.

'Ik weet het niet,' zei Sara naar waarheid.

Met een naald 18 doorboorde ze het midden van het oog om glasvocht aan de bol te onttrekken. Carlos vulde een tweede injectiespuit met een zoutoplossing en daarmee verving ze het afgetapte vocht om te voorkomen dat de oogbol inklapte.

Toen Sara het uitwendige onderzoek had voltooid, vroeg ze: 'Klaar?'

Jeffrey en Lena knikten. Sara drukte op het pedaal onder de tafel, waardoor de dictafoon in werking trad, en sprak de volgende tekst in: 'Obductienummer vierentachtig-tweeënzeventig is het niet-gebalsemde lichaam van een blanke Jane Doe met bruin haar en bruine ogen. De leeftijd is onbekend, maar waarschijnlijk tussen de achttien en de twintig jaar. Gewicht eenenvijftig kilo, lengte een meter zevenenvijftig. De huid voelt koel aan nadat ze voor onbepaalde tijd onder de grond heeft gelegen.' Ze tikte de cassetterecorder uit en zei tegen Carlos: 'We moeten een temperatuuroverzicht van de afgelopen twee weken hebben.'

Carlos tekende het aan op het bord en Jeffrey vroeg: 'Denk je dat ze daar langer dan een week heeft gelegen?'

'Maandag kelderde de temperatuur naar het vriespunt,' deelde ze hem mee. 'Er zaten niet veel uitscheidingsproducten in de pot, maar misschien beperkte ze haar vochtinname om er zo lang mogelijk mee te kunnen doen. Waarschijnlijk was ze ook uitgedroogd door de shock.' Ze deed de dictafoon weer aan, pakte een scalpel en zei: 'Het inwendig onderzoek begint met de standaard Y-incisie.'

De eerste keer dat Sara sectie had verricht, had haar hand gebeefd. Als arts had ze geleerd slechts zeer lichte druk uit te oefenen. Als chirurg wist ze dat iedere snee die in het lichaam werd gemaakt weloverwogen en beheerst diende te zijn, dat elke beweging van haar hand op genezing, niet op verwoesting moest zijn gericht. De eerste sneden tijdens een autopsie – als het mes door het lichaam ging alsof het een stuk rauw vlees was – druisten in tegen alles wat ze geleerd had.

63

Ze plaatste het scalpel aan de rechterkant van het lichaam, voor de schoudertop. Ze sneed door de borsten, waarbij de punt van het mes langs de ribben gleed, en stopte bij het zwaardvormig aanhangsel. Vervolgens herhaalde ze de handeling aan de linkerkant van het lichaam. De huid week voor het scalpel uiteen terwijl ze de middellijn volgde naar de pubis, om de navel heen, en het gele buikvet rolde weg in het kielzog van het scherpe lemmet.

Carlos reikte Sara een schaar aan en ze wilde net het buikvlies openknippen toen Lena naar adem snakte en haar hand voor haar mond sloeg.

'Ben je...?' begon Sara, maar Lena rende al kokhalzend het vertrek uit.

Er was geen toilet in het mortuarium, en Sara nam aan dat Lena het ziekenhuis op de benedenverdieping probeerde te bereiken. Te oordelen naar de geluiden die in het trappenhuis weerklonken, lukte dat niet. Lena hoestte een paar keer en toen hoorden ze een duidelijk gespetter.

Carlos mompelde iets en ging een emmer en dweil halen.

Jeffrey keek nors. Hij kon er nooit goed tegen als iemand moest overgeven. 'Wat denk je, redt ze zich wel?'

Sara keek naar het lichaam en vroeg zich af waarvan Lena over haar nek was gegaan. De rechercheur had al verscheidene secties bijgewoond en had er nooit slecht op gereageerd. Het lichaam was nog niet volledig ontleed, alleen een deel van de buikorganen was blootgelegd.

'Het is die lucht,' zei Carlos.

'Wat voor lucht?' wilde Sara weten. Ze vroeg zich af of ze de darmen misschien geperforeerd had.

Hij fronste zijn voorhoofd. 'Zoals op de kermis.'

De deur schoot open en Lena kwam weer binnen, een beschaamde uitdrukking op haar gezicht.

'Sorry,' zei ze. 'Ik weet niet wat...' Op anderhalve meter van de tafel bleef ze staan en ze sloeg haar hand voor haar mond alsof ze elk moment weer kon gaan overgeven. 'Jezus, wat is dat?'

'Ik ruik niks,' zei Jeffrey schouderophalend.

'Carlos?' vroeg Sara.

'Het lijkt wel... Het lijkt wel of er iets aanbrandt,' zei hij.

'Nee,' was Lena's reactie, en ze zette een stap terug. 'Het lijkt meer op zure melk. Het doet pijn aan je kaken als je het ruikt.'

Bij Sara gingen alarmbelletjes rinkelen. 'Ruikt het soms bitter?' vroeg ze. 'Naar bittere amandelen?'

'Ja,' beaamde Lena, die nog steeds afstand bewaarde. 'Zoiets.'

Carlos knikte nu ook en het klamme zweet brak Sara uit. 'Christus.' Jeffrey ademde met kracht uit en week terug, weg van het lichaam.

'Dit moet in het staatslab afgehandeld worden,' deelde Sara hem mee, en ze trok een laken over het lichaam. 'Ik heb hier niet eens een zuurkast.'

'In Macon hebben ze wel een isolatieruimte,' zei Jeffrey. 'Ik kan Nick bellen en vragen of we die mogen gebruiken.'

Met een ruk trok ze haar handschoenen uit. 'Dat is wel dichterbij, maar dan mag ik alleen maar toekijken.'

'Is dat een probleem?'

'Nee,' zei Sara, terwijl ze een operatiemasker voordeed. Met een onderdrukte huivering dacht ze aan wat er had kunnen gebeuren. Zonder dat ze hem daartoe opdracht had gegeven, kwam Carlos er al met de lijkenzak aan.

'Voorzichtig,' waarschuwde Sara, en ze reikte hem ook een masker aan. 'We mogen van geluk spreken,' zei ze tegen de anderen terwijl ze Carlos hielp het lichaam in de zak te leggen. 'Slechts zo'n veertig procent van de bevolking kan die geur ruiken.'

'Wat goed dat je vandaag gekomen bent,' zei Jeffrey tegen Lena.

Lena's blik ging van Sara naar Jeffrey en toen weer naar Sara. 'Waar hebben jullie het over?'

'Cyanide.' Sara trok de rits dicht. 'Dat heb je namelijk geroken.' Lena kon het blijkbaar nog steeds niet volgen, en daarom voegde Sara eraan toe: 'Ze is vergiftigd.'

Maandag

Vier

Jeffrey moest zo gapen dat zijn kaken ervan knakten. Achter-
overgeleund op zijn stoel wierp hij via het tussenraam in zijn
kamer een blik in de recherchekamer en probeerde een alerte
indruk te maken. Brad Stephens, het jongste lid van het poli-
tieteam Grant County, schonk hem een maffe grijns. Jeffrey
knikte en meteen trok er een pijnscheut door zijn nek. Hij
had het gevoel alsof hij op een blok beton had geslapen, wat
niet eens zo vergezocht was, want het enige wat hem de afgelopen nacht van de vloer had gescheiden was een slaapzak
geweest, een oud, muf geval dat het Leger des Heils beleefd
had geweigerd. Wel hadden ze zijn matras meegenomen, plus
een bank die betere tijden had gekend en drie dozen met keu-
kenspullen waar Jeffrey en Sara tijdens de scheiding nog een
stevig robbertje om hadden gevochten. In de vijf jaar sinds de
papieren waren ondertekend, had hij de dozen niet één keer
opengemaakt, en het zou waarschijnlijk zelfmoord betekenen
om ze mee terug te nemen naar haar huis.

Toen hij de afgelopen weken zijn eigen huisje had leegge-
haald, had Jeffrey er versteld van gestaan hoe weinig spullen
hij tijdens zijn vrijgezellenperiode had aangeschaft. In plaats
van schaapjes te tellen had hij de afgelopen nacht in gedachten een lijstje opgesteld van alles wat hij ging kopen. Tien
dozen met boeken, een set luxe lakens – cadeau gekregen
van een vrouw van wie hij vurig hoopte dat Sara haar nooit
zou ontmoeten – en een stel pakken dat hij in de loop van
de tijd voor zijn werk had moeten aanschaffen – meer had
hij niet overgehouden aan de jaren dat ze uit elkaar waren
geweest. Zijn fiets, zijn grasmaaier, zijn gereedschap – met

uitzondering van een accuboormachine die hij had gekocht toen hij de oude per ongeluk in een twintigliteremmer verf had laten vallen – had hij allemaal al voor hij uit Sara's huis was vertrokken. Alles van waarde dat hij ooit had bezeten was inmiddels naar datzelfde huis teruggebracht.

En hij sliep op de vloer.

Hij nam een slok lauwe koffie en richtte zich weer op de klus waar hij al een halfuur mee bezig was. Jeffrey was bepaald niet zo'n type dat vond dat een echte vent geen gebruiksaanwijzingen las, maar het feit dat hij al voor de vierde keer stapje voor stapje en uiterst geconcentreerd het boekje doornam dat bij de mobiele telefoon hoorde, en nog steeds niet in staat was zijn eigen nummer onder de sneltoets te programmeren, gaf hem het gevoel dat hij debiel was. Hij wist niet eens zeker of Sara het telefoontje zou accepteren. Ze had een hekel aan die stomme dingen, maar hij wilde haar niet naar Macon laten afreizen zonder dat ze contact met hem kon opnemen als er iets gebeurde.

'Eén,' mompelde hij, alsof het puntsgewijs oplezen van de aanwijzingen het telefoontje tot inkeer zou brengen. Voor de vijfde keer liep Jeffrey alle zestien stappen door, maar toen hij op de telefoonboektoets drukte, gebeurde er niets.

'Shit!' zei hij, om er meteen een 'Fuck!' op te laten volgen, want hij had met de vuist van zijn gewonde linkerhand op het bureaublad geslagen. Hij draaide zijn pols om en door het witte verband dat Sara in het mortuarium had aangebracht, zag hij vers bloed verschijnen. Voor de goede orde gooide hij er ook nog een 'Jezus!' achteraan. De afgelopen tien minuten voorspelden niet veel goeds voor wat toch al een buitengewoon waardeloze dag beloofde te worden.

Alsof hij hem geroepen had, stond Brad Stephens in de deuropening van zijn kamer. 'Hulp nodig?'

Jeffrey wierp hem het telefoontje toe. 'Zet mijn nummer even onder de sneltoets.'

Brad drukte op wat knopjes en vroeg: 'Het nummer van uw mobiel?'

'Ja,' zei hij, en vervolgens schreef hij het telefoonnummer van Cathy en Eddie Linton op een geel Post-it-briefje. 'Doe dat er ook maar bij.'

'Okido,' zei Brad, die het nummer op z'n kop aflas en ondertussen de ene toets na de andere indrukte.

'Moet je de gebruiksaanwijzing er niet bij hebben?'

Zonder het programmeerwerk te onderbreken keek Brad hem even zijdelings aan, alsof Jeffrey een geintje maakte. Van het ene moment op het andere voelde Jeffrey zich wel zeshonderd jaar oud.

'Oké,' zei Brad. Hij keek naar het mobieltje en drukte op nog een paar toetsen. 'Alstublieft. Probeer maar.'

Jeffrey koos het telefoonboekicoontje en meteen verschenen de nummers op het schermpje. 'Bedankt.'

'Als er verder niks is...'

'Nee hoor, het is in orde,' zei Jeffrey, en hij stond op van zijn stoel. Hij schoot in zijn jasje en stak het telefoontje in zijn zak. 'Zeker nog geen reacties op dat opsporingsbericht dat we hebben rondgestuurd?'

'Nee,' zei Brad. 'Ik laat het u weten zodra ik iets hoor.'

'Ik ga eerst naar de kliniek en dan kom ik weer terug.'

Jeffrey volgde Brad de kamer uit. Om zijn spieren wat losser te maken liet hij zijn schouders rollen terwijl hij naar de andere kant van de recherchekamer liep. Alles zat vast en zijn arm voelde als verdoofd. Ooit had de ontvangstbalie van het politiebureau in open verbinding gestaan met de hal, maar nu was alles afgesloten en moesten bezoekers zich melden bij een loket. Marla Simms – al sinds jaar en dag de secretaresse van het team – reikte onder haar bureau en drukte op een knop om de deur voor Jeffrey te openen.

'Ik ben bij Sara als je me nodig hebt,' zei hij.

Marla schonk hem een mysterieus lachje. 'En gedraag je, hè?'

Hij knipoogde even voor hij naar buiten ging.

Jeffrey was al sinds halfzes die ochtend op het bureau, nadat hij om een uur of vier had besloten dat er van slapen toch niks meer kwam. Gewoonlijk begon hij zijn werkdag met een halfuurtje hardlopen, maar vandaag had hij zichzelf wijsgemaakt dat het geen kwestie van luiheid was als hij rechtstreeks naar zijn werk ging. Er lag een hele papierberg op hem te wachten, waaronder het budget van het bureau, dat hij nog even moest doornemen voor de burgemeester er zijn veto over kon uitspreken om vervolgens naar zijn jaarlijkse, twee dagen durende burgemeestersconferentie in Miami te vertrekken. Jeffrey had zo'n vermoeden dat je voor de minibarrekening van de burgemeester met gemak twee kogelvrije vesten zou kunnen aanschaffen, maar helaas had de politicus een heel andere kijk op de zaak.

Het stadje Heartsdale kon bogen op een hogeschool en toen Jeffrey over straat liep, passeerde hij verscheidene studenten op weg naar college. Eerste- en tweedejaars woonden verplicht in studentenhuizen, maar een ouderejaars met ook maar een greintje verstand maakte dat hij van de campus wegkwam. Jeffrey had zijn huis verhuurd aan een stel derdejaars die hopelijk even betrouwbaar waren als ze eruitzagen. De hogeschool van Grant trok voornamelijk stuudjes, maar ook al beschikte het instituut niet over corpora of een footballteam, sommige van die lui waren echte feestbeesten. Jeffrey had kandidaat-huurders zorgvuldig gescreend, en hij had lang genoeg bij de politie gewerkt om te weten dat hij zijn huis met geen mogelijkheid ongeschonden terugkreeg als hij het aan een stel jonge kerels verhuurde. Op die leeftijd zat er een steekje bij ze los, en zodra er bier of seks bij kwam kijken – of met een beetje geluk allebei – schakelde het brein alle hogere denkniveaus uit. De twee meisjes die hij had uitgekozen hadden allebei 'lezen' als hun enige hobby genoemd. Te oordelen naar wat het lot de laatste tijd voor hem in petto hield, waren ze waarschijnlijk van plan het huis als speedlaboratorium in te richten.

De hogeschool lag aan het uiteinde van Main Street en Jeffrey liep achter een groepje studenten aan in de richting van de hoofdingang. Het waren allemaal meisjes, zonder uitzondering jong en mooi, en ze keurden hem geen blik waardig. Ooit zou Jeffreys ego een gevoelige deuk hebben opgelopen als een stel meiden geen acht op hem sloeg, maar nu zat iets anders hem dwars. Hij kon hen wel stalken, hun gesprek afluisteren om erachter te komen waar ze zich later op de dag zouden bevinden. Hij kon iedereen wel zijn.

Achter hem klonk een claxon en net op tijd besefte Jeffrey dat hij van het trottoir was gestapt. Tijdens het oversteken zwaaide hij even naar de chauffeur, en toen hij zag dat het

Bill Burgess van de stomerij was, prevelde hij een dankgebedje omdat de oude man er ondanks zijn staar in geslaagd was de auto op tijd tot stilstand te brengen.

Jeffrey kon zich zijn dromen zelden herinneren – en daar bofte hij mee, want soms waren het regelrechte nachtmerries – maar de afgelopen nacht had hij steeds het meisje in de kist voor zich gezien. Soms veranderde haar gezicht en dan was ze het meisje dat hij een jaar geleden had doodgeschoten. Dat was nog maar een kind geweest, hooguit dertien, maar ze had al meer ellende meegemaakt dan de meeste volwassenen in een heel leven. Ze had in een vlaag van wanhoop gedreigd een jongen te doden zodat er misschien een eind aan haar eigen lijden zou komen. Jeffrey had haar moeten neerschieten om het leven van de jongen te redden. Of misschien niet. Misschien had het heel anders kunnen lopen. Misschien had ze de jongen uiteindelijk niet doodgeschoten. Misschien hadden ze dan beiden nog geleefd en was het meisje in de kist gewoon de zoveelste zaak geweest in plaats van een nachtmerrie.

Met een zucht vervolgde Jeffrey zijn weg over het trottoir. Zijn leven bevatte iets te veel 'misschiens' naar zijn zin.

Sara's kliniek stond aan dezelfde straat als het politiebureau, maar dan aan de andere kant, vlak bij de ingang van de hogeschool. Hij keek even op zijn horloge toen hij de voordeur openduwde; het was iets na zevenen en hij vermoedde dat ze al op haar post was. Op maandag begon het spreekuur pas om acht uur, maar hij zag nu al een jonge vrouw in de wachtkamer die troostend met een huilende peuter op haar arm heen en weer liep.

'Hallo,' zei Jeffrey.

'Dag, commissaris,' zei de moeder. Onder haar ogen zaten donkere kringen. Het kind op haar heup was minstens twee en bezat een stel longen dat de ruiten deed rammelen.

Ze verplaatste het gewicht van het kind en tilde ter ondersteuning haar been een stukje op. Ze woog zo'n veertig kilo en Jeffrey verbaasde zich erover dat ze het jongetje niet liet vallen.

Ze zag hem kijken en zei: 'Dokter Linton komt er zo aan.'

73

'Bedankt,' zei Jeffrey en hij trok zijn jasje uit. De oostkant van de wachtkamer bestond uit glassteen, en als de zon scheen kreeg je zelfs op de koudste winterochtend het gevoel dat je in een sauna zat.

'Warm hier,' merkte de vrouw op, en ze begon weer op en neer te lopen.

'Zeg dat wel.'

Jeffrey dacht dat ze nog iets wilde zeggen, maar al haar aandacht was nu bij het huilende kind, dat ze troostend tot bedaren probeerde te brengen. Dat moeders van kleine kinderen niet permanent op het randje van een coma balanceerden, ging Jeffreys verstand te boven. Op dit soort momenten begreep hij heel goed waarom zijn eigen moeder vroeger altijd een flesje drank in haar tas had zitten.

Hij leunde met zijn rug tegen de muur en keek naar het speelgoed dat in keurige stapels in een hoek stond. Er hingen wel drie bordjes in het vertrek met de tekst MOBIELE TELE-FOONS NIET TOEGESTAAN. Als een kind zo ziek was dat er een dokter aan te pas moest komen, vond Sara, dan moesten de ouders er met hun volle aandacht bij zijn in plaats van een eind weg te kleppen in hun telefoon. Glimlachend dacht hij terug aan de eerste en enige keer dat Sara in de auto een mobieltje bij zich had gehad. Op de een of andere manier drukte ze telkens per ongeluk op de sneltoets, waarop Jeffrey zijn telefoon opnam en haar minutenlang met de radio hoorde meezingen. Pas na het derde telefoontje had hij door dat hij Sara hoorde, die een duet aanging met Boy George, en niet een of andere gek die zijn kat verrot sloeg.

Sara deed de deur naast de spreekkamer open en liep op de moeder af. Ze had niet door dat Jeffrey er was, en zonder zijn aanwezigheid kenbaar te maken observeerde hij haar. Normaal bond ze haar lange roodbruine haar naar achteren als ze moest werken, maar vanochtend hing het los op haar schouders. Ze droeg een witte bloes met knoopjes en een zwarte gerende rok, die tot net onder de knie viel. Haar hakken waren niet al te hoog, maar ze deden wel iets moois met haar kuiten waar hij onwillekeurig om moest glimlachen. In een dergelijke outfit zou ieder ander er hebben uitgezien als een serveerster in een chic steakhouse, maar Sara met haar

74

lange, ranke lijf kon het uitstekend hebben.

De moeder verschoof de peuter op haar heup en zei: 'Hij is nog steeds zo onrustig.'

Sara legde haar hand op de wang van het jongetje en sprak het sussend toe. Het kind kalmeerde meteen, alsof ze een toverformule had uitgesproken, en Jeffrey kreeg een brok in zijn keel. Sara kon vreselijk goed met kinderen omgaan. Dat ze ze zelf niet kon krijgen was een onderwerp dat zelden werd aangeroerd. Sommige dingen kwamen gewoon te dicht op de huid.

Jeffrey keek toe terwijl Sara zich op de peuter concentreerde en met een verzaligde glimlach op haar lippen zijn dunne haartjes over zijn oor streek. Het was een intiem moment en Jeffrey schraapte zijn keel, want hij voelde zich merkwaardig genoeg een indringer.

Sara draaide zich verrast, bijna geschrokken, om. 'Ogenblikje,' zei ze tegen Jeffrey. Ze keerde zich naar de moeder toe en was weer helemaal de arts toen ze de vrouw een witte papieren zak overhandigde. 'Dit zijn proefmonsters, daarmee kun je een week vooruit. Als hij donderdag niet een stuk is opgeknapt, moet je me bellen.'

De vrouw nam de medicijnen met één hand aan terwijl ze met de andere de peuter stevig vasthield. Ze leek heel jong. Jeffrey had nog niet zo lang geleden te horen gekregen dat hij voor hij aan zijn studie begon een kind had verwekt. Inmiddels was het trouwens geen kind meer: Jared was praktisch een volwassen kerel.

'Bedankt, dokter Linton,' zei de jonge moeder. 'Ik weet niet hoe ik u moet betalen voor...'

'Laten we eerst maar eens zorgen dat hij beter wordt,' onderbrak Sara haar. 'En probeer zelf ook wat slaap te krijgen. Hij heeft niks aan je als je de hele tijd uitgeput bent.'

Met een bijna onmerkbaar knikje nam de moeder de vermaning in ontvangst. Jeffrey kende haar niet, maar hij vermoedde dat het advies aan dovemansoren was gericht. Kennelijk was Sara zich hiervan ook bewust. 'Probeer het in elk geval, oké?' zei ze. 'Anders word je zelf ook ziek.'

De vrouw aarzelde en zei toen berustend: 'Ik zal het proberen.'

Jeffrey zag Sara naar haar hand staren en ze scheen nu pas te beseffen dat ze het voetje van de peuter vasthield. Met haar duim wreef ze over zijn enkel, en weer verscheen dat innige glimlachje.

'Bedankt,' zei de moeder. 'Bedankt dat u zo vroeg wilde komen.'

'Kleine moeite.' Sara had zich nooit goed raad geweten met een compliment of een blijk van waardering. Ze liep met haar mee naar de deur en terwijl ze die openhield, benadrukte ze nogmaals: 'Bellen als hij niet opknapt, hoor.'

'Ja, dokter.'

Sara trok de deur dicht en zonder ook maar een blik op Jeffrey te slaan liep ze op haar dooie gemak de hal door. Hij deed zijn mond open om iets te zeggen, maar zij was hem voor en vroeg: 'Al nieuws over onze Jane Doe?'

'Nee,' zei hij. 'Misschien komt er later iets binnen, als het aan de westkust ook dag wordt.'

'Ik heb niet de indruk dat ze van huis is weggelopen.'

'Ik ook niet.'

Ze zwegen beiden, en Jeffrey wist niet hoe hij verder moest gaan.

Zoals gewoonlijk verbrak Sara de stilte. 'Ik ben blij dat je gekomen bent,' zei ze terwijl ze terugliep naar de onderzoekkamers. In de veronderstelling dat ze het positief bedoelde, liep hij met haar mee, maar ze liet er al snel op volgen: 'Ik wil wat bloed van je afnemen voor hepatitis- en leveronderzoek.'

'Dat heeft Hare al gedaan.'

'O, nou ja,' zei ze, en daar liet ze het bij. Ze hield de deur niet voor hem open, en hij stak snel zijn hand uit om te voorkomen dat hij hem in zijn gezicht kreeg. Helaas was het zijn linkerhand en het harde hout sloeg tegen de open wond. Het was alsof hij een messteek kreeg.

'Jezus, Sara,' siste hij.

'Sorry.' Het klonk oprecht, hoewel hij een wraakzuchtige schittering in haar ogen dacht op te vangen. Ze wilde zijn hand pakken, maar in een reflex trok hij die terug. Toen hij haar geërgerde blik zag, vermande hij zich en liet haar naar het verband kijken.

'Hoe lang bloedt het al?' vroeg ze.

'Het bloedt helemaal niet,' zei hij met klem, in de wetenschap dat ze iets heel pijnlijks met hem zou gaan doen als hij haar de waarheid vertelde. Niettemin volgde hij haar over de gang naar de verpleegsterspost, als een lam naar de slachtbank.

'Je hebt dat recept niet afgehaald, hè?' Ze leunde over de balie en rommelde in een la, waaruit ze vervolgens een handvol felgekleurde pakjes haalde. 'Neem deze maar.' Hij keek naar de roze en groene monstertjes. Op het zilverpapier stonden allemaal boerderijdieren. 'Wat is dit?'

'Antibiotica.'

'Dit is toch voor kinderen?'

Aan haar blik zag hij dat het voor de hand liggende grapje niet aan haar besteed was. 'Het is de helft van de dosering voor volwassenen, inclusief bioscoopkaartje en een hogere prijs,' zei ze. ''s Ochtends twee en 's avonds twee.'

'Hoe lang moet ik daarmee doorgaan?'

'Tot ik zeg dat je mag stoppen,' gebood ze. 'Kom eens mee.'

Als een klein kind liep Jeffrey achter haar aan naar een behandelkamer. Toen hij klein was had zijn moeder in het ziekenhuisrestaurant gewerkt, en hij hoefde nooit met zijn talloze builen en schrammen naar de huisarts. Cal Rodgers, de eerstehulparts, had hem altijd onder handen genomen, evenals zijn moeder, vermoedde Jeffrey. De allereerste keer dat hij zijn moeder hoorde giechelen, was toen Rodgers een stompzinnig grapje had verteld over een non en iemand die vanonderen verlamd was.

'Ga zitten,' beval Sara en ze ondersteunde hem bij zijn elleboog, alsof hij niet zonder hulp op de onderzoektafel kon klimmen.

'Het gaat wel, hoor,' zei Jeffrey, maar ze had haar hand alweer weggetrokken. De wond was een gapende vochtige mond en hij voelde een kloppende pijn door zijn arm naar boven trekken.

'Je hebt hem weer opengestoten,' zei ze berispend, en terwijl ze een metalen kom onder zijn hand hield, spoelde ze de wond schoon.

Jeffrey probeerde zich groot te houden, maar hij moest bekennen dat het verdomde pijn deed. Hij had nooit gesnapt waarom een wond tijdens de behandeling pijnlijker was dan op het moment dat je hem opliep. Hij herinnerde zich nauwelijks dat hij zijn hand had opengehaald in het bos, maar telkens als hij nu zijn vingers bewoog, was het alsof er een stel naalden in zijn huid prikte.

'Wat heb je uitgevoerd?' vroeg ze afkeurend.

Hij antwoordde niet. Hij zag Sara's glimlach weer voor zich toen ze met het peutertje bezig was. Hij had haar in tal van buien meegemaakt, maar die specifieke glimlach kende hij niet.

'Jeff?' drong ze aan.

Hij schudde zijn hoofd. Het liefst zou hij haar gezicht aanraken, maar hij was bang dat hij dan een bloedig stompje zou overhouden op de plek waar zijn hand had gezeten.

'Ik ga hem weer verbinden,' zei ze, 'maar je moet wel voorzichtig doen. Een infectie is zo ongeveer het laatste wat je kunt gebruiken.'

'Ja, dokter,' zei hij, in de hoop dat ze glimlachend naar hem zou opkijken.

In plaats daarvan vroeg ze: 'Waar heb je vannacht geslapen?'

'In elk geval niet op mijn lievelingsplek.'

Ze hapte niet, maar begon zijn hand te verbinden, haar lippen strak op elkaar geklemd. Met haar tanden scheurde ze een stuk tape doormidden. 'Je moet er heel voorzichtig mee doen en het goed schoonhouden.'

'Als ik later op de dag nou eens langskom? Dan kun jij het doen.'

'Oké...' klonk het afwezig. Ze trok laatjes open en schoof ze weer dicht tot ze een vacuüm buisje en een spuit had gevonden. Even raakte Jeffrey in paniek bij de gedachte dat ze een naald in zijn hand zou steken, maar toen herinnerde hij zich dat ze bloed wilde aftappen.

Ze knoopte de manchet van zijn overhemd los en rolde zijn mouw op. Hij durfde niet te kijken en richtte zijn blik op het plafond, in afwachting van de scherpe prik van de naald. Die bleef uit, maar wel slaakte ze een diepe zucht.

'Wat is er?' vroeg hij.

Zoekend naar een ader tikte ze op zijn onderarm. 'Het is allemaal mijn schuld.'

'Wat is jouw schuld?'

Het duurde even voor ze antwoordde, alsof ze niet goed wist hoe ze het moest formuleren. 'Toen ik uit Atlanta wegging, zat ik halverwege een serie injecties voor hepatitis A en B.' Ze wikkelde een tourniquet om zijn biceps en trok die strak. 'Je krijgt twee injecties, met een paar weken ertussen, en vijf maanden later krijg je de booster.' Weer zweeg ze, terwijl ze zijn huid inwreef met alcohol. 'Een en twee had ik al gehad, maar toen ik weer hiernaartoe verhuisde, liet ik de rest zitten. Ik had geen idee wat ik moest met mijn leven, en ik wist al helemaal niet of ik praktiserend arts wilde blijven.' Ze zweeg even. 'Ik heb die serie pas afgemaakt zo rond de tijd...'

'Rond welke tijd?'

Met haar tanden draaide ze het dopje van de spuit, en toen zei ze: 'Van de scheiding.'

'Nou, dan is er niks aan de hand,' zei Jeffrey. Het kostte hem grote moeite om niet van de tafel te springen toen ze de naald in zijn ader duwde. Ze deed heel voorzichtig, maar Jeffrey haatte injecties. Soms werd hij al duizelig bij de gedachte.

'Dit zijn babynaaldjes,' zei ze, eerder sarcastisch dan bezorgd. 'Hoezo is er niks aan de hand?'

'Omdat ik maar één keer met haar naar bed ben geweest,' zei hij. 'De volgende dag heb je me het huis uit geschopt.''

'Juist ja.' Sara klikte het buisje vast en maakte de tourniquet los.

'Je had al je injecties al gehad toen het weer aan raakte tussen ons. Je was dus immuun.'

'Je vergeet die ene keer.'

'Welke ene...' Hij zweeg, want opeens wist hij het weer. De avond voor de scheiding werd uitgesproken, had Sara op zijn stoep gestaan, dronken als een tor en in een zeer ontvankelijke bui. Jeffrey, die haar wanhopig graag terug wilde, had gretig misbruik gemaakt van de situatie. De volgende ochtend was ze al voor zonsopkomst zijn huis uit geslopen.

79

Die dag had ze zijn telefoontjes niet beantwoord en toen hij 's avonds bij haar had aangebeld, had ze de deur in zijn gezicht dichtgesmeten.

'Ik zat toen halverwege die serie,' zei ze. 'Ik had de booster nog niet gehad.'

'Maar toch wel de eerste twee injecties?'

'Dan loop je nog steeds risico.' Ze trok de naald uit zijn arm en deed het dopje er weer op. 'Trouwens, tegen hepatitis C kun je je niet laten inenten.' Ze drukte een wattenbolletje op zijn arm en liet hem zijn elleboog buigen om het op de plaats te houden. Toen ze haar blik naar hem opsloeg, wist hij dat hem een lesje te wachten stond.

'Er zijn vijf hoofdtypes hepatitis, sommige met verschillende stammen,' begon ze, terwijl ze de spuit in de rode doos voor chemisch afval deponeerde. 'A is eigenlijk net een zware griep. Dit type duurt een paar weken, en als je het eenmaal hebt, ontwikkel je antistoffen. Dan krijg je het nooit meer.'

'Oké.' Dat was het enige detail dat hij zich nog herinnerde van zijn bezoek aan Hares praktijk. De rest was grotendeels aan hem voorbijgegaan. Hij had proberen te luisteren – echt, hij had het geprobeerd – toen Sara's neef de verschillen en de risicofactoren uitlegde, maar het enige wat hij wilde was zo snel mogelijk de praktijk verlaten, op iets anders kon hij zich niet concentreren. Na een slapeloze nacht had hij met allerlei vragen gezeten, maar hij had zich er niet toe kunnen zetten Hare te bellen. De dagen erna werd hij heen en weer geslingerd tussen ontkenning en kille paniek. Jeffrey kon zich het kleinste detail herinneren van een zaak die zich vijftien jaar geleden had voorgedaan, maar van wat Hare had gezegd, wist hij niets meer.

'Type B is anders,' vervolgde Sara. 'Het steekt de kop op en verdwijnt weer, maar het kan ook chronisch zijn. Ongeveer tien procent van de mensen die geïnfecteerd zijn, wordt drager. Er is een kans van één op drie om iemand anders te besmetten. Bij aids is die kans één op driehonderd.'

Jeffrey beschikte bepaald niet over Sara's wiskundeknobbel, maar kans berekenen kon hij nog wel. 'Sinds dat gedoe met Jo hebben jij en ik wel vaker dan drie keer seks gehad.'

Ze probeerde zich groot te houden, maar hij zag haar ineenkrimpen bij het horen van die naam. 'Het is een dubbeltje op zijn kant, Jeffrey.'

'Ik zei niet...'

'Type C wordt over het algemeen overgedragen via bloedcontact. Je kunt drager zijn zonder het te weten. Meestal ontdek je het pas als je bepaalde symptomen krijgt, en vanaf dat moment kan het snel bergafwaarts gaan. Leverfibrose. Cirrose. Kanker.'

Sprakeloos staarde hij haar aan. Hij wist precies waar dit op uit zou draaien. Het was net een trein die ging ontsporen: het enige wat hij kon doen was zich stevig vastklemmen en wachten tot de wielen van de rails vlogen.

'Je weet niet half hoe kwaad ik op je ben,' zei ze, alsof dat niet duidelijk was. 'En ik ben vooral zo kwaad omdat die hele geschiedenis weer wordt opgerakeld.' Ze zweeg even, als om zichzelf tot kalmte te manen. 'Ik wilde vergeten dat het gebeurd was, ik wilde opnieuw beginnen, maar nu krijg ik het allemaal weer voor mijn kiezen.' Haar ogen schoten vol en ze probeerde de tranen weg te knipperen. 'En stel dat je ziek bent...'

Jeffrey bepaalde zich tot dat waar hij greep op dacht te hebben. 'Het is mijn schuld, Sara. Ik heb er een zootje van gemaakt. Door mij is alles stukgelopen. Dat weet ik maar al te goed.' Al heel lang geleden had hij geleerd er geen 'maar' aan toe te voegen, en alleen in gedachten maakte hij zijn verhaal af. Sara had heel afstandelijk gedaan, ze had meer tijd aan haar werk en haar familie besteed dan aan Jeffrey. Hij was niet het soort man dat elke avond zijn eten voorgeschoteld wilde krijgen, maar hij had wel verwacht dat ze in haar boordevolle agenda ook wat tijd voor hem zou inruimen.

Bijna fluisterend vroeg ze: 'Heb je dingen met haar gedaan die je ook met mij doet?'

'Sara...'

'Heb je wel veilig gevreeën?'

'Waar heb je het eigenlijk over?'

'Je weet donders goed waar ik het over heb,' liet ze hem weten. Nu was het haar beurt om hem aan te staren, en hij beleefde een van die zeldzame momenten dat hij haar gedachten kon lezen.

81

'Jezus,' mompelde hij, zichzelf mijlenver weg wensend. Niet dat ze een stel viezeriken waren, en er was niks op tegen in bed met allerlei dingen te experimenteren, maar je moest er niet aan denken ze in het kille daglicht te analyseren.

'Stel je voor dat je een sneetje in je mond had en dat zij...' Ze was duidelijk niet in staat haar zin af te maken. 'Zelfs bij normale geslachtsgemeenschap scheurt er weleens iets, ontstaan er microscopisch kleine wondjes.'

'Ik snap heus wel wat je bedoelt,' zei hij, zo afgemeten dat ze meteen zweeg.

Sara pakte het buisje met bloed en schreef met een balpen iets op het etiketje. 'Ik vraag het heus niet omdat ik nieuwsgierig ben naar de ranzige details.'

Dat was een leugen, maar hij liet het passeren. Toen het pas was gebeurd, had ze hem eindeloos uitgehoord, had ze hem het vuur na aan de schenen gelegd met vragen over elke beweging die hij had gemaakt, over elke kus, elke handeling, alsof ze aan een voyeuristische obsessie leed.

Ze stond op, opende een la en haalde er een felroze Barbie-pleister uit. Hij hield zijn elleboog nog steeds gebogen, en zijn arm voelde verdoofd toen ze die rechttrok. Ze peuterde de beschermstrips van de pleister en plakte hem over het watje. Pas toen ze de stripjes in de vuilnisemmer had gegooid, deed ze haar mond weer open.

'Waarom vertel je me niet dat ik me er zo langzamerhand overheen zou moeten zetten?' Met gespeelde minachting haalde ze haar schouders op. 'Het was toch maar één keer? Het stelde toch eigenlijk niks voor?'

Jeffrey verbeet zich, want hij weigerde in haar val te lopen. Het enige goede aan de patstelling waar ze de afgelopen zes jaar maar niet uit konden komen, was dat hij wist wanneer hij zijn mond moest houden. Niettemin kostte het hem moeite om niet tegen haar in te gaan. Ze wilde zijn kant van de zaak niet zien, en misschien had ze wel gelijk, maar dat nam niet weg dat hij zijn redenen had gehad voor zijn wangedrag, redenen die niet allemaal waren terug te voeren op het feit dat hij een klootzak was. Toch kon hij maar het beste de rol van smekeling op zich nemen. Hij had het er graag voor over op zijn flikker te krijgen als dat de prijs was die hij voor vrede moest betalen.

'Meestal zeg je dat ik me eroverheen moet zetten,' drong Sara aan. 'Dat het een hele tijd geleden is, dat jij nu anders bent, dat je bent veranderd. Dat je totaal niet om haar gaf.'

'Zou het helpen als ik dat nu zei?'

'Nee,' zei ze. 'Ik kan niks bedenken wat zou helpen.'

Jeffrey leunde tegen de muur. Hij zou er een lief ding voor overhebben om haar gedachten te kunnen lezen. 'Hoe moet het verder met ons?'

'Het liefst zou ik je haten.'

'Vertel eens wat nieuws,' zei hij. Ze knikte instemmend en scheen de luchtigheid in zijn stem niet te hebben opgepikt.

Jeffrey ging verzitten op de tafel; zijn benen bengelden een halve meter boven de vloer zodat hij zich net een idioot voelde. 'Fuck,' hoorde hij Sara fluisteren. Zijn hoofd schoot van verbazing omhoog. Ze gebruikte zelden grove taal en hij wist niet of hij haar verwensing positief of negatief moest uitleggen.

'Je irriteert me mateloos, Jeffrey.'

'Ik dacht dat je dat zo aantrekkelijk aan me vond.'

Ze wierp hem een snijdende blik toe. 'Als je ooit...' Haar stem stierf weg. 'Wat heeft het ook voor zin?' vroeg ze, en hij wist dat het geen retorische vraag was.

'Het spijt me,' zei hij, en deze keer meende hij het oprecht. 'Het spijt me dat ik dit allemaal veroorzaakt heb. Het spijt me dat ik er zo'n puinhoop van gemaakt heb. Het spijt me dat we door die hel heen moesten – dat jij door die hel heen moest – om op dit punt uit te komen.'

'Op welk punt?'

'Dat is aan jou, meen ik.'

Ze snifte, sloeg haar handen voor haar gezicht en slaakte een diepe zucht. Toen ze weer naar hem opkeek, zag hij dat ze haar uiterste best deed niet in huilen uit te barsten.

Jeffrey staarde naar zijn hand en begon aan de pleister te peuteren.

'Zit daar nou niet aan te knoeien,' zei ze, en ze legde haar hand op de zijne. Ze liet hem daar liggen en dwars door het verband heen voelde hij haar warmte. Hij keek naar haar lange, sierlijke vingers, naar de blauwe aderen op de rug van haar hand, die een ingewikkelde landkaart vormden onder haar bleke huid. Hij streek met zijn vingers over de hare en vroeg zich af hoe hij in godsnaam ooit zo stom had kunnen zijn om haar als vanzelfsprekend te beschouwen.

'Ik zag de hele tijd dat meisje voor me,' zei hij. 'Ze doet me heel erg denken aan...'

'Aan Wendy,' maakte ze zijn zin af. Wendy, zo heette het meisje dat hij had doodgeschoten.

Hij legde zijn andere hand plat op de hare, want die schietpartij was wel het laatste waar hij nu over wilde praten. 'Hoe laat ga je naar Macon?'

Ze keek op zijn horloge. 'Ik heb over een halfuur met Carlos afgesproken in het mortuarium.'

'Vreemd dat ze allebei die cyanide konden ruiken,' zei Jeffrey. 'Lena's grootmoeder kwam uit Mexico. Carlos is Mexicaans. Denk je dat het daar iets mee te maken heeft?'

'Niet dat ik weet.' Ze keek hem aandachtig aan, alsof hij voor haar een open boek was.

'Ik red me verder wel, hoor,' zei hij terwijl hij zich van de tafel liet glijden.

'Weet ik.' Toen vroeg ze: 'Wat denk jij van die baby?'

'Ergens loopt een vader rond.' Jeffrey wist dat ze die vent stevig over de moord aan de tand zouden voelen als ze hem ooit te pakken kregen.

'Een zwangere vrouw loopt meer kans om vermoord te worden dan om aan iets anders dood te gaan,' beklemtoonde Sara. Met een bedrukte blik in haar ogen liep ze naar de spoelbak om haar handen te wassen.

'Cyanide ligt niet zomaar in een schap in de supermarkt,' zei hij. 'Hoe kan ik eraan komen als ik iemand wil vermoorden?'

'Het zit in sommige producten die overal verkrijgbaar zijn.' Ze draaide de kraan dicht en droogde haar handen af aan een wegwerpdoekje. 'Er zijn nogal wat kinderen het slachtoffer geworden van nagellakremover.'

'Zit daar ook cyanide in?'

'Ja,' antwoordde Sara, en ze wierp het handdoekje in de

vuilnisbak. 'Ik heb de boeken er eens op nageslagen toen ik gisteravond niet kon slapen.'

'En?'

Ze legde haar hand op de onderzoektafel. 'Er zijn natuurlijke bronnen, zoals de meeste vruchten met pit – perziken, abrikozen, kersen. Daar heb je er dan heel wat van nodig, dus erg praktisch is het niet. Je hebt allerlei bedrijven die cyanide gebruiken, en ook sommige medische laboratoria.'

'Wat voor bedrijven?' vroeg hij. 'Denk je dat ze het op de hogeschool hebben?'

'Waarschijnlijk wel,' zei ze, en hij besloot daar maar eens achteraan te gaan. De hogeschool van Grant was in de eerste plaats een landbouwkundig instituut waar ze allerlei experimenten uitvoerden op verzoek van de chemische industrie, die altijd uit was op nieuwe middelen om tomaten nog sneller te laten groeien of nog groenere erwten te telen.

'Het is ook een verharder bij het galvaniseren van metaal,' voegde Sara eraan toe. 'Sommige laboratoria hebben het in huis als controlemiddel. Soms wordt het gebruikt om een ruimte uit te roken. Het zit in sigarettenrook. Waterstofcyanide ontstaat bij het verbranden van wol of allerlei soorten kunststof.'

'Het lijkt me niet zo gemakkelijk om rook door een pijp naar beneden te blazen.'

'Dan zou hij een masker moeten dragen, maar je hebt gelijk. Er zijn betere manieren denkbaar.'

'Zoals?'

'Het wordt geactiveerd door zuur. Als je cyanidezouten mengt met huishoudazijn kun je een olifant van kant maken.'

'Gebruikte Hitler dat niet in de concentratiekampen? Cyanidezouten?'

'Ik geloof het wel,' zei ze, en ze wreef met haar handen over haar armen.

'Als er gas was gebruikt,' dacht Jeffrey hardop, 'dan zouden we zelf ook risico hebben gelopen toen we die kist openden.'

'Misschien was het al vervlogen of geabsorbeerd door het hout en de grond.'

'Kan ze die cyanide via besmette grond hebben binnengekregen?'

'Het is een drukbezocht openbaar gebied. Er komen voortdurend joggers langs. Ik betwijfel of iemand zomaar een zooi giftig afval naar binnen heeft kunnen smokkelen zonder dat iemand het heeft gezien en het heeft gemeld.'

'Maar toch?'

'Maar toch,' beaamde ze. 'Iemand heeft kans gezien om haar daar te begraven. Alles is mogelijk.'

'Hoe zou jij het aanpakken?'

'Ik zou de zouten in water oplossen,' zei Sara na enig nadenken. 'En dan zou ik het door de pijp naar beneden gieten. Ze had haar mond natuurlijk vlak bij de pijp om lucht te kunnen krijgen. Zodra de zouten haar maag bereikten, zou het zuur het gif activeren. Binnen enkele minuten zou ze dood zijn.'

'Aan de rand van de stad zit iemand met een galvaniseerbedrijf,' zei Jeffrey. 'Hij brengt bladgoud aan, dat soort werk.'

'Dale Stanley,' wist Sara.

'De broer van Pat Stanley?' vroeg Jeffrey. Pat was een van zijn beste agenten.

'Dat was zijn vrouw die je hier net zag.'

'Wat is er met haar kind aan de hand?'

'Een bacteriële infectie. De oudste was hier drie maanden geleden met de ergste vorm van astma die ik in tijden heb gezien. Dat joch ligt om de haverklap in het ziekenhuis.'

'Ze zag er zelf ook niet al te gezond uit.'

'Ik snap niet hoe ze het volhoudt,' gaf Sara toe. 'Maar ze wil zich niet laten behandelen.'

'Denk je dat er iets met haar aan de hand is?'

'Volgens mij kan ze elk moment instorten.'

'Ik moet er maar eens langs, geloof ik,' zei Jeffrey toen hij het had laten bezinken.

'Het is een gruwelijke dood, Jeffrey. Cyanide is een chemische stof die verstikking veroorzaakt. Die alle zuurstof uit het bloed haalt tot er niets meer over is. Ze wist wat er gebeurde. Haar hart moet als een razende tekeer zijn gegaan.'

Sara schudde haar hoofd, alsof ze zich van het beeld wilde ontdoen.

'Hoe lang heeft ze er volgens jou over gedaan om te sterven?'

'Dat hangt ervan af hoe ze het gif heeft opgenomen, in welke vorm het werd toegediend. Ergens tussen de twee en de vijf minuten. Ik ben geneigd te denken dat het behoorlijk snel is gegaan. Ze toont geen enkele van de klassieke symptomen die wijzen op een langdurige cyanidevergiftiging.'

'Zoals?'

'Ernstige diarree, braken, stuipen, bewusteloosheid. Het komt erop neer dat het lichaam alles doet om het gif zo snel mogelijk uit te stoten.'

'Kan het lichaam dat? Zonder hulp, bedoel ik.'

'Meestal niet. Het gaat hier om een buitengewoon giftige stof. Er zijn een stuk of tien middelen die je kunt toedienen als je zo iemand op de spoedafdeling binnenkrijgt, van houtskool tot amylnitriet – poppers –, maar eigenlijk kun je alleen de verschillende symptomen bestrijden op het moment dat ze zich voordoen en dan maar hopen dat het goed afloopt. Het gif werkt ongelooflijk snel en is bijna altijd dodelijk.'

Jeffrey bleef aandringen: 'Maar denk je dat het in dit geval ook snel is gegaan?'

'Ik hoop het.'

'Hier, dit moet je bij je houden,' zei hij, en hij stak zijn hand in de zak van zijn jasje om er de mobiel uit te halen.

Ze trok haar neus op. 'Ik hoef zo'n ding niet.'

'Ik vind het prettig om te weten waar je bent.'

'Je weet toch waar ik straks ben?' zei ze. 'Eerst Carlos oppikken, dan naar Macon, en dan weer hiernaartoe.'

'Stel dat ze iets vinden tijdens de autopsie?'

'Dan pak ik een van de tien telefoons daar op het lab en bel je op.'

'En als ik nou de tekst van "Karma Chameleon" ben vergeten?'

Ze wierp hem een vuile blik toe en hij begon te lachen. 'Ik vind het altijd heerlijk als je voor me zingt.'

'Dat is heus niet de reden waarom ik het niet wil hebben.'

Hij legde het telefoontje naast haar op de tafel. 'Het helpt zeker niet als ik je vraag om het voor mij te doen?'

Ze keek hem een paar tellen aan en liep toen de onderzoekkamer uit. Hij stond zich nog af te vragen of hij geacht werd haar te volgen toen ze weer terugkwam met een boek in haar hand.

'Ik weet niet of ik dit naar je kop moet smijten of gewoon aan je moet geven,' zei ze.

'Wat is het dan?'

'Ik heb het een paar maanden geleden besteld,' antwoordde ze. 'Het werd vorige week bezorgd. Ik wilde het aan je geven nadat je weer bij me was ingetrokken.' Ze hield het omhoog zodat hij de titel op de bruinrode cassette kon lezen. '*Andersonville* van Kantor,' zei ze, en ze voegde eraan toe: 'Het is een eerste druk.'

Hij staarde naar het boek, en zijn mond ging een paar keer open en dicht voor hij er iets uit kreeg. 'Dat moet een fortuin hebben gekost.'

Met een wrange blik in haar ogen overhandigde ze hem de roman. 'Op dat moment vond ik dat je het waard was.'

Hij trok het boek uit de cassette en het was alsof hij de heilige graal in zijn handen hield. Het linnen was blauw met wit, de pagina's waren aan de randen lichtelijk verbleekt. Voorzichtig sloeg hij het titelblad op. Hij was nauwelijks tot spreken in staat. 'Het is gesigneerd. MacKinley Kantor heeft het zelf gesigneerd.'

Onverschillig haalde ze haar schouders op, alsof het niet zoveel voorstelde. 'Ik weet dat je het een mooi boek vindt en...'

Jeffreys keel zat dichtgesnoerd. 'Ik vind het echt ongelooflijk van je,' zei hij ten slotte. 'Echt ongelooflijk.'

Toen hij op school een keer moest nablijven, had juffrouw Fleming, zijn docente Engels, hem het boek te lezen gegeven. Tot op dat moment had Jeffrey er over de hele linie een puinhoop van gemaakt, en hij had zich redelijk verzoend met het feit dat zijn carrièrekeus beperkt zou blijven tot monteur of fabrieksarbeider, of erger nog: kruimeldief zoals zijn vader, maar het verhaal had iets in hem wakker gemaakt, een verlangen naar kennis, naar doorleren. Het boek had zijn leven veranderd.

Een psychiater zou waarschijnlijk zeggen dat er een verband bestond tussen Jeffreys fascinatie voor een van de allerberuchtste zuidelijke gevangenissen ten tijde van de Burgeroorlog en het feit dat hij een smeris was, maar zelf dacht Jeffrey dat *Andersonville* hem het soort inlevingsvermogen had geschonken waaraan het hem tot op dat moment had ontbroken. Voordat Jeffrey naar Grant County was vertrokken om daar politiecommissaris te worden, had hij Sumter County, in Georgia, bezocht om de plek met eigen ogen te zien. Hij kon zich nog steeds de beklemming herinneren die hem beving toen hij een paar stappen binnen de palissade van Fort Sumter had gezet. Meer dan dertienduizend gevangenen waren daar gestorven in de vier jaar dat het fort als gevangenis dienstdeed. Hij had daar gestaan tot de zon onderging en er niets meer te zien viel.

'Vind je het mooi?' vroeg Sara.

'Het is prachtig,' stamelde hij. Hij streek met zijn duim langs de vergulde rug. Kantor had voor dit boek de Pulitzerprijs ontvangen. Jeffrey had er een nieuw leven aan te danken.

'Nou,' zei Sara. 'Ik dacht wel dat je het mooi zou vinden.'

'Reken maar.' Hij probeerde iets diepzinnigs te bedenken om uitdrukking te geven aan zijn dankbaarheid, maar in plaats daarvan hoorde hij zichzelf vragen: 'Waarom geef je het me uitgerekend nu?'

'Omdat het voor jou is bestemd.'

'Als afscheidscadeau?' vroeg hij, en ergens meende hij het nog ook.

Terwijl ze over haar antwoord nadacht streek ze met haar tong langs haar lippen. 'Gewoon omdat het voor jou is bestemd.'

Voor in het gebouw klonk een mannenstem. 'Chef?'

'Brad,' zei Sara. Ze liep de gang op en riep: 'We zijn hier!', voordat Jeffrey ook maar de kans kreeg om nog iets te zeggen.

Brad kwam binnen, zijn pet in de ene hand, een mobiele telefoon in de andere. 'U hebt uw mobiel op het bureau laten liggen,' zei hij tegen Jeffrey.

'En ben je helemaal hiernaartoe gekomen om me dat te vertellen?' vroeg Jeffrey met nauwelijks verholen ergernis.

'N-nee, chef,' stamelde Brad. 'Ik bedoel, ja chef, maar we hebben ook net een melding binnengekregen.' Hij zweeg even om adem te halen. 'Een vermissing. Eenentwintig jaar, bruin haar, bruine ogen. Tien dagen geleden voor het laatst gezien.'

'Bingo,' hoorde hij Sara fluisteren.

Jeffrey greep zijn jas en het boek. Hij gaf het nieuwe mobieltje aan Sara en zei: 'Bel me zodra de autopsie iets nieuws oplevert.' Voor ze kon tegenstribbelen vroeg hij aan Brad: 'Waar is Lena?'

Vijf

Lena wilde graag weer hardlopen, maar in Atlanta had ze te horen gekregen dat ze zich een paar weken lang niet al te veel mocht inspannen. Die ochtend was ze zo lang mogelijk in bed blijven liggen; tot Nan naar haar werk vertrok had ze gedaan alsof ze sliep en een paar minuten later was ze naar buiten geglipt om een wandelingetje te maken. Ze had tijd nodig om na te denken over wat ze op de röntgenfoto had gezien. De baby was zo groot geweest als haar twee samengebalde vuisten, even groot als de baby die uit haar schoot was verwijderd.

Terwijl ze over straat liep merkte Lena dat ze in gedachten telkens terugkeerde naar die andere vrouw in de kliniek, met wie ze af en toe een vluchtige blik had gewisseld en die schuldbewust en in elkaar gedoken op haar stoel had gezeten, alsof ze het liefst in het niets wilde oplossen. Lena vroeg zich af hoe ver haar zwangerschap al gevorderd was en wat haar naar de kliniek had gevoerd. Ze had weleens gehoord van vrouwen die zich lieten aborteren in plaats van zich om anticonceptie te bekommeren, al kon ze zich niet voorstellen dat iemand ervoor koos zich bij herhaling aan zo'n beproeving te onderwerpen. Het was alweer een week geleden, maar telkens als Lena haar ogen sloot zag ze de verwrongen foetus weer voor zich. De werkelijkheid haalde het niet bij de dingen die ze zich verbeeldde.

Wel was ze blij dat ze niet aanwezig hoefde te zijn bij de autopsie die voor die dag op het programma stond. Het laatste waar ze behoefte aan had was een concreet beeld van hoe haar eigen baby eruit had gezien. Ze wilde de draad van haar leven weer oppakken en dat hield onder andere in dat ze een oplossing moest zoeken voor haar problemen met Ethan.

De vorige avond had hij haar thuis opgebeld nadat hij uit Hank had weten los te krijgen waar ze uithing. Lena had hem naar waarheid verteld dat ze was teruggekomen na een oproep van Jeffrey, en ze had er meteen maar aan toegevoegd dat ze de komende weken zo door de zaak in beslag zou worden genomen dat ze nauwelijks tijd voor hem overhield. Ethan was slim, in zeker opzicht waarschijnlijk slimmer dan Lena, en telkens als hij merkte dat ze zich van hem probeerde te verwijderen, maakte hij het soort opmerking waardoor ze in tweestrijd raakte. Aan de telefoon had hij poeslief geklonken en hij had tegen haar gezegd dat ze zich op haar werk moest concentreren en hem alleen moest bellen als ze tijd had. Ze vroeg zich af hoe ver ze daarin kon gaan, hoeveel rek er in het touw zat waarmee hij haar vasthield. Waarom was ze toch zo slap als het om hem ging? Hoe was het mogelijk dat hij haar zo in zijn macht had? Er moest een manier zijn om van hem af te komen, want dit was geen leven.

Lena sloeg Sanders Street in. Een koude windvlaag streek door de bladeren en ze duwde haar handen diep in de zakken van haar jack. Vijftien jaar geleden was ze bij de politie van Grant County gaan werken om dichter bij haar zus te zijn. Sibyl was aan de hogeschool verbonden geweest, aan de afdeling Natuurwetenschappen, waar ze aan een veelbelovende carrière werkte tot er een abrupt eind aan haar leven kwam. Wat haar eigen werk betrof was Lena's pad bepaald niet over rozen gegaan. Een aantal maanden geleden was ze er 'een tijdje tussenuit geweest', zoals het vergoelijkend genoemd werd. Ze had een baantje op de hogeschool gehad tot ze vond dat ze haar leven weer op de rails moest zetten. In een edelmoedig gebaar had Jeffrey Lena weer in haar oude functie hersteld, maar ze wist dat sommige collega's er nogal misnoegd over waren.

Niet dat ze het hun kwalijk nam. Van buitenaf leek het misschien alsof Lena alles op een presenteerblaadje kreeg aangereikt. Zelf ervoer ze het heel anders. Sinds haar verkrachting waren er bijna drie jaar verstreken. Haar handen en voeten vertoonden diepe littekens op de plekken waar haar belager haar aan de vloer had vastgespijkerd. Pas nadat ze bevrijd was begon de echte pijn. Toch werd het op de een of andere manier draaglijker. Tegenwoordig kon ze een leeg vertrek binnengaan zonder dat haar nekharen overeind gingen staan. Ze raakte niet meer in paniek als ze alleen thuis was. Soms was de ochtend al half voorbij voor ze aan het gebeurde dacht.

Ze moest trouwens toegeven dat het voor een deel aan Nan Thomas te danken was dat alles haar wat gemakkelijker afging. Lena had haar aanvankelijk niet gemogen, nadat Sibyl hen aan elkaar had voorgesteld. Sibyl had wel eerder minnaressen gehad, maar Nan was duidelijk een blijvertje. Nadat de twee vrouwen waren gaan samenwonen had Lena zelfs een tijdlang niet met haar zus willen praten. Dat was een van de dingen waar Lena nu spijt van had, maar dat kon ze niet meer tegen Sibyl zeggen. Misschien moest ze Nan haar verontschuldigingen aanbieden, maar telkens als die gedachte bovenkwam, ontbrak het haar aan woorden.

Met Nan onder één dak wonen was net zoiets als de tekst van een bekende song uit je hoofd proberen te leren. Eerst nam je je voor goed op te letten, naar elk woord te luisteren, maar na drie regels was je dat weer vergeten en gaf je je over aan het vertrouwde ritme van de muziek. Hoewel ze nu alweer een halfjaar samenwoonden, wist Lena niet veel meer over de bibliothecaresse dan wat oppervlakkigheden. Ondanks haar allergieën was Nan dol op dieren, verder haakte ze graag en zat ze hele vrijdag- en zaterdagavonden te lezen. Ze stond altijd te zingen onder de douche en 's ochtends voor ze naar haar werk ging, dronk ze groene thee uit een blauwe mok die ooit van Sibyl was geweest. Op haar dikke brillenglazen zaten altijd vegen, maar wat haar kleren betrof was ze ongelooflijk kieskeurig, ook al droeg ze jurken in kleuren die eerder bij een paasei pasten dan bij een vrouw van zesendertig. Nans vader had vroeger bij de politie gewerkt, net als de vader van Lena en Sibyl. Hij leefde nog, al had Lena hem nooit ontmoet of aan de telefoon gehad. Trouwens, als de telefoon ging was het meestal Ethan die Lena belde.

Toen Lena over de oprit naar het huis liep zag ze dat Nans bruine Corolla achter haar eigen Celica stond geparkeerd.

Ze wierp een blik op haar horloge want ze was benieuwd hoe lang ze gewandeld had. Om het overwerk van de vorige dag te compenseren had Jeffrey haar de hele ochtend vrij gegeven en ze had zich erop verheugd een tijdje alleen te zijn. Nan kwam meestal thuis voor de lunch, maar het was nog maar net negen uur geweest.

Lena pakte de *Grant Observer* van het gazon en terwijl ze naar de voordeur liep nam ze de koppen door. Zaterdagavond was de brandweer uitgerukt voor een in brand gevlogen broodrooster. Twee leerlingen van het Robert E. Lee College waren tweede en vijfde geworden bij een nationale wiskundewedstrijd. Nergens vond ze iets over het onbekende meisje dat in het bos was gevonden. Waarschijnlijk was de krant al naar de drukker toen Jeffrey en Sara op het graf stuitten. Lena durfde er gif op in te nemen dat het morgen met grote letters op de voorpagina zou staan. Misschien zouden ze met behulp van de krant de familie van het meisje kunnen opsporen.

Verdiept in het verhaal over het broodroosterbrandje en verbaasd dat er zestien brandweerlui voor nodig waren geweest om het te blussen duwde ze de voordeur open. Meteen bij binnenkomst was ze zich bewust van een vreemde sfeer in huis en toen ze opkeek zag ze tot haar verbijstering Nan tegenover Greg Mitchell, haar oude vriendje, zitten. Ze hadden drie jaar samengewoond, tot Greg genoeg kreeg van Lena's buien. Op een dag toen zij naar haar werk was, had hij zijn spullen gepakt en nadat hij een briefje op de deur van de koelkast had geplakt, was hij vertrokken – laf maar achteraf wel begrijpelijk. Het briefje was zo kort geweest dat ze het zich woordelijk kon herinneren: 'Ik hou van je, maar ik heb het helemaal gehad. Greg.'

Sindsdien waren er bijna zeven jaar verstreken en in die tijd hadden ze elkaar slechts twee keer gesproken, beide keren aan de telefoon en beide keren was hij niet verder gekomen dan 'Met mij' voor Lena de hoorn erop had gesmeten.

'Lee!' riep Nan uit. Ze schoot overeind, alsof ze op heterdaad betrapt was.

'Hoi.' Lena's keel zat dicht en ze kreeg het woord er met moeite uit. Ze hield de krant tegen haar borst gedrukt, alsof ze bescherming zocht. Misschien was dat ook zo.

Naast Greg op de bank zat een vrouw van Lena's leeftijd. Haar huid was lichtbruin en ze droeg haar haar in een losse paardenstaart. Bij een gunstige lichtval zou ze voor een verre nicht van Lena kunnen doorgaan – van Hanks kant dan, de lelijke tak. Zoals ze daar nu naast Greg zat leek de jonge vrouw nog het meest op een hoer. Het schonk Lena enige voldoening dat Greg genoegen had moeten nemen met een minder geslaagd exemplaar, hoewel ze een steek van jaloezie moest onderdrukken toen ze vroeg: 'Wat doe jij hier?' Hij leek te schrikken en ze probeerde haar toon wat te matigen.

'Hier in de stad, bedoel ik. Wat doe jij hier in de stad?'

'Ik, eh...' Een verlegen glimlachje verscheen op zijn gezicht. Misschien had hij een klap met de krant verwacht. Dat zou niet de eerste keer zijn.

'Ik heb m'n enkel gebroken,' zei hij en hij gebaarde naar zijn onderbeen. Op de bank tussen hem en het meisje zag ze een wandelstok liggen. 'Ik ben een tijdje thuis, zodat mijn moeder voor me kan zorgen.'

Zijn moeders huis stond twee straten verderop en Lena's hart sloeg over toen ze zich afvroeg hoe lang hij daar al woonde. Ze wilde iets zeggen en pijnigde haar hersens, maar het enige wat ze kon verzinnen was: 'Hoe gaat het met 'r? Met je moeder.'

'Nog altijd dezelfde ouwe mopperkont,' zei hij. Zijn ogen waren van een kristalhelder blauw, dat scherp afstak tegen zijn gitzwarte haar. Hij droeg het tegenwoordig wat langer, of misschien was hij al heel lang niet naar de kapper geweest. Dat soort dingen vergat Greg altijd; hij kon urenlang achter de computer zitten om een programma onder de knie te krijgen, maar zou het niet eens doorhebben als het huis instortte. Daar hadden ze eeuwig en altijd over geruzied. Eigenlijk was er niets waarover ze níét hadden geruzied. Lena had van geen wijken willen weten, nooit gaf ze een duimbreed toe. Ze had zich doodgeërgerd aan hem, ze had zijn bloed wel kunnen drinken en toch was hij waarschijnlijk de enige man van wie ze ooit echt had gehouden.

'En met jou?' vroeg hij.

'Wat?' Ze was nog steeds in gedachten verzonken. Hij

trommelde met zijn vingers op de wandelstok en ze zag dat zijn nagels tot op het leven waren afgekloven.

Greg keek even naar de twee andere vrouwen en zijn glimlach kreeg iets aarzelends. 'Ik vroeg hoe het met jou ging.' Ze haalde haar schouders op. Er viel een stilte en ze staarde hem aan. Ten slotte sloeg ze haar blik neer en keek naar haar handen. Als een gestresste huisvrouw had ze een hoekje van de krant staan versnipperen. Jezus, ze had zich nog nooit van haar leven zo slecht op haar gemak gevoeld. In het gesticht had je gekken met betere sociale vaardigheden.

'Lena,' zei Nan op gespannen toon. 'Dit is Mindy Bryant.' Lena schudde Mindy's toegestoken hand. Toen ze Greg naar de littekens op de rug van haar hand zag kijken, trok ze die gegeneerd terug.

Zijn toon was vol ingehouden verdriet. 'Ik heb gehoord wat er gebeurd is.'

'Tja,' was haar reactie, en ze duwde haar handen in haar achterzakken. 'Hoor eens, ik moet zo naar m'n werk.'

'Oké,' zei Greg. Hij probeerde overeind te komen. Mindy en Nan schoten hem beiden te hulp, maar Lena verroerde zich niet. Zij had ook wel willen helpen, ze stond al klaar, maar om de een of andere reden weigerden haar voeten dienst.

Leunend op zijn stok zei Greg tegen Lena: 'Ik kwam gewoon even langs om tegen jullie te zeggen dat ik er weer ben.' Hij boog zich naar voren en kuste Nan op haar wang. Onwillekeurig dacht Lena aan al die keren dat ze met Greg in de clinch had gelegen over Sibyls seksuele geaardheid. Hij had altijd de kant van haar zus gekozen en waarschijnlijk vond hij het buitengewoon amusant dat Lena en Nan nu onder één dak woonden. Of misschien wel niet. Greg was niet kleingeestig van aard en bleef nooit lang wrokken; dat was een van zijn vele goede eigenschappen die Lena nooit had leren waarderen.

'Vreselijk wat er met Sibyl is gebeurd,' zei hij. 'Mijn moeder vertelde het me pas toen ik terugkwam.'

'Dat verbaast me niks,' was Lena's reactie. Lu Mitchell was zo'n type dat haar zoon als een god aanbad en vanaf het allereerste begin had ze een hekel aan Lena gehad.

96

'Ik ga maar weer eens,' zei Greg.

'Ja,' antwoordde Lena en ze deed een stap naar achteren om hem langs te laten.

'Je bent altijd welkom.' Nan gaf hem een klopje op zijn arm. Ze was nog steeds zenuwachtig en het viel Lena op dat ze de hele tijd met haar ogen knipperde. Er was iets met haar, al kon Lena er niet de vinger op leggen.

'Je ziet er fantastisch uit, Nan,' zei Greg. 'Echt waar.' Nan bloosde zowaar en opeens besefte Lena dat ze haar bril niet ophad. Sinds wanneer droeg Nan contactlenzen? En waarom trouwens? Ze had zich nog nooit druk gemaakt om haar uiterlijk, maar vandaag had ze haar vertrouwde pastelletjes in de kast laten hangen en een spijkerbroek met een simpel zwart T-shirt aangetrokken. Tot op dat moment had Lena haar nooit in iets donkerders gezien dan zachtgroen.

'Sorry?' vroeg Lena toen ze merkte dat Mindy iets gezegd had.

'Leuk om je te hebben ontmoet, zei ik.' De nasale klank van haar stem werkte op Lena's zenuwen en ze hoopte dat haar afkeer niet door haar glimlach heen schemerde.

'Ik vond het ook leuk,' zei Greg en hij schudde Mindy's hand.

Lena wilde iets zeggen maar hield zich in. Greg stond al bij de deur, met zijn hand aan de knop.

'Tot ziens,' zei hij met een laatste blik op Lena.

'Oké,' antwoordde Lena. Veel meer had ze de afgelopen vijf minuten niet gezegd, besefte ze.

De deur klikte dicht en de drie vrouwen bleven op een kluitje bijeen staan.

Mindy lachte nerveus en Nan deed mee, net iets te luid. Ze sloeg haar hand voor haar mond, alsof ze haar lach wilde smoren.

'Ik ga maar eens weer aan het werk,' zei Mindy. Ze leunde naar voren om Nan op haar wang te kussen, maar Nan trok zich schielijk terug. Op het laatste moment besefte ze wat ze deed en ze schoot weer naar voren, waarbij ze tegen Mindy's neus stootte.

Mindy wreef lachend over haar neus. 'Ik bel je wel.'

'Eh, prima.' Nan werd zo rood als een biet. 'Ik ben hier.

97

Vandaag, bedoel ik. Of morgen op mijn werk.' Ze keek alle kanten op, behalve naar Lena. 'Je weet me wel te vinden, bedoel ik.'

'Oké,' antwoordde Mindy, maar haar glimlach verstrakte. Tegen Lena zei ze: 'Fijn je te hebben ontmoet.'

'Ja, hetzelfde.'

'Tot gauw,' zei Mindy met een heimelijke blik naar Nan. Nan zwaaide en Lena zei: 'Tot ziens.'

De deur sloeg dicht en Lena kreeg het gevoel dat alle zuurstof uit het vertrek was weggezogen. Nan bloosde nog steeds en ze perste haar lippen zo stijf op elkaar dat ze helemaal wit werden. 'Aardige meid, lijkt me,' zei Lena in een poging het ijs te breken.

'Ja,' beaamde Nan. 'Nee, bedoel ik. Niet dat ze niet aardig is. Maar ik... O help.' Ze drukte haar vingers tegen haar lippen om zichzelf de mond te snoeren.

Lena probeerde iets positiefs te bedenken. 'Ze is ook leuk om te zien.'

'Vind je?' Weer begon Nan te blozen. 'Niet dat het belangrijk is, bedoel ik. Gewoon...'

'Rustig maar, Nan.'

'Het is gewoon te snel.'

Lena wist niet wat ze verder nog moest zeggen. Anderen troosten was niet haar sterkste kant. Emoties waren überhaupt niet haar sterkste kant: dat had ze verschillende keren van Greg te horen gekregen voor hij er uiteindelijk genoeg van had en vertrok.

'Greg klopte zomaar aan,' zei Nan, en toen Lena een blik op de voordeur wierp voegde ze eraan toe: 'Niet nu, maar zonet. We zaten hier, Mindy en ik. We waren gewoon een beetje aan het kletsen en toen klopte hij aan en...' Ze zweeg even om adem te halen. 'Greg ziet er goed uit.'

'Ja.'

'Hij zei dat hij de hele tijd in de buurt rondloopt,' zei Nan. 'Voor zijn been. Hij krijgt fysiotherapie. Het was een beleefdheidsbezoekje. Stel dat we hem op straat tegenkwamen, snap je, en ons afvroegen waarom hij weer in de stad was.'

Lena knikte.

'Hij wist niet eens dat jij hier was. Dat jij hier woonde.'
'O.'
Weer viel er een stilte.
'Tja,' verzuchtte Nan en op hetzelfde moment zei Lena:
'Ik dacht je op je werk was.'
'Ik heb vanochtend vrij genomen.'
Lena leunde met haar hand tegen de voordeur. Blijkbaar
had Nan het afspraakje geheim willen houden. Misschien
geneerde ze zich of was ze bang voor Lena's reactie.
'Heb je koffie met haar gedronken?' vroeg Lena.
'Het is veel te snel na Sibyl,' zei Nan. 'Ik zag het pas toen
jij binnenkwam...'
'Wat?'
'Dat ze op je lijkt. En op Sibyl. Niet dat ze sprekend op Si-
byl lijkt,' haastte ze zich te zeggen. 'Ze is lang niet zo mooi.
Niet zo...' Nan wreef in haar ogen. 'Shit,' fluisterde ze.
Weer stond Lena met haar mond vol tanden.
'Die stomme lenzen ook,' zei Nan. Ze liet haar hand zakken en Lena zag dat de tranen in haar ogen stonden.
'Maak je maar niet druk, Nan.' Terwijl ze de woorden
uitsprak voelde Lena zich op een vreemde manier verantwoordelijk. 'Het is nu drie jaar geleden,' benadrukte ze,
hoewel het in haar eigen beleving nauwelijks drie dagen
was. 'Jij hebt ook recht op een beetje leven. Dat zou ze van
je...'
Met een knikje en luid sniffend legde Nan haar het zwijgen op. Ze wapperde met haar handen voor haar gezicht. 'Ik
haal die stomme dingen er weer uit, hoor. Het lijkt wel of ik
naalden in mijn ogen heb.'
Ze rende bijna naar de badkamer en sloeg met een klap de
deur achter zich dicht. Even overwoog Lena haar achterna
te gaan en te vragen of het wel ging, maar daarmee zou ze
wellicht een grens overschrijden. Het was nooit bij Lena opgekomen dat Nan op een dag weer iemand zou ontmoeten.
Voor het eerst besefte ze hoe vreselijk eenzaam Nan al die
tijd geweest moest zijn.
De telefoon ging een aantal keren over, maar Lena was zo
in gedachten verzonken dat ze het pas hoorde toen Nan riep:
'Neem jij even op?'

Net voor de voicemail het overnam pakte Lena de hoorn.
'Hallo?'
'Lena,' zei Jeffrey, 'ik weet dat ik je vanochtend vrij heb gegeven...'
Opluchting brak als een zonnestraal door. 'Zeg maar hoe laat je me verwacht.'
'Ik sta op de oprit.'
Ze liep naar het raam en zag zijn witte surveillancewagen.
'Ogenblikje, ik moet me even omkleden.'

Terwijl Jeffrey de auto over een grindweg aan de rand van de stad manoeuvreerde, leunde Lena achterover op de passagiersstoel en liet het landschap aan zich voorbijtrekken. Grant County bestond uit drie steden: Heartsdale, Madison en Avondale. Heartsdale bezat een hogeschool en was de trots van het district, een echt pronkjuweel met barokke huizen en villa's van voor de Burgeroorlog. Daarmee vergeleken was Madison armoedig, de naam 'stad' nauwelijks waardig, en Avondale was een regelrecht gat sinds het leger de basis daar had opgedoekt. Lena en Jeffrey baalden ervan dat de oproep uit Avondale kwam. Lena moest de agent nog ontmoeten die blij was met een telefoontje uit dat deel van het district, waar armoede en haat onder de oppervlakte broeiden en elk moment tot ontlading konden komen.
'Ben je ooit eerder zo ver geweest?' vroeg Jeffrey.
'Ik wist niet eens dat hier huizen stonden.'
'De laatste keer dat ik hier was stonden die er ook niet.'
Jeffrey gaf haar een dossier waaraan met een paperclip een routebeschrijving was bevestigd. 'Welke straat moeten we hebben?'
'Plymouth,' las ze. Boven aan het briefje stond een naam.
'Ephraim Bennett?'
'Kennelijk de vader.' Bij een afbladderend straatnaambordje minderde Jeffrey vaart. Het was standaard groen met witte letters, maar het had iets amateuristisch, alsof er een setje uit de ijzerwarenwinkel voor was gebruikt.
'Niña Street,' las Lena hardop. Ze vroeg zich af wanneer al deze wegen waren aangelegd. Na bijna tien jaar in de surveillancedienst dacht ze het district te kennen als haar broek-

zak. Nu ze om zich heen keek was het alsof ze zich op onbekend terrein begaven.

'Is dit nog steeds Grant?' vroeg ze.

'We zitten op de grens,' zei Jeffrey. 'Links heb je Catoogah County, rechts Grant.'

Bij het volgende bordje haalde hij zijn voet weer van het gas. 'Pinta Street,' las ze. 'Wie heeft die oproep aangenomen?'

'Ed Pelham,' zei Jeffrey en hij spuwde de naam bijna uit. Catoogah County was niet half zo groot als Grant en had recht op één sheriff en vier hulpsheriffs. Een jaar geleden was Joe Smith, de gemoedelijke oude opa die de functie al een halve eeuw bekleed had, aan een hartaanval bezweken tijdens een toespraak voor de Rotary Club, wat het startsein was geweest voor een onsmakelijke politieke strijd tussen twee van zijn hulpsheriffs. Bij de verkiezing kreeg ieder ongeveer evenveel stemmen, waarop er volgens de districtswet drie keer getost moest worden. Toen Ed Pelham als sheriff aantrad kreeg hij de bijnaam 'Twee Cent' vanwege de twee muntjes die hem de overwinning hadden gebracht. Hij was zo lui als een varken en zag er geen been in om anderen zijn werk te laten opknappen, zolang hij zijn grote hoed maar mocht dragen en het salaris opstreek.

Jeffrey zei: 'Een van zijn hulpsheriffs heeft het telefoontje gisteravond aangenomen. Hij heeft het tot vanochtend laten liggen en toen zag hij dat het buiten zijn rayon viel.'

'Heeft Ed jou gebeld?'

'Hij heeft de familie gebeld en gezegd dat ze contact met ons moesten opnemen.'

'Mooie boel,' zei ze. 'Wist hij van onze Jane Doe?'

Jeffrey drukte zich diplomatieker uit dan Lena in zijn positie zou hebben gedaan. 'Al stond z'n eigen reet in brand, dan zou die klootzak het nog niet doorhebben.'

Ze lachte spottend. 'Wie is Lev?'

'Hoezo?'

'Dat staat hieronder,' zei ze en ze liet hem de routebeschrijving zien. 'Je hebt "Lev" opgeschreven en er een streep onder gezet.'

'O,' zei Jeffrey zonder goed te luisteren, want weer moest

hij vaart minderen om het volgende straatnaambordje te kunnen lezen.

'Santa Maria,' zei Lena, en ze herinnerde zich weer de namen van de schepen die ze in de brugklas bij geschiedenis had geleerd. 'Wat zijn dat voor lui, een soort Pilgrim Fathers?'

'De Pilgrims kwamen op de Mayflower naar Amerika.'

'O,' zei Lena. Het was niet geheel zonder reden geweest dat de schooldecaan indertijd tegen haar had gezegd dat niet iedereen geschikt was voor een academische studie.

'De Niña, de Pinta en de Santa Maria waren van Columbus.'

'Oké.' Ze voelde Jeffrey kijken; waarschijnlijk vroeg hij zich af waar haar hersens zaten. 'Columbus.'

Tot haar opluchting ging hij op een ander onderwerp over. 'Die Lev heeft vanochtend gebeld,' zei Jeffrey terwijl hij optrok. De banden spoten grind op en toen Lena in het zijspiegeltje keek, zag ze een grote stofwolk achter hen. 'Dat is de oom. Ik heb teruggebeld en met de vader gesproken.'

'De oom, hè?'

'Ja,' zei Jeffrey. 'Die zullen we eens even goed aan de tand voelen.' Hij ging op de rem staan toen de weg na een scherpe bocht ophield.

'Plymouth.' Lena wees naar rechts, waar een smal zandpad op de weg uitkwam.

Jeffrey zette de auto in z'n achteruit zodat hij de afslag kon nemen zonder in een greppel te belanden. 'Ik heb hun namen op de computer nagetrokken.'

'En?'

'De vader heeft twee dagen geleden in Atlanta een bon gekregen voor te hard rijden.'

'Mooi alibi.'

'Zo ver weg is Atlanta nou ook weer niet,' benadrukte hij. 'Jezus, wie wil hier in godsnaam wonen?'

'Ik niet,' antwoordde Lena. Ze keek uit het raampje naar het golvende grasland. Er graasden koeien en in de verte zag ze paarden galopperen, als in een film. Sommigen zouden dit als een stukje paradijs beschouwen, maar Lena werd gek als ze de godganse dag naar koeien moest kijken.

'Sinds wanneer staat dit hier allemaal?' vroeg Jeffrey zich af.

Lena keek naar zijn kant van de weg en zag een gigantische boerderij omringd door akkers met lange rijen planten. 'Zijn dat pinda's?' vroeg ze.

'Daar zijn ze iets te hoog voor.'

'Wat groeit hier verder nog?'

'Republikeinen en werkloosheid,' zei hij. 'Dit zal wel een soort industriële boerderij zijn. In je eentje kun je onmogelijk zo'n groot bedrijf runnen.'

'Kijk daar eens,' zei Lena en ze wees naar een bord aan het begin van een slingerende oprit die naar een verzameling gebouwen voerde. In vergulde sierletters stond er SOJACOÖPERATIE DE GEZEGENDE GROEI met daaronder in kleinere letters SINDS 1984.

'Wat denk je, hippies?' vroeg Lena.

'Wie weet,' was Jeffreys antwoord. De geur van mest drong de auto binnen en hij draaide snel het raampje omhoog. 'Je zult er maar tegenover wonen.'

Lena zag een grote, moderne schuur. Het was blijkbaar pauze, want buiten hielden zich wel vijftig arbeiders op.

'Het gaat zeker goed met de soja.'

Midden op het pad zette Jeffrey de auto stil. 'Staat dit hier eigenlijk op de kaart?'

Ze trok het dashboardkastje open en haalde er een in spiraalband gebonden stratenboek van Grant County en omgeving uit. Terwijl ze het doorbladerde op zoek naar Avondale hoorde ze Jeffrey zachtjes vloeken. Hij keerde de wagen en reed naar de boerderij. Haar chef voelde zich nooit te min om de weg te vragen en dat vond Lena wel prettig. Met Greg was het net zo gegaan: meestal was Lena degene die zei dat ze nog een paar kilometer moesten doorrijden en dan met een beetje geluk hun bestemming wel zouden vinden.

De oprit naar de boerderij leek net een tweebaansweg met aan beide kanten diepe bandensporen. Waarschijnlijk was het hier een komen en gaan van zware trucks die de soja of wat dan ook ophaalden. Lena had geen idee hoe soja eruitzag, maar ze stelde zich voor dat je er heel veel van nodig had om een kist te vullen, laat staan een hele truck.

'Laten we het hier maar eens proberen,' zei Jeffrey en met een ruk trok hij de auto op de handrem. Hij was zichtbaar geïrriteerd, maar Lena wist niet of dat kwam doordat ze verdwaald waren of doordat de familie nog langer moest wachten nu ze zo'n omweg maakten. Een van de dingen die ze in de loop van de jaren van Jeffrey geleerd had was dat je het slechte nieuws liefst zo snel mogelijk moest brengen, tenzij je met uitstel je voordeel kon doen.

Ze liepen om de grote rode schuur heen. Aan de achterkant zag Lena een tweede groepje arbeiders dat zich rond een klein, pezig oud mannetje had verzameld. Hij stond zo luid te brullen dat ze hem op twintig meter afstand woord voor woord kon verstaan.

'De Heer verdraagt geen luiheid!' riep de man en zijn wijzende vinger raakte bijna het gezicht van een jongere kerel. 'Door jouw zwakte zijn we een hele ochtend werk kwijt!'

De man in kwestie sloeg schuldbewust zijn blik neer. Onder de toehoorders waren twee meisjes die allebei moesten huilen.

'Zwakte en hebzucht!' verkondigde de oude man, zijn toon bijtend van woede zodat ieder woord klonk als een aanklacht. In zijn andere hand had hij een bijbel, die hij als een toorts omhooghield om het pad naar de verlichting aan te geven. 'Je zult je zwakte niet kunnen verhullen!' riep hij. 'De Heer zal je op de proef stellen en je zult sterk moeten zijn!'

'Jezus,' mompelde Jeffrey. 'Eh, meneer?' liet hij er meteen op volgen.

De man draaide zich om. Eerst keek hij stuurs, toen verbaasd en uiteindelijk verscheen er een frons op zijn gezicht. Hij droeg een wit overhemd met lange mouwen, krakend van het stijfsel. Ook zijn spijkerbroek was gesteven, met scherpe vouwen in de pijpen. Op zijn hoofd droeg hij een honkbalpet van de Atlanta Braves, waar zijn grote oren als billboards onderuitstaken. Met de achterkant van zijn mouw veegde hij het speeksel van zijn mond. 'Kan ik u ergens mee helpen, meneer?' Het viel Lena op dat zijn stem hees was van het schreeuwen.

'We zijn op zoek naar Ephraim Bennett,' zei Jeffrey.

De man veranderde op slag. Er verscheen een stralende glimlach en zijn blik klaarde op. 'Die woont aan de overkant,' zei hij en hij wees in de richting waaruit Jeffrey en Lena waren gekomen. 'U rijdt terug,' verduidelijkte hij, 'slaat links af en dan is het rechts, na ongeveer een halve kilometer.' Ondanks zijn opgewekte houding hing de spanning als een dreigende wolk in de lucht. Het was moeilijk voor te stellen dat de man die hier nog maar enkele minuten geleden had staan brullen hetzelfde vriendelijke opaatje was dat hun nu zijn hulp aanbood.

Lena liet haar blik over het groepje arbeiders gaan en telde er een stuk of tien. Sommigen zagen eruit alsof ze al met één been in het graf stonden. Er was een meisje bij dat kennelijk met grote moeite overeind bleef, hoewel het Lena niet duidelijk was of dat door uitputting of bedwelming kwam. Het leken wel verslaafde hippies, stuk voor stuk.

'Dank u,' zei Jeffrey tegen de oude man. Hij bleef staan, alsof hij liever niet weg wilde.

'Een gezegende dag,' antwoordde de man, waarop hij Jeffrey en Lena gedecideerd de rug toekeerde. 'Kinderen,' vervolgde hij, de bijbel weer hoog geheven, 'laten we terugkeren naar de akkers.'

Lena voelde Jeffrey aarzelen en verroerde zich pas toen hij zich in beweging zette. Ze konden de man moeilijk tegen de grond werken om hem te vragen wat er in godsnaam aan de hand was, maar het was zonneklaar dat ze allebei hetzelfde dachten: helemaal pluis was het hier niet.

Pas toen ze in de auto zaten verbraken ze hun zwijgen. Jeffrey startte de motor en reed eerst achteruit om daarna te keren.

'Raar hoor,' zei Lena.

'Hoezo raar?'

Ze wist niet of hij het met haar oneens was of nieuwsgierig was naar haar kijk op de situatie.

'Al die bijbelshit,' zei ze.

'Hij ging er inderdaad een beetje mee aan de haal,' gaf Jeffrey toe, 'maar dat geldt voor veel lui hier in de buurt.'

'Kan wel zijn,' zei ze, 'maar wie neemt er nou een bijbel mee naar zijn werk?'

'Je zou ze hier de kost moeten geven.'

Kort nadat ze de hoofdweg weer waren opgereden, zag Lena een brievenbus aan haar kant van de weg. 'Driehonderdtien,' zei ze. 'Dat moet het zijn.'

Jeffrey nam de afslag. 'Dat iemand in God gelooft wil nog niet zeggen dat hij niet helemaal spoort.'

'Dat zei ik ook niet,' beklemtoonde Lena, hoewel ze er niet helemaal zeker van was. Vanaf haar tiende had ze een hartgrondige hekel gehad aan de kerk en aan alles wat riekte naar mannen op een preekstoel die je wel even zouden vertellen wat je moest doen. Haar oom Hank had zich zo volledig op de godsdienst gestort dat het veel weg had van een verslaving, erger dan de speed die hij bijna dertig jaar in zijn aderen had gespoten.

'Je moet altijd ruimdenkend proberen te zijn,' zei Jeffrey.

'Ja hoor,' luidde haar antwoord, en ze vroeg zich af of hij vergeten was dat ze een paar jaar geleden verkracht was door een Jezus-freak die klaarkwam als hij vrouwen kruisigde. Als Lena niets van godsdienst moest hebben, had ze daar een verdomd goede reden voor.

De oprit was zo lang dat Lena eraan begon te twijfelen of ze wel de goede afslag hadden genomen. Toen ze een scheefgezakte schuur en een soort buiten-wc passeerden kreeg ze een sterk déjà vu. In Reese, waar ze was opgegroeid, stikte het van dit soort plekken. Een politiek van reaganomics en deregulering had de boeren op de knieën gedwongen. Complete gezinnen waren weggetrokken van het land dat al generaties lang in de familie was en hadden de afwikkeling van hun zaken aan de bank overgelaten. Meestal verkocht die zo'n boerderij aan een of andere multinational die in het geniep migranten in dienst nam en zo de lonen laag hield en de winst hoog.

'Zit er tegenwoordig cyanide in bestrijdingsmiddelen?' vroeg Jeffrey.

'Al sla je me dood.' Lena pakte haar boekje en maakte een aantekening.

Met een slakkengangetje reed Jeffrey een steile helling op. Midden op de oprit stonden drie geiten en hij toeterde om ze naar de kant te drijven. De belletjes aan hun halsbanden rinkelden toen ze een soort kippenren binnentrippelden. Bij een varkenshok zagen ze een meisje van een jaar of twaalf en een jongen, met een emmer tussen hen in. Het meisje droeg een simpel jurkje en de jongen een overall. Hij had geen hemd aan en ook geen schoenen aan zijn voeten. Met hun blik volgden ze de auto en Lena voelde hoe de haartjes op haar armen overeind gingen staan.

'Als er iemand op een banjo gaat spelen ben ik weg,' zei Jeffrey.

'Dan ga ik met je mee,' zei Lena, die tot haar opluchting eindelijk een stukje beschaving zag opdoemen.

Het huis was een bescheiden optrekje met een steil schuin dak waarin twee dakkapellen waren aangebracht. Het hout waarvan het huis was gebouwd, was prima onderhouden en stak goed in de verf, en als je de afgejakkerde oude pick-up die aan de voorkant geparkeerd stond buiten beschouwing liet had het de woning van een docent uit Heartsdale kunnen zijn. De veranda en het zandpad dat naar de oprit voerde waren omzoomd met bloemen. Toen ze uit de auto stapten zag Lena een vrouw achter de hordeur staan. Ze hield haar handen ineengeslagen voor zich en uit de bijna tastbare spanning die ze uitstraalde maakte Lena op dat dit de moeder van het meisje was.

'Dat wordt niet gemakkelijk,' zei Jeffrey, en voor de zoveelste keer was ze blij dat dit soort zaken tot zijn taken behoorde en niet tot de hare.

Lena sloeg het portier dicht en liet haar hand even op de motorkap rusten. Op dat moment kwam er een man het huis uit lopen. Ze had verwacht dat de vrouw hem zou volgen, maar in plaats daarvan zag ze een bejaarde man naar buiten schuifelen.

'Commissaris Tolliver?' vroeg de jongere man. Hij had donkerrood haar, zonder de sproeten die er gewoonlijk mee gepaard gingen. Wel was zijn huid kenmerkend bleek en in het vroege zonlicht waren zijn groene ogen zo helder dat Lena op minstens vier meter afstand de kleur kon onderscheiden. Als je van het type hield zou je hem knap kunnen noemen, maar door het stijve overhemd met korte mouwen dat hij strak in zijn kaki broek had gestopt leek hij net een wiskundeleraar.

Even leek er een schok door Jeffrey heen te gaan, maar hij had zichzelf weer snel in de hand en vroeg: 'U bent de heer Bennett?'

'Lev Ward,' corrigeerde de man hem. 'Dit is Ephraim Bennett, Abigails vader.'

'O,' zei Jeffrey en Lena zag hem verbaasd opkijken. Ondanks zijn honkbalpet en overall leek Ephraim Bennett zo'n jaar of tachtig, behoorlijk oud voor een man met een dochter van net in de twintig. Zijn beide handen beefden zichtbaar, maar hij was pezig en had een gezonde gloed in zijn ogen. Er ontging hem niet veel, vermoedde Lena.

'Jammer dat we elkaar onder dergelijke omstandigheden ontmoeten,' zei Jeffrey.

Ondanks zijn parkinson gaf Ephraim Jeffrey een ferme hand. 'Ik waardeer het zeer dat u zich persoonlijk met deze zaak bezighoudt.' Zijn stem klonk krachtig en hij sprak met het lijzige zuidelijke accent dat Lena alleen nog kende uit Hollywood-films. Hij begroette Lena met een tikje tegen zijn pet. 'Mevrouw.'

Lena knikte en hield ondertussen Lev in de gaten; blijkbaar had die de regie in handen, ook al scheelde hij zeker dertig jaar met de ander.

'Fijn dat u zo snel wilde komen,' zei Ephraim tegen Jeffrey. Zelf zou Lena hun optreden niet als snel willen typeren. Het telefoontje was de vorige avond al binnengekomen. Als Jeffrey aan de lijn had gezeten in plaats van Ed Pelham zou hij linea recta naar Bennetts huis zijn gereden en niet tot de volgende dag hebben gewacht.

'Het was onduidelijk onder welk rayon het viel,' zei Jeffrey verontschuldigend.

'Dat is mijn fout,' zei Lev. 'De boerderij ligt in Catoogah County. Daar heb ik niet bij stilgestaan.'

'Dat hebben we geen van allen,' zei Ephraim vergoelijkend.

Lev boog zijn hoofd, alsof hij de absolutie aanvaardde.

'We hebben de weg gevraagd bij de boerderij aan de overkant. Daar troffen we een man van een jaar of vijfenzestig, zeventig...'

'Cole,' concludeerde Lev. 'Onze opzichter.'

Jeffrey zweeg, waarschijnlijk omdat hij meer informatie verwachtte. Toen die uitbleef voegde hij eraan toe: 'Hij heeft ons de weg gewezen.'

'Het spijt me dat ik niet duidelijker heb uitgelegd hoe u hier moest komen,' zei Lev. 'Zullen we naar binnen gaan, dan kunt u met Esther praten.'

'Uw schoonzus?' vroeg Jeffrey.

'Mijn jongste zus,' verduidelijkte Lev. 'Ik hoop dat u het niet bezwaarlijk vindt, maar mijn broer en mijn andere zussen komen ook. We hebben vannacht geen oog dichtgedaan, zo bezorgd waren we om Abby.'

'Is ze al eens eerder weggelopen?' vroeg Lena.

'Sorry,' zei Lev, die zijn aandacht nu op Lena richtte. 'Ik heb me niet eens voorgesteld.' Hij stak haar zijn hand toe.

Lena verwachtte het dooievissenpootje waarvan de meeste mannen zich bedienden als ze een vrouw de hand schudden: uiterst behoedzaam pakten ze dan haar vingers vast alsof ze bang waren ze te breken. Lev daarentegen nam haar hand even stevig in de zijne als hij dat bij Jeffrey gedaan had en ondertussen keek hij haar recht in de ogen. 'Leviticus Ward.'

'Lena Adams,' zei ze.

'U bent rechercheur?' raadde hij. 'We hebben ons zo ongerust gemaakt. Vergeef me mijn slechte manieren.'

'Ik begrijp het wel,' zei Lena, zich ervan bewust dat hij haar vraag over Abby heel handig had weten te omzeilen.

'Na u,' zei hij hoffelijk en hij deed een stap opzij.

Terwijl hun schaduwen haar volgden liep Lena naar het huis, verbaasd over hun ouderwetse manieren. Toen ze bij de voordeur aankwamen hield Lev die voor haar open zodat zij als eerste naar binnen kon.

Esther Bennett zat op de bank, haar voeten bij de enkels gekruist en haar handen samengevouwen op schoot. Haar rug was kaarsrecht, waarop Lena, die meestal wat ineengedoken liep, haar eigen schouders rechtte alsof ze zich met de ander wilde meten.

'Commissaris Tolliver?' vroeg Esther Bennett. Ze was stukken jonger dan haar man, waarschijnlijk ergens in de veertig, en had donker haar dat bij de slapen wat grijs werd. In haar witkatoenen jurk en roodgeruite schort leek ze zo uit een ouderwets kookboek te zijn weggelopen. Haar haar zat in een strakke knot achter op haar hoofd en te oordelen naar de losse pieken was het bijna even lang als dat van haar dochter. Lena twijfelde er niet aan of dit was de moeder van het dode meisje. Ze leken op elkaar als twee druppels water.

'Zeg maar Jeffrey,' zei haar chef. 'U hebt een mooi huis, mevrouw Bennett.' Dat zei hij altijd, ook al was het een hut. Het huis van de Bennetts liet zich nog het best als sober omschrijven. Er stonden geen prulletjes op de salontafel en afgezien van een simpel houten kruis aan de gemetselde schouw was de schoorsteenmantel leeg. Aan weerszijden van het raam dat op de voortuin uitkeek stonden twee verschoten, maar stevige oorfauteuils. De bank met zijn naar oranje zwemende bekleding stamde waarschijnlijk nog uit de jaren zestig, hoewel hij in goede staat verkeerde. Gordijnen of luiken ontbraken en op de hardhouten vloer lag geen tapijt. De lamp aan het plafond leek authentiek en moest dus ongeveer even oud als Ephraim zijn. Lena vermoedde dat dit de nette kamer was en na een vluchtige blik in de gang concludeerde ze dat de rest van het huis al even minimalistisch was ingericht.

Ongetwijfeld dacht Jeffrey op dat moment hetzelfde, want hij vroeg: 'Woont u hier al lang?'

'Al van voor Abby's geboorte,' antwoordde Lev.

'Alstublieft,' zei Esther en ze spreidde haar handen. 'Gaat u zitten.' Zodra Jeffrey plaatsnam ging ze zelf staan, waarop hij weer overeind schoot. 'Alstublieft,' herhaalde ze, en opnieuw gebaarde ze hem plaats te nemen.

'De rest van de familie kan er elk moment zijn,' liet Lev weten.

'Wilt u iets drinken, commissaris Tolliver?' vroeg Esther. 'Limonade misschien?'

'Dat sla ik niet af,' antwoordde Jeffrey, die de vrouw waarschijnlijk op haar gemak probeerde te stellen door op haar aanbod in te gaan.

'En u, mevrouw...?'

'Adams,' vulde Lena aan. 'Nee, dank u.'

Lev zei: 'Esther, deze mevrouw is rechercheur.'

'O,' zei ze, in verwarring gebracht door zijn opmerking. 'Neem me niet kwalijk, rechercheur Adams.'

'Het geeft niet, hoor,' stelde Lena haar gerust, hoewel ze eigenlijk vond dat zij degene was die haar verontschuldigingen moest aanbieden. Er was iets vreemds aan deze familie en ze vroeg zich af wat die mensen voor de wereld verborgen hielden. Sinds ze de halvegare op de boerderij hadden gesproken, stond haar intuïtie op scherp. Haar gevoel fluisterde haar in dat hij hier niet de enige gek was.

'Limonade zou lekker zijn, Esther,' zei Lev, en weer viel het Lena op hoe behendig hij de situatie wist te sturen. Hij maakte de indruk een geboren leider te zijn, iets wat altijd haar wantrouwen wekte als ze met een zaak bezig waren. Esther had zichzelf weer enigszins onder controle. 'Maak het u gemakkelijk alstublieft. Ik ben zo terug.'

Even liet ze haar hand op de schouder van haar man rusten en toen verliet ze zonder een woord te zeggen de kamer.

Afwachtend bleven de mannen bij elkaar staan. Lena ving Jeffreys blik op en zei: 'Ik ga haar maar eens even helpen.'

Het leek of er een zucht van verlichting klonk en toen ze achter Esther aan de gang in liep, hoorde ze Lev grinniken om iets wat ze niet helemaal kon volgen. Vrouwen hoorden in de keuken, iets in die trant. Ze vermoedde dat het er in deze familie heel ouderwets aan toeging, dat de mannen de leiding hadden en vrouwen wel gezien maar niet gehoord mochten worden.

Lena liep op haar dooie gemak door de gang naar achteren in de hoop iets tegen te komen wat licht zou werpen op het merkwaardige gedrag van de bewoners. Aan de rechterkant passeerde ze drie deuren, alle gesloten, en ze ging ervan uit dat het slaapkamers waren. Links zag ze een soort huiskamer en een grote bibliotheek met boeken tot aan het plafond. Daar keek ze nogal van op; om de een of andere reden had ze altijd gemeend dat godsdienstfanaten geen echte lezers waren.

Als Esther zo oud was als ze eruitzag moest haar broer Lev de vijftig naderen. Hij was een gladde prater en had de stem van een baptistenpredikant. Lena had zich nooit echt tot bleke mannen aangetrokken gevoeld, maar deze Lev had iets onweerstaanbaars. Uiterlijk deed hij haar een beetje aan Sara Linton denken. Beiden straalden een bepaald soort zelfvertrouwen uit, hoewel het bij Sara wat onaangenaam aandeed. Bij Lev werkte het geruststellend. Als hij in tweedehands auto's had gehandeld, zou hij de concurrentie waarschijnlijk mijlenver achter zich hebben gelaten.

'O,' zei Esther geschrokken toen Lena plotseling in de keuken verscheen. Ze hield een foto in haar hand en blijkbaar aarzelde ze die aan Lena te laten zien. Uiteindelijk besloot ze het toch te doen en reikte haar de foto aan. Er stond een meisje van een jaar of twaalf op, haar lange bruine haar in vlechten.

'Is dat Abby?' vroeg Lena, hoewel ze er niet aan twijfelde of dit was het meisje dat Jeffrey en Sara in het bos hadden gevonden.

Esther keek Lena een paar tellen strak aan, alsof ze haar gedachten probeerde te lezen. Op het laatste moment besloot ze kennelijk liever in het ongewisse te blijven, want ze richtte zich weer op haar werk en keerde Lena haar rug toe.

'Abby is dol op limonade,' zei ze. 'Het is haar nooit zoet genoeg, maar voor mij kan het wel wat minder.'

'Voor mij ook,' zei Lena, niet omdat het waar was, maar omdat ze vriendelijk wilde overkomen. Vanaf de eerste stap die ze in dit huis had gezet, had ze zich onbehaaglijk gevoeld, en als politievrouw had ze geleerd op haar eerste indrukken te vertrouwen.

Esther sneed een citroen in tweeën en perste hem op een metalen handpers uit. Ze had er inmiddels een stuk of zes gebruikt en het bakje begon aardig vol te worden.

'Zal ik helpen?' vroeg Lena. De enige drankjes die zij ooit maakte kwamen uit een pak en gingen meestal in de blender.

'Het is al klaar,' zei Esther. Alsof ze Lena op de een of andere manier had beledigd liet ze er verontschuldigend op volgen: 'De kan staat boven het fornuis.'

Lena liep naar het kastje en haalde er een grote kan van kristalglas uit. Het ding was zwaar en waarschijnlijk antiek. Ze klemde het in beide handen en liep ermee naar het aanrecht.

Om het gesprek gaande te houden zei Lena: 'Wat is het licht hier mooi.' Aan het plafond was een grote tl-buis bevestigd, maar die brandde niet. Boven het aanrecht waren drie grote ramen en pal boven de keukentafel zaten twee langwerpige dakramen; al die ramen bij elkaar vulden het vertrek met licht. Net als de rest van het huis was ook de keuken een eenvoudig ingerichte ruimte en het verbaasde Lena dat er mensen waren die voor zo'n sober leven kozen. Esther keek op naar de zon. 'Ja, het is mooi, hè? Ephraims vader heeft het huis helemaal zelf gebouwd.'

'Bent u al lang getrouwd?'

'Tweeëntwintig jaar.'

'En Abby is de oudste?'

Glimlachend pakte ze nog een citroen uit de zak. 'Inderdaad.'

'Toen we net aankwamen, zagen we twee kinderen.'

'Dat waren Rebecca en Zeke,' zei ze, nog steeds met een trotse glimlach om haar lippen. 'Becca is van mij. Zeke is van Lev. Zijn vrouw is gestorven.'

'Twee meisjes,' zei Lena. Ze klonk als een eersteklas idioot, vond ze. 'Dat zal wel heel leuk zijn.'

Esther rolde een citroen over de snijplank om de schil wat losser te maken. 'Ja,' zei ze, maar de aarzeling in haar stem ontging Lena niet.

Het keukenraam bood uitzicht over grasland. Onder een boom zag Lena een groepje koeien. 'Die boerderij aan de overkant...' begon ze.

'De coöperatie,' vulde Esther aan. 'Daar heb ik Ephraim ontmoet. Hij kwam er al snel werken nadat mijn vader het bedrijf had uitgebreid, begin jaren tachtig. We trouwden en kort daarna zijn we hier gaan wonen.'

'Toen moet u ongeveer even oud zijn geweest als Abby nu,' schatte Lena.

Esther keek op, alsof het nu pas tot haar doordrong. 'Ja,' zei ze. 'Dat klopt. Ik was verliefd en verliet mijn ouderlijk huis. De hele wereld lag aan mijn voeten.' Ze perste een nieuwe citroen uit.

'Die oudere man die we tegenkwamen...' zei Lena voorzichtig.

'Cole?' Ze glimlachte. 'Zo lang ik me kan heugen woont die al op de boerderij. Mijn vader kent hem al jaren.'

Lena zweeg afwachtend, maar er kwam verder niets. Net als Lev leek Esther terughoudend te zijn waar het Cole betrof, wat Lena's nieuwsgierigheid alleen maar aanwakkerde.

Opeens schoot haar de vraag weer te binnen die Lev had ontweken en dit leek haar het juiste moment om hem nog eens te stellen. 'Is Abby al eens eerder van huis weggelopen?'

'O nee, zo'n type is ze helemaal niet.'

'Wat voor type dan wel?' drong Lena aan. Ze vroeg zich af of de moeder wist dat haar dochter zwanger was.

'Abby is verknocht aan de familie. Zoiets ongevoeligs zou ze nooit doen.'

'Soms doen meisjes van die leeftijd dat soort dingen zonder bij de gevolgen stil te staan.'

'Dat zou eerder iets voor Becca zijn,' zei Esther.

'Is Rebecca wel eens weggelopen?'

Zonder op de vraag in te gaan zei ze: 'Abby is nooit opstandig geweest. In dat opzicht lijkt ze heel veel op mij.'

'Hoezo?'

Esther wilde antwoorden, maar veranderde opeens van gedachten. Ze pakte de kan en vulde die met citroensap. Vervolgens liep ze naar het aanrecht, draaide de kraan open en liet het water stromen tot het koud genoeg was.

Lena vroeg zich af of de vrouw van nature zwijgzaam was of dat ze haar woorden op een goudschaaltje woog uit angst dat haar broer te weten kwam dat ze te veel had gezegd. Ze probeerde een manier te bedenken om haar aan het praten te krijgen. 'Zelf was ik de jongste,' zei ze, ook al scheelde ze maar een paar minuten met haar zusje. 'Altijd en eeuwig werkte ik me in de nesten.'

Esther liet een instemmend geluidje horen, maar daar bleef het bij.

'Als je jong bent kun je maar moeilijk accepteren dat je ouders echte mensen zijn,' zei Lena. 'Voortdurend eis je van ze dat ze je als een volwassene behandelen, maar denk maar niet dat je dat ook met hen doet.'

Nadat ze met een blik over haar schouder de lange gang in had gekeken bekende Esther: 'Rebecca is vorig jaar een keer weggelopen. Een dag later was ze alweer terug, maar de schrik zat er bij ons goed in.'

'Is Abby weleens weggebleven?' herhaalde Lena. Esthers stem steeg amper boven gefluister uit. 'Soms ging ze naar de boerderij zonder het tegen ons te zeggen.'

'Gewoon naar de overkant?'

'Ja, gewoon naar de overkant. Gek dat we toch zo van streek waren. De boerderij hoort bij het huis. Abby was daar veilig. Maar we werden bezorgd toen we tegen etenstijd nog niks van haar gehoord hadden.'

Lena besefte dat de vrouw naar een specifiek incident verwees in plaats van naar een hele reeks voorvallen. 'Bleef Abby daar slapen?'

'Bij Lev en mijn vader,' zei ze. 'Die wonen bij Mary in. Mijn moeder is gestorven toen ik drie was.'

'Wie is Mary?'

'Mijn oudste zus.'

'Is die ouder dan Lev?'

'Nee hoor, Lev is de oudste. Dan komt Mary, dan Rachel, dan Paul en dan ik.'

'Dat is een hele club,' zei Lena, die vermoedde dat hun moeder van uitputting was bezweken.

'Mijn vader was enig kind. Hij wilde heel veel kinderen om zich heen.'

'Is de boerderij van uw vader?'

'Die is voor het grootste deel bezit van de familie en verder zijn er nog wat aandeelhouders.' Esther deed een kastje open en haalde er een kilopak suiker uit. 'Mijn vader heeft het bedrijf ruim twintig jaar geleden opgericht.'

Lena probeerde haar vraag zo tactvol mogelijk in te kleden. 'Ik dacht dat een coöperatie altijd eigendom was van de arbeiders.'

'Als een arbeider twee jaar op de boerderij heeft gewerkt, krijgt hij de gelegenheid om zich in te kopen,' legde Esther uit terwijl ze suiker in een kop goot.

'Waar komen de arbeiders vandaan?'

'De meesten uit Atlanta.' Met een houten lepel roerde ze

de suiker door de limonade. 'Sommigen zijn hier tijdelijk, die hebben behoefte aan een paar maanden rust. Anderen kiezen voor een nieuw leven en besluiten te blijven. Die noemen we "zielen", omdat ze aan verloren zielen doen denken.' Een wrange glimlach speelde om haar lippen. 'U moet niet denken dat ik naïef ben. Sommigen zijn gewoon op de vlucht. Daarom zullen we de politie er niet snel bij betrekken. We willen ze niet verstoppen, maar wel helpen. Anderen zijn op de loop voor gewelddadige echtgenoten of ouders. We kunnen niet alleen de mensen beschermen die we bij ons vinden passen. Iedereen of anders niemand.'

'Waar zou u de politie dan bij moeten betrekken?'

'In het verleden werd er weleens gestolen,' zei ze, om er meteen aan toe te voegen: 'Ik weet dat ik mijn mond voorbijpraat, maar van Lev krijgt u dat soort zaken niet te horen. We leven hier heel geïsoleerd zoals u waarschijnlijk gemerkt hebt, en de plaatselijke sheriff komt heus niet in actie als we een hooivork missen.'

Pelham kwam alleen in actie voor zijn avondeten. 'En dat is alles? Vermiste hooivorken?'

'Er is ook weleens een schop verdwenen, en een paar keer een kruiwagen.'

'En hout?'

Esther keek Lena verward aan. 'Tja, dat zou ik niet weten. Zo veel hout gebruiken we niet op de boerderij. Bedoelt u misschien palen? Sojaplanten hoef je niet te stokken.'

'Worden er verder nog dingen vermist?'

'Ongeveer een maand geleden is er een kas met kleingeld uit de schuur gestolen. Volgens mij zat er zo'n driehonderd dollar in.'

'Waar wordt die kas met kleingeld voor gebruikt?'

'Soms moet er iets uit de ijzerwarenzaak komen of worden er pizza's gehaald als de mensen moeten overwerken. We verwerken de planten zelf en dat is vaak behoorlijk eentonig werk. Sommige zielen hier hebben niet veel opleiding gehad, maar er zijn er ook bij die zich stierlijk vervelen. Die laten we andere karweitjes opknappen, zoals de bestellingen of de boekhouding. Niet de bedrijfsadministratie, maar het sorteren en archiveren van facturen. Er is een duidelijke rangorde. We stellen ons ten doel ze nuttige vaardigheden bij te brengen, ze het gevoel te geven dat ze iets presteren, iets waarmee ze in hun verdere leven aan de slag kunnen.'

Lena vond het verdacht veel op een sekte lijken en ze slaagde er niet in haar standpunt te verhullen toen ze zei: 'Dus u haalt ze helemaal uit Atlanta hiernaartoe en in ruil daarvoor hoeven ze alleen maar hun avondgebedje op te zeggen?'

Glimlachend, alsof ze Lena tegemoet wilde komen, zei Esther: 'Het enige wat we van ze vragen is of ze de zondagsdienst willen bijwonen. En zelfs dat is niet verplicht. Elke avond om acht uur houden we huiskring en ook daar zijn ze van harte welkom. De meesten laten zich er niet zien en daar hebben we geen enkele moeite mee. We verlangen alleen maar van ze dat ze zich aan de regels houden en zich correct gedragen tegenover ons en hun lotgenoten.'

Inmiddels waren ze een heel eind afgedwaald en Lena probeerde het gesprek weer in de juiste richting te sturen. 'Werkt u zelf ook op de boerderij?'

'Gewoonlijk geef ik les aan de kinderen. De meeste vrouwen die hier komen hebben kinderen. Die probeer ik zo goed mogelijk te helpen, maar nogmaals: ze blijven hier meestal niet lang. Het enige wat ik hun kan bieden is wat structuur.'

'Hoeveel mensen zijn hier zo gemiddeld?'

'Rond de tweehonderd, schat ik. Dat kunt u trouwens beter aan Lev vragen. Ik houd me niet bezig met arbeidsgegevens en dat soort zaken.'

Lena nam zich voor achter die dossiers aan te gaan. Onwillekeurig zag ze telkens het beeld voor zich van een stel jongeren die gehersenspoeld werden tot ze al hun aardse bezittingen overdroegen en zich bij deze bizarre familie aansloten. Ze vroeg zich af of Jeffrey in het andere vertrek ook dat soort indrukken opdeed. 'Geeft u Abby ook nog les?'

'Meestal hebben we het over literatuur. Ik vrees dat ik haar niet veel meer kan bieden dan het gebruikelijke middelbareschoolprogramma. Ephraim en ik hebben overwogen haar naar een kleine universiteit te sturen, naar Tifton of West Georgia of iets dergelijks, maar ze wilde er niet van horen.

Ze vindt het heerlijk om op de boerderij te werken, snapt u. Anderen helpen, daar is ze heel goed in.'

'Hebt u dat altijd al gedaan?' vroeg Lena. 'Thuis lesgeven, bedoel ik.'

'Op Lev na hebben we allemaal thuis les gehad.' Ze glimlachte trots. 'Paul had een van de hoogste scores toen hij tot de University of Georgia werd toegelaten.'

Pauls academische carrière interesseerde Lena geen snars.

'Dat is uw enige taak op de boerderij: lesgeven?'

'O, nee hoor,' lachte ze. 'Iedereen op de boerderij moet overal een tijdje gewerkt hebben. Ik ben begonnen op het land, net als Becca nu. Zeke is nog een beetje te jong, maar over een paar jaar gaat hij ook aan de slag. Mijn vader is van mening dat je elk onderdeel van het bedrijf moet kennen als je op een dag de leiding overneemt. Zelf ben ik heel lang op de boekhoudafdeling blijven hangen. Helaas kan ik goed met cijfers overweg. Als het aan mij lag zou ik de hele dag op de bank liggen lezen. Mijn vader vindt dat we de zaak meteen moeten kunnen overnemen als er iets met hem gebeurt.'

'Krijgt u dan uiteindelijk de leiding?'

Ze moest lachen bij het idee, alsof een vrouw onmogelijk aan het hoofd van een bedrijf kon staan. 'Misschien Zeke of een van de jongens. Het gaat erom dat je er klaar voor bent. Wat ook zwaar weegt is dat onze arbeiders niet echt gemotiveerd zijn om te blijven. Het zijn stadsmensen en ze zijn gewend aan een jachtiger leven. Aanvankelijk vinden ze het hier heerlijk, genieten ze van de rust, de eenzaamheid en de gemoedelijkheid, allemaal dingen die ontbreken aan hun oude leventje op straat, maar dan raken ze erop uitgekeken, eerst een beetje, dan heel erg, en voor ze het beseffen gaan ze het liefst gillend op de loop voor alles wat ze eerst zo prachtig vonden. We proberen selectief te zijn wanneer we mensen opleiden. Het is doodzonde als je iemand een heel seizoen een bepaalde vaardigheid bijbrengt en hij houdt het halverwege voor gezien en gaat terug naar de stad.'

'Drugs zeker?' vroeg Lena.

'Uiteraard,' zei ze. 'Maar we zijn hier zeer op onze hoede. Vertrouwen moet je verdienen. Alcohol of sigaretten zijn op de boerderij niet toegestaan. Als je naar de stad wilt houdt niemand je tegen, maar je krijgt geen lift. Zodra je een voet op het erf hebt gezet moet je een gedragscontract ondertekenen. Als je dat verbreekt kun je vertrekken. De meesten kunnen zich daarin vinden en bovendien leren de nieuwelingen van de oudgedienden dat we het menen wanneer we zeggen dat een overtreding gelijkstaat aan een enkeltje Atlanta.' Haar stem werd wat milder. 'Ik weet dat het hard klinkt, maar we moeten de slechten eruit halen om degenen die hun best doen een kans te geven. Als politievrouw zult u dat ongetwijfeld begrijpen.'

'Hoeveel mensen vertrekken er uiteindelijk weer?' vroeg Lena. 'Grof geschat, bedoel ik.'

'Nou, zo'n zeventig procent, vermoed ik.' Weer verwees ze naar de mannen in haar familie. 'Voor een nauwkeurig percentage moet u bij Lev of Paul zijn. Die houden dat soort dingen bij.'

'Maar merkt u het zelf ook als mensen weer vertrekken?'

'Natuurlijk.'

'En Abby?' vroeg Lena. 'Is ze gelukkig hier?'

Esther glimlachte. 'Ik hoop het van harte, al hoeft niemand hier tegen zijn zin te blijven.' Lena knikte begrijpend, maar niettemin voegde Esther eraan toe: 'Ik weet dat het u misschien vreemd in de oren klinkt. We zijn godvruchtige mensen, maar we willen ons geloof niet aan anderen opdringen. Als je tot de Heer komt moet dat uit vrije wil gebeuren, anders heeft het voor Hem geen betekenis. Aan uw vragen merk ik dat u nogal sceptisch staat tegenover de gang van zaken op de boerderij en in mijn familie, maar ik kan u verzekeren dat we ons uitsluitend inzetten voor het grotere goed. Het zal duidelijk zijn dat we ons niet bezighouden met materiële zaken.' Ze wees om zich heen. 'Het redden van zielen, daar houden we ons mee bezig.'

Van alle dingen die Lena vandaag had gezien, stond vooral Esthers serene glimlach haar tegen. Ze probeerde zich eroverheen te zetten en vroeg: 'Wat doet Abby zoal op de boerderij?'

'Ze kan nog beter rekenen dan ik,' zei Esther trots. 'Ze heeft een tijdje op het kantoor gewerkt, maar dat ging haar vervelen, en we waren het er al snel over eens dat ze als sorteerder aan de slag mocht. Dat is geen al te moeilijk werk, maar zo komt ze wel met veel mensen in aanraking. Ze vindt het prettig om onder de mensen te zijn, om in de groep op te gaan. Volgens mij wil elk meisje dat graag.'

Lena zweeg even, verbaasd omdat de vrouw nog niet naar haar dochter geïnformeerd had. Dat kon op twee dingen duiden: Esther weigerde de werkelijkheid onder ogen te zien of ze was maar al te goed van Abby's lot op de hoogte. 'Wist Abby dat er dingen gestolen waren?'

'Er waren maar weinig mensen die ervan wisten,' zei Esther. 'Lev laat kerkproblemen liever aan de kerk over.'

'De kerk?' vroeg Lena, die deed of haar neus bloedde.

'O, neem me niet kwalijk,' zei ze. Het was Lena een raadsel waarom ze zo ongeveer elke zin met een verontschuldiging begon. 'De Kerk voor het Grotere Goed. Ik ga er altijd van uit dat iedereen wel weet waar we ons mee bezighouden.'

'En waar houdt u zich dan mee bezig?'

Ook al slaagde Lena er niet in haar cynisme te verhullen, toch legde Esther het geduldig uit. 'De Gezegende Groei financiert ons steunpunt in Atlanta.'

'Wat is dat voor steunpunt?'

'We proberen in Jezus' voetsporen te treden door voor de armen te werken. We hebben contact met verschillende tehuizen voor daklozen en mishandelde vrouwen. Sommige huizen hebben ons nummer onder de sneltoets zitten. Soms krijgen we mannen en vrouwen die net uit de gevangenis zijn ontslagen en nergens naartoe kunnen. Het is verbijsterend zoals ons strafstelsel die mensen vermaalt en dan weer uitspuugt.'

'Bewaart u gegevens over die mensen?'

'Voorzover mogelijk wel,' zei Esther, die zich weer op de limonade richtte. 'We hebben onderwijsvoorzieningen waar ze alles over het productieproces leren. Er is de afgelopen tien jaar veel veranderd in de sojabusiness.'

'Ja, tegenwoordig zit het zo ongeveer overal in,' zei Lena, die wijselijk verzweeg dat ze dit alleen maar wist omdat ze samenwoonde met een tofoe-etende lesbische gezondheidsfanaat.

'Ja,' beaamde Esther. Ze nam drie glazen uit de kast.

'Ik pak het ijs wel,' bood Lena aan. Ze deed de koelkast open en zag een groot blok ijs in plaats van de klontjes die ze verwacht had.

'Gewoon met de handen vastpakken,' zei Esther. 'Anders wil ik wel...'

'Ik heb het al,' liet Lena haar weten. De voorkant van haar shirt werd helemaal nat toen ze het blok uit de koelkast tilde. 'Aan de overkant hebben we een ijshuisje voor als dingen koel bewaard moeten worden. Het is zonde om hier water te verspillen als we aan de overkant ijs in overvloed hebben.' Met een gebaar gaf ze aan dat Lena het blok in de gootsteen moest zetten. 'We proberen onze natuurlijke bronnen zo veel mogelijk te sparen,' zei ze, terwijl ze met een ijspriem wat stukken afbrak. 'Mijn vader was de eerste boer in de wijde omtrek die regenwater gebruikte voor natuurlijke irrigatie. Uiteraard hebben we daar nu te veel land voor, maar we proberen zo veel mogelijk water terug te winnen.'

Lena bedacht opeens dat Jeffrey naar mogelijke cyanidebronnen had gevraagd. 'Worden er hier ook bestrijdingsmiddelen gebruikt?'

'Geen denken aan,' zei Esther, en ze verdeelde het ijs over de glazen. 'Die gebruiken we niet, hebben we ook nooit gedaan. We gebruiken alleen natuurlijke meststoffen. U hebt geen idee hoe slecht fosfaten zijn voor het grondwater. Nee hoor, geen denken aan,' zei ze met een lachje. 'Vanaf het begin was het voor mijn vader een uitgemaakte zaak dat we op een natuurlijke wijze te werk zouden gaan. We zijn allemaal deel van het land. We dragen verantwoordelijkheid ten aanzien van onze buren en de mensen die na ons dit land bewerken.'

'Dat klinkt heel...' – Lena zocht naar iets positiefs – '...heel verantwoordelijk.'

'De meeste mensen vinden het verspilde moeite,' zei ze. 'Het is een moeilijke kwestie. Vergiftigen we het milieu zodat we meer geld verdienen waarmee we de behoeftigen kunnen helpen, of houden we vast aan onze principes en helpen we minder mensen? Dat soort vragen stelde Jezus ook vaak: help je de velen of help je de weinigen?' Ze reikte

Lena een van de glazen aan. 'Vindt u dit te zoet? We zijn hier meestal niet zo scheutig met suiker, vrees ik.'

Lena nam een slok en voelde haar kaken samentrekken. 'Het smaakt een beetje zuur,' bracht ze er met enige moeite uit terwijl ze de rochel probeerde te onderdrukken die uit haar keel opsteeg.

'Dat kan.' Esther pakte de suiker en schepte nog wat in Lena's glas. 'En nu?'

Lena proefde nogmaals, maar deze keer nam ze een minder grote slok. 'Lekker,' zei ze.

'Mooi,' was Esthers reactie en meteen schepte ze wat suiker in een ander glas. Het derde sloeg ze over en Lena hoopte dat het niet voor Jeffrey was bestemd.

'Mensen zijn allemaal zo verschillend, vindt u ook niet?' vroeg Esther. Ze liep langs Lena naar de gang.

'Hoezo?' vroeg Lena terwijl ze haar volgde.

'Als het om smaak gaat,' legde Esther uit. 'Abby is bijvoorbeeld dol op zoet. Als peuter heeft ze een keer een heel suikerpotje leeggegeten voordat ik doorhad dat ze bij de kast had gezeten.'

Ze passeerden de bibliotheek. 'Wat hebt u veel boeken!' zei Lena.

'De meeste zijn klassieken. En natuurlijk ook wat populaire romans en westerns. Ephraim is dol op misdaadromans. Het zal het zwart-witte wel zijn waartoe hij zich voelt aangetrokken. Aan de ene kant de goeden, aan de andere kant de slechteriken.'

'Dat zou een mooie wereld zijn,' hoorde Lena zichzelf zeggen.

'Becca is gek op liefdesromannetjes. Geef haar een boek met een langharige adonis op de voorkant en ze heeft het binnen twee uur uit.'

'Laat u haar liefdesromannetjes lezen?' vroeg Lena. Ze had de familie al ingedeeld bij het soort gekken dat het nieuws haalde omdat ze Harry Potter wilden verbieden.

'De kinderen mogen alles lezen wat ze willen. Dat is vooral omdat we geen televisie hebben. Ook al lezen ze troep, dat is nog altijd beter dan de troep die ze op de buis zien.'

Lena knikte, al vroeg ze zich af hoe het zou zijn om geen

tv te hebben. Naar stompzinnige programma's kijken was de afgelopen drie jaar het enige wat haar overeind had gehouden.

'Kijk eens aan!' zei Lev toen ze de kamer in kwamen. Hij nam een glas aan van Esther en gaf het aan Jeffrey.

'Nee nee,' zei Esther, die het snel terugpakte, 'dit is voor u.' Ze gaf de zoetere limonade aan Jeffrey, die evenals Ephraim was opgestaan zodra de vrouwen de kamer betraden. 'U drinkt het vast niet zo zuur als Lev.'

'Dat denk ik ook niet, mevrouw,' beaamde Jeffrey. 'Dank u wel.'

De voordeur ging open en het manlijke evenbeeld van Esther kwam binnen. Hij hield zijn hand om de elleboog van een oudere vrouw, die te zwak leek om zich zonder steun te kunnen verplaatsen.

'Sorry dat we zo laat zijn,' zei de man.

Jeffrey stond nog steeds, met de limonade in zijn hand, en hij bood de vrouw zijn stoel aan. Een tweede vrouw verscheen en deze leek meer op Lev. Haar roodblonde haar zat in een knot boven op haar hoofd. In Lena's ogen was ze zo'n typische stoere boerenvrouw, van het soort dat op het veld een kind werpt en meteen weer aan het katoen plukken slaat. Jezus, wat een sterke familie was dit. Esther was de kleinste en zelfs zij stak nog altijd zo'n vijftien centimeter boven Lena uit.

'Dit is mijn broer Paul,' zei Lev, met een gebaar naar de man die net was binnengekomen. 'Dit is Rachel.' De boerenvrouw gaf een knikje. 'En Mary.'

Van Esther had Lena begrepen dat Mary jonger was dan Lev, dus ze moest midden veertig zijn, maar in haar uiterlijk en gedrag leek ze twintig jaar ouder. Uiterst voorzichtig liet ze zich op haar stoel zakken, alsof ze bang was te vallen en haar heup te breken. Ook haar stem was die van een oude vrouw toen ze zei: 'U moet het me maar niet kwalijk nemen, maar ik voel me de laatste tijd niet zo goed.' Het klonk meelijwekkend.

'Mijn vader kon niet komen,' zei Lev, handig de aandacht van zijn zus afleidend. 'Hij heeft een beroerte gehad. Nu komt hij het huis bijna niet meer uit.'

'Geen probleem,' zei Jeffrey. Hij richtte zich tot de overige familieleden. 'Ik ben commissaris Tolliver. Dit is rechercheur Adams. Fijn dat u allen gekomen bent.'

'Zullen we gaan zitten?' stelde Rachel voor en ze liep naar de bank. Met een gebaar gaf ze aan dat Esther naast haar moest komen zitten. Weer was Lena zich bewust van de strikte taakverdeling tussen manlijke en vrouwelijke familieleden. Het toewijzen van de zitplaatsen en het werk in de keuken kwamen voor rekening van de vrouwen, terwijl de mannen zich over alle overige zaken ontfermden.

Leunend tegen de schoorsteenmantel gaf Jeffrey met een hoofdknik aan dat Lena links van Esther moest plaatsnemen. Pas toen ze zat, werd Ephraim door Lev in de stoel naast Jeffrey geholpen. Die trok zijn wenkbrauwen even op en Lena vermoedde dat hij heel wat te horen had gekregen terwijl zij in de keuken was. Ze popelde om met hem informatie uit te wisselen.

'Goed,' zei Jeffrey, die blijkbaar vond dat het tijd werd om ter zake te komen. 'Volgens u wordt Abby al tien dagen vermist?'

'Het is allemaal mijn schuld,' zei Lev en even vroeg Lena zich af of hij met een bekentenis zou komen. 'Ik dacht dat Abby met de familie op missie naar Atlanta was. Ephraim dacht dat ze bij ons op de boerderij was gebleven.'

'Dat dachten we allemaal,' zei Paul. 'Volgens mij treft niemand blaam.' Hij klonk als een echte jurist, vond Lena, en voor het eerst nam ze de man eens goed op. Als enige van het gezelschap droeg hij geen zelfgemaakte kleren. Hij had een pak met krijtstreep aan en een wit overhemd, waartegen zijn das van donker magenta scherp afstak. Zijn haar was vakkundig geknipt en gekapt. Paul Ward was net de stadsmuis op bezoek bij zijn veldmuisfamilie.

Nu nam Rachel het woord. 'Hoe het ook zij, niemand van ons had enig idee dat er iets ongebruikelijks aan de hand was.'

Waarschijnlijk wist Jeffrey inmiddels alles over de boerderij, want zijn volgende vraag betrof niet de familie of het reilen en zeilen van De Gezegende Groei. 'Was er iemand op de boerderij met wie Abby veel optrok? Een van de arbeiders misschien?'

'Eigenlijk lieten we haar niet met het werkvolk omgaan,' antwoordde Rachel.

'Maar ze zal toch wel andere mensen hebben ontmoet?' veronderstelde Jeffrey en hij nam een slok van zijn limonade. Het goedje was zo zuur dat hij het glas met een nauwelijks verholen rilling op de schoorsteenmantel zette.

'Ze ging natuurlijk wel naar kerkbijeenkomsten,' zei Lev, 'maar de landarbeiders vormen een nogal gesloten groep.' Esther voegde eraan toe: 'We discrimineren liever niet, maar het is ruw volk, die landarbeiders. Met dat aspect van het bedrijf had Abby nog niet echt kennisgemaakt. We hadden tegen haar gezegd dat ze afstand moest bewaren.'

'Maar ze had toch weleens op het land gewerkt?' vroeg Lena, die zich dat herinnerde van hun eerdere gesprek.

'Ja, maar alleen als er andere familieleden bij waren. Meestal neven en nichten,' zei Lev. 'We zijn een nogal grote familie.'

'Rachel heeft vier kinderen,' somde Esther op, 'en Paul heeft er zes. De zonen van Mary wonen in Wyoming en...' Ze maakte haar zin niet af.

'En?' drong Jeffrey aan.

Rachel schraapte haar keel, maar nu nam Paul het woord. 'Die komen hier niet zo vaak,' zei hij, en de spanning die Lena in het vertrek voelde hangen, klonk door in zijn stem. 'Ze zijn al heel lang niet meer geweest.'

'Al tien jaar niet meer,' zei Mary. Ze richtte haar blik op het plafond alsof ze haar tranen wilde terugdringen. Lena vermoedde dat haar zonen gillend van de boerderij waren weggelopen. Dat zou ze zelf ook hebben gedaan, reken maar.

'Ze hebben voor een andere weg gekozen,' vervolgde Mary. 'Ik bid elke dag voor ze, 's morgens als ik opsta en 's avonds voor het slapengaan.'

'Bent u getrouwd?' vroeg Lena aan Lev om te voorkomen dat Mary zo nog een tijdje doorging.

'Niet meer.' Voor het eerst liet hij zijn terughoudendheid enigszins varen. 'Mijn vrouw is jaren geleden in het kraambed gestorven.' Er verscheen een gekwelde glimlach op zijn gezicht. 'Tragisch genoeg was het ons eerste kind, maar ik put troost uit mijn Ezekiel.'

Na een gepaste pauze zei Jeffrey: 'Dus u dacht dat Abby bij haar ouders was en haar ouders dachten dat ze bij u was. Bent u niet zo'n tien dagen geleden op missie vertrokken?' 'Dat klopt,' antwoordde Esther. 'En dat soort missies vindt ongeveer vier keer per jaar plaats?' 'Ja.' 'U bent toch gediplomeerd verpleegster?' Esther knikte en Lena probeerde haar verbazing te verbergen. Bij de geringste aanleiding overlaadde de vrouw je met allerlei nutteloze informatie over zichzelf, maar dit feit had ze achtergehouden en dat leek verdacht.

'Toen Ephraim en ik trouwden was ik nog in opleiding op het Georgia Medical College. Vader vond het wel handig om iemand op de boerderij te hebben die ervaring had met eerste hulp, en de overige meisjes konden niet tegen bloed.' 'Wat je zegt,' beaamde Rachel. 'Gebeuren hier veel ongelukken?' vroeg Jeffrey. 'Lieve help, nee. Drie jaar geleden hadden we een man met een doorgesneden achillespees. Wat een nare toestand was dat. Dankzij mijn opleiding was ik in staat het bloeden te stelpen, maar meer dan het hoognodige kon ik niet voor hem doen. We kunnen heel goed een arts gebruiken.' 'Wie is uw arts trouwens?' vroeg Jeffrey. 'Soms hebt u hier kinderen.' Alsof het verdere uitleg behoefde voegde hij eraan toe: 'Mijn vrouw is kinderarts hier in de stad.' 'Sara Linton. Als ik het niet dacht,' viel Lev hem in de rede en een nostalgische glimlach speelde om zijn lippen. 'Kent u Sara?' vroeg Jeffrey aan Lev. 'We hebben samen op de zondagsschool gezeten, hoewel dat alweer eeuwen geleden is.' Hij beklemtoonde het woord 'eeuwen' en het klonk alsof ze talloze geheimen met elkaar hadden gedeeld.

Lena merkte dat Jeffrey zich ergerde aan het familiaire toontje, maar ze wist niet of dat uit jaloezie was of omdat hij Sara in bescherming wilde nemen.

Jeffrey was professioneel genoeg om zich niet door zijn irritatie te laten meeslepen, en om het gesprek weer in goede banen te leiden vroeg hij aan Esther: 'Belt u nooit om te vragen hoe het gaat?' Toen Esther hem beduusd aankeek, voegde hij eraan toe: 'Als u in Atlanta bent, belt u dan niet om te vragen hoe het met de kinderen gaat?'

'Die zijn dan toch bij de familie?' zei ze. Haar stem klonk ingetogen, maar Lena zag de beledigde fonkeling in haar ogen.

Rachel nam het van haar zuster over. 'We zijn een zeer hechte familie, commissaris Tolliver. Voorzover u dat nog niet doorhad.'

Het was een terechtwijzing, maar Jeffrey wist er beter mee om te gaan dan Lena in zijn plaats zou hebben gedaan. Hij vroeg aan Esther: 'Kunt u me vertellen wanneer u besefte dat ze vermist werd?'

'We zijn gisteravond laat thuisgekomen,' zei Esther. 'Eerst gingen we langs de boerderij om mijn vader te begroeten en Abby en Rebecca op te halen...'

'Becca is ook niet mee geweest?' vroeg Lena.

'Nee, natuurlijk niet,' zei de moeder, alsof ze iets absurds had geopperd. 'Ze is pas veertien.'

'Inderdaad,' zei Lena, die geen idee had op welke leeftijd je oud genoeg was om de daklozencentra in Atlanta langs te gaan.

'Becca logeerde bij ons,' liet Lev weten. 'Ze is graag bij mijn zoon, Zeke. Toen Abby die eerste avond niet aan tafel verscheen, ging Becca ervan uit dat ze van gedachten was veranderd en toch mee naar Atlanta was gegaan. Ze heeft het er verder niet meer over gehad.'

'Ik zou graag eens met haar praten,' zei Jeffrey.

Hoewel hij instemmend knikte scheen Lev daar niet zo blij mee te zijn. 'Dat is mogelijk.'

Jeffrey deed een nieuwe poging. 'Had Abby echt geen speciaal vriendje? Een jongen in wie ze geïnteresseerd was?'

'Ik weet dat het nogal onwaarschijnlijk klinkt voor iemand van haar leeftijd,' zei Lev, 'maar Abby leidde een zeer beschermd leventje. Ze kreeg thuis les. Van de wereld buiten de boerderij wist ze niet veel. We probeerden haar op die wereld voor te bereiden door haar mee te nemen naar Atlanta, maar dat vond ze helemaal niet leuk. Ze voelde zich nog het prettigst als ze een wat afgeschermd bestaan kon leiden.'

'Was ze eerder wel eensop missie geweest?'
'Ja,' zei Esther. 'Twee keer. Ze vond het niet leuk, ze bleef liever thuis.'
'Afgeschermd, dat klinkt interessant,' merkte Jeffrey op.
'Zo klinkt het net alsof ze een soort non was,' merkte Lev op, 'en misschien is dat niet eens zo ver bezijden de waarheid. Hoewel ze uiteraard niet katholiek was, was ze buitengewoon vroom. Ze wilde de Heer met heel haar hart dienen.'
'Amen,' mompelde Ephraim, maar het klonk Lena oppervlakkig in de oren, alsof je 'gezondheid' zei nadat iemand had geniesd.
'Haar geloof ging heel diep,' vulde Esther aan. Zodra ze haar vergissing inzag sloeg ze haar hand voor haar mond. Voor het eerst had ze in de verleden tijd over haar dochter gesproken. Rachel, die naast haar zat, pakte haar hand.
Jeffrey vatte de draad weer op. 'Liep er op de boerderij iemand rond die meer aandacht aan haar schonk dan gepast was? Een vreemde misschien?'
'Hier lopen talloze vreemden rond, commissaris Tolliver,' zei Lev. 'Het ligt in de aard van ons werk besloten om vreemden bij ons uit te nodigen. Jesaja roept ons op om arme zwervelingen in ons huis op te nemen. Het is onze plicht hen te helpen.'
'Amen,' klonk het als uit één mond.
'Weet u nog wat voor kleren ze aanhad toen u haar voor het laatst zag?' vroeg Jeffrey aan Esther.
'Ja, natuurlijk.' Esther zweeg even, alsof de herinnering de dam dreigde te doorbreken die ze tegen haar gevoelens had opgeworpen. 'We hadden samen een blauwe jurk genaaid. Abby naaide graag. We hadden het patroon op zolder gevonden, in een oude koffer die meen ik nog van Ephraims moeder is geweest. We hebben er een paar dingen aan veranderd om hem wat moderner te maken. Die jurk had ze aan toen we afscheid namen.'
'Was dat hier thuis?'
'Ja, 's ochtends vroeg. Becca was al naar de boerderij vertrokken.'
'Becca was bij mij,' zei Mary.

'Kunt u verder nog iets over haar vertellen?' vroeg Jeffrey.
'Abby is altijd heel rustig,' vertelde Esther. 'Als kind was
het al geen druktemaker. Het is een heel bijzonder meisje.'
Nu nam Lev het woord. Hij klonk ernstig, alsof zijn woorden niet als een compliment voor zijn zus waren bedoeld,
maar als iets wat nu eenmaal gezegd moest worden. 'Abby
lijkt sprekend op haar moeder, commissaris Tolliver. Ze
hebben dezelfde teint, dezelfde amandelvormige ogen. Het
is een heel aantrekkelijk meisje.'
     In gedachten herhaalde Lena zijn woorden en ze vroeg
zich af of hij wilde aangeven dat een andere man misschien
het oog op zijn nichtje had laten vallen of hiermee iets over
zichzelf onthulde. Het was moeilijk te zeggen bij deze man.
Het ene moment kwam hij heel open en eerlijk over, maar
even later zou ze hem nog niet geloven als hij haar vertelde
dat de hemel blauw was. De predikant was duidelijk niet
alleen het hoofd van de kerk, maar ook van de familie, en
een stemmetje fluisterde haar in dat hij waarschijnlijk veel
slimmer was dan hij liet merken.
     'Ik heb nog een lint in haar haar gebonden,' herinnerde Es-
ther zich en even raakte ze haar eigen haar aan. 'Een blauw
lint, ik weet het weer. Ephraim had alle spullen al in de auto
gezet en we stonden op het punt te vertrekken toen ik dat
lint in mijn handtas vond. Ik had het bewaard omdat ik het
als versiering voor een jurk of iets dergelijks wilde gebruiken, en het paste heel goed bij haar jurk. Ik riep haar en
toen boog ze zich voorover zodat ik het in haar haar kon
binden...' Haar stem stierf weg en Lena zag dat ze moeizaam
slikte. 'Ze heeft van dat zachte haar...'
     Rachel kneep in de hand van haar zus. Esther staarde uit
het raam, alsof ze het liefst buiten wilde zijn, weg van hier.
Lena herkende het verdringingsmechanisme waar ze zelf zo
vertrouwd mee was. Het was veel gemakkelijker om afstand
te bewaren dan je emoties openlijk te tonen.
     'Rachel en ik wonen ieder met ons gezin op de boerderij,'
zei Paul. 'Wel in een eigen huis natuurlijk, maar op loopafstand van het hoofdgebouw. Toen we Abby gisteravond nergens konden vinden, hebben we het hele terrein uitgekamd.
De arbeiders hebben zich over de velden verspreid en wij

hebben de huizen en de andere gebouwen doorzocht, van boven naar beneden. Toen we niks vonden hebben we de sheriff gebeld.'

'Het spijt me dat het zo lang duurde voor hij actie ondernam,' zei Jeffrey. 'Ze schijnen het daar nogal druk te hebben.'

'Ik heb niet het idee,' zei Paul, 'dat veel collega's van u zich zorgen maken als er een eenentwintigjarig meisje wordt vermist.'

'Waarom niet?'

'Meiden lopen toch voortdurend weg? Zo geïsoleerd leven we nou ook weer niet dat we dat niet weten.'

'Nu volg ik u niet helemaal.'

'Beschouw mij maar als het zwarte schaap van de familie,' zei Paul. Uit de reacties van zijn broer en zussen leidde Lena af dat dit een oud familiegrapje was. 'Ik ben jurist. Ik ga over de juridische kant van het bedrijf. Ik zit veel in Savannah. Om de andere week ben ik in de stad.'

'Was u vorige week hier?' vroeg Jeffrey.

'Gisteravond, toen ik over Abby hoorde, ben ik teruggekomen.' Het werd stil in het vertrek.

'We hebben geruchten gehoord,' zei Rachel zonder er langer omheen te draaien. 'Gruwelijke geruchten.'

Ephraim legde zijn hand op zijn borst. De vingers van de oude man beefden. 'Het gaat om haar, hè?'

'Ik ben bang van wel.' Jeffrey stak zijn hand in zijn zak en haalde er een polaroid uit. Ephraims handen trilden nu zo hevig dat hij de foto niet aan kon pakken en daarom deed Lev het. Lena observeerde de twee mannen terwijl ze naar de afbeelding keken. Ephraim zweeg en probeerde kalm te blijven, maar Lev hapte naar adem en sloot zijn ogen, hoewel er geen tranen kwamen. Lena zag zijn lippen in stil gebed bewegen. Ephraim kon slechts naar de foto staren en zijn parkinson was nu zo hevig dat zelfs zijn stoel leek te trillen.

Paul stond achter hem en keek met uitdrukkingsloos gezicht naar de foto. Lena speurde naar een teken van schuld, naar wat voor teken dan ook. Maar hij stond roerloos, alleen zijn adamsappel wipte op en neer als hij slikte.

Esther schraapte haar keel. 'Mag ik het ook zien?' vroeg ze. Ze maakte een rustige indruk, maar haar angst en het onderliggende leed waren tastbaar.

'O moeder,' begon Ephraim met een stem die het begaf van verdriet. 'Je mag kijken als je wilt, maar geloof me alsjeblieft: zo wil je haar niet zien. Zo wil je je haar niet herinneren.'

Met enige aarzeling gaf Esther toe, maar Rachel stak haar hand uit naar de foto. Lena zag hoe de lippen van de oudere vrouw zich tot een starre streep samenpersten. 'Here Jezus,' fluisterde ze. 'Waarom?'

Onwillekeurig wierp Esther een blik over de schouder van haar zus en nu zag ze toch de afbeelding van haar dode kind. Haar schouders begonnen te beven, een lichte huivering die overging in schokkend verdriet. 'Nee!' snikte ze, en ze sloeg haar handen voor haar gezicht.

Mary had al die tijd stilletjes op haar stoel gezeten, maar opeens stond ze op en rende met haar hand tegen haar borst gedrukt de kamer uit. Een paar tellen later hoorden ze de keukendeur dichtslaan.

Zonder iets te zeggen had Lev toegekeken terwijl zijn zus ervandoor ging en hoewel zijn gezicht niets prijsgaf, had Lena het vermoeden dat hij zich ergerde aan Mary's melodramatische aftocht.

Hij kuchte en vroeg: 'Commissaris Tolliver, kunt u ons vertellen wat er gebeurd is?'

Jeffrey aarzelde en Lena was benieuwd hoeveel hij bereid was te vertellen. 'We hebben haar in het bos gevonden,' zei hij. 'Begraven in de aarde.'

'O Heer,' fluisterde Esther en ze kromp ineen alsof ze hevige pijn had. Rachel wreef over haar rug, met trillende lippen en terwijl de tranen over haar wangen stroomden.

Zonder op de details in te gaan vervolgde Jeffrey: 'Ze kreeg uiteindelijk geen lucht meer.'

'Mijn kindje,' kreunde Esther. 'Mijn arme Abigail.'

Op dat moment kwamen de kinderen die ze bij het varkenshok hadden gezien binnen en de hordeur viel achter hen dicht. De volwassenen schrokken allemaal op alsof er een geweer was afgevuurd.

Met moeite herwon Ephraim zijn kalmte en hij nam als eerste het woord. 'Zeke, wat hebben we nou over die deur gezegd?'

Zeke leunde tegen Levs been. Het was een spichtig joch en aan niets was te zien dat hij ooit even lang als zijn vader zou worden. Zijn armen leken tandenstokers, zo dun waren ze. 'Sorry, oom Eph.'

'Sorry, papa,' zei Becca, al was zij niet degene die de deur had dichtgeslagen. Ook zij was heel tenger en hoewel Lena niet goed leeftijden kon schatten, gaf ze het meisje zeker geen veertien. Ze was in elk geval nog niet in de puberteit. Met bevende lippen staarde Zeke zijn tante aan. Hij voelde dat er iets aan de hand was en zijn ogen vulden zich met tranen.

'Kom eens hier, jongen,' zei Rachel, die Zeke bij zich op schoot trok. Liefkozend legde ze een troostende hand op zijn been. Ze probeerde haar verdriet in te houden, maar het was tevergeefs.

'Wat is er aan de hand?' vroeg Rebecca, die bij de deur was blijven staan.

Lev legde zijn hand op Rebecca's schouder. 'Je zuster is naar de Heer gegaan.'

Het meisje sperde haar ogen open. Haar lippen gingen van elkaar en ze legde haar hand op haar maag. Ze wilde iets vragen, maar de woorden kwamen niet.

'Laten we samen bidden,' zei Lev.

'Wat?' fluisterde Rebecca, alsof alle lucht met een klap uit haar longen was verdwenen.

Niemand gaf antwoord. Behalve Rebecca boog iedereen in stilte het hoofd, maar de galmende preek die Lena van Lev had verwacht bleef uit.

Rebecca stond daar nog steeds, met haar hand op haar maag en haar ogen wijdopen, terwijl de rest van de familie in gebed was verzonken.

Lena wist niet goed hoe het verder moest en keek vragend naar Jeffrey. Ze was nerveus, voelde zich niet op haar gemak. Nadat Lena de bijbel van een ander meisje had verscheurd, had Hank het opgegeven Lena en Sibyl nog langer mee te slepen naar de kerk. Ze was geen gelovige mensen gewend, tenzij ze hen op het politiebureau tegenkwam.

Jeffrey haalde slechts zijn schouders op en nam nog een slok limonade. Hij rilde en met verstrakte kaken probeerde hij de zure smaak weg te slikken.

'Neemt u ons niet kwalijk,' zei Lev. 'Hoe kunnen we u helpen?'

Alsof hij een lijstje opdreunde zei Jeffrey: 'Ik wil de arbeidsgegevens van iedereen hier op de boerderij. Ik wil een gesprek met iedereen die het afgelopen jaar contact heeft gehad met Abigail. Verder wil ik haar kamer doorzoeken, misschien vinden we daar iets. Ook zou ik de computer waarover u het had willen meenemen om te kijken of iemand via internet contact met haar heeft gezocht.'

'Ze was nooit in haar eentje aan het computeren,' zei Ephraim.

'Toch moeten we alles natrekken, meneer Bennett.'

Lev zei: 'Ze pakken het grondig aan, Ephraim. Uiteindelijk beslis jij, maar volgens mij moeten we alles doen om te helpen, al was het alleen maar om bepaalde mogelijkheden uit te sluiten.'

Jeffrey greep zijn kans. 'Hebt u bezwaar tegen een test met een leugendetector?'

Paul moest er bijna om lachen. 'Dat dacht ik wel.'

'Wil je niet voor mij praten, alsjeblieft?' viel Lev tegen zijn broer uit. Tegen Jeffrey zei hij: 'We zullen al het mogelijke doen om u te helpen.'

Paul bleef zich verzetten. 'Ik vind niet...'

Esther rechtte haar schouders. Met roodomrande ogen en haar gezicht gezwollen van verdriet wendde ze zich tot haar broers. 'Alsjeblieft, maak nou geen ruzie.'

'We maken ook geen ruzie,' zei Paul, maar zo te horen stond hij te popelen om de strijd aan te gaan. In de loop van de jaren had Lena regelmatig meegemaakt hoe leed het ware karakter van de mensen onthulde. Ze voelde de spanning tussen Paul en zijn oudere broer en ze vroeg zich af of het hier om de gewone rivaliteit tussen broers ging of dat er iets diepers achter school. Naar Esthers toon te oordelen hadden ze vaker ruzie gehad.

Lev verhief zijn stem, ook al richtte hij het woord tot de

kinderen. 'Rebecca, als jij nou eens met Zeke naar de achtertuin ging. Daar is tante Mary ook en volgens mij heeft ze jullie nodig.'

'Wacht even,' zei Jeffrey. 'Ik wil haar graag een paar dingen vragen.'

Paul liet zijn hand op de schouder van zijn nichtje rusten. 'Ga uw gang,' zei hij, maar uit zijn toon en houding viel op te maken dat Jeffrey niet veel ruimte kreeg.

'Weet jij soms of er iemand was met wie je zusje veel omging?' vroeg hij.

Het meisje keek op naar haar oom alsof ze zijn toestemming zocht. Na een tijdje richtte ze haar blik weer op Jeffrey.

'Bedoelt u met een jongen?'

'Ja,' antwoordde hij, en Lena zag dat hij het nu al als een hopeloze zaak beschouwde. Geen denken aan dat het meisje in aanwezigheid van haar familie open kaart met hen zou spelen, en daar kwam nog bij dat ze behoorlijk opstandig was. Alleen door haar apart te nemen zouden ze de waarheid aan haar kunnen ontfutselen, maar Lena betwijfelde ten zeerste of Paul – of een van de andere mannen – dat zou toestaan.

Weer keek Rebecca haar oom aan voor ze antwoord gaf. 'Abby mocht niet met jongens omgaan.'

Als het Jeffrey al opviel dat ze geen antwoord op zijn vraag had gegeven, dan liet hij het niet merken. 'Vond je het niet vreemd dat ze niet samen met jou op de boerderij achterbleef toen jullie ouders weggingen?'

Lena keek naar Pauls hand op de schouder van het meisje en probeerde te ontdekken of hij haar misschien een teken gaf. Ze zag niets.

'Rebecca?' drong Jeffrey aan.

Met opgestoken kin zei het meisje: 'Ik dacht dat ze besloten had toch mee te gaan.' En vervolgens: 'Is ze echt...?'

Jeffrey knikte. 'Ja, helaas wel,' zei hij. 'Daarom hebben we jullie hulp ook nodig, om erachter te komen wie haar dit heeft aangedaan.'

Haar ogen schoten vol tranen en toen Lev zag hoe zijn nichtje eraan toe was, leek hij zelf ook zijn kalmte enigszins te verliezen. 'Als u het niet erg vindt...' zei hij tegen Jeffrey.

Jeffrey knikte, waarop Lev tegen het meisje zei: 'Ga jij maar met Zeke naar tante Mary, schat. Het komt wel in orde.'

Pas toen ze weg waren kwam Paul weer ter zake. Hij richtte zich tot Jeffrey. 'Wat die arbeidsgegevens betreft moet ik u wel waarschuwen dat ze niet volledig zijn. We bieden de mensen voedsel en onderdak in ruil voor eerlijk werk.'

'Betalen jullie ze dan niet?' flapte Lena eruit.

'Natuurlijk betalen we ze,' snauwde Paul. Ongetwijfeld was die vraag hem vaker gesteld. 'Sommigen nemen het geld aan, anderen dragen het af aan de kerk. Verscheidenc arbeiders werken hier al tien of twintig jaar en hebben nog nooit een cent op zak gehad. Wel hebben ze hier een veilig thuis, ze horen bij een familie en ze weten dat hun leven een doel heeft.' Om zijn woorden kracht bij te zetten wees hij om zich heen, naar het vertrek waarin ze zich bevonden, net zoals zijn zus kort daarvoor in de keuken had gedaan. 'We leiden allemaal een zeer sober leven, commissaris. Ons streven is anderen te helpen, niet onszelf.'

Jeffrey kuchte. 'Toch willen we graag met iedereen spreken.'

'U kunt de computer meenemen,' opperde Paul. 'Dan zorg ik ervoor dat de mensen die met Abby in contact zijn geweest morgenochtend vroeg naar het politiebureau worden gebracht.'

'En de oogst?' vroeg Lev. 'We zijn gespecialiseerd in edamame-bonen, de jongere sojabonen,' legde hij uit. 'Die moeten bij voorkeur worden geplukt tussen zonsopkomst en negen uur 's ochtends, waarna ze verwerkt en ingevroren worden. Het is een zeer arbeidsintensief proces, waarbij we maar weinig machines gebruiken.'

Jeffrey wierp een blik uit het raam. 'Kunnen we er nu niet heen?'

'Ik ben het met u eens dat de zaak tot op de bodem moet worden uitgezocht,' begon Paul, 'maar het bedrijf moet wel doordraaien.'

'Bovendien behandelen we onze arbeiders met respect,' voegde Lev eraan toe. 'U kunt zich voorstellen dat sommigen nogal zenuwachtig worden als er politie in de buurt is. Er zijn er bij die van politiegeweld te lijden hebben gehad en anderen zaten kortgeleden nog vast en zijn heel bang. We hebben hier vrouwen en kinderen die thuis mishandeld zijn zonder dat de plaatselijke politie een vinger uitstak...'

'Oké,' zei Jeffrey, alsof hij die hele preek al eens eerder had gehoord.

'Het is per slot van rekening privé-terrein,' hield Paul hem voor, weer op en top de jurist.

'We kunnen wel met het rooster schuiven,' zei Lev. 'Dan laten we anderen invallen voor degenen die in contact zijn geweest met Abby. Schikt woensdagochtend?'

'Dat moet dan maar,' zei Jeffrey, maar naar zijn toon te oordelen stond het hem helemaal niet aan.

Esthers handen lagen samengevouwen op haar schoot en Lena voelde de woede die de vrouw uitstraalde. Ze was het oneens met haar broers, maar het was duidelijk dat ze niet tegen hen in wilde gaan. 'Ik zal u haar kamer laten zien,' bood ze aan.

'Dat zou fijn zijn,' zei Lena, waarop iedereen ging staan. Gelukkig was Jeffrey de enige die meeliep naar de gang.

Voor de laatste deur rechts bleef Esther staan. Ze leunde met haar hand tegen het hout, alsof ze haar benen niet meer vertrouwde.

'Ik weet hoe moeilijk dit voor u is,' zei Lena. 'We zullen ons uiterste best doen om de dader te vinden.'

'Het was een heel gesloten meisje.'

'Denkt u dat ze dingen voor u verborgen hield?'

'Alle dochters hebben geheimen voor hun moeder.' Esther deed de deur open en keek de kamer in. Haar gezicht werd week van verdriet toen ze de spulletjes van haar dochter zag. Lena herkende het gevoel van de eerste keer dat ze met Sibyls bezittingen werd geconfronteerd. Elk voorwerp had een herinnering aan gelukkiger tijden bovengebracht, toen Sibyl nog leefde.

'Mevrouw Bennett?' zei Jeffrey, want ze versperde de doorgang.

'Alstublieft,' zei ze en ze greep de mouw van zijn jasje. 'Zoek alstublieft uit waarom dit gebeurd is. Er moet een reden voor zijn geweest.'

'Ik zal al het mogelijke doen...'

'Dat is niet genoeg,' zei ze met klem. 'Alstublieft. Ik moet weten waarom ze er niet meer is. Dat móét ik weten, voor mijn eigen gemoedsrust.'

Lena zag hoe de spieren in Jeffreys hals zich spanden. 'Ik wil u geen loze beloften doen, mevrouw Bennett. Het enige wat ik u kan beloven is dat ik alles op alles zal zetten.' Hij wierp een blik over zijn schouder om er zeker van te zijn dat niemand hem zag, en nam toen een kaartje uit zijn zak. 'Mijn privé-nummer staat op de achterkant. U kunt me altijd bellen.'

Na enige aarzeling nam Esther het kaartje aan en stopte het weg in de mouw van haar jurk. Ze gaf Jeffrey een knikje alsof ze het ecns waren geworden, deed een stap terug en liet hen binnen in de kamer van haar dochter. 'Ik laat u nu alleen.'

Weer wisselden Jeffrey en Lena een blik toen Esther zich bij haar familie voegde. Lena zag dat hij er een zwaar hoofd in had, net als zij. Hoe invoelbaar Esthers smeekbede ook was, de toch al hondsmoeilijke zaak werd er alleen maar gecompliceerder door.

Terwijl Lena de kamer in liep om met het onderzoek te beginnen, bleef Jeffrey op de gang staan en keek naar de keuken. Nadat hij met een blik in de richting van de zitkamer had vastgesteld dat hij niet in de gaten werd gehouden, liep hij de gang weer op. Lena wilde hem al achternagaan toen hij weer in de deuropening verscheen, in gezelschap van Rebecca Bennett.

Behendig loodste Jeffrey het meisje de kamer van haar zusje in, als een bezorgde oom met zijn hand aan haar elleboog. Op gedempte toon zei hij: 'Het is heel belangrijk dat je ons iets meer over Abby vertelt.'

Nerveus keek Rebecca naar de deur.

'Zal ik hcm dichtdoen?' bood Lena aan en ze legde haar hand al op de deurknop.

Rebecca dacht even na en schudde toen haar hoofd. Lena bekeek haar nog eens goed en constateerde dat het meisje bepaald knap was, anders dan haar onopvallende zus. Haar vlechten had ze losgemaakt en nu zaten er allemaal golfjes in het donkerbruine haar dat in dichte strengen over haar schouders viel. Esther had gezegd dat het meisje veertien was, maar toch had ze al iets vrouwelijks, waarmee ze op de boerderij waarschijnlijk veel aandacht trok. In dat opzicht, vond Lena, hadden ze evengoed een ontvoerde Rebecca in die kist kunnen aantreffen.

'Had Abby een vriendje?' vroeg Jeffrey.

Rebecca beet op haar onderlip. Jeffrey had meestal veel geduld met mensen, maar ze merkte dat hij wat ongedurig werd nu de verwanten van het meisje elk moment de kamer konden binnenkomen.

'Zelf heb ik ook een oudere zus,' zei Lena, zonder erbij te vermelden dat die dood was. 'Ik weet dat je haar niet wilt verklikken, maar ze is er niet meer. Je brengt haar heus niet in de problemen als je ons de waarheid vertelt.'

Het meisje beet nog steeds op haar lip. 'Ik weet het niet,' mompelde ze, terwijl ze tranen in haar ogen kreeg. Ze sloeg haar blik op naar Jeffrey en Lena vermoedde dat het meisje hem meer gezag toekende dan een vrouw.

Jeffrey had het ook in de gaten en zei: 'Vertel het maar aan mij, Rebecca.'

'Soms ging ze overdag zomaar weg,' bekende ze, hoewel spreken haar moeite kostte.

'Alleen?'

Ze knikte. 'Dan zei ze dat ze naar de stad ging, maar ze bleef veel te lang weg.'

'Hoe lang?

'Dat weet ik niet.'

'Hiervandaan is het ongeveer een kwartier rijden naar de stad,' rekende Jeffrey haar voor. 'Stel dat ze een boodschap ging doen, dat kostte haar dan nog een kwartier of twintig minuten, toch?' Het meisje knikte. 'Dus in dat geval bleef ze hooguit een uur weg, klopt dat?'

Weer knikte het meisje. 'Maar zij bleef wel twee uur weg.'

'Werd daar nooit iets over gezegd?'

Ze schudde haar hoofd. 'Alleen ik had het door.'

'Ik wil wedden dat je heel veel dingen doorhebt,' zei Jeffrey. 'Waarschijnlijk zie je veel meer dan de volwassenen.'

Rebecca haalde haar schouders op, maar het complimentje had doel getroffen. 'Ze deed zo raar.'

'Hoezo?'
''s Ochtends moest ze altijd overgeven, maar dat mocht ik niet tegen mama zeggen.'
Zwanger, dacht Lena.
'Heeft ze je ook verteld waardoor ze moest overgeven?' vroeg Jeffrey.
'Doordat ze iets verkeerds had gegeten, zei ze, maar ze at bijna niks.'
'Waarom mocht je moeder het niet weten, denk je?'
'Mama zou zich alleen maar zorgen maken,' zei Rebecca. Weer haalde ze haar schouders op. 'Abby vond het niet prettig als anderen zich zorgen om haar maakten.'
'Maakte jij je zorgen?'
Lena zag haar slikken. 'Soms moest ze 's nachts huilen.' Met een schuin knikje zei ze: 'Mijn kamer is hiernaast. Ik hoorde haar weleens.'
'Huilde ze om een bepaalde reden?' Lena hoorde hoeveel moeite Jeffrey deed om het meisje niet te hard aan te pakken. 'Had iemand haar soms gekwetst?'
'In de bijbel staat dat we moeten vergeven,' antwoordde ze. Uit de mond van ieder ander had Lena dit theatraal gevonden, maar kennelijk beschouwde het kind het als een wijs gebod in plaats van een preek. 'Als we anderen niet kunnen vergeven, kan de Heer ons ook niet vergeven.'
'Denk je dat ze iemand iets te vergeven had?'
'Als dat zo was, dan zou ze om hulp bidden.'
'Waarom moest ze volgens jou huilen?'
Rebecca's verdriet was bijna tastbaar toen ze haar blik door de kamer liet gaan en de spulletjes van haar zus in zich opnam. Waarschijnlijk dacht ze nu aan Abby en hoe het vertrek had aangevoeld toen het meisje nog leefde. Lena vroeg zich af wat voor band de zusjes hadden gehad. Lena en Sibyl waren een tweeling geweest, maar dat had hen er niet van weerhouden elkaar regelmatig in de haren te vliegen, of het er nu om ging wie voor in de auto mocht zitten of wie de telefoon mocht opnemen. Om de een of andere reden vond ze dat niks voor Abby.
'Ik weet niet waarom ze zo verdrietig was,' zei Rebecca ten slotte. 'Dat vertelde ze me niet.'

'Weet je dat zeker, Rebecca?' vroeg Jeffrey, en met een bemoedigend glimlachje liet hij erop volgen: 'Je kunt het ons wel vertellen. We worden niet boos en we veroordelen haar ook niet. Het enige wat we willen horen is de waarheid, zodat we degene die Abby dit heeft aangedaan kunnen opsporen en straffen.'

Ze knikte en weer welden de tranen op. 'Ik weet heus wel dat u wilt helpen.'

'Dat kunnen we alleen als jij ons helpt,' was Jeffreys antwoord. 'Je moet ons alles vertellen, Rebecca, hoe onbelangrijk het ook lijkt. We bepalen zelf wel of we er iets aan hebben of niet.'

Haar blik schoot tussen Lena en Jeffrey heen en weer. Lena kon niet zien of het meisje iets achterhield of doodsbang was om zonder toestemming van haar ouders met vreemden te praten. Het was hoe dan ook van het grootste belang haar aan de praat te krijgen voor iemand zich ging afvragen waar ze uithing.

Lena probeerde een ongedwongen toon aan te slaan. 'Wil je liever met mij alleen praten? Als je dat liever hebt, kan dat ook.'

Weer leek ze te moeten nadenken. Er verstreek minstens een halve minuut voordat ze haar mond opendeed. 'Ik...' begon ze, maar op dat moment sloeg de achterdeur dicht. Het meisje schrok op alsof er een kogel was afgevuurd.

Vanuit de voorkamer riep een mannenstem: 'Becca, ben je daar?'

Zeke sjokte de gang door en toen Rebecca haar neefje zag, rende ze naar hem toe en greep zijn hand. 'Ik ben hier, papa,' riep ze terwijl ze de jongen meevoerde naar de rest van de familie.

Nog net op tijd slikte Lena een vloek in.

'Denk je dat ze meer weet?' vroeg Jeffrey.

'Al sla je me dood.'

Ook Jeffrey leek in het duister te tasten en ze proefde haar eigen frustratie in zijn stem toen hij zei: 'Nou, laten we dit dan maar afhandelen.'

Ze liep naar de grote ladekast die naast de deur stond. Jeffrey nam het bureautje aan de andere kant van de kamer voor zijn rekening. Het was een klein vertrek, hooguit vier bij vier meter. Onder de ramen die uitkeken op de schuur stond een eenpersoonsbed. Aan de witte muren hingen geen posters of andere dingen die erop duidden dat hier een meisje had geslapen. Het bed was netjes opgemaakt en het bonte dekbed was tot op de millimeter nauwkeurig ingestopt. Tegen de kussens leunde een Snoopy-knuffel die waarschijnlijk ouder was dan Abby zelf. Zijn versleten kop hing schuin opzij. In een van de bovenste laden lagen opgevouwen sokken. Toen Lena een tweede la opentrok zag ze ondergoed, ook keurig gevouwen. Dat het meisje de moeite had genomen om haar ondergoed op te vouwen vond Lena opmerkelijk. Ze moest heel precies zijn geweest, iemand die haar spullen altijd netjes hield. De ordelijke onderste laden getuigden van een nauwgezetheid die grensde aan het obsessieve.

Elk mens had wel een favoriet opbergplekje, zoals iedere rechercheur een bepaalde plek had waar hij het eerst ging zoeken. Jeffrey keek onder het bed en tussen de matras en de boxspring. Lena liep naar de kast, liet zich op haar knieën zakken en bekeek de schoenen. Er stonden drie paar, alle behoorlijk afgedragen, maar wel goed verzorgd. De sportschoenen waren wit gepoetst en onder de gespschoenen zaten nieuwe hakken. Ook het derde paar zag er keurig uit en was waarschijnlijk voor de zondag bestemd.

Lena tikte met haar knokkels op de planken van de kastbodem op zoek naar een geheime bergplaats. Ze hoorde geen afwijkend geluid en alle planken zaten stevig vastgespijkerd. Vervolgens doorzocht ze de jurken die op een rij aan de stang hingen. Ze had geen liniaal bij zich, maar ze durfde er een eed op te zweren dat alle jurken op precies dezelfde afstand van elkaar hingen zonder elkaar te raken. Ook hing er een lange winterjas, duidelijk in de winkel gekocht. De zakken waren leeg en de zoom was intact. Nergens zat een losse naad of een geheime zak waarin iets verborgen kon worden.

Lev verscheen in de deuropening met een laptop in zijn handen. 'Iets gevonden?' vroeg hij.

Lena probeerde niet te laten merken dat ze van hem geschrokken was. Jeffrey kwam overeind, zijn handen in zijn zakken gestoken. 'Niks bruikbaars,' zei hij.

Het snoer sleepte achter Lev aan toen hij op Jeffrey afstapte en hem de computer overhandigde. Lena was benieuwd of hij hem zelf snel had nagekeken terwijl zij de kamer doorzochten. Die Paul zou dat zeker gedaan hebben, daarvan was ze overtuigd.

'Hou deze maar zo lang u wilt,' zei Lev. 'Het zou me verbazen als het iets opleverde.'

'Zoals u zelf al zei,' antwoordde Jeffrey terwijl hij het snoer rond de computer wond, 'moeten we alle mogelijkheden uitsluiten.' Hij knikte naar Lena en ze volgde hem de kamer uit. Terwijl ze door de gang liepen hoorden ze de familie met elkaar praten, maar tegen de tijd dat ze de woonkamer bereikten was het gesprek verstomd.

'Mijn deelneming met uw verlies,' zei Jeffrey tegen Esther.

Ze keek hem strak aan, de blik in haar lichtgroene ogen zo doordringend dat zelfs Lena de kracht ervan voelde. Ze zei geen woord, maar haar smeekbede liet aan duidelijkheid niets te wensen over.

Lev deed de voordeur open. 'Ik wil u beiden bedanken,' zei hij. 'Woensdagochtend om negen uur ben ik er.'

Even leek het alsof Paul nog iets wilde zeggen, maar op het laatste moment hield hij zich in. Lena kon de gedachten in zijn juristenbreintje bijna lezen. Waarschijnlijk kon hij het niet verkroppen dat zijn broer had toegestemd in een polygraaftest. Lev zou ongetwijfeld de volle laag krijgen zodra Jeffrey en Lena hun hielen hadden gelicht.

'We moeten iemand laten overkomen om die test af te nemen,' zei Jeffrey tegen Lev.

'Uiteraard,' was Levs antwoord. 'Maar ik wil nogmaals benadrukken dat ik alleen mezelf kan aanmelden. Ook de mensen die u overmorgen ziet komen uitsluitend op vrijwillige basis. Ik wil me niet met uw werk bemoeien, commissaris Tolliver, maar ik kan u verzekeren dat het nog een hele toer zal zijn om ze bij u te krijgen. Als u ze een leugendetectortest wilt laten ondergaan, zijn ze naar alle waarschijnlijkheid meteen weer gevlogen.'

'Bedankt voor de tip,' zei Jeffrey, maar het klonk iets te gekunsteld. 'Zou u ook de opzichter willen sturen?'

Paul keek verbaasd op. 'Cole?'

'Hij heeft waarschijnlijk contact gehad met iedereen op de boerderij,' zei Lev. 'Ik vind het wel een goed idee.'

'Nu we het er toch over hebben,' zei Paul met een blik op Jeffrey. 'De boerderij is privé-terrein. Over het algemeen laten we de politie er niet toe, tenzij het om officiële zaken gaat.'

'Beschouwt u dit niet als een officiële zaak?'

'Dit zijn familiezaken,' zei hij en hij stak Jeffrey zijn hand toe. 'Bedankt voor uw hulp.'

'Kunt u me trouwens vertellen of Abby autoreed?' vroeg Jeffrey op de valreep.

'Natuurlijk,' zei Paul en hij liet zijn hand weer zakken. 'Ze had er de leeftijd voor.'

'Had ze ook een auto?'

'Die leende ze van Mary,' zei hij. 'Mijn zuster rijdt al tijden niet meer. Abby gebruikte haar auto altijd om maaltijden te bezorgen of voor klusjes in de stad.'

'Deed ze die dingen in haar eentje?'

'Meestal wel,' beaamde Paul, als rechtgeaard jurist op zijn hoede nu hij informatie verschafte zonder er iets voor terug te krijgen.

'Abby vond het heerlijk om anderen te helpen,' voegde Lev eraan toe.

Paul legde zijn hand op de schouder van zijn broer.

'Ik wil u beiden bedanken,' zei Lev.

Lena en Jeffrey bleven onder aan de buitentrap staan en keken toe terwijl Lev het huis binnenging en de deur stevig achter zich dichttrok.

Lena slaakte een diepe zucht en liep terug naar de auto, gevolgd door Jeffrey. Zonder iets te zeggen stapte hij in.

Pas toen ze de hoofdweg hadden bereikt en weer langs De Gezegende Groei reden, verbrak hij het zwijgen. Lena bekeek de boerderij nu met andere ogen en was zeer benieuwd wat zich daar in feite afspeelde.

'Rare familie,' zei Jeffrey.

'Zeg dat wel.'

'Toch moeten we ons niet door onze vooroordelen laten verblinden.' Hij keek haar even scherp aan.

'Ik heb anders wel recht op mijn eigen mening, hoor.'

'Inderdaad,' zei hij, en ze voelde hem naar de littekens op haar handen kijken. 'Maar hoe zou je het vinden als we deze zaak over een jaar nog niet hebben opgelost omdat we ons door hun geloof op een dwaalspoor hebben laten brengen?'

'Misschien biedt dat juist een opening: het feit dat het bijbelfanaten zijn.'

'Mensen moorden om allerlei redenen,' onderwees hij haar. 'Geld, liefde, lust, wraak. Daar moeten we ons op richten. Wie heeft een motief? Wie beschikt over de middelen?'

In zekere zin had hij gelijk, maar Lena wist uit eigen ervaring dat mensen soms dingen deden omdat ze volslagen gestoord waren. Jeffrey kon praten wat hij wilde, maar het was wel heel toevallig dat het meisje aan haar eind was gekomen in een kist midden in het bos, terwijl haar familie uit een stelletje achterlijke bijbelfanaten bestond.

'Vind je niet dat het iets ritualistisch heeft?' vroeg ze.

'Die moeder was anders heel verdrietig.'

'Ja,' moest ze toegeven, 'dat zag ik ook.' Toch wilde ze er een kanttekening bij plaatsen. 'Dat betekent nog niet dat de rest van de familie niet aan dergelijke partijen doet. Die lui hebben hier goddomme een complete sekte.'

'Alle religies zijn sekten,' zei hij, maar Lena dacht er anders over, hoe ze godsdienst ook verfoeide.

'Ik zou de baptistenkerk in de stad niet zo gauw een sekte noemen.'

'Het zijn geestverwanten die dezelfde waarden en godsdienstige overtuiging zijn toegedaan. Dat noem ik een sekte.'

'Tja,' zei ze en al was ze het nog steeds niet met hem eens, ze wist niet wat ze ertegen in kon brengen. Ze hoorde de paus nog niet verkondigen dat hij aan het hoofd van een sekte stond. Naast de grote, algemeen geaccepteerde godsdiensten had je ook de freaks die met slangen liepen te zwaaien en dachten dat elektriciteit je rechtstreeks met de duivel in verbinding bracht.

'Uiteindelijk komen we weer bij de cyanide uit,' zei Jeffrey. 'Waar kwam die vandaan?'

'Volgens Esther gebruiken ze geen bestrijdingsmiddelen,' vertelde Lena.

'Denk maar niet dat we een huiszoekingsbevel kunnen lospeuteren om dat te onderzoeken,' zei hij. 'Ook al zou Ed Pelham aan de Catoogah-kant meewerken, dan nog hebben we geen gerede aanleiding.' 'Hadden we maar beter om ons heen gekeken toen we daar waren.'

'Ik zou die Cole weleens aan de tand willen voelen.'

'Denk je dat hij er woensdagochtend ook bij is?'

'Geen idee. Heb je vanavond trouwens iets?'

'Hoezo?'

'Zin om mee te gaan naar de Pink Kitty?'

'Die blotetietenbar aan de snelweg?'

'Het is een striptent,' verbeterde hij haar, alsof ze hem beledigd had. Met één hand aan het stuur groef hij in zijn zak en haalde een luciferboekje te voorschijn. Hij wierp het haar toe en ze herkende het logo van de Pink Kitty. Het gigantische neonbord aan de gevel van de bar was mijlenver in de omtrek te zien.

'Nou moet jij me eens vertellen,' zei hij, terwijl hij de autoweg op draaide, 'waarom een naïeve meid van eenentwintig een luciferboekje uit een striptent meeneemt en dat in het achterwerk van haar lievelingsknuffel stopt.'

Daarom was hij dus zo geïnteresseerd geweest in de Snoopy op Abby's bed. Ze had er het luciferboekje in verstopt. 'Goeie vraag,' zei ze terwijl ze het boekje opende. Het was nog niet gebruikt.

'Ik kom je om halfelf halen.'

Zes

Toen Tessa de voordeur opendeed lag Sara op de bank met een vochtig washandje over haar gezicht.

'Zusje?' riep Tessa. 'Ben je thuis?'

'Hier!' klonk het vanonder het washandje.

'O jezus,' zei Tessa. Nu hoorde Sara haar bij het voeteneind van de bank. 'Wat heeft Jeffrey nou weer uitgespookt?'

'Waarom geef je Jeffrey de schuld?'

Halverwege een akkoord zette Tessa de cd-speler uit. 'Omdat je alleen naar Dolly Parton luistert als je kwaad op hem bent.'

Sara schoof het washandje omhoog zodat ze haar zus kon zien. Tessa stond de achterkant van het cd-hoesje te lezen. 'Het is een coveralbum.'

'Je hebt het zesde nummer zeker overgeslagen?' vroeg Tessa. Ze wierp het ding op de bende die Sara ervan had gemaakt toen ze naar een geschikt cd'tje zocht. 'God, wat zie jij er afschuwelijk uit!'

'Ik voel me ook afschuwelijk,' bekende Sara. Ze had de autopsie van Abigail Bennett bijgewoond en ze kon zich niet herinneren wanneer ze voor het laatst zoiets vreselijks had doorstaan. Het meisje was bepaald geen zachte dood gestorven. Haar lichaamsfuncties waren een voor een uitgeschakeld tot alleen haar hersens overbleven. Ze was zich bewust geweest van wat er gebeurde, elke seconde van het stervensproces had ze meegemaakt, tot aan het uitermate pijnlijke einde.

Sara was zo aangeslagen geweest dat ze haar nieuwe mobiel had gebruikt om Jeffrey te bellen. In plaats van haar hart te kunnen uitstorten had ze hem tot in detail over de lijkschouwing moeten vertellen. Jeffrey had zo'n haast gehad dat hij zonder afscheid te nemen de verbinding had verbroken.

'Dat is beter,' zei Tessa toen het gefluister van Steely Dan door de speakers klonk. Sara keek uit het raam en tot haar verbazing was de zon al onder. 'Hoe laat is het eigenlijk?'

'Bijna zeven uur,' zei Tessa, die het volume van de cd-speler bijstelde. 'Mama heeft me iets voor je meegegeven.' Met een zucht kwam Sara overeind en het washandje viel van haar gezicht. Bij Tessa's voeten stond een bruine papieren tas. 'Wat zit erin?'

'Runderstoofschotel en chocoladecake.'

Sara's maag rommelde en voor het eerst die dag had ze trek. Alsof het zo was afgesproken kwamen Bob en Billy op dat moment binnenslenteren. Een aantal jaren geleden had Sara de windhonden van de dood gered en als dank aten ze haar nu de oren van het hoofd.

'Af,' zei Tessa streng tegen Bob, de grootste van de twee, toen hij aan de tas begon te snuffelen. Nu was de beurt aan Billy, maar die joeg ze ook weg. 'Geef je ze wel te eten?' vroeg ze aan Sara.

'Soms.'

Tessa raapte de tas van de vloer en zette hem op het aanrechtblad, naast de fles wijn die Sara bij thuiskomst meteen had opengemaakt. Zonder de moeite te nemen zich om te kleden had ze de wijn ingeschonken en een flinke hijs genomen. Daarna had ze een washandje natgemaakt en zich op de bank laten vallen.

'Heeft papa je afgezet?' vroeg Sara verbaasd, want ze had geen auto gehoord. Zolang ze anti-epileptica gebruikte mocht Tessa niet rijden, een gebod dat er simpelweg om vroeg overtreden te worden.

'Ik ben op de fiets,' zei Tessa, met haar blik strak op de fles wijn gericht waaruit Sara zich bijschonk. 'Weet je, daar zou ik een moord voor doen.'

Sara's mond ging al open maar ze zweeg wijselijk. Wegens de medicijnen die ze slikte mocht Tessa ook geen alcohol drinken; ze was echter volwassen en Sara was haar moeder niet.

'Ik weet het,' zei Tessa toen ze Sara zag kijken. 'Maar ik mag toch wel ergens zin in hebben?' Ze maakte de tas open en haalde er een stapel post uit. 'Dit heb ik gelijk maar voor je meegenomen,' zei ze. 'Kijk je weleens in je brievenbus? Er zitten onwijs veel catalogi bij.'

Op een van de enveloppen zat iets bruins en Sara rook er wantrouwend aan. Tot haar opluchting was het jus.

'Sorry,' zei Tessa. Ze haalde een kartonnen wegwerpbord bedekt met aluminiumfolie te voorschijn en schoof het naar Sara toe. 'Er heeft geloof ik iets gelekt.'

'Ja!' Sara kreunde bijna toen ze de folie verwijderde. Cathy Lintons chocoladecake was gruwelijk lekker, gebakken volgens een recept dat al drie Earnshaw-generaties meeging.

'Het is veel te veel,' zei Sara toen ze zag dat het stuk groot genoeg was voor twee.

'Alsjeblieft.' Tessa nam nog twee plastic bakjes uit de tas. 'Je moet het met Jeffrey delen.'

'Oké.' Sara pakte een vork uit de la en trok een barkruk onder het keukeneiland vandaan.

'Eet je niks van de stoofpot?' vroeg Tessa.

Sara schoof een hap cake in haar mond en spoelde die weg met een slok wijn. 'Mama heeft altijd gezegd dat ik zelf mocht weten wat ik at zodra ik me een eigen dak boven het hoofd kon veroorloven.'

'Kon ik me maar een eigen dak boven het hoofd veroorloven,' mompelde Tessa, die met haar vinger wat chocola opstreek van Sara's bord. 'Ik heb zo genoeg van dat gelummel.'

'Je werkt toch?'

'Ja, als papa's loopjongen.'

Sara nam nog een hap van de cake. 'Depressieve gevoelens zijn een bijverschijnsel van je medicijnen.'

'Dat kan er ook nog wel bij.'

'Heb je verder nog problemen?'

Tessa haalde haar schouders op en veegde wat kruimels van het werkblad. 'Ik mis Devon,' zei ze. Devon was haar ex, de vader van haar dode kind. 'Ik mis een man in mijn leven.'

Sara peuzelde van haar cake, en voor de zoveelste keer speet het haar dat ze Devon Lockwood niet vermoord had toen de gelegenheid zich voordeed. 'Goed,' zei Tessa, abrupt van onderwerp veranderend. 'Vertel maar eens wat Jeffrey nu weer op zijn kerfstok heeft.'

Kreunend concentreerde Sara zich op de cake.

'Vertel dan.'

Seconden verstreken voor Sara toegaf. 'Misschien heeft hij hepatitis.'

'Welk type?'

'Goeie vraag.'

'Vertoont hij al symptomen?' vroeg Tessa fronsend.

'Anders dan verregaande stomheid en acute ontkenning?' vroeg Sara. 'Nee.'

'Hoe heeft hij het opgelopen?'

'Wat dacht je?'

'Aha.' Tessa trok de kruk naast Sara bij en ging zitten.

'Maar dat is toch alweer een hele tijd geleden?'

'Maakt dat iets uit?' Ze corrigeerde zichzelf. 'Ja, bedoel ik, het maakt wel iets uit. Het is nog van toen. Van die ene keer.'

Tessa tuitte haar lippen. Haar maakte je niet wijs dat Jeffrey slechts één keer met Jolene naar bed was geweest, en dat had ze laten weten ook. Sara dacht dat ze haar theorie weer uiteen ging zetten, maar in plaats daarvan vroeg Tessa: 'En wat doen jullie eraan?'

'We maken ruzie,' bekende Sara. 'Ik kan haar niet uit mijn hoofd zetten. Of wat hij met haar gedaan heeft.' Ze nam weer een hap cake, die ze traag kauwend wegslikte. 'Hij heeft haar niet alleen...' Sara zon op een woord dat uitdrukking gaf aan haar walging. 'Hij heeft haar niet alleen geneukt. Hij heeft haar ook het hof gemaakt. Hij heeft haar gebeld. Met haar gelachen. Misschien heeft hij haar wel bloemen gestuurd.' Ze staarde naar de chocola die van de rand van het bord droop. Had hij chocola over haar dijen gesmeerd en het toen opgelikt? Hoeveel intieme momenten hadden ze gehad vóór die fatale dag? En daarna?

Alles wat Jeffrey ooit had gedaan om Sara het gevoel te bezorgen dat ze heel speciaal was en haar ervan te overtuigen dat hij de man was met wie ze de rest van haar leven wilde delen, was gewoon een techniek geweest die hij met even groot gemak op een andere vrouw had toegepast. Jezus, waarschijnlijk op meer dan één vrouw. Jeffrey kon bogen op een liefdesleven waar Hugh Heffner stil van zou worden. Hoe was het mogelijk dat een man die zo teder kon zijn dezelfde klootzak was die haar als een hond aan de kant had geschopt? Had Jeffrey soms een nieuw trucje bedacht om haar terug te krijgen? En zodra hij haar had ingepalmd ging hij het misschien weer op iemand anders uitproberen!

Het probleem was dat Sara maar al te goed wist hoe Jo erin geslaagd was hem van haar af te pakken. Voor Jeffrey was het ongetwijfeld een spel geweest, een uitdaging. Jolene was op dat gebied veel ervarener dan Sara. Waarschijnlijk had ze hem eerst op afstand gehouden, had ze net zo lang met hem geflirt en hem geplaagd tot hij hapte en toen had ze hem langzaam binnengehaald, als een prijsvis. En ze had vast niet ter afsluiting van hun eerste afspraakje in extase op de vloer liggen kronkelen, met haar hielen schrap tegen de rand van het aanrecht en haar tong tussen haar tanden omdat ze anders zijn naam zou uitschreeuwen.

'Waarom zit je tegen de spoelbak te glimlachen?' wilde Tessa weten.

Sara schudde haar hoofd en nam een slokje wijn. 'Je weet niet half hoe vreselijk ik dit vind. Afschuwelijk vind ik het. En bovendien is Jimmy Powell weer ziek.'

'Dat jongetje met leukemie?'

Sara knikte. 'Het ziet er niet goed uit. Morgen ga ik hem in het ziekenhuis opzoeken.'

'Hoe was het in Macon?'

Onwillekeurig verrees het beeld van het meisje voor Sara's ogen: uitgestrekt op tafel, haar lichaam open alsof ze gevild was, terwijl de arts zijn handen in haar baarmoeder stak om de foetus eruit te halen. Weer een verloren kind. Weer een ontredderde familie. Sara wist niet hoe vaak ze iets dergelijks nog kon aanzien zonder in te storten.

'Sara?' vroeg Tessa.

'Het was gruwelijk, maar ik had niet anders verwacht.' Sara streek met haar vinger rond het bord om het laatste restje chocoladesaus op te vegen. Al pratend had ze het hele stuk cake verorberd.

Tessa liep naar de koelkast en haalde er een bak met ijs uit. Ze bracht het gesprek weer op het oorspronkelijke onderwerp. 'Je moet het loslaten, Sara. Jeffrey heeft nou eenmaal gedaan wat hij niet laten kon en daar kun je niets aan veranderen. Je laat hem weer toe in je leven of niet, maar je kunt er geen kat-en-muisspelletje van maken.' Ze wrikte het deksel van de bak met ijs. 'Wil je ook wat?'

'Moet ik eigenlijk niet doen,' zei Sara terwijl ze haar bord ophield.

'Zelf was ík altijd degene die bedroog, nooit andersom,' verklaarde Tessa. Ze pakte twee lepels uit de la en schoof die met een duw van haar heup weer dicht. 'Devon is gewoon vertrokken. Hij is niet vreemdgegaan. Tenminste, volgens mij is hij niet vreemdgegaan.' Ze schepte Sara's bord vol ijs. 'Maar misschien is hij wel vreemdgegaan.'

Sara hield haar hand onder het wegwerpbord, dat bijna doorboog onder het gewicht. 'Ik denk het niet.'

'Nee,' beaamde Tessa. 'Hij had nauwelijks tijd voor mij, laat staan voor een andere vrouw. Heb ik je al verteld van die keer dat hij in slaap viel terwijl we bezig waren?' Sara knikte. 'Jezus, ik snap niet hoe mensen het vijftig jaar lang bij elkaar uithouden!'

Sara haalde haar schouders op. Op dat gebied kon je haar nauwelijks een expert noemen.

'God, wat was die jongen goed in bed als hij wakker was,' verzuchtte Tessa, de lepel nog steeds in haar mond. 'Dat moet je goed onthouden als het om Jeffrey gaat. Seksuele chemie, onderschat het niet.' Ze schepte weer wat ijs op Sara's bord. 'Devon was op me uitgekeken.'

'Doe niet zo gek.'

'Ik meen het,' zei ze. 'Hij was op me uitgekeken. Hij wilde niets meer met me doen.'

'Zoals uitgaan?'

'Zoals beffen bijvoorbeeld. Ik kreeg hem alleen zover als ik een tv op mijn buik zette en de afstandsbediening aansloot op mijn...'

'Tess!'

Ze grinnikte en nam een grote hap ijs. Sara dacht weer aan de laatste keer dat ze samen ijs hadden gegeten. Op de dag dat Tessa was aangevallen waren ze naar de Dairy Queen gegaan voor een milkshake. Twee uur later lag Tessa op de grond, haar hoofd opengekliefd en haar kind dood in haar buik.

Tessa greep zich vast aan het aanrechtblad en kneep haar ogen dicht. Geschrokken schoot Sara overeind, maar Tessa zei: 'IJskoppijn.'

'Ik pak een glas water.'

'Hoeft niet.' Ze duwde haar hoofd onder de keukenkraan en nam een teug. Terwijl ze haar mond afveegde vroeg ze: 'Jeetje, hoe komt dat toch?'

'De drielingzenuw in het...'

Met een getergde blik snoerde Tessa haar de mond. 'Je hoeft niet op elke vraag in te gaan, Sara.'

Sara keek naar haar bord alsof ze een standje in ontvangst had genomen.

Tessa nam een iets minder onmatige hap van haar ijs en bracht het gesprek weer op Devon. 'Ik mis hem gewoon.'

'Dat weet ik, liefje.'

En daarmee was het onderwerp afgehandeld. Sara was van mening dat Devon uiteindelijk zijn ware aard had getoond door ertussenuit te knijpen toen het erop aankwam. Haar zus mocht blij zijn dat ze van hem af was, hoewel Sara maar al te goed begreep dat Tessa daar nu nog moeite mee had. Wat Sara betrof: die was de enige keer dat ze Devon in de stad had gezien de straat overgestoken om hem niet op het trottoir te hoeven passeren. Jeffrey was bij haar geweest en ze had hem zijn arm zowat afgerukt toen hij weer naar de overkant wilde lopen om die vent te begroeten.

Volkomen onverwacht zei Tessa: 'Ik doe niet meer aan seks.'

'Ha!' lachte Sara.

'Ik meen het.'

'En waarom niet?'

'Heb je chips in huis?'

Sara liep naar de kast om een zak te pakken. Ze probeerde haar vraag zo voorzichtig mogelijk in te kleden: 'Komt het door die nieuwe kerk?'

'Nee.' Tessa ontfermde zich over de chips. 'Misschien.' Met haar tanden scheurde ze de zak open. 'Zoals ik tot nu toe geleefd heb, dat werkt gewoon niet. Het zou stom van me zijn om ermee door te gaan.'

'Wat werkt niet?'

Tessa schudde haar hoofd. 'Alles.' Ze hield Sara de zak met chips voor, maar die weigerde en trok de rits van haar rok naar beneden om wat meer lucht te krijgen.

'Hebben ze jou soms verteld waarom Bella hier is?' vroeg Tessa.

'Ik hoopte dat jij het wist.'

'Mij vertellen ze niks. Telkens als ik de kamer binnenkom stoppen ze met praten. Ik lijk wel een wandelende MUTE-knop.'

'Anders ik wel,' besefte Sara.

'Zou je me een plezier willen doen?' vroeg Tessa.

'Tuurlijk,' zei Sara, die de verandering in Tessa's stem had opgemerkt.

'Ga je woensdagavond met me mee naar de kerk?'

Sara's mond viel open, zodat ze zich net een vis voelde die uit zijn kom was gegooid. Naarstig probeerde ze een smoes te verzinnen.

'Het is eigenlijk niet eens een kerk,' zei Tessa. 'Het is meer een soort bijeenkomst. Gewoon wat mensen die daar rondhangen en praten. Ze hebben zelfs honingbroodjes.'

'Tess...'

'Ik weet dat je geen zin hebt, maar ik wil zo graag dat je meekomt. Doe het anders voor mij,' zei ze schouderophalend.

Het was dezelfde truc die Cathy al twintig jaar toepaste: door op hun schuldgevoel te werken was ze er telkens weer in geslaagd haar dochters mee te tronen naar de kerst- en paasdienst.

'Tessie,' zei Sara, 'je weet dat ik niet geloof in...'

'Daar ben ik zelf ook nog niet uit,' onderbrak Tessa haar. 'Maar het is gewoon prettig om er te zijn.'

Sara kwam overeind om de stoofschotel in de koelkast te zetten.

'Een paar maanden geleden heb ik bij fysiotherapie Thomas ontmoet.'

'Wie is Thomas?'

'Hij is min of meer de leider van die kerk,' legde Tessa uit. 'Een tijdje geleden heeft hij een beroerte gehad. Een behoorlijk zware. Je kunt hem bijna niet verstaan, maar op een bepaalde manier kan hij met je praten zonder een woord te zeggen.'

In de afwasmachine stond de schone vaat van dagen her en om iets om handen te hebben begon Sara hem uit te ruimen.

'Het was heel raar,' vervolgde Tessa. 'Ik was van die stomme motoriekoefeningen aan het doen – je weet wel, dan moet je pinnetjes in de juiste gaatjes zetten – toen ik het gevoel kreeg dat ik aangestaard werd. Ik keek op en zag een oude vent in een rolstoel. Hij noemde me Cathy.'

'Cathy?' herhaalde Sara.

'Ja, hij schijnt mama te kennen.'

'Waarvan dan?' vroeg Sara, die dacht dat ze al haar moeders vrienden kende.

'Geen idee.'

'Heb je het haar niet gevraagd?'

'Ik heb het geprobeerd, maar ze had het druk.'

Sara sloot de afwasmachine en leunde tegen het aanrechtblad. 'En hoe ging het verder?'

'Hij vroeg of ik naar de kerk wilde komen.' Tessa zweeg even. 'Toen ik fysiotherapie deed en al die mensen zag die er veel erger aan toe waren dan ik...' Schouderophalend zei ze: 'Het plaatst de dingen echt in perspectief, snap je? Op zo'n moment besef ik pas hoe ik mijn leven zit te verknoeien.'

'Je zit je leven helemaal niet te verknoeien.'

'Ik ben vierendertig en woon nog steeds bij mijn ouders.'

'Boven de garage.'

Tessa zuchtte. 'Ik vind dat wat ik meegemaakt heb een zekere betekenis moet krijgen.'

'Het had helemaal niet mogen gebeuren.'

'Toen ik in dat ziekenhuisbed lag had ik vreselijk met mezelf te doen, was ik woedend op de wereld omdat ik dit mee moest maken. En toen besefte ik het opeens. Ik ben mijn hele leven al egoïstisch geweest.'

'Niet waar.'

'Wel. Dat heb je zelf ook gezegd.'

Nog nooit van haar leven had Sara zo'n spijt van een uitspraak gehad. 'Toen was ik kwaad op je, Tess.'

'Zal ik jou eens wat vertellen? Het is net zoiets als wanneer iemand dronken is en dan later beweert dat hij niet meende wat hij zei en dat je het maar moet vergeten omdat hij dronken was. Alcohol neemt je remmingen weg,' legde ze uit. 'Maar denk maar niet dat je dan opeens allemaal leugens uit je mouw schudt. Je was kwaad op me en je zei precies hoe je erover dacht.'

'Dat is niet waar.' Sara probeerde haar gerust te stellen, maar ze hoorde zelf ook wel dat het niet al te overtuigend klonk. 'Ik was er bijna geweest, en wat dan nog? Wat heb ik eigenlijk gedaan met mijn leven?' Ze had haar handen tot vuisten gebald. Weer veranderde ze van invalshoek: 'Als jij doodging, waar zou je dan het meest spijt van hebben?'

Dat ik geen kinderen heb, was het eerste wat bij Sara opkwam, maar ze zei het niet.

Voor Tessa was haar gezicht een open boek. 'Je kunt altijd nog adopteren.'

Sara haalde haar schouders op, niet tot antwoorden in staat.

'We praten hier nooit over. Het is bijna vijftien jaar geleden gebeurd en we praten er nooit over.'

'Daar is een reden voor.'

'En die luidt?'

Sara weigerde op haar vraag in te gaan. 'Wat heeft het voor zin, Tessie? Er verandert toch niks aan. Ze vinden heus geen wondermedicijn uit.'

'Je bent altijd zo goed met kinderen, Sara. Je zou zo'n goede moeder zijn.'

Sara sprak het zinnetje uit dat ze boven alles haatte. 'Ik kan het niet.' En vervolgens: 'Alsjeblieft, Tessie.'

Tessa knikte, hoewel Sara wist dat het laatste woord hierover nog niet gezegd was. 'Weet je, ik zou het heel erg vinden als ik niet ergens mijn sporen had achtergelaten. Als ik niks had gedaan om de wereld beter te maken.'

Sara pakte een tissue en snoot haar neus. 'Maar dat doe je toch?'

'Alles heeft een reden,' beklemtoonde Tessa. 'Ik weet dat jij dat niet gelooft. Ik weet dat je niets aanneemt wat niet door een of andere theorie gestaafd wordt of als er geen hele bibliotheek aan boeken over is geschreven, maar toch heb ik in mijn leven behoefte aan zo'n soort geloof. Ik moet kunnen geloven dat alles met een reden gebeurt. Ik moet kunnen geloven dat er iets goeds voortvloeit uit het verlies...' Ze zweeg, want ze kreeg de naam van het kind dat ze verloren had niet over haar lippen. Op de begraafplaats, tussen de ouders van Cathy en een diepbetreurde oom die in Korea was gesneuveld, stond een kleine steen met de naam van het meisje. Sara's hart kromp ineen bij de gedachte aan het koude grafje en aan alle verloren mogelijkheden.

'Je kent zijn zoon.'

'Wie zijn zoon?' vroeg Sara met een frons.

'Die van Tom. Hij heeft bij jou op school gezeten.' Voor ze de zak dichtdeed propte Tessa haar mond vol chips. Al kauwend zei ze: 'Hij heeft net zulk rood haar als jij.'

'En hij zou bij mij op school hebben gezeten?' vroeg Sara sceptisch. Roodharigen, die zich toch al zo duidelijk van het gewone volk onderscheidden, waren zich altijd van elkaars aanwezigheid bewust. Sara wist zeker dat ze in al die jaren op de Cady Stanton-basisschool het enige kind met rood haar was geweest. De littekens die ze eraan had overgehouden vormden het bewijs. 'Hoe heet ie dan?'

'Lev Ward.'

'Er zat helemaal geen Lev Ward op Stanton.'

'Het was de zondagsschool,' verduidelijkte Tessa. 'Hij wist nog een paar grappige verhalen over jou.'

'Over mij?' herhaalde Sara, die haar nieuwsgierigheid niet langer kon bedwingen.

'Bovendien,' voegde Tessa eraan toe, alsof ze het nog aanlokkelijker wilde maken, 'heeft hij het schattigste zoontje van vijf dat je ooit hebt gezien.'

Daar trapte Sara niet in. 'Op de kliniek kom ik anders genoeg schattige vijfjarigen tegen.'

'Denk er maar over na of je meegaat. Je hoeft het nu nog niet te zeggen.' Tessa keek op haar horloge. 'Ik moet terug voor het donker wordt.'

'Zal ik je met de auto brengen?'

'Nee, bedankt.' Tessa drukte een kus op haar wang. 'Tot gauw.'

Sara veegde chipskruimels van haar gezicht. 'Voorzichtig, hè!'

Op weg naar de deur bleef Tessa nog even staan. 'Het gaat niet alleen om de seks.'

'Hè?'

'Wat Jeffrey betreft,' legde ze uit. 'Het gaat niet alleen om de seksuele chemie. Het kan zo slecht niet gaan of jullie komen er sterker uit. Dat is altijd al zo geweest.' Ze boog voorover om eerst Billy en toen Bob achter de oren te krabbelen. 'Altijd als je een beroep op hem doet staat hij voor je klaar. Je weet niet half hoeveel mannen de benen zouden nemen.'

Nadat beide honden aan hun trekken waren gekomen, liep Tessa het huis uit en deed de deur zachtjes achter zich dicht.

Sara zette de chips voor zich neer en overwoog de hele zak soldaat te maken, ook al sneed de open rits van haar rok in haar vlees. Het liefst zou ze haar moeder bellen om te vragen wat er aan de hand was. Of anders Jeffrey. Dan zou ze hem er eerst van langs geven en hem dan terugbellen om te vragen of hij samen met haar naar een oude film wilde kijken die op tv werd vertoond.

In plaats daarvan liep ze met een nieuw glas wijn terug naar de bank en probeerde haar hoofd leeg te maken. Maar hoe meer ze haar best deed om nergens aan te denken, hoe hardnekkiger allerlei dingen naar de oppervlakte kwamen. Al snel wisselden de beelden elkaar af: eerst zag ze het meisje in het bos voor zich, toen Jimmy Powell met zijn leukemie en uiteindelijk Jeffrey in het ziekenhuis, in het laatste stadium van leverinsufficiëntie.

Ook al kostte het haar moeite, toch keerde ze in gedachten uiteindelijk terug naar de autopsie. Ze had tijdens de hele procedure achter een dikke glazen wand gestaan, maar zelfs dat was onbehaaglijk dichtbij geweest. De resultaten van het lichamelijk onderzoek waren niet opmerkelijk, afgezien van de cyanidezouten die in de maag van het meisje werden aangetroffen. Weer ging er een huivering door Sara heen toen ze de rookpluim voor zich zag die was opgestegen nadat de lijkschouwer zijn mes in haar maag had gezet. Ook de foetus had geen afwijkingen vertoond: het was een gezond kind geweest dat een volwaardig leven had kunnen leiden.

Er werd op de voordeur geklopt, eerst aarzelend, en toen Sara niet reageerde een stuk luider. 'Kom maar binnen!' riep ze ten slotte.

'Sara?' hoorde ze Jeffrey zeggen. Hij keek de kamer rond en was zichtbaar verbaasd toen hij haar op de bank aantrof. 'Voel je je niet lekker?'

'Ik heb buikpijn,' zei ze, en inderdaad had ze kramp in haar maag. Misschien had haar moeder toch gelijk met haar opmerking dat een toetje geen hoofdmaaltijd was.

'Sorry dat ik niet eerder tijd voor je had.'

'Geeft niet,' antwoordde ze, hoewel dat niet helemaal waar was. 'Wat is er gebeurd?'

'Niks,' zei hij, niet in staat zijn teleurstelling te verbergen. 'Ik heb goddomme de hele middag op de hogeschool rondgesjouwd, van de ene afdeling naar de andere, tot ik eindelijk iemand te pakken had die me kon vertellen wat voor gifstoffen ze daar in voorraad hebben.'

'Geen cyanide?'

'Alles behalve dat,' zei hij.

'Wat ben je over die familie te weten gekomen?'

'Ze lieten het achterste van hun tong niet zien. Ik heb de bankgegevens van de boerderij laten natrekken. Daar hoor ik morgen meer over. Frank belt alle tehuizen voor daklozen af om erachter te komen hoe het er tijdens die missies aan toegaat.' Schouderophalend vervolgde hij: 'De rest van de dag hebben we de laptop doorgevlooid. Die was redelijk schoon.'

'Heb je naar de msn-berichten gekeken?'

'Die heeft Brad als eerste gekraakt. Er was wat heen-en-weergeklets met de tante die op de boerderij woont, maar verder ging het voornamelijk over bijbelcursussen, werkroosters, hoe laat ze zou komen, wie er 's avonds kip moest braden, wie de volgende dag de wortels moest schrappen. Moeilijk te zeggen welke berichten van Abby waren en welke van Rebecca.'

'Was er iets bij uit die tien dagen dat de familie op stap was?'

'Een van de bestanden was geopend op de dag dat ze naar Atlanta vertrokken,' vertelde Jeffrey. 'Diezelfde ochtend rond kwart over tien. Tegen die tijd waren de ouders al weg. Het betrof het cv van Abigail Ruth Bennett.'

'Voor een baan?'

'Het lijkt er wel op.'

'Denk je dat ze van plan was weg te gaan?'

'Haar ouders hadden het liefst dat ze ging studeren, maar dat wilde ze niet.'

'De keus was in elk geval aan haar,' mompelde Sara. Cathy had haar dochters ongeveer met een zweep door hun studie gejaagd. 'Wat voor soort baan zocht ze?'

'Geen idee,' zei hij. 'In haar cv legde ze de nadruk op administratie en boekhouden. Ze heeft ook heel veel werk op de boerderij verricht. Voor een potentiële werkgever moet dat een veelzijdig plaatje hebben opgeleverd.'

'Kreeg ze thuis les?' vroeg Sara. Ze wist dat het niet voor iedereen opging, maar ze had ervaren dat ouders om twee redenen voor thuisonderwijs kozen: om hun blanke kroost verre te houden van allerlei etnische minderheden, of om er zeker van te zijn dat hun kinderen uitsluitend over de scheppingsleer en onthouding te horen kregen.

'Net als de meesten in die familie kennelijk.' Jeffrey trok zijn das los. 'Ik moet me omkleden.' Alsof hij haar uitleg verschuldigd was, voegde hij eraan toe: 'Ik heb al mijn spijkerbroeken hier.'

'Waarom moet je je omkleden?'

'Eerst wil ik met Dale Stanley praten, en daarna ga ik met Lena naar de Pink Kitty.'

'Die blotetietenbar aan de snelweg?'

Fronsend vroeg hij: 'Waarom mogen vrouwen dat wel zeggen en krijgen mannen in dat geval een schop voor hun kloten?'

'Omdat vrouwen geen kloten hebben.' Ze ging rechtop zitten en voelde haar maag omdraaien. Godzijdank had ze niet van de chips gegeten. 'Wat hebben jullie daar te zoeken?' wilde ze weten. 'Of is dat jouw manier om mij te straffen?'

'Waarvoor zou ik je willen straffen?' vroeg hij toen ze achter hem aan naar de slaapkamer liep.

'Let maar niet op mij,' zei ze, want ze wist niet goed waarom ze het gezegd had. 'Ik heb een vreselijke rotdag achter de rug.'

'Kan ik iets voor je doen?'

'Nee.'

Hij maakte een doos open. 'We hebben een luciferboekje op de kamer van het meisje gevonden,' legde hij uit. 'Dat kwam uit de Pink Kitty. Waarom zou ik je willen straffen?'

Sara ging op het bed zitten en keek toe terwijl hij in dozen rommelde op zoek naar een spijkerbroek. 'Ze leek me niet echt een type voor de Pink Kitty.'

'Dat geldt voor de hele familie.' Eindelijk had hij de goede doos gevonden. Terwijl hij zijn rits naar beneden trok en zijn broek uitschopte keek hij haar aan. 'Ben je nog steeds kwaad op me?'

'Ik wou dat ik het wist.'

Hij trok zijn sokken uit en gooide ze in de wasmand. 'Ik ook.'

Sara staarde door een van de slaapkamerramen en keek naar het meer. Ze sloot zelden de gordijnen, want nergens in de wijde omtrek had je zo'n prachtig uitzicht. Als Sara 's avonds in bed lag, volgde ze voor ze insliep vaak de baan die de maan langs de hemel beschreef. Hoe vaak had ze de afgelopen week niet uit deze ramen gekeken zonder te weten dat aan de overkant van het meer Abigail Bennett lag, alleen, waarschijnlijk koud tot op het bot en in elk geval doodsbang? Had Sara lekker warm en genoeglijk in bed gelegen terwijl Abby's moordenaar haar in het holst van de nacht had vergiftigd?

'Sara?' Jeffrey stond in zijn ondergoed naar haar te kijken. 'Wat is er aan de hand?'

Om niet te hoeven antwoorden vroeg ze: 'Vertel nog eens wat over Abigails familie.'

Hij aarzelde een paar tellen en raapte toen zijn kleren weer op. 'Het zijn rare lui.'

'Hoezo raar?'

Hij nam een paar sokken uit de doos en ging op het bed

zitten om ze aan te trekken. 'Misschien ligt het aan mij. Misschien heb ik te veel mensen gezien die met een of ander ziek religieus verhaal willen goedpraten dat ze zich seksueel tot jonge meisjes aangetrokken voelen.'

'Schrokken ze toen je vertelde dat ze dood was?'

'Ze hadden geruchten gehoord over wat we hebben gevonden. Ik heb geen idee hoe, want die boerderij lijkt hermetisch van de buitenwereld afgesloten. Een van de ooms komt trouwens nog weleens van het erf. Dat is meteen de vreemdste van het stel. Ik kan er niet de vinger op leggen, maar er zit een luchtje aan die vent.'

'Misschien heb je iets tegen ooms.'

'Zou kunnen.' Hij wreef in zijn ogen. 'De moeder was totaal overstuur.'

'Stel je toch voor dat je zulk nieuws te horen krijgt.'

'Vooral haar reactie heeft me erg aangegrepen.'

'Leg eens uit.'

'Ze smeekte me om de dader op te sporen,' zei hij. 'Maar dat zou weleens een grote schok voor haar kunnen zijn.'

'Denk je echt dat haar familie erbij betrokken is?'

'Ik weet het niet.' Hij stond op om zich verder aan te kleden en ondertussen schilderde hij een nog gedetailleerder beeld van de groep. De ene oom was een dominant type en scheen meer macht over de familie te hebben dan Jeffrey normaal achtte. De echtgenoot van de vrouw was oud genoeg om voor haar grootvader te kunnen doorgaan. Sara zat tegen het hoofdeinde van het bed geleund met haar armen over elkaar te luisteren. Hoe meer hij haar vertelde, hoe harder de alarmbelletjes in haar hoofd gingen rinkelen.

'De vrouwen daar zijn heel... ouderwets,' zei hij. 'Praten laten ze aan de mannen over. Ze voegen zich in alles naar de echtgenoot en de broers.'

'Dat zie je bij de meeste behoudende religies,' legde Sara uit. 'De man wordt verondersteld – in theorie althans – aan het hoofd van de familie te staan.' Ze zweeg, in afwachting van een of andere spijtige opmerking, maar toen die uitbleef vroeg ze: 'Heb je nog iets uit het zusje los kunnen krijgen?'

'Rebecca,' vulde hij aan. 'Nee, niks, en denk maar niet dat ze me nog eens met haar laten praten. Ik heb zo'n gevoel dat die oom me vilt als hij merkt dat ik met haar gesproken heb daar in Abby's kamer.'

'Denk je wel dat ze iets aan je kwijt zou willen?'

'Wie zal het zeggen? Ik kon niet zien of ze iets voor me verborgen hield of dat ze alleen maar verdrietig was.'

'Het is heel zwaar om zoiets mee te maken,' zei Sara. 'Waarschijnlijk kan ze op dit moment niet eens goed nadenken.'

'Lena heeft van de moeder begrepen dat Rebecca weleens is weggelopen.'

'Waarom?'

'Daar kwam ze niet achter.'

'Nou, dat kan een aanknopingspunt zijn.'

'Misschien was het gewoon een puberstreek,' benadrukte hij, alsof Sara niet wist dat een op de zeven kinderen voor het achttiende jaar minstens één keer van huis wegliep. 'Ze is nog erg jong voor haar leeftijd.'

'Ik kan me voorstellen dat je niet al te wereldwijs bent als je in zo'n omgeving opgroeit.' Ze voegde eraan toe: 'Niet dat het zo verkeerd is om je kinderen wat van de grote wereld af te schermen. Als het mijn kind was...' zei ze zonder erbij na te denken, maar meteen corrigeerde ze zichzelf: 'Ik bedoel, als ik sommige kinderen zie die bij mij op spreekuur komen... dan begrijp ik waarom hun ouders hen zo beschermd mogelijk willen laten opgroeien.'

Hij staakte waar hij mee bezig was en keek haar aan, zijn mond halfopen alsof hij iets wilde zeggen.

'Goed,' zei ze, terwijl ze probeerde de brok in haar keel weg te slikken. 'Bij die familie draait alles dus om de kerk?'

'Ja,' zei hij na een korte stilte, want hij had maar al te goed door wat er in haar omging. 'Van dat meisje zou ik het niet kunnen zeggen. Ik bespeurde wel iets bij haar, nog voor Lena me vertelde dat ze weleens was weggelopen. Ze maakte een nogal opstandige indruk. Toen ik haar ondervroeg, was dat tegen de wil van haar oom.'

'Hoezo?'

'Hij is jurist. Ze mocht van hem geen vragen beantwoorden. Toch deed ze het.' Hij stond wat afwezig te knikken, alsof hij haar moed bewonderde. 'Ik heb het vermoeden dat

zo'n onafhankelijke opstelling totaal niet past binnen de verhoudingen in die familie, vooral niet bij een jong meisje.'
'Jongere kinderen in een gezin zijn vaak wat assertiever,' zei Sara. 'Tessa werkte zich altijd in de nesten. Ik weet niet of dat kwam doordat mijn vader haar harder aanpakte of doordat ze zich feller verweerde.' Hij kon een grijns van waardering niet onderdrukken. Tessa's vrijgevochten geest sprak hem wel aan. Dat was met de meeste mannen het geval. 'Ze is inderdaad een beetje wild.'

'En ik niet,' zei Sara, haar toon niet helemaal vrij van spijt. Tessa was altijd degene die risico's nam, terwijl Sara's jeugdzonden gewoonlijk uit haar leergierigheid voortkwamen: ze bleef te lang in de bibliotheek hangen om te studeren of ze nam stiekem een zaklantaarn mee naar bed om te kunnen lezen nadat het licht was uitgegaan.

'Denk je dat die verhoren van woensdag iets gaan opleveren?' vroeg ze.

'Ik betwijfel het. Misschien weet Dale Stanley iets. Staat het vast dat het cyanidezouten zijn?'

'Ja.'

'Ik heb het nagezocht. Hij is de enige galvaniseur in de omgeving. Ik heb het gevoel dat het op de boerderij valt terug te voeren. Het is gewoon te toevallig: ze hebben daar een stel bajesklanten rondlopen en opeens is er een meisje dood. Bovendien,' zei hij, naar haar opkijkend, 'is het huis van Dale Stanley op loopafstand van de grens met Catoogah.'

'Denk je dat Dale Stanley haar in die kist heeft gestopt?'

'Ik heb geen idee. In dit stadium vertrouw ik niemand.'

'Zit er soms een religieuze betekenis achter?' opperde Sara. 'Een ritueel waarbij ze iemand begraven?'

'En vervolgens vergiftigen?' vroeg hij. 'Op dat punt loop ik vast. Lena is ervan overtuigd dat er een verband bestaat met de godsdienst, dat het met die familie te maken heeft.'

'Ze heeft een goeie reden om alles wat naar godsdienst zweemt af te wijzen.'

'Lena is wel mijn beste rechercheur,' zei Jeffrey. 'Ik weet dat ze... problemen heeft...' Hij scheen te beseffen dat dit al te mild was uitgedrukt, maar vervolgde niettemin: 'Ik wil

163

niet dat ze zich in één ding vastbijt omdat het toevallig bij haar kijk op de wereld past.'

'Soms ziet ze de dingen wel erg zwart-wit.'

'Dat doet iedereen weleens,' zei hij en hoewel Sara het met hem eens was, wist ze dat hij zichzelf als een uitzondering beschouwde. 'Maar het is een rare toestand daar, daar heeft ze gelijk in. Toen we ernaartoe reden kwamen we een vent tegen. Hij stond bij de schuur met een bijbel te zwaaien en het Woord te prediken.'

'De vader van Hare doet dat ook als de hele familie bij elkaar is,' merkte Sara op, hoewel zijn twee zussen hem meestal zo keihard in zijn gezicht uitlachten als hij aan het bekeren sloeg dat oom Roderick zelden verder kwam dan de eerste zin.

'Toch is het verdacht.'

'Dit is het zuiden, Jeffrey. Als het om godsdienst gaat zijn de mensen hier heel vasthoudend.'

'Je praat trouwens wel met een jongen uit hartje Alabama,' merkte hij fijntjes op. 'En je ziet het niet alleen in het zuiden. Ga maar eens naar het Midwesten of naar Californië of zelfs naar afgelegen streken in de staat New York, wedden dat je daar ook religieuze enclaves aantreft? Wij krijgen gewoon meer publiciteit omdat we betere dominees hebben.'

Daar had Sara niets tegen in te brengen. Hoe verder van de grote stad, hoe religieuzer de mensen vaak waren. Ze moest bekennen dat ze dat een van de aantrekkelijke aspecten van het kleinestadsleven vond. Hoewel Sara zelf niet godsdienstig was, had ze niets tegen de kerk of tegen een filosofie die voorschreef dat je je medemens moest liefhebben en hem de andere wang moest toekeren. Helaas werd dat gebod de laatste tijd steeds minder in praktijk gebracht.

'Stel dat Lena het goed aanvoelt en dat de hele familie erbij betrokken is,' zei Jeffrey. 'Het is een duivelse sekte en ze hebben Abby om de een of andere reden begraven.'

'Ze was zwanger.'

'Precies, ze hebben haar begraven omdat ze zwanger was. Waarom moesten ze haar dan vergiftigen? Dat klopt gewoonweg niet.'

Dat moest Sara toegeven. 'Trouwens, waarom zouden ze

haar begraven? Het zijn toch van die anti-abortuslui?'
'Het klopt van geen kant. Er moet een andere reden zijn.'
'En dat betekent,' zei Sara, 'dat het een buitenstaander is.
Waarom doet een buitenstaander al die moeite om haar eerst
levend te begraven en daarna te doden?'
'Misschien wilde hij terugkomen en het lichaam wegha-
len nadat ze gestorven was. Misschien hebben we haar gevonden voordat hij zijn plan kon voltooien, wat voor plan
het ook was.'
Dat was nog niet bij Sara opgekomen en een koude rilling
liep over haar rug.
'Ik heb houtmonsters opgestuurd om te laten analyseren,'
zei hij. 'Als daar DNA op zit, dan wordt dat aangetoond.' Hij
dacht even na en zei toen: 'Uiteindelijk.'
Sara wist dat het weken, zo niet maanden zou duren voor
de uitslagen binnenkwamen. Het forensisch lab van het
Georgia Bureau of Investigation had zoveel achterstallig
werk dat het een wonder was dat er in de staat nog misda-
den werden opgelost. Ze vroeg: 'Kun je niet gewoon naar die
boerderij gaan en met die mensen praten?'
'Niet zonder goede reden. En als ik al niet de wind van voren krijg van die sukkel van een sheriff omdat ik me buiten
mijn rayon begeef.'
'Wat dacht je van het maatschappelijk werk?' opperde
Sara. 'Uit je verhaal maak ik op dat er kinderen op de boerderij zijn. Sommigen kunnen wel weggelopen minderjarigen
zijn.'
'Dat is een goed punt,' zei hij glimlachend. Jeffrey vond
het altijd prachtig als hij een manier vond om een obstakel
te omzeilen. 'Ik zal voorzichtig te werk moeten gaan. Ik heb
het vage vermoeden dat onze meneer Lev uitstekend van
zijn rechten op de hoogte is. Er staan vast een stuk of tien
advocaten in de coulissen te wachten.'
Ze schoot overeind. 'Wat?'
'Ik zei dat hij waarschijnlijk een stuk of tien advocaten...'
'Nee, hoe heet die vent?'
'Lev, een van de ooms,' zei Jeffrey. 'Het is heel vreemd,
maar hij lijkt wel wat op jou. Ook van dat rode haar.' Jeffrey
trok een T-shirt over zijn hoofd. 'Mooie blauwe ogen.'

'Ik heb groene ogen,' zei ze geïrriteerd, want dat grapje kende ze zo langzamerhand wel. 'In welk opzicht lijkt hij op mij?'

'Precies zoals ik zei.' Met een achteloos gebaar streek hij zijn Lynyrd Skynyrd-T-shirt glad. 'Zie ik eruit als een boerenlul die naar een striptent gaat?'

'Vertel nog eens over die vent, die Lev.'

'Waarom ben je zo nieuwsgierig?'

'Ik wil het gewoon weten,' zei ze en ze liet er meteen op volgen: 'Tessa gaat weleens naar die kerk.'

Hij liet een ongelovig lachje horen. 'Dat meen je niet.'

'Waarom is dat zo moeilijk te geloven?'

'Tessa? In een kerk? Zonder dat je moeder met een zweep achter haar staat?'

'Wat bedoel je?'

'Die lui zijn vreselijk... vroom,' zei hij, en met zijn vingers kamde hij zijn haar naar achteren. Hij ging op de rand van het bed zitten. 'Dat lijkt me niet Tessa's soort mensen.'

Dat Sara Tessa soms wat losbandig vond, was tot daaraan toe, maar iemand anders had dat recht niet, zelfs Jeffrey niet. 'Wat bedoel je met Tessa's soort mensen?'

Hij voelde dat hij in de val werd gelokt en legde zijn hand op haar voeten. 'Sara...'

'Laat ook maar zitten,' zei ze. Ze snapte zelf niet waarom ze altijd op ruzie uit was.

'Ik heb geen zin om het te laten zitten.' Hij matigde zijn toon. 'Wat is er met jou aan de hand?'

Ze liet zich op het bed zakken en keerde hem haar rug toe. 'Ik heb gewoon een vreselijke rotdag gehad.'

Hij begon haar rug te masseren. 'De lijkschouwing?'

Ze knikte.

'Je belde me omdat je het van je af moest praten,' zei hij. 'Ik had naar je moeten luisteren.'

Er vormde zich een brok in haar keel en ze slikte hem weg. Hij had zijn fout ingezien en dat betekende zoveel voor haar dat ze hem ter plekke vergaf.

Sussend zei hij: 'Ik weet hoe moeilijk het voor je was, schatje. Het spijt me dat ik er niet bij kon zijn.'

'Het is wel goed.'

'Ik vind het niet prettig als je dat soort dingen in je eentje moet doen.'

'Carlos was er.'

'Dat is niet hetzelfde.' Hij wreef nog steeds over haar rug, rondjes beschrijvend met de palm van zijn hand. Ze verstond hem nauwelijks toen hij fluisterend vroeg: 'Wat gebeurt er allemaal?'

'Ik weet het niet,' bekende ze. 'Tessa heeft gevraagd of ik morgenavond met haar meega naar die kerk.' Hij hield zijn hand stil. 'Dat heb ik liever niet.' Ze keek hem over haar schouder aan. 'Waarom niet?' 'Die mensen,' begon hij. 'Ik vertrouw ze niet. Ik kan niet uitleggen waarom, maar er speelt daar iets.' 'Denk je echt dat ze Abigail vermoord hebben?' 'Ik weet niet wat ze gedaan hebben,' zei hij. 'Het enige wat ik weet is dat ik liever niet heb dat jij erbij betrokken raakt.'

'Dat ik waarbij betrokken raak?'

Hij antwoordde niet. In plaats daarvan trok hij aan haar mouw en zei: 'Draai je eens om.'

Sara rolde zich op haar rug. Een glimlachje speelde om zijn lippen toen hij met zijn vinger langs de half openstaande rits van haar rok ging. 'Wat heb je vanavond gegeten?'

Het was te gênant om te vertellen en daarom schudde ze alleen haar hoofd.

Jeffrey schoof haar rok omhoog en begon over haar buik te wrijven. 'Zo beter?'

Ze knikte.

'Wat heb je toch een zachte huid,' fluisterde hij, terwijl hij er met zijn vingertoppen overheen streek. 'Soms moet ik eraan denken en dan krijg ik het gevoel dat ik kan vliegen.'

Hij glimlachte, als om iets heimelijks dat hij in gedachten voor zich zag.

Minuten verstreken en toen zei hij: 'Ik heb gehoord dat Jimmy Powell weer in het ziekenhuis ligt.'

Sara sloot haar ogen en concentreerde zich op zijn hand die over haar huid streek. De hele dag had ze haar tranen nauwelijks kunnen bedwingen, en zijn woorden maakten het alleen maar erger. Door alles wat ze de afgelopen achtenveertig uur had meegemaakt voelde ze zich net een verknoopt kluwen touw, maar op de een of andere manier slaagde zijn zachte hand erin de boel te ontwarren.

'Dit is de laatste keer,' zei ze, en ze schoot weer vol toen ze aan het zieke negenjarige joch dacht. Sara had Jimmy zijn hele leven gekend, had hem zien opgroeien van peuter tot schooljongen. De diagnose was bij haar bijna even hard aangekomen als bij zijn ouders.

'Zal ik met je meegaan naar het ziekenhuis?' vroeg Jeffrey.

'Alsjeblieft.'

Hij verlichtte de druk van zijn hand. 'En straks?'

'Straks?' vroeg ze. Nog even en ze begon te spinnen als een kat.

'Waar zal ik vannacht slapen?'

Het duurde even voor Sara antwoord gaf. Kon ze maar met een vingerknip zorgen dat het morgen was, dan hoefde ze niets meer te beslissen. Ten slotte gebaarde ze naar de verzameling dozen die hij uit zijn huis had overgebracht. 'Al je spullen zijn toch al hier.'

Hij slaagde er niet helemaal in zijn teleurstelling achter zijn glimlach weg te moffelen. 'Een prima reden, zullen we maar zeggen.'

Zeven

Met de autoradio op z'n zachtst reed Jeffrey Heartsdale uit. Hij besefte pas dat hij zijn kiezen al een hele tijd op elkaar geklemd hield toen hij een scherpe pijnscheut langs zijn kaak voelde trekken. Een oudemannenzucht ontsnapte aan zijn borst en even overwoog hij zijn polsen door te snijden. Zijn schouder deed pijn en zijn rechterknie speelde op, om nog maar te zwijgen van de kloppende snijwond in zijn hand. Zijn jarenlange footballcarrière had hem geleerd pijntjes en kwaaltjes te negeren, maar naarmate hij ouder werd merkte hij dat het hem steeds minder goed afging. Vandaag voelde hij zich echt oud – niet gewoon oud, maar oeroud. Die schotwond in zijn schouder een paar maanden geleden had hem met de neus op het feit gedrukt dat hij niet het eeuwige leven had. Ooit maakte het niet uit als Jeffrey helemaal beurs van het footballveld kwam: de volgende ochtend stond hij fit als een hoentje op. Tegenwoordig deed zijn schouder al pijn als hij iets te veel kracht zette bij het tandenpoetsen.

En nu die hepatitis-shit. Toen Jo hem de vorige week had gebeld om het hem te vertellen, wist hij al dat zij het was nog voor ze een woord had gezegd. Ze aarzelde altijd even voor ze sprak, alsof ze verwachtte dat de ander het initiatief zou nemen. Dat was een van de dingen die Jeffrey prettig aan haar had gevonden: dat ze de leiding aan hem overliet. Met Jo kreeg je nooit ruzie en ze had inschikkelijkheid tot een kunst verheven. Er viel heel wat te zeggen voor een vrouw die niet elk onnozel woordje dat over haar lippen kwam eindeloos afwoog.

Vannacht hoefde hij in elk geval niet op de vloer te slapen.

Hij betwijfelde of Sara hem met open armen in haar bed zou ontvangen, maar kennelijk was haar woede over het hoogtepunt heen. Vóór dat telefoontje ging het zo goed tussen hen tweeën en het was erg verleidelijk om de schuld van zijn recente problemen op Jo te schuiven. Niettemin leek het er steeds meer op dat elke dag met Sara één stap vooruit en twee stappen terug was. Het feit dat hij haar minstens vier keer ten huwelijk had gevraagd en elke keer het lid op de neus had gekregen, begon hem ook te irriteren. Op een gegeven moment was de grens bereikt.

Jeffrey draaide een grindpad op. Na dat ritje naar de boerderij en nu weer naar het huis van Dale Stanley leek het wel of hij met zijn Town Car een oorlogszone had doorkruist.

Jeffrey parkeerde zijn auto achter een Dodge Dart, die zo te zien een volledige opknapbeurt had ondergaan. 'Jezus,' mompelde hij bij het uitstappen, niet in staat zijn bewondering te onderdrukken. De Dodge was donkerblauw met getinte ramen en zag er zo goed als nieuw uit. Van achteren was hij opgekrikt. De bumper was van smetteloos glanzend chroom en fonkelde in het licht van de beveiligingslamp die op de garage was gemonteerd.

'Hallo, commissaris.' Een buitengewoon lange, magere man in overall kwam de garage uit. Hij veegde zijn handen af aan een smerige doek. 'Hebben we elkaar vorig jaar niet ontmoet, tijdens de picknick?'

'Prettig je weer te zien, Dale,' zei Jeffrey. Er waren niet veel mannen tegen wie Jeffrey op moest kijken, maar Dale Stanley was een echte bonenstaak. Hij zou sprekend op zijn jongere broer hebben geleken als iemand Pat bij zijn hoofd en voeten had gepakt en hem zo'n dertig centimeter had opgerekt. Ook al torende Dale boven alles en iedereen uit, toch had hij iets laconieks, alsof hij zich nergens wat van aantrok. Jeffrey schatte hem op een jaar of dertig.

'Sorry dat ik u pas zo laat kon ontvangen,' zei Dale. 'Ik wilde de kinderen niet van streek maken. Ze raken helemaal overstuur als ze een politieauto op het erf zien.' Hij wierp een nerveuze blik in de richting van het huis. 'U snapt het vast wel.'

'Jazeker,' zei Jeffrey en Dale leek gerustgesteld. Agent Pat

Stanley, Dales jongere broer, was een paar maanden geleden betrokken geweest bij een nogal uit de hand gelopen gijzeling en had het er amper levend afgebracht. Jeffrey had geen idee hoe het was om zoiets op het nieuws te horen en dan elk moment de politie te verwachten met het bericht dat je broer dood is.

'Ze kunnen zelfs niet tegen de sirenes op tv,' zei Dale. Jeffrey kreeg sterk de indruk dat hij het type was dat spinnen ving en ze naar buiten bracht in plaats van ze te pletten.

'Hebt u ook een broer?' vroeg Dale.

'Niet dat ik weet,' antwoordde Jeffrey, waarop Dale zijn hoofd in zijn nek wierp en als een paard begon te hinniken. Toen hij was uitgelachen vroeg Jeffrey: 'Zitten we hier niet pal op de districtsgrens?'

'Yep,' beaamde Dale. 'Die kant op is Catoogah en dit is Avondale. Mijn kinderen gaan later naar de school aan Mason Mill Road.'

Ter oriëntatie nam Jeffrey het terrein nog eens goed in zich op. 'Zo te zien heb je het hier mooi voor elkaar.'

'Dank u.' Dale gebaarde naar de garage. 'Zin in een biertje?'

'Waarom ook niet?' Met onverholen bewondering betrad Jeffrey de werkplaats. Dale had alles tiptop in orde. De vloer was lichtgrijs geverfd en er was geen spatje olie op te bekennen. De werktuigen aan het gereedschapsbord waren in zwart silhouet afgetekend. Onder de kastjes aan de muur hingen babyvoedingpotjes gevuld met bouten en schroeven, als wijnglazen in een bar. De hele ruimte was helder verlicht.

'Wat doe je hier zoal?' vroeg Jeffrey.

'Vooral auto's opknappen,' zei hij en hij wees naar de Dart. 'Achter heb ik een spuiterij. Reparaties voer ik hier uit. Mijn vrouw doet de bekleding.'

'Terri?'

Hij keek Jeffrey schuin aan, kennelijk verbaasd dat die zich haar naam nog herinnerde. 'Dat klopt.'

'Je hebt het dus goed voor elkaar.'

'Tja, nou ja.' Hij opende een koelkastje en haalde er een Bud Light uit. 'Het zou pas echt goed gaan als we geen problemen met de oudste hadden. Tim zit zo langzamerhand vaker bij uw ex-vrouw dan dat hij mij ziet. En nu is mijn zus ook nog ziek; ze heeft haar baan op de fabriek moeten opzeggen. Een hele last voor de familie. Een hele last voor een man om voor iedereen te zorgen.'

'Sara zei al dat Tim astmatisch was.'

'Ja, en niet zo zuinig ook.' Hij wipte de dop van de fles en gaf hem aan Jeffrey. 'We moeten altijd voorzichtig aan doen met hem. Toen de vrouw met hem terugkwam van de dokter ben ik van de ene op de andere dag gestopt met roken. Het was of ik doodging, dat kan ik u wel vertellen. Maar voor je kinderen heb je alles over. U hebt geen kinderen, hè?' Hij lachte even en voegde er toen aan toe: 'Niet dat u weet, bedoel ik.'

Jeffrey lachte maar mee, hoewel het gezien zijn omstandigheden verre van grappig was. Na een gepaste pauze vroeg hij: 'Ik heb altijd gedacht dat je galvaniseur was.'

'Dat ben ik ook,' zei hij en hij pakte een stuk metaal van zijn werkbank. Jeffrey zag dat het het logo van een ouderwetse Porsche was, glanzend verguld. Ernaast lag een stel fijne kwastjes en hij concludeerde dat Dale bezig was geweest de kleuren aan te brengen. 'Voor de broer van de vrouw. Lekker wagentje.'

'Kun je me vertellen hoe het in zijn werk gaat?'

'Galvaniseren?' vroeg hij, zijn ogen groot van verbazing. 'Bent u helemaal hiernaartoe gekomen voor een scheikundelesje?'

'Gewoon voor de lol.'

Dat hoefde hij geen twee keer te zeggen. 'Met alle plezier,' zei Dale en hij nam Jeffrey mee naar een werkbank achter in de garage. Zichtbaar opgelucht nu hij zich op bekend terrein begaf, stak hij meteen van wal. 'Het wordt wel een driestappenproces genoemd, maar er zit meer aan vast. Het komt erop neer dat je het metaal hiermee laadt.' Hij wees naar een apparaat dat iets weg had van een batterijenoplader. Er zaten twee metalen elektroden aan bevestigd, de ene met een zwart, de andere met een rood handvat. Naast het apparaat lag een derde elektrode, met een geel-met-rood handvat.

'Van rood komt positieve elektriciteit, van zwart negatieve.' Dale wees naar een ondiep bad. 'Eerst leg je het voorwerp dat je wilt galvaniseren hierin. Dan vul je het bad met solutie. Je pakt de positieve elektrode en de chroomstripper maakt de zaak schoon. Dan neem je de negatieve en activeer je het nikkel.'

'Ik dacht dat het goud was.'

'Er zit nikkel onder. Goud moet zich ergens aan kunnen hechten. Je activeert het nikkel met een zuuroplossing en bevestigt de negatieve elektrode met een banaanstekker aan één kant. Om het uiteinde van de galvaniserende elektrode doe je een synthetisch hoedje, je dompelt het in de goudsolutie en dan verbindt het goud zich met het nikkel. Het sexy gedeelte sla ik voor het gemak over, maar daar komt het zo'n beetje op neer.' Afwachtend stopte hij zijn handen in zijn zakken.

'Wat is het voor solutie?'

'Basismateriaal dat ik bij de leverancier bestel,' zei hij. Hij reikte met zijn hand naar de bovenkant van een metalen kastje, tastte in het rond en pakte een sleutel om het deurtje te openen.

'Ligt die sleutel daar altijd?'

'Yep,' zei hij. Hij opende het kastje en haalde de flessen er een voor een uit. 'Zo kunnen de kinderen er niet bij.'

'Komt er weleens iemand in de werkplaats zonder dat je het weet?'

'Nooit van z'n leven,' antwoordde hij, met een gebaar naar het kapitaal aan gereedschap en apparatuur dat hij in de garage had staan. 'Hier moet ik de kost mee verdienen. Als iemand hier binnenkomt en mijn spullen jat, kan ik het verder wel schudden.'

'Dus je laat de garagedeur nooit openstaan?' vroeg Jeffrey. Er zaten geen ramen of andere openingen in de werkplaats. De enige in- en uitgang was de metalen roldeur, die er sterk genoeg uitzag om een Mack-truck tegen te houden.

'Die laat ik alleen openstaan als ik hier ben,' verzekerde Dale hem. 'Ik sluit de zaak zelfs af als ik even naar huis ga om te pissen.'

Jeffrey boog zich voorover om de etiketten op de flessen te lezen. 'Dat ziet er nogal giftig uit.'

'Als ik ermee werk draag ik altijd een masker en handschoenen,' zei Dale. 'D'r staat daar nog gevaarlijker spul, maar dat gebruik ik niet meer sinds Tim ziek is.'

'Wat voor spul?'

'Vooral arsenicum en cyanide. Dat giet je bij het zuur. Het is nogal vluchtig, en ongelogen: ik ben er als de dood voor. Tegenwoordig is er spul op de markt dat ook niet mis is, maar je gaat tenminste niet de pijp uit als je het per ongeluk inademt.' Hij wees naar een van de plastic flessen. 'Dat is de solutie.'

Jeffrey las het etiket. 'Vrij van cyanide?'

'Ja.' Weer grinnikte hij. 'Eerlijk gezegd zocht ik toch al een aanleiding om op iets anders over te gaan. Als het op doodgaan aankomt ben ik een mietje.'

Zonder iets aan te raken las Jeffrey de etiketten. Met de inhoud van elke fles kon je een paard van kant maken.

Dale stond afwachtend op zijn hielen te wiebelen. Naar zijn gezicht te oordelen verwachtte hij van Jeffrey een beloning voor zijn geduld.

'Ken je die boerderij verderop in Catoogah?'

'Dat sojabedrijf?'

'Precies.'

'Jazeker. Als je almaar die kant op gaat,' zei hij, in zuidoostelijke richting wijzend, 'dan rijd je er zo tegenaan.'

'Komt er weleens iemand van die lui bij je langs?'

Dale zette de flessen weer weg. 'Vroeger sneden ze weleens door het bos de weg af als ze naar de stad moesten. Maar dat ging op m'n zenuwen werken. Sommigen van die types zijn niet helemaal koosjer, als u begrijpt wat ik bedoel.'

'Wat voor types?'

'De werklui,' zei hij, en hij sloot het kastje. Hij deed het op slot en legde de sleutel weer op zijn plek. 'Jezus, die hele familie is één stomme idiotenclub, als u het mij vraagt. Ze laten die mensen zomaar bij ze inwonen.'

'Leg eens uit,' drong Jeffrey aan.

'Sommige van die gevallen die ze uit Atlanta halen zijn er beroerd aan toe. Drugs, alcohol, noem maar op. Dat brengt een mens tot bepaalde daden, wanhoopsdaden. Het geloof is dan ver te zoeken.'

'Vind je het vervelend?' vroeg Jeffrey.

'Niet echt, nee. Ik bedoel, ergens is het ook nog goed wat ze doen. Ik wilde ze alleen niet op mijn erf hebben.'

'Was je bang dat je beroofd zou worden?'

'Zonder een plasmabrander komen ze er niet eens in,' zei hij met klem. 'En dan zouden ze eerst nog langs mij moeten.'

'Heb je een wapen?'

'Reken maar.'

'Mag ik het even zien?'

Dale liep naar de andere kant van de ruimte en stak zijn hand uit naar de bovenkant van een tweede kastje. Hij haalde een Smith & Wesson-revolver te voorschijn en gaf die aan Jeffrey.

'Mooi dingetje,' zei Jeffrey terwijl hij de cilinder bekeek. Dale hield zijn wapen al even smetteloos schoon als zijn werkplaats. Ook was het geladen. 'Zo te zien klaar voor gebruik.' Jeffrey gaf de revolver terug.

'Voorzichtig ermee,' waarschuwde Dale, half serieus. 'Bij het minste of geringste gaat ie af!'

'Echt?' vroeg Jeffrey. Waarschijnlijk dacht de man zich hiermee in te dekken mocht hij ooit 'per ongeluk' een indringer neerschieten.

'Ik ben eigenlijk niet zo bang voor inbrekers,' verklaarde Dale, en hij borg het wapen weer weg. 'Zoals ik al zei: ik ben heel voorzichtig. Maar dan kwamen ze hier langs en dan werden de honden helemaal gek, de vrouw raakte over d'r toeren en de kinderen begonnen te janken. Vervolgens ging ik dan weer finaal over de rooie en dat moeten we niet hebben, toch?' Hij zweeg en zijn blik gleed over de oprit. 'Ik had het ook graag anders gewild, maar we wonen nou eenmaal niet in een villawijk. D'r zit daar allerlei tuig en ik wil niet dat mijn kinderen daar ook maar iets mee te maken hebben.' Hij schudde zijn hoofd. 'Jezus, commissaris, dat hoef ik u toch niet te vertellen?'

Jeffrey vroeg zich af of Abigail Bennett misschien over zijn terrein was doorgestoken op weg naar de stad. 'Komen die mensen weleens aan de deur?'

'Nooit,' zei hij. 'Ik ben de hele dag hier. Dan zou ik ze gezien hebben.'

175

'Heb je weleens een praatje met ze gemaakt?'

'Alleen om te zeggen dat ze als de sodemieter van mijn land af moesten,' zei hij. 'Over het huis maak ik me geen zorgen. Ze hoeven maar aan te kloppen of de honden nemen ze te grazen.'

'Wat heb je ertegen gedaan?' vroeg Jeffrey. 'Dat ze je land als doorsteek gebruikten, bedoel ik.'

'Telefoontje naar Twee Cent. Naar sheriff Pelham, bedoel ik.'

Jeffrey negeerde Dales opmerking. 'Ben je daar wat mee opgeschoten?'

'Geen flikker,' zei Dale en hij schopte met de punt van zijn schoen tegen de vloer. 'Ik wou Pat er niet mee lastigvallen en toen ben ik er zelf maar langsgegaan. Een babbeltje gemaakt met Toms zoon, Lev. Geen rare vent voor een Jezusfreak. Kent u hem?'

'Ja.'

'Ik heb de situatie uitgelegd en gezegd dat ik zijn mensen niet meer op mijn erf wilde zien. Hij zou er wat aan doen.'

'Wanneer was dat?'

'O, een maand of drie, vier geleden,' antwoordde Dale. 'Hij is nog één keer hier geweest en toen ben ik met hem langs de achterste erfafscheiding gelopen. Hij zei dat hij een hek zou plaatsen om ze tegen te houden.'

'En heeft hij dat gedaan?'

'Ja.'

'Is hij nog in de werkplaats geweest?'

'Zeker.' Dale kreeg iets ingetogens, als een kind dat staat te popelen om over zijn speelgoed op te scheppen. 'Ik was bezig met een Mustang uit '69. Je kreeg al jeuk als je dat ding op de oprit zag staan.'

'Houdt Lev van auto's?' vroeg Jeffrey verbaasd.

'Ik moet de vent nog tegenkomen die niet kapot is van die wagen. Ik heb hem helemaal uit elkaar gehaald en weer opgebouwd: nieuwe motor, nieuwe vering en uitlaat – zo ongeveer het enige wat niet nieuw was aan dat karretje was het frame, en daarvan heb ik de stijlen wat ingekort om het dak een centimetertje of acht te laten zakken.'

Jeffrey zou hier graag nog even op doorgaan, maar dat kon

hij zich niet veroorloven. 'Ik heb nog één vraag,' zei hij.
'Vertel op.'
'Heb je ook cyanide in huis?'
Dale schudde zijn hoofd. 'Niet sinds ik met roken ben gestopt. Ik zou er zo een eind aan hebben gemaakt.' Zijn lach stokte toen hij zag dat Jeffrey niet meedeed. 'Jawel, die bewaar ik hier achter,' zei hij en hij liep terug naar het kastje boven de werkbank met het galvaniseerbad. Hij pakte de sleutel en maakte het kastje weer open. Hij schoof zijn hand tot in de achterste hoek van de bovenste plank en haalde een tas van dik plastic te voorschijn waarin een glazen flesje zat. Er ging een huivering door Jeffrey heen toen hij de doodskop op het etiket zag. Weer besefte hij wat Abigail Bennett had moeten doorstaan.

Het glazen flesje rinkelde toen Dale het op de werkbank zette. 'Het liefst raak ik die troep niet eens aan,' zei hij. 'Ik weet dat het stabiel is, maar ik krijg er de helemaal de zenuwen van.'

'Laat je het kastje weleens van het slot?'
'Alleen als ik er iets uit gebruik.'
Jeffrey boog voorover om het flesje wat beter te bekijken. 'Kun je zien of er zouten aan ontbreken?'

Dale liet zich op zijn knieën zakken en tuurde door het heldere glas. 'Niet dat ik weet.' Hij kwam weer overeind. 'Het is ook weer niet zo dat ik het tel.'

'Was Lev in het kastje geïnteresseerd?'
'Volgens mij heeft hij het niet eens gezien.' Hij sloeg zijn armen over elkaar en vroeg: 'Moet ik me ergens zorgen over maken?'

'Nee,' zei Jeffrey, hoewel hij er zelf niet van overtuigd was.
'Zou ik even met Terri kunnen praten?'
'Die is bij Sally,' zei Dale en hij voegde eraan toe: 'Dat is mijn zus. Ze heeft problemen met d'r...' Hij wees naar zijn onderbuik. 'Terri gaat er altijd heen als ze er slecht aan toe is en dan helpt ze haar met de kinderen.'

'Toch moet ik haar spreken,' zei Jeffrey. 'Misschien heeft zij iemand bij de garage gezien die er niet hoorde.'

Dale verstijfde, alsof zijn eerlijkheid in twijfel werd getrokken. 'Niemand komt hier binnen als ik er niet bij ben.'

Jeffrey geloofde hem op zijn woord. De man had geen wapen onder handbereik omdat het hem zo goed stond.

Dale bond iets in. 'Ze komt morgenochtend terug. Zodra ze thuis is zeg ik wel dat ze bij u langs moet gaan.'

'Dat zou fijn zijn.' Jeffrey wees naar het gif. 'Zou ik dit mee mogen nemen?' vroeg hij. 'Ik wil kijken of er vingerafdrukken op zitten.'

'Blij als ik ervanaf ben,' knikte Dale. Hij trok een la open en haalde er een rubberen handschoen uit. 'Wilt u deze gebruiken?'

Jeffrey ging op het aanbod in en trok de handschoen aan zodat hij de tas mee kon nemen.

'Sorry Dale, verder kan ik je niks vertellen. Je hebt me goed geholpen, maar ik zou het prettig vinden als je tegen niemand zei dat ik je hierover vragen heb gesteld.'

'Geen probleem.' Dale kreeg iets opgetogens over zich nu het vragenuurtje voorbij was. Toen Jeffrey in zijn auto stapte zei hij: 'Kom een andere keer maar eens terug als u meer tijd hebt. Ik heb allemaal foto's gemaakt van die klus met de Mustang.'

Lena zat op het trapje voor het huis toen Jeffrey zijn auto tot stilstand bracht.

'Sorry dat ik zo laat ben,' zei hij toen ze instapte.

'Geeft niet.'

'Ik heb het met Dale Stanley over galvaniseren gehad.'

Ze wilde haar veiligheidsriem omgespen, maar haar hand bleef halverwege hangen. 'En?'

'Viel tegen.' Hij vertelde haar over Dales bedrijf en dat Lev er op bezoek was geweest. 'Voor ik jou oppikte heb ik de cyanide bij het bureau afgegeven,' zei hij. 'Brad gaat er vanavond mee naar Macon om het flesje op vingerafdrukken te laten checken.'

'Denk je dat je iets vindt?'

'Zoals de zaak tot nu toe loopt vrees ik van niet.'

'Is Lev weleens alleen in de werkplaats geweest?'

'Nee.' Op de valreep had hij die vraag ook aan Dale gesteld. 'Ik zou niet weten hoe hij die cyanide had moeten stelen, laat staan meenemen, maar het is wel heel toevallig allemaal.'

'Wat je zegt,' beaamde Lena terwijl ze zich op haar stoel installeerde. Ze trommelde met haar vingers op de armleuning, een nerveuze tic die hij zelden bij haar had waargenomen.

'Is er iets?' vroeg hij.

Ze schudde haar hoofd.

'Ben je weleens in die tent geweest?'

'In de Pink Kitty?' Weer schudde ze haar hoofd. 'Volgens mij laten ze vrouwen niet zonder begeleiding binnen.'

'Dat is ze geraden ook.'

'Hoe wil je het trouwens aanpakken?'

'Het is vast niet druk op maandagavond,' zei hij. 'Als we haar foto eens laten rondgaan? Misschien herkent iemand haar.'

'Denk je dat ze ons de waarheid zullen vertellen?'

'Daar ben ik niet zo zeker van,' moest hij bekennen, 'maar als we voorzichtig te werk gaan is de kans dat iemand iets vertelt volgens mij groter dan wanneer we de beuk erin zetten.'

'Ik neem de meiden wel,' bood ze aan. 'Je dacht toch niet dat jij de kleedkamers binnenkwam, hè?'

'Afgesproken.'

Ze deed de zonneklep naar beneden en schoof het spiegeltje open, om haar make-up te controleren, vermoedde hij. Hij bekeek haar nog eens goed. Met haar donkere zuidelijke teint en perfecte huid had Lena 's avonds waarschijnlijk geen gebrek aan gezelschap, ook al was het dan van Ethan Green, dat stuk tuig. Vanavond had ze niet haar gebruikelijke pak met jack aan, maar een zwarte spijkerbroek en een nauwsluitende bloes van rode zijde met openstaande hals. Voorzover hij kon zien droeg ze geen beha. Kennelijk had ze het koud.

Jeffrey ging verzitten en zette de airconditioning uit; hij hoopte dat ze hem niet had zien kijken. Lena was niet jong genoeg om zijn dochter te kunnen zijn, maar zo gedroeg ze zich meestal wel en onwillekeurig voelde hij zich een vies oud mannetje dat zijn ogen niet van haar kon afhouden.

Ze sloeg de zonneklep weer dicht. 'Wat is er?' Ze keek hem vragend aan.

Jeffrey wist niet zo goed wat hij moest zeggen. ''Vind je dit moeilijk?'

'Wat zou ik moeilijk moeten vinden?'

Hij probeerde een manier te bedenken om het te verwoorden zonder haar kwaad te maken, maar gaf het op. 'Ik bedoel, drink je nog altijd zoveel?'

'Belazer je je vrouw nog altijd?' snauwde ze.

'Ze is mijn vrouw niet,' kaatste hij de bal terug, hoe slap hij het zelf ook vond klinken. 'Hoor eens,' zei hij, 'het is wel een bar. Als je daar problemen mee hebt...'

'Ik heb nergens problemen mee,' antwoordde ze gedecideerd, en daarmee was de kous af.

De rest van de rit zwegen ze. Jeffrey hield zijn blik strak op de snelweg gericht en vroeg zich ondertussen af hoe hij het toch voor elkaar kreeg om het grootste deel van zijn tijd door te brengen in het gezelschap van de prikkelbaarste vrouwen uit het district. Ook vroeg hij zich af wat ze in de bar zouden aantreffen. Hij kon geen enkele reden bedenken waarom een meisje als Abigail Bennett dat luciferboekje in haar Snoopyknuffel had verstopt. Ze had alles weer zorgvuldig dichtgenaaid en Jeffrey zou er niet eens naar gekeken hebben als hij niet toevallig aan het uiteinde van een draad had getrokken, zoals je een los stukje garen uit een trui trekt.

Ze waren nog zo'n drie kilometer van de bar verwijderd toen ze de roze neon poes al in de verte zagen opgloeien. Naarmate ze dichterbij kwamen werden er meer details zichtbaar en uiteindelijk keken ze op tegen een tien meter hoge kat op naaldhakken en in een zwartleren korset.

Jeffrey parkeerde de auto dicht bij de weg. Afgezien van het bord was het een onopvallende zaak, een raamloos bouwsel van maar één verdieping, met een rozegeverfd dak van golfplaat en een parkeerterrein dat ruimte bood aan zo'n honderd auto's. Het was een doordeweekse avond en er waren maar een stuk of tien plekken bezet, hoofdzakelijk door pick-ups en terreinwagens. Een grote vrachtauto stond in de lengte langs het hek aan de achterkant geparkeerd.

Zelfs met de raampjes dicht en de portieren gesloten kon Jeffrey de muziek uit de bar horen schetteren.

'We doen het rustig aan,' benadrukte hij.

Lena deed de veiligheidsriem af en stapte uit de auto, blijkbaar nog steeds kwaad omdat hij naar haar drinkgedrag had gevraagd. Van Sara zou Jeffrey dit soort shit misschien pikken, maar hij vertikte het om zich door een van zijn onderschikten te laten ringeloren.

'Wacht eens even, jij,' zei hij en ze hield halt, haar rug naar hem toe gekeerd. 'Beetje inbinden graag,' waarschuwde hij. 'Dat soort kapsones laat je maar achterwege. Begrepen?'

Ze knikte en begon weer te lopen. Hij haastte zich echter niet en ze vertraagde haar pas tot ze schouder aan schouder liepen.

Voor de deur bleef ze staan en na een paar tellen zei ze: 'Ik red het wel.' Ze keek hem recht in de ogen en herhaalde: 'Ik red het heus wel.'

Als het niet zo'n dag was geweest waarop zowat iedereen die hij was tegengekomen op slinkse wijze essentiële informatie voor hem had achtergehouden terwijl hij zelf uit zijn neus stond te vreten, had Jeffrey het waarschijnlijk laten passeren. Nu zei hij: 'Die grote bek pik ik niet van je, Lena.'

'Nee, chef,' antwoordde ze, zonder een spoortje sarcasme in haar stem.

'Oké.' Hij reikte naar voren en deed de deur open. Een nevel van sigarettenrook hing als een gordijn voor de ingang en Jeffrey moest zichzelf dwingen naar binnen te stappen. Terwijl hij naar de bar liep die de linkerkant van het vertrek besloeg, voelde hij tot in zijn kiezen het gedreun van de zware bassen dat de geluidsboxen de ruimte in slingerden. Het was er bedompt en claustrofobisch; het plafond en de vloer waren dofzwart geverfd en de stoelen en tafeltjes die her en der rond het podium stonden opgesteld, kwamen rechtstreeks uit een jarenvijftigrestaurant. De stank van zweet, pis en iets waar hij niet over na wilde denken drong zijn neus binnen. De vloer was plakkerig, vooral rond het podium in het midden van de ruimte.

Een stuk of twaalf kerels van alle leeftijden, soorten en maten verdrongen zich rond het podium waarop een jong meisje danste, topless en in een nauwelijks zichtbare string. Twee mannen, uitpuilende pens boven hun spijkerbroek, hingen aan het eind van de bar, hun ogen strak op de gigantische spiegel aan de achterkant gericht, elk met wel vijf lege whiskyglazen voor zich. Jeffrey wierp even een blik in de spiegel en zag het meisje langs een paal op en neer kronkelen. Ze was jongensachtig mager en had een uitdrukking op haar gezicht die je wel vaker zag bij dat soort meiden als ze optraden: 'Eigenlijk ben ik hier niet. Eigenlijk doe ik dit niet.' Ergens had ze een vader. Misschien was ze daarom hier. De toestand thuis moest wel erg belabberd zijn, dacht Jeffrey, als een meisje in een dergelijke tent haar toevlucht zocht.

De barkeeper hief zijn kin en Jeffrey beantwoordde het gebaar. Hij stak twee vingers op en zei: 'Rolling Rock.' Volgens het naamplaatje op zijn borst heette de vent Chip. Met een chagrijnige ruk aan de tap schonk hij het bier in. Hij zette beide schuimende glazen met een klap op de bar. Een nieuwe song schalde door de ruimte, zo luid dat Jeffrey niet kon verstaan hoeveel het bier kostte. Hij gooide een briefje van tien op de bar, maar betwijfelde of hij er iets van terug zou zien.

Jeffrey draaide zich om en liet zijn blik over de verzameling mannen gaan die je met een beetje goeie wil het publiek zou kunnen noemen. Toen hij nog in Birmingham werkte was hij meer dan eens met zijn collega's naar zo'n tietenbar geweest. Alleen de striptenten waren nog open als hun dienst erop zat en ze gingen ernaartoe om zich van het werk los te maken, een beetje te kletsen, veel te drinken en de smaak van de straat uit hun mond te spoelen. Toentertijd zagen de meiden er frisser uit en waren ze niet zo jong en ondervoed dat je op tien meter afstand hun ribben kon tellen.

In dit soort tenten hing altijd een vleugje onderdrukte wanhoop, of het nou van de kerels kwam die naar het podium stonden te staren of van de dansende meiden. Ooit, laat op een avond in Birmingham, was Jeffrey naar het toilet gegaan om te pissen toen er een meisje werd aangevallen. Hij had de deur van de kleedkamer opengebroken en de vent van haar af gerukt. De ogen van het meisje hadden vol onverholen walging gestaan, niet alleen voor haar belager, maar ook voor Jeffrey. De andere meiden waren binnengekomen, stuk voor stuk halfnaakt, en ze hadden hem allemaal op dezelfde manier aangekeken. Hun vijandigheid, hun vlijmscherpe haat had hem als een dolk doorstoken. Hij was er nooit meer teruggekomen.

Lena was bij de deur blijven staan om de aankondigingen op het prikbord te lezen. Toen ze het vertrek betrad werd ze door elke man gadegeslagen, rechtstreeks of via een van de vele spiegels. Zelfs het meisje op het podium leek nieuwsgierig en raakte even uit de maat terwijl ze aan de paal hing te slingeren. Waarschijnlijk vreesde ze concurrentie. Lena negeerde hen allemaal, maar Jeffrey zag hen kijken, zag hoe hun ogen in een visuele verkrachting haar lichaam aftastten. Hij balde zijn vuisten, maar toen Lena het zag schudde ze haar hoofd.

'Ik ga naar achteren om met de meiden te praten.'

Jeffrey knikte en richtte zijn aandacht op zijn biertje. Er lag twee dollar en wat kleingeld op de bar, maar Chip was nergens te bekennen. Jeffrey nam een teug uit zijn glas en stikte bijna toen hij het lauwe bocht proefde. Het kon niet anders of de Pink Kitty lengde de drank aan met water uit het riool, of anders hadden ze de tap aangesloten op een stel paarden dat onder de bar stond gestald.

'Sorry.' Een onbekende man stootte tegen Jeffrey aan. Intuïtief ging zijn hand naar zijn achterzak, maar zijn portefeuille zat er nog in.

'Kom je hier uit de buurt?' vroeg de man.

Een vrij onnozele manier om iemand te versieren, vond Jeffrey, en hij ging niet op de vraag in.

'Ik kom hier wel uit de buurt,' zei de man, die nu enigszins scheef hing.

Jeffrey keerde zich naar hem toe en keek hem aan. Hij was zo'n een meter vijfenzestig en had pluizig blond haar dat zo te zien al in weken niet gewassen was. Hij was straalbezopen en klemde zich met één hand aan de bar vast terwijl hij de andere zijwaarts uitstrekte, alsof hij zich zo in evenwicht moest houden. Jeffrey zag dat zijn vingernagels zwart omrand waren en zijn huid was vaalbleek.

'Kom je hier vaak?' vroeg Jeffrey.

'Elke avond,' was het antwoord en hij lachte een scheve, vooruitstekende tand bloot.

Jeffrey haalde een foto van Abigail Bennett te voorschijn. 'Ken je haar?'

Nog steeds heen en weer zwaaiend en met zijn tong over zijn lippen strijkend bekeek de man de foto. 'Mooi meisje.'

'Ze is dood.'

Hij haalde zijn schouders op. 'Dan kan ze nog wel mooi zijn.' Hij knikte naar de twee glazen bier. 'Drink je die allebei op?'

'Ga gerust je gang,' zei Jeffrey en hij schoof bij hem vandaan. Het enige waar die vent blijkbaar op uit was, was zijn volgende drankje. Het was een houding die Jeffrey maar al te goed kende. Zo had hij zijn vader, Jimmy Tolliver, elke ochtend meegemaakt nadat hij zich uit zijn bed had gehesen.

Lena kwam op de bar af. Eén blik op haar gezicht en hij wist al genoeg. 'Achter zit nog één meisje,' zei ze. 'Als je het mij vraagt is ze weggelopen. Ik heb haar mijn kaartje gegeven, maar ik betwijfel of we nog iets van haar horen.' Ze keek achter de bar. 'Waar is die barkeeper gebleven?'

Jeffrey deed een gok. 'Naar de manager om te vertellen dat er een stelletje smerissen in de bar zit.'

'Over een voorzichtige aanpak gesproken,' zei ze.

Naast de bar had Jeffrey een deur gezien en hij vermoedde dat Chip daardoor was weggeglipt. Naast die deur was een grote spiegel, iets donkerder getint dan de overige. Aan de andere kant ervan stond ongetwijfeld iemand te kijken, dacht hij, waarschijnlijk de manager of de eigenaar.

Jeffrey klopte niet aan. De deur zat op slot, maar dat loste hij op met een flinke ruk aan de knop.

'Hé!' zei Chip, die achterwaarts en met geheven handen tegen de muur op liep.

De man achter het bureau was geld aan het tellen. Met zijn ene hand ging hij door een stapel bankbiljetten, met de andere toetste hij getallen in op een rekenmachine. 'Wat wilt u?' vroeg hij zonder ook maar op te kijken. 'Ik heb hier een schone tent. Vraag maar aan wie u wilt.'

'Dat weet ik,' zei Jeffrey en hij haalde de foto van Abigail uit zijn achterzak. 'Ik ben alleen benieuwd of u dit meisje hier weleens hebt gezien.'

Nog keek de man niet op. 'Nooit gezien.'

'Kijk eerst maar eens voor je antwoord geeft,' zei Lena.

Nu keek hij wel op. Een glimlach verspreidde zich over zijn vochtige lippen. Hij haalde een sigaar uit de asbak naast zijn elleboog en begon erop te kauwen. Toen hij achteroverleunde kreunde zijn stoel als een hoer op leeftijd. 'Zulk aangenaam gezelschap zien we hier helaas niet zo vaak.'

'Kijk eens naar die foto,' zei ze en na een blik op het naamplaatje op zijn bureau voegde ze eraan toe: 'Mr. Fitzgerald.'

'Albert,' zei hij terwijl hij de polaroid van Jeffrey aanpakte. Hij bestudeerde de opname en even liet zijn glimlach het afweten, maar die toverde hij weer snel terug. 'Dat meisje lijkt wel dood.'

'Goed geraden,' zei Lena. 'Waar ga je naartoe?'

Jeffrey had Chip in de gaten gehouden en hem heel langzaam naar een andere deur zien schuifelen, maar Lena was hem voor.

'N-nergens,' stotterde Chip.

'Houen zo,' waarschuwde Jeffrey. In het licht van het kantoor was de barkeeper broodmager, waarschijnlijk omdat hij zwaar aan de drugs was en niet al te veel at. Zijn haar was tot boven de oren geknipt en zijn gezicht was gladgeschoren, maar niettemin had hij iets verlopens over zich.

'Kijk jij ook eens even, Chippie,' zei Albert. Hij stak hem de foto toe, maar de barkeeper nam die niet aan. Er was iets met hem. Zijn ogen schoten de hele tijd van Lena naar Jeffrey naar de foto en dan naar de deur. Behoedzaam schuifelde hij nog dichter naar de uitgang toe, met zijn rug tegen de muur, alsof hij onder het oog van Jeffrey en Lena dacht te kunnen ontglippen.

'Hoe heet je?' vroeg Jeffrey.

Albert gaf in zijn plaats antwoord. 'Donner. Charles Donner.'

Chip schoof nog steeds voetje voor voetje over de vloer. 'Ik heb niks gedaan.'

'Staan blijven,' zei Lena. Ze zette een stap in zijn richting, maar op dat moment gooide hij de deur open en wilde het op een lopen zetten. Lena haalde naar hem uit, kreeg de achterkant van zijn shirt te pakken en slingerde hem naar Jeffrey toe. Hoewel Jeffrey nogal traag reageerde, slaagde hij erin de jongen op te vangen voor hij plat op zijn gezicht viel. Niettemin knalde hij keihard tegen het metalen bureau.

'Shit!' vloekte Chip en hij klemde zijn elleboog vast.

'Stel je niet aan,' zei Jeffrey, die hem aan zijn shirt overeind trok.

De jongen bleef voorovergebogen staan, met zijn hand om zijn elleboog. 'Shit, dat doet pijn!'

'Bek houden,' gebood Lena en ze raapte de polaroid op van de vloer. 'Kijken, sukkel!'

'Die ken ik niet,' zei hij, nog steeds over zijn elleboog wrijvend. Het was Jeffrey niet duidelijk of hij loog.

'Waarom wilde je weglopen?' vroeg Lena.

'Omdat ik een strafblad heb.'

'Wat vertel je me nou!' zei Lena. 'Zeg op: waarom wilde je weglopen?' Toen hij niet antwoordde gaf ze hem een tik tegen zijn achterhoofd.

'Jezus christus, mens!' Chip wreef over zijn hoofd en keek smekend naar Jeffrey. Hij kwam amper boven Lena uit, en ook al woog hij zo'n vijf kilo meer, zij was een stuk gespierder.

'Geef eens antwoord op haar vraag,' zei Jeffrey.

'Ik wil de bak niet meer in.'

'Loopt er een aanhoudingsbevel tegen je?' gokte Jeffrey.

'Ik heb voorwaardelijk,' zei de jongen, die nog steeds zijn arm vastklemde.

'Kijk eens naar die foto,' zei Jeffrey.

Chips kaak verstrakte, maar hij was duidelijk gewend bevelen op te volgen en keek naar de polaroid. Hij vertoonde geen teken van herkenning, maar Jeffrey zag zijn adamsappel op- en neergaan alsof hij zijn emoties probeerde te onderdrukken.

'Je kent haar, hè?'

Chip wierp een blik op Lena alsof hij elk moment weer een klap verwachtte. 'Als jullie dat graag willen horen: ja. Klopt.'

'Eerlijk antwoorden,' zei Jeffrey. Chip keek naar hem op met enorme pupillen. Kennelijk was hij zo stoned als een aap. 'Wist je dat ze zwanger was, Chip?'

Hij knipperde een paar keer met zijn ogen. 'Ik heb geen

rooie cent, man. Ik kan mezelf amper in leven houden.'

'We proberen heus geen alimentatie uit je los te peuteren, stomme lul,' zei Lena.

De deur ging open en daar stond het meisje van het podium. Ze nam de situatie in zich op. 'Is er iets?' vroeg ze.

Jeffrey keek even de andere kant op toen ze de deur opende, waarop Chip van de gelegenheid gebruikmaakte en hem een dreun in zijn gezicht gaf.

'Chip!' riep het meisje toen hij haar aan de kant duwde en wegrende.

Jeffrey kwam zo hard op de vloer terecht dat hij sterretjes zag. Het meisje begon te gillen als een sirene en stortte zich woedend op Lena om haar ervan te weerhouden Chip achterna te gaan. Jeffrey knipperde met zijn ogen, zag alles dubbel en vervolgens driedubbel. Daarop sloot hij zijn ogen en pas nadat er voor zijn gevoel een eeuwigheid was verstreken deed hij ze weer open.

Tegen de tijd dat Lena hem bij Sara afzette, voelde Jeffrey zich weer wat beter. De stripper, die Patty O'Ryan heette, had een reep vel van Lena's hand gekrabd, maar voor het meisje haar nog verder kon toetakelen had Lena haar arm al achter haar rug gedraaid en haar tegen de grond gewerkt. Ze wilde de stripper net in de boeien te slaan toen Jeffrey met enige moeite zijn ogen opendeed.

'Sorry,' hoorde hij Lena zeggen, maar ze werd overstemd door O'Ryan, die met rauwe stem riep: 'Krijg de klere, vuile kleresmerissen!'

Ondertussen had Charles Wesley Donner de benen genomen. Zijn baas was na enige aandrang bereid geweest hen te helpen, en op de maat van zijn onderbroek na wisten ze nu zo ongeveer alles over hem. De knaap was vierentwintig en werkte iets minder dan een jaar in de Pink Kitty. Hij reed in een Chevy Nova uit 1980 en woonde in een logement aan Cromwell Road in Avondale. Jeffrey had inmiddels met Donners reclasseringsambtenaar gebeld, die niet al te vriendelijk had geklonken toen ze midden in de nacht door een rinkelende telefoon uit haar slaap werd gehaald. Ze had bevestigd dat het adres correct was en Jeffrey had er een patrouillewagen op af gestuurd om het pand in de gaten te houden. Er was een opsporingsbevel uitgegaan, maar Donner had zes jaar in de cel gezeten wegens drugshandel en wist als geen ander hoe hij zich schuil moest houden voor de politie.

Om Sara niet wakker te maken deed Jeffrey zo behoedzaam mogelijk de voordeur van haar huis open. Hoewel Chip niet sterk was, had hij Jeffrey met een welgemikte vuistslag gevloerd: onder zijn linkeroog, net naast de brug van zijn neus. Uit ervaring wist Jeffrey dat de blauwe plek steeds groter zou worden, en alles was nu al zo opgezwollen dat hij moeite had met ademen. Bovendien had hij weer eens een gigantische bloedneus, zodat het er veel akeliger uitzag dan het in werkelijkheid was. Na een klap op zijn neus bloedde hij altijd als een rund.

Hij knipte het licht onder de keukenkastjes aan, met ingehouden adem, want elk moment verwachtte hij Sara's stem. Toen hij niets hoorde trok hij de deur van de ijskast open en haalde er een zak diepvrieserwten uit. Heel zachtjes maakte hij met zijn vingers de kluit samengevroren erwten los. Met zijn kiezen op elkaar geklemd en sissend uitademend duwde hij de zak tegen zijn gezicht. Hij vroeg zich af waarom de klap altijd minder pijn deed dan de behandeling achteraf.

'Jeff?'

Hij sprong op en liet de erwten vallen. Sara deed het grote licht aan en de tl-buizen knipperden. Het leek of zijn hoofd op barsten stond: een dof gebonk dat gelijk op ging met de flikkerende lampen.

Fronsend keek ze naar de blauwe plek onder zijn oog. 'Hoe kom je daaraan?'

Jeffrey boog zich voorover om de erwten op te rapen en al het bloed stroomde naar zijn hoofd. 'Drie keer raden.'

'Je zit onder het bloed!' Het klonk bijna als een verwijt.

Hij keek naar zijn shirt, dat in het felle keukenlicht een stuk beter te zien was dan in de toiletten van de Pink Kitty.

'Is dat jouw bloed?' vroeg ze.

Hij haalde zijn schouders op, want het was duidelijk waar ze naartoe wilde met die vraag. Ze scheen zich drukker te maken om de mogelijkheid dat hij een onbekende met hepatitis had opgezadeld dan om het feit dat een of andere stomme eikel zowat zijn neus had gebroken.

'Waar heb je de aspirientjes?' vroeg hij.

'Het enige wat ik heb is tylenol, en dat mag je pas gebruiken als je de uitslag van het bloedonderzoek weet.'

'Ik heb koppijn.'

'En je zou ook niet moeten zuipen.'

Vooral die laatste opmerking wekte zijn wrevel. Jeffrey leek in de verste verte niet op zijn vader. Hij kon uitstekend tegen drank en één slokje aangelengd bier was bij lange na geen zuipen.

'Jeff.'

'Laat nou maar, Sara.'

Als een boze schooljuf sloeg ze haar armen over elkaar.

'Waarom neem je dit niet serieus?'

'Waarom doe je goddomme alsof ik melaats ben?' Te laat besefte dat hij nu de wind van voren zou krijgen.

'Misschien heb je een gevaarlijke ziekte onder de leden. Weet je wel wat dat betekent?'

'Natuurlijk weet ik wat dat betekent,' zei hij boos, en opeens voelde hij zich heel slap worden, alsof hij er niets meer bij kon hebben. De hoeveelste keer was dit wel niet? Hoeveel ruzies hadden ze niet gehad hier in de keuken, hoe vaak hadden ze elkaar niet het bloed onder de nagels vandaan gehaald? Jeffrey was altijd degene die de verzoening tot stand bracht, die zijn verontschuldigingen aanbood, die zorgde dat het weer goed kwam. Dat had hij zijn hele leven al gedaan, of hij nou zijn moeders dronken buien temperde of tussen haar en zijn vaders vuisten in ging staan. Als politieman bemoeide hij zich dagelijks met de zaken van anderen, hij absorbeerde hun pijn en hun woede, hun zorg en hun angst. Dat kon hij niet eeuwig volhouden. Er moesten ook momenten van rust in zijn leven zijn.

Maar Sara wist van geen ophouden. 'Je moet voorzichtig zijn tot we de labuitslagen hebben.'

'Dat is gewoon de zoveelste smoes, Sara.'

'Hoezo smoes?'

'Om me af te wijzen,' zei hij met stemverheffing. Hij wist dat hij moest dimmen, kalm moest blijven, maar hij was niet in staat verder te kijken dan het hier en nu. 'Het is gewoon weer een manier om me op afstand te houden.'

'Dat is toch niet te geloven!'

'En stel dat ik het heb?' vroeg hij. Weer zei hij het eerste wat in hem opkwam. 'Raak je me dan nooit meer aan? Probeer je me dat duidelijk te maken?'

'We weten niet...'

'Mijn bloed, mijn speeksel. Alles is dan besmet.' Hij hoorde zichzelf tekeergaan en het kon hem niks schelen.

'Er zijn middelen om...'

'Ik heb heus wel door dat je niks meer van me moet hebben.'

'Dat ik niks meer van je moet hebben?'

Hij liet een vreugdeloos lachje horen, zo verdomd moe van het hele gedoe dat hij niet eens de energie bezat om nogmaals zijn stem te verheffen. 'Je zegt godverdomme nooit meer dat je van me houdt. Hoe denk je dat dat voelt? Hoe vaak moet ik me nog in bochten wringen voor je me weer toelaat?'

Ze sloeg haar armen om haar middel.

'Ik weet het namelijk wél, Sara. En zo vaak is dat niet meer.' Hij keek door het raam boven de spoelbak en zijn spiegelbeeld staarde hem aan.

Er verstreek minstens een minuut voor ze haar mond opendeed. 'Voel je het echt zo?'

'Zo voel ik het echt,' zei hij en hij wist dat het waar was. 'Ik kan me niet de hele tijd blijven afvragen of je misschien kwaad op me bent. Ik moet weten...' Hij probeerde zijn zin af te maken, maar het ontbrak hem aan energie. En wat schoot hij er trouwens mee op?

Het duurde even, maar toen dook haar spiegelbeeld op in het raam, naast het zijne. 'Wat moet je weten?'

'Ik moet weten dat je niet bij me weggaat.'

Ze draaide de kraan open en scheurde een stuk van de keukenrol. 'Trek je shirt uit,' zei ze.

'Wat?'

Ze maakte het keukenpapier nat. 'Er zit bloed op je hals.'

'Zal ik handschoenen voor je halen?'

Ze negeerde de hatelijke opmerking en voorzichtig, zonder

tegen zijn neus te stoten, trok ze het shirt over zijn hoofd.

'Ik kan het ook wel zonder jouw hulp,' zei hij.

'Dat weet ik.' Ze ging met het papieren doekje over zijn hals en wreef het opgedroogde bloed weg. Hij keek neer op haar hoofd terwijl ze hem schoonmaakte. Het bloed liep in een opgedroogd straaltje naar zijn borstbeen en ook dat veegde ze weg voor ze de prop in de afvalbak gooide.

Ze pakte de fles lotion die ze altijd bij de spoelbak had staan en pompte een beetje in de palm van haar hand. 'Je huid is zo droog.'

Haar handen waren koud toen ze hem aanraakte en hij slaakte een zachte kreet.

'Sorry,' klonk het. Ze wreef in haar handen om ze warmer te maken. Voorzichtig legde ze haar vingers op zijn borst. 'Zo goed?'

Hij knikte en voelde zich weer wat beter, hoewel hij hoopte dat het niet door haar kwam. Het was het aloude heen-en-weerspelletje en hij stonk er opnieuw in.

Met kleine ronddraaiende bewegingen wreef ze de lotion in zijn huid, van binnen naar buiten. Ze verlichtte de druk van haar handen en treuzelde bij het roze litteken op zijn schouder. De wond was nog niet volledig genezen en hij voelde elektrische prikkeltjes door zijn beschadigde huid trekken.

'Ik was bang dat je het niet zou redden,' zei ze en hij wist dat ze terugdacht aan de dag dat hij was neergeschoten. 'Ik heb mijn handen toen in je lichaam gestoken, maar ik wist niet of ik het bloeden kon stelpen.'

'Je hebt mijn leven gered.'

'Het scheelde niet veel of ik had je verloren.'

Ze kuste het litteken en mompelde iets wat hij niet kon verstaan. Ze bleef hem kussen en haar ogen sloten zich. Hij voelde zijn eigen ogen dichtvallen toen ze al kussend een traag patroon over zijn borst trok. Daarna ging ze steeds lager en ze trok de rits van zijn spijkerbroek open. Toen ze voor hem neerknielde leunde Jeffrey achterover tegen het aanrecht. Haar warme, stevige tong streelde hem in zijn volle lengte en hij zette zich schrap tegen het keukenblad om niet door zijn knieën te gaan.

Zijn hele lichaam schokte, zo verlangde hij naar haar, en hoewel het hem grote moeite kostte legde hij zijn handen op haar schouders en trok haar overeind. 'Nee,' zei hij, want hij zou nog liever sterven dan haar een of andere afschuwelijke ziekte bezorgen. 'Nee,' herhaalde hij, ook al wilde hij niets liever dan diep in haar verdwijnen.

Haar hand ging naar beneden waar haar mond zojuist nog bezig was geweest. Jeffrey hapte naar adem toen ze haar andere hand als een kommetje om zijn ballen legde. Hij probeerde zich in te houden, maar als hij naar haar gezicht keek werd het alleen maar moeilijker. Haar ogen waren zo goed als gesloten en een roze gloed tintte haar wangen. Ze hield haar mond op een paar centimeter van de zijne, plaagde hem met de belofte van een kus. Hij voelde haar adem toen ze sprak, maar weer verstond hij niet wat ze zei. Nu begon ze hem vol overgave te kussen en haar tong was zo zacht en voorzichtig dat hij nauwelijks durfde te ademen. Haar handen gingen gelijk op met haar mond en hij hield het bijna niet meer toen ze zijn onderlip tussen haar tanden nam.

'Sara,' kreunde hij.

Ze kuste zijn gezicht, zijn hals, zijn mond en eindelijk verstond hij wat ze zei. 'Ik hou van je,' fluisterde ze en ze streelde hem tot hij zich niet langer in kon houden. 'Ik hou van je.'

Dinsdag

Acht

Lena was de rechercheafdeling nog niet binnen of ze hoorde Jeffrey al tekeergaan achter de gesloten deur van zijn eigen kamer. Ernaast was de koffieautomaat en ze bleef er een tijdje hangen, maar kon zijn gefoeter niet volgen.

Frank voegde zich bij haar, en hoewel zijn beker nog bijna vol was hield hij hem toch even onder het apparaat.

'Wat is er aan de hand?' vroeg ze.

'Marty Lam,' zei Frank schouderophalend. 'Die zou vannacht toch dat huis in de gaten houden?'

'Het huis van Chip Donner?' vroeg Lena. Jeffrey had een patrouillewagen naar Donners huis gestuurd voor het geval hij zijn gezicht zou laten zien. 'Ja. Hoezo?'

'De chef reed er vanmorgen langs op weg hiernaartoe en toen was er niemand.'

Ze zwegen beiden en luisterden naar Jeffrey, die nog harder begon te schreeuwen.

'De chef is behoorlijk pissig,' zei Frank.

'Vind je?' vroeg Lena, niet geheel zonder sarcasme.

'Uitkijken jij,' was Franks reactie. Hij was van mening dat hij met zijn bijna dertig jaar voorsprong toch wel op enig respect mocht rekenen.

Lena veranderde van onderwerp. 'Heb je de bankgegevens van die familie al te pakken?'

'Ja,' zei hij. 'Voorzover ik het kon zien staat het bedrijf niet rood.'

'Hebben ze veel geld?'

'Dat niet,' zei hij. 'Ik probeer een afschrift van hun belastingaanslag te pakken te krijgen. Dat is nog niet zo gemakkelijk. Het is een privé-onderneming.'

Lena onderdrukte een geeuw. Ze had de afgelopen nacht misschien tien seconden haar ogen dicht gehad. 'Wat hadden die tehuizen over hen te melden?'

'Dat we God elke dag op onze blote knieën mogen danken omdat er dergelijke mensen op aarde rondlopen,' zei Frank, die zo te zien niet van plan was zijn eigen hoofd te buigen. Jeffreys deur vloog open en Marty Lam kwam naar buiten, als een gevangene op weg naar de dodencel. Hij hield zijn pet in zijn handen geklemd en zijn blik op de vloer gericht.

'Frank,' zei Jeffrey, die nu ook naar buiten kwam. Lena zag dat hij nog steeds kwaad was en ze vermoedde dat hij Marty ongenadig op zijn flikker had gegeven. Die plek onder zijn oog met de kleur van een rijpe granaatappel was ongetwijfeld ook niet bevorderlijk voor zijn humeur.

'Heb je nog contact opgenomen met die leverancier van goudsmederijbenodigdheden?' vroeg hij aan Frank.

'Ik heb hier een lijstje met klanten die cyanide bij hem hebben gekocht,' zei Frank en hij haalde een blaadje uit zijn zak. 'Er zijn cyanidezouten verkocht aan twee zaken in Macon, waarvan eentje aan de I-75. In Augusta zit ook een galvaniseur. Die heeft dit jaar tot nu toe drie flessen afgenomen.'

'Ik weet dat het een rotklus is, maar je moet ze allemaal even persoonlijk langsgaan. Kijk of er Jezus-troep rondslingert die mogelijk verband houdt met die kerk of met Abby. Ik ga later op de dag weer met de familie praten om erachter te komen of ze ooit in haar eentje op stap ging.' Tegen Lena zei hij: 'Er zaten geen vingerafdrukken op dat flesje cyanide van Dale Stanley.'

'Helemaal niks?' vroeg ze.

'Dale had altijd handschoenen aan als hij het nodig had,' zei Jeffrey. 'Dat zal wel de reden zijn.'

'Misschien heeft iemand het schoongeveegd.'

'Ga jij eens met O'Ryan praten,' gebood hij. 'Buddy Conford heeft een paar minuten geleden gebeld. Hij vertegenwoordigt haar.'

Toen ze de naam van de advocaat hoorde trok ze haar neus op. 'Wie heeft die ingehuurd?'

'Al sla je me dood.'

'Vindt hij het goed dat we met haar praten?' vroeg Lena.

Jeffrey was duidelijk niet van haar vragen gediend. 'Heb ik iets gemist? Ben jij nu mijn baas?' Hij wachtte haar antwoord niet af. 'Zorg dat je haar als de sodemieter in die kamer krijgt, voordat hij zijn neus laat zien.'

'Ja, chef,' zei Lena, die zo wijs was om niet tegen hem in te gaan. Toen ze het vertrek verliet keek Frank haar met opgetrokken wenkbrauwen aan en ze beantwoordde zijn blik met een schouderophalen. Op Jeffreys humeur viel de laatste dagen geen peil te trekken.

Ze duwde de branddeur naar het achterste gedeelte van het bureau open. Marty Lam stond bij het fonteintje zonder ervan te drinken en in het voorbijgaan gaf ze hem een knikje. Hij leek net een hert in het licht van autolampen. Ze kende dat gevoel.

Lena toetste de code in op het paneel naast het cellenblok en pakte de sleutels. Patty O'Ryan lag opgerold op haar bed, haar knieën tot bijna aan haar kin opgetrokken. Ook al had ze haar karige stripperoutfit van de vorige avond nog aan, zoals ze daar lag te slapen leek ze hooguit twaalf, een onschuldig kind, speelbal van een wrede wereld.

'O'Ryan!' riep Lena terwijl ze aan de gesloten celdeur rammelde. Metaal sloeg tegen metaal en het meisje viel van schrik op de vloer.

'Wakker worden, schoonheid!' riep Lena.

'Hou je bek, stomme slet,' beet O'Ryan haar toe; nu leek ze geen twaalf meer en al helemaal niet onschuldig. Ze drukte haar handen tegen haar oren toen Lena voor de goede orde nog even flink aan de deur rammelde. Het meisje vertoonde onmiskenbaar onthoudingsverschijnselen; de vraag was waarvan.

'Opstaan!' beval Lena. 'Omdraaien, handen op je rug.'

Ze kende de procedure en gaf amper een krimp toen Lena de boeien om haar polsen bevestigde. Die polsen waren zo dun – vel over been – dat Lena de sluiting op het laatste tandje moest zetten. Meiden als O'Ryan werden zelden het slachtoffer van moordenaars. Ze redden zich overal uit. Types als Abigail Bennett, die moesten uitkijken.

Lena maakte de celdeur open, pakte het meisje bij de arm

en voerde haar mee over de gang. Ze liepen zo dicht naast elkaar dat Lena het zweet en de chemicaliën kon ruiken die ze uitwasemde. Haar vaalbruine haar was al een tijd niet gewassen en hing in klitten tot op haar middel. Tijdens het lopen verschoof het en Lena zag de littekens van een injectienaald in de holte van haar linkerarm.

'Ben je soms aan de speed?' giste Lena. Zoals in de meeste Amerikaanse stadjes was ook in Grant de handel in speed de afgelopen vijf jaar explosief toegenomen.

'Ik ken m'n rechten,' siste ze. 'Jullie hebben geen enkele reden om me hier vast te houden.'

'Belemmering van de rechtsgang, geweld tegen een politiebeambte, verzet bij arrestatie,' somde Lena op. 'Zal ik je in een potje laten pissen? Dan vinden we vast en zeker nog wel iets.'

'Pas maar op dat ik niet op jou pis,' zei ze en ze spuwde op de vloer.

'Je bent een echte dame, O'Ryan.'

'En jij bent een echte kuttekop, gore stoephoer.'

'Oeps,' zei Lena en ze rukte het meisje aan haar armen naar achteren zodat ze struikelde. Tot Lena's genoegen gilde O'Ryan het uit van de pijn. 'Naar binnen,' gebood Lena en ze duwde het kind een verhoorkamer in.

'Bitch,' siste O'Ryan toen Lena haar met enige dwang op de allerongemakkelijkste stoel van het hele bureau liet plaatsnemen.

'En geen geintjes!' Lena maakte een van de boeien los en bevestigde hem om de ring die Jeffrey aan de tafel had gelast. De tafel zat met bouten aan de vloer vast, een uitstekende voorzorgsmaatregel zoals meer dan eens was gebleken.

'Jullie hebben het recht niet me hier vast te houden,' zei O'Ryan. 'Chip heeft niks gedaan.'

'Waarom ging hij er dan vandoor?'

'Omdat hij wist dat jullie hem toch wel op zouden sluiten, teringlijders die jullie zijn.'

'Hoe oud ben je eigenlijk?' vroeg Lena, die tegenover haar ging zitten.

Uitdagend hief ze haar kin. 'Eenentwintig,' zei ze, en nu wist Lena vrijwel zeker dat ze minderjarig was.

'Denk maar niet dat je daar iets mee opschiet,' zei Lena.
'Ik wil een advocaat.'
'Die is al onderweg.'
'Wie dan?' vroeg ze verrast.
'Weet je dat niet?'
'Kut!' vloekte ze en haar gezicht veranderde weer in dat van een klein meisje.
'Wat is er?'
'Ik hoef geen advocaat.'
Lena zuchtte. Als er één ding was dat dit kind goed kon gebruiken, dan was het een flink pak voor haar billen. 'Hoezo niet?'
'Daarom niet,' zei ze. 'Sluit me maar op. Klaag me maar aan. Doe maar wat jullie niet laten kunnen.' Ze likte bedeesd over haar lippen en wierp Lena een vluchtige blik toe.
'Iets anders waar je zin in hebt?'
'Je hebt wel een hoge dunk van jezelf.'
Toen het sekstrucje niet werkte, was ze opeens weer het bange meisje. Krokodillentranen biggelden over haar wangen. 'Klaag me maar aan. Ik zeg niks meer.'
'We willen je anders een paar vragen stellen.'
'Rot toch op met je vragen,' zei ze. 'Ik ken mijn rechten. Ik hoef geen ene fuck tegen jullie te zeggen en jullie kunnen me niet dwingen.' Als je het gescheld wegliet klonk ze net als Albert, de eigenaar van de Pink Kitty, toen Jeffrey hem de vorige avond had gevraagd naar het politiebureau te komen. Lena moest niks hebben van mensen die hun rechten kenden. Het maakte haar werk er niet gemakkelijker op.
Lena boog zich over de tafel heen. 'Patty, daar schiet je echt niks mee op.'
'Rot toch op. Ik hou gewoon mijn bek, moet jij eens kijken wat ik ermee opschiet.'
Het speeksel vloog over tafel en Lena leunde naar achteren. Ze vroeg zich af hoe Patty O'Ryan in godsnaam in dit soort leven was beland. Ooit was ze iemands dochter geweest, iemands vriendinnetje. Nu was ze net een bloedzuiger: alleen maar op haar eigen voordeel uit.
'Patty, je kunt geen kant op,' zei Lena. 'Wat mij betreft zit ik hier de hele dag.'

'Zit jij maar lekker op je vette slettenreet, gore stoephoer.'

Er werd op de deur geklopt en Jeffrey kwam binnen, op de voet gevolgd door Buddy Conford.

De O'Ryan van daarnet was op slag verdwenen en nu barstte ze in snikken uit, als een kind dat verdwaald was geweest. Jammerend riep ze: 'Alsjeblieft, papa, haal me hieruit! Ik heb niks gedaan, ik zweer het!'

Ze zaten in Jeffreys kamer. Lena zette haar voet schrap tegen de onderkant van zijn bureau en leunde achterover op haar stoel. Buddy keek naar haar been, maar het was moeilijk te zeggen of het uit belangstelling was of uit jaloezie. Als puber was hij bij een auto-ongeluk zijn rechterbeen vanaf de knie kwijtgeraakt. Een paar jaar later verloor hij zijn linkeroog ten gevolge van kanker en nog niet zo lang geleden had een cliënt die ontevreden was over een rekening hem van dichtbij neergeschoten. Dat laatste akkefietje had Buddy een nier gekost, maar niettemin was hij erin geslaagd de aanklacht tegen zijn cliënt van moordaanslag terug te brengen tot geweldpleging. Hij kon met recht zeggen dat hij een geboren verdediger was.

'Blijft dat vriendje van je nog een beetje op het rechte pad?' vroeg Buddy.

'Zullen we het daar maar niet over hebben?' zei Lena, die er voor de zoveelste keer spijt van had dat ze Buddy Conford erbij had gehaald toen Ethan in de problemen zat. Als je je echter aan de andere kant van de tafel bevond en een advocaat nodig had, dan zocht je het meest gewiekste, gewetenloze exemplaar dat er te vinden was. Het was het aloude spreekwoord: wie met pek omgaat wordt ermee besmet. Lena voelde zich nog steeds plakkerig.

'Zorg je ook een beetje voor jezelf?' drong Buddy aan.

Lena draaide zich om, benieuwd waar Jeffrey uithing. Hij stond met Frank te praten, een stuk papier in zijn hand. Na Frank een schouderklopje te hebben gegeven, liep hij naar zijn kamer.

'Sorry,' zei hij bij binnenkomst. Hij schudde zijn hoofd naar Lena ten teken dat er niets opvallends was gevonden.

Toen nam hij plaats achter zijn bureau en legde het document op het vloeiblad met de achterkant naar boven. 'Ze hebben je lekker te pakken gehad,' zei Buddy en hij wees naar Jeffreys oog.

Jeffrey was duidelijk niet in de stemming voor een gezellig babbeltje. 'Ik wist niet dat je een dochter had, Buddy.' 'Een stiefdochter,' corrigeerde hij, zo te zien niet van harte. 'Ik ben vorig jaar met haar moeder getrouwd. We gingen al zo'n jaar of tien met elkaar om. Je hebt er je handen vol aan.'

'Aan de moeder of aan de dochter?' Het was een typisch mannengrapje en ze moesten beiden grinniken.

Met een zucht greep Buddy de armleuningen van zijn stoel vast. Die dag droeg hij zijn kunstbeen, maar hij had zijn wandelstok ook bij zich. Om de een of andere reden deed die stok Lena aan Greg Mitchell denken. Ondanks al haar goede voornemens had ze zichzelf erop betrapt dat ze die ochtend op weg naar haar werk naar haar oude vriendje had uitgekeken in de hoop dat hij een ommetje maakte. Niet dat ze wist wat ze tegen hem had moeten zeggen.

'Patty ligt met de drugs overhoop,' deelde Buddy mee. 'We hebben haar al ik weet niet hoe vaak naar de kliniek gebracht.'

'Waar is haar vader?'

Schouderophalend spreidde Buddy zijn armen. 'Wie het weet mag het zeggen.'

'Speed?' vroeg Lena.

'Wat anders?' zei hij en hij liet zijn handen zakken. Buddy verdiende goed aan de amfetamine – niet rechtstreeks, maar doordat veel van zijn cliënten wegens handel opgepakt waren.

'Ze is zeventien,' zei hij. 'Volgens haar moeder is het al een poosje aan de gang. Dat spuiten is iets van de laatste tijd. Wat ik ook probeer, het haalt geen zier uit.'

'Het is een drug waar je moeilijk af komt,' gaf Jeffrey toe.

'Bijna onmogelijk,' beaamde Buddy. Hij kon het weten. Meer dan de helft van zijn cliënten was recidivist. 'Uiteindelijk hebben we haar het huis uit moeten schoppen,' vervolgde hij. 'Dat was ongeveer een halfjaar geleden. Ze kwam altijd tegen de ochtend binnenstrompelen, zo high als een kanarie, en dan sliep ze tot een uur of drie 's middags. Als ze al wakker werd, liep ze de hele tijd op haar moeder te schelden, op mij, op de hele wereld – je weet hoe het gaat: iedereen is een klootzak behalve jijzelf. Die meid kan er wat van, het lijkt wel een soort zelfgekozen Tourette. Wat een puinhoop.' Hij tikte met zijn vingers op zijn been en een hol geplok vulde het vertrek. 'Je doet je uiterste best om te helpen, maar ergens houdt het op.'

'Waar hing ze uit nadat ze uit huis was gezet?'

'Meestal sliep ze bij vriendinnen – andere meiden, hoewel het me niet zou verbazen als ze het een stel jongens naar de zin maakte in ruil voor wat zakgeld. Toen ze nergens meer welkom was, ging ze in de Kitty werken.' Het getik hield op. 'Geloof me of niet, ik dacht dat ze zichzelf daar uiteindelijk wel zou tegenkomen.'

'Hoezo?' vroeg Lena.

'Je neemt jezelf pas onder handen als je tot op de bodem gezonken bent.' Hij schonk haar een veelbetekenende blik en het liefst had ze hem een mep in zijn gezicht verkocht. 'Als je uit de kleren gaat voor een stel schurftige boerenschooiers in de Pink Kitty heb je pas echt de bodem bereikt.'

'Ze heeft toevallig geen contact met die boerderij in Catoogah?' vroeg Jeffrey.

'Die Jezus-freaks?' Buddy moest lachen. 'Die willen haar niet eens.'

'Maar voorzover je weet?'

'Je kunt het haar vragen, maar ik betwijfel het. Ze is niet bepaald een godsdienstig type. Als ze al ergens naartoe gaat, dan is het om te scoren, om te zien hoe ze de kluit kan belazeren. Het mag dan een stel gestoorde bijbelfanaten zijn, dom zijn ze niet. Die weten meteen wat voor vlees ze in de kuip hebben. Ze kent haar publiek. Daar verspilt ze geen tijd aan.'

'Ken je een zekere Chip Donner?'

'Ja. Die heb ik een paar keer verdedigd om Patty een plezier te doen.'

'Ik heb hem niet in m'n bestand,' zei Jeffrey, want Chip was nog nooit door de politie van Grant County opgepakt.

'Nee, dat was in Catoogah.' Buddy ging verzitten. 'Het is geen beroerde knaap, moet ik zeggen. Een jongen uit de buurt, is zijn hele leven nog geen honderd kilometer van huis geweest. Hij is gewoon dom. De meeste van die lui zijn gewoon dom. En als ze zich dan ook nog vervelen...'

'Weleens van Abigail Bennett gehoord?' vroeg Jeffrey.

'Nee. Werkt die ook in de club?'

'Dat is het meisje dat we in het bos hebben gevonden.'

Buddy huiverde, alsof iemand over zijn graf liep. 'Jezus, wat een gruwelijke manier om dood te gaan. Mijn vader maakte ons altijd bang als we naar het graf van zijn moeder gingen. Twee graven verderop lag een dominee, en daar stak een draad uit de aarde die naar een telefoonpaal liep. Mijn vader zei altijd dat hij een telefoon in zijn kist had zodat hij kon bellen voor het geval hij niet echt dood was.' Hij grinnikte. 'Op een dag nam mijn moeder een bel mee, zo'n fietsbel, en toen we allemaal om oma's graf stonden en ons gezicht in de plooi trokken, liet zij die bel rinkelen. Ik scheet zowat in mijn broek.'

Onwillekeurig moest Jeffrey glimlachen.

Buddy slaakte een zucht. 'Maar jullie hebben me hier niet laten komen om verhaaltjes over vroeger te vertellen. Wat willen jullie van Patty?'

'We willen weten wat haar relatie met Chip is.'

'Dat kan ik jullie wel vertellen,' zei Buddy. 'Ze was smoorverliefd op hem. Hij groette haar niet eens, maar ze was totaal verslingerd aan dat joch.'

'Chip kent Abigail Bennett.'

'Hoe kent hij haar dan?'

'Dat willen we graag weten,' zei Jeffrey. 'We hadden gehoopt dat Patty het ons kon vertellen.'

Buddy bewoog zijn tong over zijn lippen. Lena wist al waar dit op uit zou draaien. 'Ik vind het vervelend om te zeggen, chef, maar ik heb geen enkele invloed op haar.'

'We zouden een deal kunnen sluiten,' stelde Jeffrey voor.

'Nee,' zei hij en hij stak zijn hand op. 'Daar pas ik voor. Ze kan mijn bloed wel drinken. Volgens haar heb ik haar moeder van haar afgepikt en haar het huis uit geschopt. Wat haar betreft ben ik de kwaaie pier.'

'Misschien vindt ze jou minder erg dan de bak,' opperde Lena.

'Wie weet.' Buddy haalde zijn schouders op.

'Goed,' zei Jeffrey, maar het zat hem duidelijk niet lekker. 'Zullen we haar dan nog maar een dagje laten zweten?'

'Volgens mij is dat het beste,' vond Buddy. 'Het klinkt nogal hard, helaas, maar die is echt niet voor rede vatbaar.' De advocaat in hem werd wakker, want hij voegde er snel aan toe: 'En we gaan er natuurlijk van uit dat die aanklacht wegens geweldpleging en belemmering van de rechtsgang vervalt als ze een verklaring aflegt.'

Onwillekeurig gromde Lena van walging. 'Daarom heeft iedereen nou zo'n hekel aan advocaten.'

'Daar had je anders geen last van toen je van mijn diensten gebruik wilde maken,' zei Buddy opgewekt. Hij richtte zich tot Jeffrey: 'Chef?'

Jeffrey leunde achterover op zijn stoel, zijn vingers tegen elkaar. 'Als ze morgenochtend niet praat, kun je de rest ook vergeten.'

'Afgesproken,' zei Buddy en hij stak Jeffrey zijn hand toe. 'Kan ik haar even onder vier ogen spreken? Dan zal ik het zo mooi mogelijk afschilderen.'

Jeffrey pakte de telefoon. 'Brad? Buddy wil met Patty O'Ryan praten. Breng jij hem even?' Hij legde de hoorn weer op de haak. 'Hij wacht je op bij het cellenblok.'

'Bedankt,' zei Buddy en steunend op zijn stok kwam hij overeind. Voor hij het vertrek verliet gaf hij Lena een knipoog.

'Sukkel,' zei ze.

'Hij doet gewoon zijn werk,' was Jeffreys reactie, maar ze zag dat hij het met haar eens was. Jeffrey had zo ongeveer wekelijks met Buddy te maken en meestal pakten dealtjes met hem gunstig uit, maar Lena was ervan overtuigd dat O'Ryan uiteindelijk wel zou gaan praten, ook zonder allerlei achterkamertjesgekonkel, al was het alleen maar om niet voor twee jaar de bak in te draaien. Bovendien had Lena graag inspraak gehad in de kwestie van dat vrijbriefje, want per slot van rekening was zij de politiebeambte tegen wie geweld was gebruikt.

Jeffrey wierp een blik op het parkeerterrein. Hij zei: 'Ik heb tegen Dale Stanley gezegd dat hij zijn vrouw hier vanochtend naartoe moest sturen.'

'Denk je dat ze komt?'

'Weet jij het?' Met een zucht liet hij zich achteroverzakken. 'Ik wil nog eens met die familie praten.'

'Die komt toch morgen?'

'Ik moet het eerst zien.'

'Denk je echt dat die Lev zich aan een leugendetector laat koppelen?'

'In beide gevallen wordt de zaak dan een stuk duidelijker,' zei hij, en weer keek hij uit het raam. 'Daar zul je haar hebben.'

Hij stond op en toen Lena zijn blik volgde, zag ze een tengere vrouw uit een klassieke Dodge stappen. Ze had één kind op sleeptouw en een tweede op haar heup. Vergezeld door een buitengewoon lange man liep ze naar het bureau.

'Ze komt me bekend voor.'

'Van die politiepicknick vorig jaar.' Hij schoot zijn jasje aan. 'Zou jij Dale aan de praat willen houden?'

'Eh...' zei Lena, overrompeld door zijn voorstel. Meestal deden ze een verhoor met z'n tweeën. 'Ja hoor,' zei ze. 'Komt in orde.'

'Misschien zegt ze wat meer als hij er niet bij is,' legde Jeffrey uit. 'Hij is namelijk graag aan het woord.'

'Komt in orde,' herhaalde Lena.

Achter de balie begon Marla te kirren van plezier toen ze de kinderen zag. Ze sprong op, liet de deur openzoemen en liep recht op de baby af die bij zijn moeder op de heup zat.

'Kijk nou, wat een poeperige wangetjes!' riep Marla, haar stem zo hoog dat je er glas mee kon verbrijzelen. Ze kneep het kind in de wangen, maar in plaats van het op een krijsen te zetten begon het te lachen. Alsof ze zijn verloren gewaande grootmoeder was, nam Marla de baby in haar armen en deed een stap opzij. Op dat moment zag Lena Terri Stanley en haar maag draaide om.

'O!' zei Terri, happend naar lucht.

'Fijn dat jullie gekomen zijn,' zei Jeffrey en hij schudde Dales hand. 'Dit is Lena Adams...' Zijn stem stierf weg en

Lena, die nog steeds naar Terri Stanley stond te staren, deed met moeite haar mond weer dicht. Jeffrey keek van Lena naar Terri en zei: 'Kennen jullie elkaar nog van die picknick van vorig jaar?'

Terri zei iets, althans haar mond bewoog, maar Lena verstond haar niet boven het geraas van het bloed in haar oren uit. Jeffrey had hen niet aan elkaar hoeven voorstellen. Lena wist maar al te goed wie Terri Stanley was. De vrouw was kleiner dan Lena en minstens tien kilo lichter. Hoewel ze nog geen dertig was had ze haar haar opgestoken in een oudedamesknot. Haar lippen waren bleek, op het blauwe af, en in haar ogen vlamde dezelfde angst op die in Lena's blik stond te lezen. Lena had die angst eerder gezien, ruim een week daarvoor toen ze in de kliniek zat te wachten tot haar naam werd afgeroepen.

'Ik... Ik...' stamelde Lena. Ze zweeg en probeerde te kalmeren.

Jeffrey keek de twee vrouwen onderzoekend aan. Zonder waarschuwing vooraf veranderde hij van tactiek en zei: 'Terri, vind je het goed als Lena je een paar vragen stelt?' Dale wilde al protesteren, maar tegen hem zei Jeffrey: 'Zullen wij die Dart eens gaan bekijken? Lijkt me een prachtwagentje.'

Dale leek niet erg met het voorstel ingenomen en Lena zag dat hij een smoes probeerde te verzinnen. Uiteindelijk gaf hij zich echter gewonnen; hij tilde de peuter op die naast hem stond en zei: 'Oké.'

'We zijn zo terug,' zei Jeffrey tegen Lena en hij wierp haar een scherpe blik toe. Hij zou ongetwijfeld willen weten hoe de vork in steel zat, maar Lena had geen idee wat voor verhaal ze moest opdissen om zelf buiten schot te blijven.

'Ik zorg wel voor het kleintje,' bood Marla aan en ze tilde de baby hoog in de lucht zodat hij kraaide van plezier.

'Laten we maar naar Jeffreys kamer gaan,' stelde Lena voor.

Terri knikte slechts. Lena zag een gouden kettinkje om haar hals, met in het midden een kruisje. Terri friemelde eraan alsof het een talisman was. Ze leek doodsbang, even bang als Lena.

'Deze kant op,' zei Lena. Ze ging voor en terwijl ze naar

Jeffreys kamer liep, luisterde ze ingespannen naar het geluid van Terri's schuifelende voetstappen. De recherchekamer was leeg, op een paar agenten na die een dienstrapport opstelden of zich even kwamen opwarmen. Tegen de tijd dat Lena Jeffreys kamer had bereikt, liep het zweet over haar rug. Het waren de langste meters van haar leven.

Pas toen Lena de deur had gesloten deed Terri haar mond open. 'Jij was in de kliniek.'

Met haar rug naar de vrouw gekeerd keek Lena uit het raam, naar Jeffrey en Dale, die nu om de auto heen liepen.

'Ik weet zeker dat jij het was,' zei de ander met verstikte stem.

'Ja,' gaf Lena toe en ze draaide zich om. Terri was op een van de stoelen tegenover Jeffreys bureau gaan zitten, haar handen om de armleuningen geklemd alsof ze ze eraf wilde rukken.

'Terri...'

'Dale vermoordt me als hij het ontdekt.' Ze zei het met zo veel overtuiging dat Lena niet aan haar woorden twijfelde.

'Van mij hoort hij niks.'

'Maar stel dat hij het van iemand anders hoort?' Ze was als de dood, dat was duidelijk, en Lena voelde haar eigen paniek oplossen toen ze besefte dat ze door hun geheim aan elkaar waren overgeleverd. Terri had haar in de kliniek gezien, maar Lena had Terri ook gezien.

'Hij vermoordt me,' herhaalde ze en haar magere schouders schokten.

'Ik vertel het hem heus niet,' zei Lena, alsof dat al niet vanzelf sprak.

'Dat is je geraden ook,' snauwde Terri. Het was als dreigement bedoeld, maar daarvoor miste ze de overtuigingskracht. Ze snakte bijna naar adem. De tranen stonden in haar ogen.

Lena ging op de stoel naast haar zitten. 'Waar ben je zo bang voor?'

'Jij hebt het ook gedaan,' zei ze met haperende stem. 'Je bent net zo schuldig als ik. Je hebt... Je hebt... Je hebt het ook vermoord...'

Weer bewogen Lena's lippen zonder dat er geluid uit kwam.

'Misschien ga ik naar de hel voor wat ik gedaan heb,' grauwde Terri, 'maar dan neem ik jou met me mee, vergeet dat niet!'

'Dat weet ik,' zei Lena, die niet goed wist wat ze anders moest zeggen. 'Terri, ik vertel het echt niet door.'

'O god,' klonk het, en ze drukte haar vuist tegen haar borst. 'Alsjeblieft, vertel het hem niet!'

'Dat beloof ik,' zei Lena met klem en ze werd overmand door medelijden. 'Terri, wees maar niet bang.'

'Hij begrijpt het niet.'

'Ik vertel het hem ook niet,' herhaalde Lena en ze legde haar hand op die van Terri.

De vrouw klemde Lena's hand in de hare en zei: 'Het is zo moeilijk. Het is zo vreselijk moeilijk.'

Nu vulden Lena's ogen zich met tranen en met op elkaar geklemde kaken vocht ze tegen de aandrang om zich te laten gaan. 'Terri,' begon ze. 'Terri, rustig nou maar. Je bent hier veilig. Ik vertel het aan niemand.'

'Ik kon het voelen...' zei ze en ze greep naar haar buik. 'Ik voelde het daar binnen bewegen. Ik voelde het schoppen. Ik kon het niet. Ik kon er niet nog een bij hebben. Ik kon het niet... Ik kan het niet... Ik ben niet sterk genoeg... Ik houd het niet meer vol. Ik houd het niet meer...'

'Ssst,' suste Lena en ze streek een pluk haar weg die voor Terri's ogen was gevallen. De vrouw zag er heel jong uit, bijna nog een tiener. Voor het eerst in jaren voelde Lena de behoefte om iemand anders te troosten. Ze had zo lang zelf hulp ontvangen dat ze bijna was vergeten hoe ze een ander kon helpen. 'Kijk me eens aan,' zei ze terwijl ze zich vermande en haar emoties bedwong. 'Je bent hier veilig, Terri. Ik vertel het niet verder. Ik vertel het aan niemand.'

'Ik ben zo slecht,' zei Terri. 'Ik ben zo vreselijk slecht.'

'Dat ben je niet.'

'Ik word nooit meer schoon,' bekende ze. 'Hoe vaak ik me ook was, ik krijg mezelf niet meer schoon.'

'Dat weet ik,' zei Lena en er gleed een last van haar af toen ze dit opbiechtte. 'Dat weet ik maar al te goed.'

'Ik ruik het nog steeds op mijn lichaam,' zei ze. 'De verdoving. De chemicaliën.'

'Ik weet het,' zei Lena, die alles op alles moest zetten om zich niet door haar eigen verdriet te laten meeslepen. 'Sterk zijn, Terri. Je moet sterk zijn.'

Ze knikte. Haar schouders hingen af en het leek of ze elk moment kon instorten. 'Dit vergeeft hij me nooit.'

Lena wist niet of ze haar man bedoelde of een of andere hogere macht, maar ze knikte bevestigend.

'Hij vergeeft het me nooit.'

Lena wierp een blik uit het raam. Dale stond bij de auto, maar Jeffrey was een eindje verder gelopen en praatte met Sara Linton. Hij keek even achterom naar het bureau en wierp zijn hand in de lucht alsof hij kwaad was. Sara zei iets, waarop Jeffrey knikte, en toen pakte hij iets van haar aan, een plastic zak leek het. Daarna liep hij terug naar het bureau.

'Terri,' zei Lena gejaagd, want Jeffrey kon elk moment de kamer binnenkomen. 'Hoor eens,' begon ze. 'Droog je tranen nou maar. Kijk me eens aan.' Terri keek op. 'Gaat het?' vroeg Lena, maar het klonk eerder als een bevel dan als een vraag.

Terri knikte.

'Je moet flink zijn, Terri.' Het klonk dringend, en weer knikte de vrouw.

Lena zag Jeffrey de recherchekamer binnenkomen. Hij bleef even staan om iets tegen Marla te zeggen. 'Hij komt eraan,' zei Lena en Terri rechtte haar schouders, als een acteur die op het juiste signaal reageert.

Voor hij de kamer betrad klopte Jeffrey op de deur. Er zat hem iets dwars, hoewel hij het probeerde te verbergen. De plastic zak die Sara hem op het parkeerterrein had overhandigd stak uit zijn jaszak, maar Lena kon niet zien wat erin zat. Vragend en met opgetrokken wenkbrauwen keek hij haar aan, en de moed zonk haar in de schoenen, want ze besefte dat ze niet gedaan had wat hij haar had opgedragen.

Zonder een moment te aarzelen loog Lena: 'Terri zegt dat ze behalve Dale nooit iemand bij de garage heeft gezien.'

'Ja,' beaamde Terri en met een knik stond ze op van haar stoel. Ze hield haar blik op de vloer gericht en Lena was blij dat Jeffrey te zeer door andere zaken in beslag werd genomen om in de gaten te hebben dat de vrouw had gehuild.

Hij bedankte haar niet eens voor haar komst. 'Dale wacht buiten,' zei hij kortaf en daarop kon ze vertrekken.

'Dank u,' zei Terri, die voor ze wegging nog één keer naar Lena keek. Toen zette de jonge vrouw het op een lopen, rende de recherchekamer door, graaide haar kind uit Marla's armen en koerste naar de voordeur.

Jeffrey gaf de zak aan Lena. 'Dit kreeg Sara op de kliniek toegestuurd.'

Er zat een gelinieerd blaadje uit een aantekenboekje in. Lena draaide de zak om en las de tekst. Het waren vier woorden, met paarse inkt in blokletters geschreven, en ze besloegen het halve blad: 'ABBY WAS NIET DE EERSTE.'

Lena liep door het bos en liet haar blik speurend over de grond gaan. Het viel haar zwaar geconcentreerd te blijven. Als ballen in een flipperkast schoten haar gedachten alle kanten op: het ene moment botsten ze op tegen de mogelijkheid dat er een tweede meisje in het bos begraven lag en dan weer raakten ze aan de angst waarmee Terri Stanley haar gesmeekt had haar geheim niet te verraden. Alleen al bij de gedachte dat haar man haar daad zou ontdekken, was de vrouw door paniek bevangen. Dale zag er onschuldig uit, niet echt het type dat in staat was tot de woede die Ethan soms beving, maar Lena begreep Terri's angst. Ze was een jonge vrouw die waarschijnlijk nooit buitenshuis had gewerkt. Als Dale haar en hun twee kinderen in de steek liet zou ze volkomen hulpeloos zijn. Ze had het gevoel in de val te zitten, dat snapte Lena heel goed, zoals ze ook begreep waarom Terri bang was dat haar geheim onthuld zou worden.

Tot op dat moment had Lena zich zorgen gemaakt over Ethans reactie, maar nu wist ze dat zijn agressie niet het enige was wat ze te vrezen had. Stel dat Jeffrey het ontdekte? Lena had de afgelopen drie jaar haar portie ellende wel gehad – en het meeste had ze aan zichzelf te wijten –, maar ze had geen idee op welk punt hij zijn handen van haar af zou trekken. Zijn partner was kinderarts en voorzover ze wist was hij dol op kinderen. Bovendien zaten ze bepaald niet de hele tijd over politiek te discussiëren. Ze had geen idee wat hij van abortus vond. Wel wist ze dat hij des duivels zou zijn als hij erachter kwam dat ze Terri niet echt had verhoord. Ze hadden zich zo door hun wederzijdse angst laten meeslepen dat Lena haar niet naar de garage had gevraagd, laat staan naar eventuele bezoekers over wie Dale niets wist. Lena moest een manier zien te bedenken om weer contact met haar op te nemen zodat ze haar naar de cyanide kon vragen, maar ze had geen flauw benul hoe ze dat moest aanpakken zonder dat Jeffrey het doorhad.

Een halve meter verderop liep Jeffrey zachtjes te mompelen. Hij had zo ongeveer ieder lid van zijn team opgetrommeld en naar het bos gestuurd om naar andere graven te speuren. Het was vermoeiend werk, alsof je de oceaan uitkamde op zoek naar één korreltje zand, en de hele dag was de temperatuur in het bos van het ene uiterste naar het andere gegaan: het ene moment brandde de zon op je hoofd en het volgende was het zo koud in de schaduw van de bomen dat het zweet verkilde op je huid. Bij het vallen van de avond nam de kou alleen maar toe, maar Lena waagde het niet terug te gaan om haar jas te halen. Jeffrey leek wel bezeten. Ze wist dat hij de schuld op zijn schouders had genomen, zoals ze ook wist dat niets wat ze zei iets uitrichtte.

'Dit hadden we zondag moeten doen,' zei Jeffrey, alsof hij op wonderbaarlijke wijze had moeten weten dat de aanwezigheid van één kist in het bos op minstens nog een kist duidde. Na een aantal vergeefse pogingen deed Lena geen moeite meer hem hierop te wijzen. In plaats daarvan keek ze strak naar de grond en terwijl opwellende tranen haar blik vertroebelden en de bladeren en dennennaalden tot één grote brij versmolten, dwaalden haar gedachten af.

Bijna acht uur hadden ze nu lopen zoeken en in die tijd hadden ze pas de helft van het zeventig hectare grote gebied bestreken. Zo langzamerhand betwijfelde ze of ze een neonbord met een grote, naar beneden wijzende pijl zou herkennen, laat staan een metalen buisje dat uit de grond stak. Bovendien werd het nu snel donker. De zon hing al laag en dreigde elk moment achter de horizon te verdwijnen. Tien minuten geleden hadden ze hun zaklantaarns te voorschijn gehaald, maar de lichtbundels hadden nauwelijks effect.

Wrijvend over zijn nek keek Jeffrey omhoog naar de bomen. Rond lunchtijd hadden ze even gepauzeerd, maar ze
hadden zo'n haast gehad dat ze de broodjes die Frank bij de
plaatselijke lunchroom had besteld bijna zonder kauwen
hadden weggewerkt.

'Waarom stuurt iemand zo'n brief aan Sara?' vroeg Jeffrey
zich af. 'Ze heeft niks met de zaak te maken.'

'Iedereen weet toch dat jullie bij elkaar horen?' zei Lena
nadrukkelijk. Kon ze maar even gaan zitten. Had ze maar
tien minuten voor zichzelf; meer tijd had ze niet nodig om
te bedenken hoe ze in contact moest komen met Terri. Dale
vormde een extra complicatie. Hoe kon ze aannemelijk maken dat ze nog één keer met zijn vrouw moest praten?

'Het staat me niks aan dat Sara hierbij betrokken wordt,'
zei Jeffrey. Lena begreep dat zijn woede onder meer gevoed
werd door het feit dat Sara nu misschien gevaar liep. 'Het
was een poststempel van hier,' merkte hij op. 'Het is iemand
uit deze streek, uit Grant.'

'Misschien is het iemand van de boerderij en keek hij wel
drie keer uit voor hij de brief vanuit Catoogah verstuurde,'
zei ze, want per slot van rekening kon iedereen een brief in
Grant op de bus doen.

'De brief is maandag verstuurd,' zei Jeffrey. 'Dus degene
die hem verstuurd heeft wist wat er aan de hand was en
wilde ons waarschuwen.' Zijn zaklantaarn begon te flikke-
ren en hij schudde er vergeefs mee. 'Dit lijkt godverdomme
nergens naar!'

Hij pakte zijn portofoon en klikte de microfoon aan.
'Frank?'

Het bleef een paar tellen stil voor Frank reageerde. 'Ja?'

'Er moet hier licht komen,' zei hij. 'Bel de ijzerwinkel en
vraag eens of we wat lampen kunnen lenen.'

'Komt voor elkaar.'

Lena wachtte tot Frank het contact had verbroken voor ze
Jeffrey nogmaals tot rede probeerde te brengen. 'We kunnen
onmogelijk vannacht het hele gebied bestrijken.'

'Hoe zou je het vinden om hier morgenochtend terug te
komen en dan te ontdekken dat een of ander meisje gered
had kunnen worden als we er niet veel te vroeg mee gekapt
hadden?'

'Het is al laat,' drong ze aan. 'Voor hetzelfde geld lopen we er straal voorbij zonder ook maar iets te zien.'

'Voor hetzelfde geld zien we het wel,' zei hij. 'In elk geval komen we hier morgen terug. Al moeten we met bulldozers elke vierkante centimeter omploegen. Is dat duidelijk?'

Ze richtte haar blik weer op de grond, zoekend naar iets waarvan ze niet eens wist of het er was.

Jeffrey volgde haar voorbeeld en ondertussen praatte hij door. 'Ik had dit zondag al moeten doen. We hadden met het hele team plus vrijwilligers hiernaartoe moeten gaan.' Hij zweeg even. 'Wat was dat trouwens met jou en Terri Stanley?'

'Wat bedoel je?' vroeg ze quasi-nonchalant, hoe fout het haarzelf ook in de oren klonk.

'Lul er nou niet omheen,' waarschuwde hij. 'Er speelt iets tussen jullie.'

Lena likte haar lippen en voelde zich net een dier dat in de val was gelopen. 'Ze had vorig jaar tijdens die picknick te veel gedronken,' loog ze. 'Ik vond haar op het toilet met haar kop in de wc.'

'Is ze aan de drank?' vroeg Jeffrey, die zijn oordeel meteen klaar had.

Lena wist dat dit een van zijn stokpaardjes was en bij gebrek aan een alternatief greep ze haar kans. 'Ja,' zei ze. Terri Stanley zou het ongetwijfeld minder erg vinden door Jeffrey voor een alcoholist te worden aangezien dan dat haar man te weten kwam wat ze de vorige week in Atlanta had uitgespookt.

'Denk je dat ze dat wel vaker heeft?' vroeg Jeffrey.

'Geen idee.'

'Was ze misselijk?' drong hij aan. 'Moest ze overgeven?'

Het klamme zweet brak Lena uit, maar onder deze omstandigheden kon ze niet om de leugen heen. 'Ik heb tegen haar gezegd dat ze er werk van moest maken,' zei ze. 'Volgens mij heeft ze het onder controle.'

'Ik zal eens met Sara praten,' zei Jeffrey, en de moed zonk haar in de schoenen. 'Die neemt wel contact op met de kinderbescherming.'

'Nee!' zei Lena. Ze deed haar best om niet wanhopig te

klinken. Liegen was tot daaraan toe, maar Terri in de problemen helpen was een heel ander verhaal. 'Ik zei toch dat ze het onder controle heeft? Ze gaat naar bijeenkomsten en zo.' Als een spin die in haar eigen web verstrikt was geraakt, pijnigde ze haar hersens op zoek naar bijzonderheden die ze zich nog herinnerde van Hanks AA-verhalen. 'Ze heeft vorige maand haar penning gekregen.'

Hij kneep zijn ogen tot spleetjes, alsof hij twijfelde aan haar oprechtheid.

'Chef?' klonk het krakend uit zijn portofoon. 'De westelijke hoek, vlak bij de hogeschool. We hebben iets.'

Jeffrey zette het op een lopen en Lena vloog achter hem aan, met zwaaiende armen zodat de lichtbundel van haar zaklantaarn heen en weer vloog. Ondanks de minstens tien jaar die ze scheelden, was Jeffrey een stuk sneller dan zij. Met een voorsprong van een meter of acht bereikte hij het groepje geüniformeerde agenten op de open plek in het bos.

Tegen de tijd dat zij hem had ingehaald, zat Jeffrey al op zijn knieën naast een uitholling in de grond. Een roestig metalen buisje stak ongeveer vijf centimeter uit de aarde. Het was puur geluk dat iemand het had gezien. Ook al wist ze waarnaar ze moest zoeken, toch kon Lena het buisje slechts met moeite onderscheiden.

Achter haar kwam Brad Stephens aanrennen met twee spaden en een koevoet in zijn handen. Jeffrey pakte een van de spaden aan en de mannen begonnen meteen te graven. De avondlucht was koel, maar tegen de tijd dat de eerste spade met een doffe bons op hout stuitte, liep het zweet hun over het lijf. Het holle geluid galmde nog na in Lena's oren toen Jeffrey neerknielde om het laatste restje aarde met zijn handen weg te vegen. Zo was het zondag met Sara ongetwijfeld ook gegaan. De spanning moest onvoorstelbaar zijn geweest, evenals de angst toen hij besefte wat hij blootlegde. Zelfs nu nog kon Lena nauwelijks bevatten dat er iemand in Grant rondliep die tot zoiets gruwelijks in staat was.

Brad stak de koevoet in de rand van de kist en zette samen met Jeffrey kracht om het hout los te wrikken. Een van de planken kwam omhoog en meteen schenen zaklantaarns in de opening. Een smerige lucht steeg op – muf en bedorven, maar niet van rottend vlees. Weer zette Jeffrey kracht en hij wrikte met de koevoet een tweede plank los. Het hout boog naar achteren als een vel papier dat werd dubbelgevouwen. De houtpulp was doornat en zwart van de aarde. Het was duidelijk dat de kist al heel lang in de grond zat. Op de foto's die de technische recherche van het graf bij het meer had gemaakt zag de kist er nieuw uit en het verse verduurzaamde hout had het meisje dat erin lag goed tegen de elementen beschermd.

Met zijn blote handen trok Jeffrey de zesde plank los. Zaklantaarns verlichtten de binnenkant van de besmeurde kist. Hij ging op zijn hurken zitten en liet zijn schouders hangen, van opluchting of misschien van teleurstelling. Zelf had Lena ook gemengde gevoelens.

De kist was leeg.

Lena was bij de potentiële plaats delict gebleven tot het laatste monster was genomen. In de loop van de tijd was de kist zo ongeveer uit elkaar gevallen en het hout door de aarde geabsorbeerd. Dat deze kist ouder was dan het eerste exemplaar dat was aangetroffen stond buiten kijf, evenals het feit dat hij voor hetzelfde doel was gebruikt. In de planken die Jeffrey aan de bovenkant had losgewrikt, zaten diepe krassen van vingernagels. Op de bodem zaten allemaal donkere vlekken. Iemand had er gebloed, gescheten, was er misschien doodgegaan. Wanneer en waarom konden aan het steeds langer wordende vragenlijstje worden toegevoegd. Gelukkig had Jeffrey eindelijk ingezien dat het geen zin had om in het pikkedonker naar een volgende kist te zoeken. Hij had de speurtocht afgeblazen en een groepje van tien man opdracht gegeven om de volgende dag bij zonsopkomst weer present te zijn.

Terug op het bureau had Lena meteen haar handen gewassen. Ze had geen moeite gedaan de reservekleren aan te trekken die ze in haar kluisje bewaarde, want ze wist dat alleen een lange warme douche de ontzetting die ze voelde tot op zekere hoogte kon wegspoelen. Maar toen ze de straat had bereikt die naar haar buurt voerde, zette ze de Celica in een lagere versnelling en hoewel het verboden was, keerde ze

op de weg en reed de wijk weer uit. Ze maakte haar veiligheidsriem los en sturend met haar knieën wurmde ze zich
uit haar jasje. Met een druk op de knop liet ze de raampjes
zakken en de radio zette ze uit. Ze kon zich niet herinneren
wanneer ze voor het laatst een moment voor zichzelf had
gehad. Ethan dacht dat ze nog aan het werk was en Nan
stond waarschijnlijk op het punt naar bed te gaan. Lena was
helemaal alleen, met als enig gezelschap haar gedachten.

Ze reed het centrum weer door en minderde vaart toen ze
het restaurant passeerde. Ze dacht aan Sibyl, aan de laatste
keer dat ze haar gezien had. Sindsdien had Lena er in menig
opzicht een zootje van gemaakt. Ooit was het ondenkbaar
geweest dat ze haar werk door haar privé-leven liet verstoren. Het enige waar ze goed in was, het enige wat ze kon
was politiewerk. Door het geheim dat ze deelde met Terri
Stanley was de uitoefening van haar taak in de knel gekomen. Weer dreigden haar emoties de enige constante factor
in Lena's leven op het spel te zetten. Wat zou Sibyl over haar
gezegd hebben? Wat zou die zich geschaamd hebben voor
het soort mens dat haar zus was geworden.

Main Street liep dood bij de ingang naar de hogeschool.
Lena sloeg links af naar de kinderkliniek, keerde en reed
de stad weer uit. Ze sloot de raampjes toen ze de kou ging
voelen en morrelde aan de knoppen van de radio op zoek
naar zachte muziek om de eenzaamheid te verdrijven. Toen
ze langs de Stop-N-Go reed keek ze opzij en zag de zwarte
Dodge Dart naast een van de benzinepompen staan.

Zonder nadenken keerde Lena haar wagen en zette hem
naast de Dart. Ze stapte uit en keek of ze Terri Stanley in de
winkel zag. Die stond binnen bij de kassa en zelfs op deze
afstand kon Lena de moedeloosheid die ze uitstraalde bijna
ruiken. Afhangende schouders, neergeslagen blik. Het had
niet veel gescheeld of Lena had een dankgebedje opgezegd
omdat ze haar puur toevallig had gevonden.

Hoewel de tank van de Celica nog bijna vol zat pakte Lena
toch de slang van de pomp. Op haar dooie gemak draaide ze
de dop van de tank en stak de slang erin. Bij de eerste klik
van de pomp kwam Terri Stanley de winkel uit. Ze droeg
een dun blauw jasje waarvan ze de mouwen omhoogschoof

terwijl ze het helverlichte pompstation overstak. In gedachten verdiept liep ze naar haar auto en pas nadat Lena een paar keer haar keel had geschraapt merkte de vrouw haar op.

'O,' zei Terri, net als die keer toen ze Lena op het politiebureau had gezien.

'Hallo.' Lena glimlachte, maar het voelde onecht. 'Ik moet je nog iets vragen...'

'Volg je me soms?' Terri keek om zich heen, alsof ze bang was dat iemand hen samen zou zien.

'Ik kwam alleen maar tanken,' zei Lena, die de slang uit de Celica haalde en hoopte dat Terri niet zag dat ze nog geen twee liter had getankt. 'Ik moet even met je praten.'

'Dale zit op me te wachten,' zei ze en ze trok de mouwen van haar jasje weer naar beneden. Lena had echter iets gezien – iets waar ze maar al te vertrouwd mee was. Ze bleven tegenover elkaar staan – wel een minuut, de langste minuut van Lena's leven –, beiden met de mond vol tanden.

'Terri...'

'Ik moet weg,' was het enige wat ze zei.

De woorden bleven als stroop in Lena's keel kleven. Ze hoorde een hoog gepiep in haar oor, bijna als een sirene die haar waarschuwde zich uit de voeten te maken. 'Slaat hij je?' vroeg ze.

Beschaamd staarde Terri naar het met olie besmeurde wegdek. Lena herkende de schaamte, maar nu ze die bij Terri zag kwam er een ongekend felle woede in haar op.

'Hij slaat je,' zei Lena en ze verkleinde de afstand tussen hen alsof ze heel dichtbij moest staan om gehoord te kunnen worden. 'Kom eens hier.' Ze greep Terri bij de arm. De vrouw kromp ineen toen Lena met een ruk haar mouw omhoogtrok. Over haar arm liep een spoor van blauwe plekken.

Terri verroerde zich niet. 'Zo is het helemaal niet.'

'Hoe is het dan wel?'

'Dat snap je toch niet.'

'En of ik het snap!' zei Lena en ze greep haar nog steviger vast. 'Heb je het daarom soms gedaan?' wilde ze weten, haar woede oplaaiend als een prairiebrand. 'Was je daarom in Atlanta?'

Terri probeerde zich los te wurmen. 'Laat me gaan, alsjeblieft!'

Maar Lena had zichzelf niet langer in de hand. 'Je bent bang voor hem,' zei ze. 'Daarom heb je het gedaan, lafaard!'

'Alsjeblieft...'

'Wat nou alsjeblieft?' zei Lena. 'Wat alsjeblieft?' Nu kwamen de tranen. Uit alle macht probeerde Terri zich los te rukken en ze viel bijna op de grond. Lena liet haar los en zag tot haar ontzetting een rode striem op Terri's pols verschijnen, onder de blauwe plek die Dale daar had achtergelaten.

'Terri...'

'Laat me met rust.'

'Je hoeft dit niet te doen.'

Ze liep terug naar haar auto. 'Ik ga nu.'

'Het spijt me,' zei Lena terwijl ze achter haar aan liep.

'Je klinkt al net zoals Dale.'

Een mes in haar maag zou draaglijker geweest zijn. Lena deed nog één poging. 'Alsjeblieft. Ik wil je helpen.'

'Ik heb je hulp niet nodig,' beet ze Lena toe terwijl ze het portier openrukte.

'Terri...'

'Laat me met rust!' riep ze en ze sloeg het portier met een luide knal dicht. Meteen deed ze het op slot, alsof ze bang was dat Lena haar uit de auto zou sleuren.

'Terri...' riep Lena, maar ze reed al weg, een spoor van schroeiend rubber op het asfalt achterlatend. De slang van de benzinepomp werd uitgerekt en schoot met een knal uit de tank van de Dart. Lena deed snel een stap terug terwijl de benzine over de grond spetterde.

'Hé!' riep de pompbediende. 'Wat is hier aan de hand?'

'Niks,' zei ze. Ze pakte de slang en klikte hem weer aan de pomp. Ze zocht in haar zak en wierp de jongeman twee dollar toe. 'Hier. Ga maar weer naar binnen.' Voor hij nog iets kon zeggen stapte ze in haar auto.

De banden van de Celica schuurden langs de stoeprand en slingerend scheurde ze weg. Ze besefte pas dat ze te hard reed toen ze langs een kapotte stationcar vloog die al een week aan de kant van de weg stond. Haar hart bonkte nog in haar borst toen ze met tegenzin haar voet van het gaspedaal haalde. Terri was doodsbang geweest en had Lena aangekeken alsof die zich elk moment op haar kon storten. Dat had ook niet veel gescheeld. Voor hetzelfde geld had ze zich afgereageerd op die arme hulpeloze vrouw, gewoon omdat de gelegenheid zich voordeed. Wat was er in godsnaam met haar aan de hand? Toen ze daar bij het tankstation tegen Terri stond te schreeuwen, was het alsof ze tegen zichzelf tekeerging. Ze was zelf een lafaard. Ze was zelf bang voor wat haar zou worden aangedaan als iemand erachter kwam.

Met een slakkengangetje reed ze door de buitenwijken van Heartsdale, een minuut of twintig van huis. Sibyls begraafplaats was hier in de buurt, op een vlak stuk grond achter de baptistenkerk. Na de dood van haar zus had Lena het graf minstens één en soms wel twee keer per week bezocht. In de loop van de tijd ging ze steeds minder vaak en op een gegeven moment helemaal niet meer. Tot haar schrik besefte ze dat ze Sibyl al minstens drie maanden niet bezocht had. Ze had het te druk gehad, ze werd helemaal in beslag genomen door haar werk en door de toestand met Ethan. Nu haar schaamte een dieptepunt had bereikt, kon ze geen beter toevluchtsoord bedenken dan de begraafplaats.

Ze parkeerde de auto voor de kerk en zonder de raampjes omhoog te doen of de portieren af te sluiten liep ze naar de toegangspoort van het park. Het was er goed verlicht: het hele terrein werd bestreken door schijnwerpers. Ze was hier met een bepaald doel naartoe gereden en ze wist wat haar te doen stond.

Iemand had bij de ingang van de begraafplaats viooltjes geplant; toen Lena langsliep wiegden ze op de wind. Sibyls graf bevond zich aan de kant van de kerk en Lena wandelde er over het gras naartoe, op haar gemak en genietend van de eenzaamheid. Ze was die dag bijna twaalf uur onafgebroken op de been geweest, maar nu ze hier was, zo dicht bij Sibyl, viel het lopen haar niet zwaar. Lena was ervan overtuigd dat Sibyl het mooi zou hebben gevonden dat ze hier begraven lag. Ze was een echt buitenmens geweest.

Het betonblok dat Lena op z'n kant had gezet om het als bankje te kunnen gebruiken, stond nog steeds naast Sibyls steen. Ze ging zitten en sloeg haar armen om haar knieën.

Overdag kreeg deze plek schaduw van een enorme pecan-
boom en dan sijpelde het zonlicht door de bladeren. De
marmeren plaat die Sibyls laatste rustplaats markeerde was
glanzend gepoetst en toen Lena een blik op de omringende
graven wierp, concludeerde ze dat dit niet door het personeel
was gedaan, maar het werk van een bezoeker moest zijn.

Er stonden geen bloemen. Nan was allergisch.

Alsof er een kraan werd opengezet vulden Lena's ogen zich
met tranen. Wat was ze toch een vreselijk mens. Hoe slecht
Dale Terri ook behandelde, Lena was nog erger geweest. Ze
was politievrouw, het was haar taak om mensen te beschermen in plaats van ze de stuipen op het lijf te jagen en zo hard
bij de pols te grijpen dat de striemen erop stonden. Zij was
wel de laatste die Terri Stanley voor lafaard mocht uitma-
ken. Als iémand een lafaard was, dan was zij het. Ze was zelf
halsoverkop onder het mom van een leugen naar Atlanta
vertrokken, ze had zelf een onbekende geld gegeven om haar
vergissing weg te snijden en zich daarna als een angstig kind
voor de gevolgen verscholen.

Die woordenwisseling met Terri had alle herinneringen bovengebracht die Lena had willen verdringen. Ze was weer terug in Atlanta en onderging de hele beproeving opnieuw. Ze
zat bij Hank in de auto en zijn zwijgen sneed als een mes door
haar heen. Ze zat tegenover Terri in de kliniek en meed haar
blik, vurig hopend dat het maar snel voorbij zou zijn. Ze was
weer in de koele operatiekamer, haar benen in de ijskoude
beugels, wijd gespreid voor de arts die zo kalm en zacht sprak
dat Lena het gevoel kreeg dat ze in een soort hypnose werd
gebracht. Alles zou goed komen. Alles komt in orde. Gewoon
ontspannen. Alleen maar ademen. Doe maar rustig. Ontspan
je maar. Het is al voorbij. Ga maar zitten. Hier zijn je kleren.
Bel ons als er complicaties zijn. Gaat het? Heb je iemand bij
je? Ga maar in de stoel zitten. Wij brengen je wel naar buiten.
Moordenaar. Babymoordenaar. Slager. Monster.

De demonstranten hadden buiten zitten wachten, op hun
tuinstoeltjes en met hun thermoskannen vol warme koffie,
als picknickend publiek voor de aanvang van een belangrijke
footballwedstrijd. Toen Lena verscheen stonden ze als één
man op en begonnen tegen haar te schreeuwen, zwaaiend

met borden vol bloederige plaatjes die niets aan de verbeelding overlieten. Het allerweerzinwekkendst was het potje geweest dat iemand omhooghield en waarvan de gesuggereerde inhoud duidelijk was voor iedereen binnen een straal van drie meter. Toch zag het er onecht uit en Lena probeerde zich voor te stellen hoe die man – uiteraard was het een man – het voor elkaar kreeg: zat hij het mengseltje in dat potje gewoon thuis te bereiden, aan zijn keukentafel, waar zijn kinderen elke ochtend hun ontbijt aten, alleen om bange vrouwen te kwellen, vrouwen die net als Lena de moeilijkste beslissing van hun leven hadden genomen?

Terwijl ze daar op de begraafplaats naar het graf van haar zus zat te staren vroeg Lena zich voor het eerst af wat de kliniek deed met het vlees en het bot dat uit haar lichaam was verwijderd. Lag het ergens in een verbrandingsoven? Lag het begraven in de aarde, in een ongemarkeerd grafje dat ze nooit zou zien? Diep in haar buik, in haar baarmoeder, voelde ze iets verkrampen bij de gedachte aan wat ze gedaan had – aan wat ze was kwijtgeraakt.

In gedachten vertelde ze Sibyl wat er gebeurd was, ze vertelde haar over de keuzes die ze gemaakt had en die haar hiernaartoe hadden gebracht. Ze vertelde ook over Ethan, dat er iets binnen in haar was afgestorven toen ze een relatie met hem kreeg, dat ze alles wat goed aan haar was had laten wegebben als zand dat door het getij werd meegevoerd. Ze vertelde over Terri, over de angst in haar ogen. Kon ze het maar allemaal terugdraaien. Had ze Ethan maar nooit ontmoet, had ze Terri maar nooit gezien in die kliniek. Het ging van kwaad tot erger. Ze loog om andere leugens te verhullen, ze bedolf zichzelf onder bedrog. Een uitweg zag ze niet.

Was haar zus maar hier, heel even, om tegen haar te zeggen dat alles goed zou komen. Zo was hun relatie vanaf het allereerste begin geweest: Lena die het verknalde en Sibyl die alles weer gladstreek, die alles met haar doorpraatte, die haar de andere kant liet zien. Zonder Sibyls wijsheid als leidraad leek alles zo hopeloos. Lena ging er kapot aan. Geen denken aan dat ze Ethans kind ter wereld had kunnen brengen. Ze kon amper voor zichzelf zorgen.

'Lee?'

Ze draaide zich om en tuimelde bijna van het smalle betonblok. 'Greg?'

Hij dook op uit het donker met achter zich de gloed van het maanlicht. Hinkend kwam hij naar haar toe, in zijn ene hand zijn wandelstok en in de andere een boeket bloemen.

Gehaast stond ze op en veegde haar ogen af om haar schrik voor hem te verbergen. 'Wat doe jij hier?' vroeg ze terwijl ze het stof van de achterkant van haar broek sloeg.

Het boeket hing nu naar beneden. 'Ik wil wel terugkomen als je klaar bent.'

'Nee,' zei ze en ze hoopte dat hij in het donker niet kon zien dat ze gehuild had. 'Ik wou alleen maar... Geeft niet.' Ze keek achterom naar het graf om hem maar niet in de ogen te hoeven zien. In een flits zag Lena Abigail Bennett voor zich, levend begraven, en ze werd overmand door een redeloze paniek. Het beeld van haar zus schoot door haar heen, levend, smekend om hulp, terwijl ze zich uit de kist probeerde te klauwen.

Voor ze hem weer aankeek, droogde ze haar tranen. Het leek wel of ze gek werd. Het liefst zou ze hem alles vertellen wat er gebeurd was – niet alleen in Atlanta, maar ook daarvoor, vanaf de dag dat ze terugkwam op het bureau nadat ze wat monsters naar Macon had gebracht en toen van Jeffrey te horen had gekregen dat Sibyl dood was. Het liefst zou ze haar hoofd op zijn schouder leggen en zich koesteren in zijn troost. Boven alles wilde ze vergeving van hem.

'Lee?' vroeg Greg.

Ze zocht naar woorden. 'Ik vroeg me alleen maar af waarom je hier bent.'

'Ik heb me door mijn moeder laten brengen,' legde hij uit. 'Die zit in de auto te wachten.'

Lena keek over zijn schouder, alsof ze het parkeerterrein voor de kerk zou kunnen zien. 'Het is aan de late kant.'

'Ze heeft me erin geluisd,' zei hij. 'Eerst moest ik mee naar haar breiclubje.'

Haar tong voelde dik in haar mond, maar het enige wat ze wilde was dat hij doorging met praten. Ze was vergeten hoe troostend zijn stem was, hoe zacht. 'Moest je het garen vasthouden?'

Hij lachte. 'Ja. Je zou toch zeggen dat ik daar niet meer in zou stinken.'

Lena voelde een glimlach opkomen, ze wist maar al te goed dat hij er heus niet was ingestonken. Greg zou het bij hoog en bij laag ontkennen, maar hij was altijd een moederskindje geweest.

'Ik heb deze voor Sibby meegebracht,' zei hij, en hij hield de bloemen omhoog. 'Toen ik hier gisteren kwam, stond er niks, dus ik dacht...' Hij glimlachte. In het maanlicht zag ze dat hij nog steeds niks aan de tand had laten doen waarvan ze tijdens een spelletje frisbee per ongeluk een stukje af had geslagen.

'Ze was gek op margrieten,' zei hij terwijl hij haar de bloemen aanreikte. Heel even streken hun handen langs elkaar en het was alsof ze een stroomdraad aanraakte.

Greg bleef er echter gelijkmoedig onder. Hij wilde al weggaan, maar Lena zei: 'Wacht.'

Langzaam draaide hij zich weer om.

'Ga eens zitten,' zei ze, naar het betonblok gebarend.

'Ik wil je je plek niet afnemen.'

'Maak je daar maar niet druk om.' Ze deed een stap terug en drukte de bloemen tegen zich aan. Toen ze haar blik weer opsloeg stond Greg leunend op zijn stok naar haar te kijken.

'Gaat het wel?' vroeg hij,

Lena zocht naar woorden. Ze snifte en vroeg zich af of haar ogen even rood waren als ze aanvoelden. 'Ik ben allergisch,' zei ze.

'O.'

Om maar niet haar handen te wringen legde ze die met bloemen en al op haar rug. 'Wat is er eigenlijk met je been gebeurd?'

'Een auto-ongeluk,' zei hij en weer begon hij te glimlachen. 'Eigen schuld, kun je wel zeggen. Ik wilde een cd'tje pakken en keek even niet naar de weg.'

'Dan krijg je dat.'

'Ja,' zei hij. 'Mister Jingles is vorig jaar doodgegaan.'

Zijn kat. Ze had de pest aan het beest gehad, maar om de een of andere reden vond ze het spijtig dat hij dood was. 'Wat erg.'

De wind stak op en ruiste door de boom boven hun hoofd.

Greg tuurde naar de maan en keek toen weer naar Lena. 'Toen mijn moeder me over Sibyl vertelde...' Zijn stem stierf weg en met zijn stok duwde hij wat gras omhoog. Ze meende tranen in zijn ogen te zien en wendde haar blik af om niet te worden meegesleept door zijn verdriet.

'Ik kon het gewoon niet geloven,' zei hij.

'Dan zal ze je ook wel over mij verteld hebben.'

Hij knikte en deed toen iets waartoe weinig mensen in staat waren als het over verkrachting ging: hij keek haar recht in de ogen. 'Het heeft haar heel erg geraakt.'

Lena kon haar sarcasme niet verhullen. 'Vast wel.'

'Nee, echt,' verzekerde Greg haar. Hij keek haar nog steeds aan met zijn goudeerlijke helderblauwe ogen. 'Mijn tante Shelby – kun je je die nog herinneren?' Lena knikte. 'Die is verkracht toen ze op de middelbare school zat. Het was vreselijk.'

'Dat wist ik niet,' zei Lena. Ze had Shelby een paar keer ontmoet. Het had niet echt geboterd tussen hen, evenmin als tussen Gregs moeder en haar. Lena had nooit kunnen vermoeden dat de oudere vrouw zoiets had meegemaakt. Het was een opvliegend type, maar dat gold voor de meeste vrouwen in de familie Mitchell. Wat Lena na haar verkrachting nog het meest had verbaasd, was dat ze nu deel uitmaakte van een verre van exclusieve club.

'Als ik had geweten...' begon Greg, maar hij maakte zijn zin niet af.

'Wat?' vroeg ze.

'Ik weet het niet.' Hij raapte een pecannoot op die van de boom was gevallen. 'Het heeft me vreselijk aangegrepen toen ik het hoorde.'

'Het was ook aangrijpend,' beaamde Lena. Er verscheen een verbaasde blik in zijn ogen. 'Wat is er?' vroeg ze.

'Ik weet het niet,' herhaalde hij. Hij gooide de pecannoot het bos in. 'Over dat soort dingen had je het vroeger nooit.'

'Over wat soort dingen?'

'Nou, gevoelens.'

Haar lach klonk gedwongen. Haar hele leven was één groot

gevecht tegen haar gevoelens. 'Wat zei ik vroeger dan?'

Daar moest hij over nadenken. 'Zo is het leven?' Hij liet het vergezeld gaan van de opgetrokken schouder die haar handelsmerk was. 'Pech, jammer dan?'

Ze wist dat hij gelijk had, maar ze had er in de verste verte geen verklaring voor. 'Een mens kan veranderen.'

'Volgens Nan heb je weer een nieuwe relatie.'

'Tja,' was het enige wat ze daarop kon zeggen, maar haar hart maakte een salto bij de gedachte dat hij ernaar gevraagd had. Ze kon Nan wel vermoorden omdat die het haar niet verteld had.

'Nan ziet er goed uit,' zei Greg.

'Ze heeft het anders wel moeilijk gehad.'

'Ik stond met mijn oren te klapperen toen ik hoorde dat jullie samenwoonden.'

'Het is een goeie meid. Alleen had ik dat vroeger niet door.'

Jezus, er waren wel meer dingen die ze vroeger niet doorhad. Lena had er een kunst van gemaakt alles in haar leven te verkloten wat ook maar neigde naar het positieve. Daar was Greg het tastbare bewijs van.

Ze wist zich met haar houding geen raad en keek daarom op naar de boom. Nog even en de bladeren zouden vallen. Weer maakte Greg aanstalten om te vertrekken en snel vroeg ze: 'Welke cd?'

'Huh?'

'Toen je dat ongeluk kreeg.' Ze wees naar zijn been. 'Welke cd wilde je pakken?'

'Heart,' zei hij met een maffe grijns.

'"Bebe Le Strange"?' vroeg ze, en zelf begon ze ook te grijnzen. Toen ze nog samenwoonden hadden ze op zaterdag altijd klusjes gedaan en tijdens het werk hadden ze zo vaak naar dat Heart-album geluisterd dat Lena nog steeds geen wc kon boenen zonder 'Even It Up' in haar hoofd te horen.

'Het nieuwe album,' zei hij.

'Het nieuwe?'

'Ongeveer een jaar geleden hebben ze een nieuw album uitgebracht.'

'Dat Lovemonger-ding?'

'Nee,' zei hij, en nu werd hij pas echt enthousiast. Het enige wat Greg nog geweldiger vond dan naar muziek luisteren, was over muziek praten. 'Gaaf, jongen. Weer helemaal terug naar Heart uit de jaren zeventig. Dat je er niks over gehoord hebt! Op de dag dat ie uitkwam stond ik al in de winkel.'

Op dat moment besefte ze hoe lang ze al niet naar muziek had geluisterd die ze echt mooi vond. Ethans voorkeur ging uit naar punkrock, het soort ontevreden shit waar verwende blanke jochies van uit hun dak gingen. Lena wist niet eens waar ze haar oude cd's had gelaten.

'Lee?'

Ze had even niet geluisterd. 'Sorry, wat zei je?'

'Ik moet gaan. Mijn moeder zit te wachten.'

Weer had ze het gevoel dat ze elk moment in huilen kon uitbarsten. Ze dwong haar voeten op hun plek te blijven staan in plaats van iets stoms te doen, zoals op hem af rennen bijvoorbeeld. God, ze werd zo langzamerhand een snotterende imbeciel. Ze leek wel zo'n stom mens uit een liefdesromannetje.

'Het beste, hè?' zei Greg.

'Ja,' antwoordde ze. Ze probeerde iets te bedenken om hem daar te houden. 'Jij ook het beste.'

Ze besefte dat ze de margrieten nog steeds vasthield en ze boog zich naar voren om ze op Sibyls steen te leggen. Toen ze weer opkeek, strompelde Greg naar het parkeerterrein. Ze bleef hem volgen met haar blik, alsof ze hem wilde dwingen om te kijken. Maar dat deed hij niet.

Woensdag

Negen

Jeffrey leunde tegen de tegels van de douchecel en liet zijn huid geselen door de hete straal. De vorige avond had hij een bad genomen, maar niets hielp tegen het gevoel dat hij bedekt was met aarde. Geen gewone aarde, maar grond uit een graf. Het openen van de tweede kist en de muffe geur van bederf hadden hem diep getroffen, bijna even hevig als toen hij Abby had gevonden. Die tweede kist veranderde alles. Er was nog een meisje in het geding, nog een gezin, nog een lijk. Althans, hij hoopte dat het slechts om één meisje ging. Pas aan het eind van de week zou het lab hem de DNA-gegevens sturen. Telde je daar de analyse van de brief die Sara had ontvangen bij op, dan was hij aan al die testjes zowat het halve budget voor de rest van het jaar kwijt, maar dat interesseerde Jeffrey niet. Als het moest ging hij in zijn vrije tijd wel als pompbediende bij Texaco aan de slag. Ondertussen zat een of andere hoge ambtenaar uit Georgia op datzelfde moment in Washington een ontbijtje van tweehonderd dollar te nuttigen.

Het kostte hem moeite om onder de douche vandaan te stappen; hij zou nog wel een uur onder de hete straal willen staan. Kennelijk was Sara op een gegeven moment binnengekomen en had een kop koffie op de plank boven de wasbak gezet, maar hij had er niets van gemerkt. De vorige avond had Jeffrey haar gebeld vanaf de plaats delict en haar van de naakte feiten op de hoogte gesteld. Daarna was hij zelf met het weinige bewijsmateriaal dat ze in de kist hadden aangetroffen naar Macon gereden; vervolgens was hij teruggegaan naar het bureau om al zijn aantekeningen over de zaak er nog eens op na te lezen. Hij had ellenlange lijsten opgesteld van personen die hij moest spreken en van aanwijzingen die nagetrokken moesten worden. Toen was het zo langzamerhand middernacht en hij wist niet of hij naar Sara zou gaan of naar zijn eigen huis. Hij was al bij zijn huis toen hij besefte dat de studentes er inmiddels woonden. Om een uur 's nachts brandde er nog licht en vanaf de straat hoorde hij de muziek van het uitbundige feestje dat binnen gehouden werd. Hij was te moe geweest om aan te bellen en te zeggen dat het afgelopen moest zijn met die herrie.

Jeffrey trok een spijkerbroek aan en liep met zijn kop koffie in de hand de keuken in. Sara stond bij de bank en vouwde de deken op waaronder hij die nacht had geslapen.

'Ik wilde je niet wakker maken,' zei hij en ze knikte. Hij wist dat ze hem niet geloofde, zoals hij ook wist dat hij de waarheid sprak. Of hij het leuk vond of niet, de afgelopen paar jaar had hij vrijwel elke nacht alleen geslapen; trouwens, hij had Sara niet willen confronteren met de vondst in het bos. Zelfs na die keer in de keuken twee avonden geleden zou het als een soort ontwijding hebben aangevoeld om bij haar in bed te kruipen, tussen haar schone lakens.

'Nog wat koffie?' vroeg hij toen hij haar lege mok op het aanrecht zag staan.

Ze schudde haar hoofd, streek de deken glad en legde die aan het voeteneind van de bank.

Niettemin schonk hij koffie voor haar in. Toen hij zich omdraaide zat Sara aan het keukeneiland de post door te nemen.

'Het spijt me,' zei hij.

'Wat spijt je?'

'Ik voel me net...' Zijn stem haperde. Eigenlijk had hij geen idee hoe hij zich voelde.

Zonder de koffie aan te raken die hij voor haar had ingeschonken, bladerde ze een tijdschrift door. Toen hij zijn zin niet afmaakte, keek ze op. 'Je hoeft het niet uit te leggen,' zei ze en het was alsof er een last van zijn schouders gleed.

Toch deed hij een poging. 'Ik heb een zware nacht achter de rug.'

Ze glimlachte, maar haar blik stond zorgelijk. 'Je weet toch dat ik het begrijp?'

Jeffrey voelde de spanning nog steeds in de lucht hangen, hoewel hij niet wist of die van Sara kwam of aan zijn eigen verbeelding ontsproot. Toen hij haar wilde aanraken zei ze: 'Je moet je hand verbinden.'

Na al dat gegraaf in het bos had hij het verband eraf gehaald. Jeffrey keek naar de snee, die inmiddels felrood was. Nu hij zijn aandacht erop richtte voelde hij de wond kloppen. 'Volgens mij is het ontstoken.'

'Heb je die pillen wel genomen die ik je gegeven heb?'

'Ja.'

Ze keek op van het tijdschrift, haar blik vol wantrouwen.

'Een paar,' zei hij, en ondertussen vroeg hij zich af waar hij die stomme dingen had gelaten. 'Ik heb er een paar genomen. Twee.'

'Dat is dan helemaal mooi,' zei ze en ze richtte haar blik weer op het blad. 'Zo bouw je een goede weerstand tegen antibiotica op.' Ze sloeg een paar bladzijden om.

Hij probeerde er een grappige draai aan te geven. 'Ik ga toch wel dood aan de hepatitis.'

Toen ze opkeek, stonden de tranen in haar ogen. 'Dat is niet grappig.'

'Nee,' gaf hij toe. 'Ik... Ik wilde gewoon alleen zijn. Vannacht.'

Ze streek met haar hand langs haar ogen. 'Ik weet het.'

Toch moest hij het vragen: 'Je bent niet kwaad op me?'

'Tuurlijk niet,' zei ze met klem en ze pakte zijn niet-gewonde hand. Ze kneep er even in, liet hem los en begon weer te lezen. Hij zag dat het *The Lancet* was, een Brits medisch tijdschrift.

'Je zou toch niks aan me gehad hebben,' zei hij, en hij dacht weer aan zijn slapeloze nacht. 'Ik kon het niet van me af zetten. Het ergste is geloof ik nog dat de kist leeg was, dat we niet weten wat er gebeurd is.'

Eindelijk sloeg ze het blad dicht en schonk hem haar onverdeelde aandacht. 'Laatst zei je toch dat de dader misschien wel terugging naar de lichamen nadat zijn slachtoffers gestorven waren?'

'Inderdaad,' zei hij, want dat was een van de dingen die hem uit de slaap hadden gehouden. In de loop van zijn carrière had hij gruwelijke dingen meegemaakt, maar een dader die zo ziek was dat hij een meisje vermoordde en vervolgens om de een of andere reden met haar lichaam begon te slepen, ging zijn verstand te boven. 'Wat ben je voor figuur als je zoiets doet?' vroeg hij.

'In elk geval geestelijk gestoord,' antwoordde ze. Sara was een echte wetenschapper, volgens haar was er altijd een concrete verklaring te vinden voor wat mensen deden. Ze geloofde niet in het kwaad, maar ze had dan ook nooit bewust tegenover iemand gezeten die in koelen bloede een moord had gepleegd of een kind had verkracht. Zoals de meeste mensen kon zij zich de luxe permitteren om er vanachter haar studieboeken over te filosoferen. In de praktijk zag alles er heel anders uit en Jeffrey kon er niet omheen dat er iets fundamenteel fout was met de ziel van iemand die tot zo'n misdaad in staat was.

Sara liet zich van haar kruk glijden. 'Als het goed is krijg je vandaag de uitslag van de bloedgroepenanalyse.' Ze maakte het kastje naast het aanrecht open, haalde er de antibiotica-monstertjes uit en maakte eerst het ene en toen het andere open. 'Terwijl jij je aan het douchen was heb ik Ron Beard van het staatslaboratorium gebeld. Hij gaat die testjes vanochtend nog uitvoeren. Dan weten we in elk geval met hoeveel slachtoffers we rekening moeten houden.'

Jeffrey stopte de pillen in zijn mond en spoelde ze weg met wat koffie.

Ze gaf hem nog een paar monstertjes. 'Zul je deze na de lunch innemen?'

Waarschijnlijk schoot de lunch er die dag bij in, maar toch beloofde hij dat hij ze zou innemen. 'Wat vind jij van Terri Stanley?'

Ze haalde haar schouders op. 'Ze lijkt me wel aardig. Afgepeigerd, maar wat wil je?'

'Denk je dat ze aan de drank is?'

'Zij aan de drank?' vroeg Sara verbaasd. 'Ik heb het nooit bij haar geroken. Hoezo?'

'Volgens Lena ging ze over d'r nek vorig jaar op de picknick.'

'De politiepicknick?' vroeg ze. 'Daar was Lena toch helemaal niet bij? Die was toen toch met verlof?'

Zonder acht te slaan op de toon waarmee ze 'verlof' uitsprak, liet Jeffrey haar woorden bezinken. Toen zei hij: 'Lena zei echt dat ze Terri op de picknick heeft gezien.'

'Kijk je agenda er maar op na,' zei ze. 'Misschien heb ik het mis, maar volgens mij was ze er niet eens.'

Wat datums betrof vergiste Sara zich zelden of nooit. In Jeffreys achterhoofd drong zich een prangende vraag op. Waarom had Lena gelogen? Wat probeerde ze nu weer te verbergen?

'Misschien was ze in de war met twee jaar geleden,' opperde Sara. 'Ik kan me herinneren dat heel veel mensen toen een glaasje te veel op hadden.' Ze grinnikte. 'Weet je nog dat Frank de hele tijd Ethel Merman nadeed en het volkslied liep te zingen?'

'Ja,' beaamde Jeffrey, maar toch wist hij dat Lena gelogen had. Hij snapte alleen niet waarom. Voorzover hij wist was ze niet bevriend met Terri Stanley. Jezus, voorzover hij wist was Lena met niemand bevriend. Ze had niet eens een hond.

'Wat ga je vandaag doen?' vroeg Sara.

Hij probeerde zich weer bij de hoofdzaak te bepalen. 'Als ik Lev moet geloven krijgen we allereerst wat mensen van de boerderij op bezoek. Ben benieuwd of hij nog steeds instemt met de polygraaftest. We gaan met die lui praten, kijken of iemand iets meer over Abby weet. Wees maar niet bang,' voegde hij eraan toe, 'ik verwacht heus geen volledige bekentenis.'

'En Chip Donner?'

'Voor hem loopt er een opsporingsbevel,' zei Jeffrey. 'Ik weet het niet, Sara, maar ik zie het hem nog niet doen. Het is gewoon een dom stuk vreten. Die beschikt niet over de nodige discipline voor zo'n plan. En die tweede kist was al oud. Misschien een jaar of vier, vijf. Chip zat toentertijd in de bak. Dat is zo ongeveer het enige wat we over hem weten.'

'Wie kan het dan gedaan hebben?'

'Wat dacht je van de opzichter, Cole?' ging Jeffrey van start. 'Of de broers. De zussen. Abby's vader en moeder. Dale Stanley.' Hij zuchtte. 'In wezen zo ongeveer iedereen die ik vanaf het begin van dit hele gedoe heb gesproken.'

'Maar niemand springt er echt uit?'

'Cole,' zei hij.

'Alleen omdat hij over God stond te tetteren?'

'Ja,' moest Jeffrey toegeven, en nu Sara het zo zei vond hij het zelf ook weinig steekhoudend. Hij had Lena van een religieuze invalshoek proberen af te brengen, maar nu leek het of hij haar vooroordelen gedeeltelijk had overgenomen. 'Ik wil weer met die familie praten, misschien met ieder afzonderlijk.'

'Probeer de vrouwen apart te nemen,' stelde ze voor. 'Die zouden weleens veel spraakzamer kunnen zijn zonder hun broers in de buurt.'

'Goed idee.' Hij deed een nieuwe poging om haar te overreden: 'Ik heb liever dat je je verre houdt van die lui, Sara. En ik vind het ook niet prettig dat Tessa erbij betrokken is.'

'Hoezo niet?'

'Omdat ik een bepaald gevoel heb,' zei hij. 'En dat gevoel zegt me dat ze iets in hun schild voeren. Ik weet alleen niet wat.'

'Vroomheid is nog geen misdaad,' zei Sara. 'Als dat zo was, zou je mijn moeder ook moeten arresteren. Trouwens, dan zou je zo ongeveer mijn hele familie moeten arresteren.'

'Ik zeg niet dat het iets met geloof te maken heeft. Het gaat om de manier waarop ze zich gedragen.'

'Hoe gedragen ze zich dan?'

'Alsof ze iets te verbergen hebben.'

Sara leunde tegen het aanrecht. Ze was duidelijk niet van plan toe te geven. 'Tessa heeft me gevraagd het voor haar te doen.'

'En ik vraag je om het niet te doen.'

Ze keek verbaasd op. 'Dus ik moet kiezen tussen mijn familie en jou?'

Daar kwam zijn vraag inderdaad op neer, maar Jeffrey hoedde zich ervoor het zo te formuleren. Dat spelletje had hij ooit verloren en deze keer kende hij de regels. 'Als je maar voorzichtig bent,' zei hij.

Sara wilde net antwoorden toen de telefoon ging. Ze moest

even zoeken naar de draadloze handset en vond hem op de salontafel. 'Hallo?'

Na een paar tellen geluisterd te hebben gaf ze de telefoon aan Jeffrey.

'Tolliver,' zei hij, en tot zijn verbazing hoorde hij een vrouwenstem.

'U spreekt met Esther Bennett,' klonk een schor gefluister. 'Uw visitekaartje. Dat u me gegeven hebt. Dit nummer stond erop. Het spijt me, ik...' Ze begon te snikken.

Sara keek Jeffrey vragend aan en hij schudde zijn hoofd. 'Mevrouw Bennett,' sprak hij in de hoorn, 'wat is er aan de hand?'

'Het gaat om Becca,' zei ze, en haar stem beefde van verdriet. 'Ze is weg.'

Toen Jeffrey zijn auto het parkeerterrein van Dipsy's Diner op reed, besefte hij dat hij die tent niet meer had bezocht sinds Joe Smith nog sheriff van Catoogah was. In het begin, toen Jeffrey pas in Grant County werkte, hadden de twee mannen hier om de paar maanden overleg gepleegd, onder het genot van oude koffie en taaie pannenkoeken. Met het verstrijken van de jaren nam het speedprobleem in hun stadjes steeds grotere vormen aan en hun bijeenkomsten werden serieuzer van aard en vonden vaker plaats. Toen Ed Pelham sheriff werd, piekerde Jeffrey er niet over om hem een beleefdheidsbezoekje te brengen, laat staan dat hij met hem ging eten. Twee Cent kon nog niet bij een meisje van drie in de schaduw staan en Jeffrey vond het een lachertje dat hij een man als Joe Smith moest vervangen.

Hij speurde het lege parkeerterrein af en verbaasde zich erover dat Esther Bennett van het bestaan van het eethuis op de hoogte was. Die vrouw at niks wat niet uit haar eigen oven kwam of niet in haar eigen tuin was verbouwd. Als ze Dipsy's voor een restaurant aanzag, kon ze beter thuis een stuk karton opeten.

May-Lynn Bledsoe stond achter het buffet toen hij de zaak binnenkwam en ze verwelkomde hem met een sarcastische blik. 'Ik dacht al dat je niet meer van me hield.'

'Onmogelijk,' zei hij en hij vroeg zich af waarom ze opeens

zo'n luchtige toon aansloeg. Hij was wel vijftig keer in het eethuis geweest en nooit had er ook maar een groet af gekund. Hij keek om zich heen en zag dat er verder niemand was.

'Je bent de drukte net voor,' zei ze, al betwijfelde hij dat straks hele horden de deur uit zijn scharnieren zouden lopen. May-Lynns zure uitstraling en de lauwe koffie die ze schonk waren niet echt een aanbeveling. Joe Smith was echter dol geweest op haar gebakken aardappelen met kaas en ui en hij vroeg altijd om een driedubbele portie bij zijn koffie. Joe was op z'n zesenvijftigste aan een hartaanval bezweken en het zou Jeffrey niets verbazen als dat sommige klanten had afgeschrikt.

Hij zag een nieuwe Toyota het parkeerterrein op rijden en was benieuwd wie er uit zou stappen. De ochtendwind blies vuil en zand op van de grindvlakte en toen Esther Bennett uit de auto kwam, sloeg het portier tegen haar aan. Jeffrey wilde gaan helpen, maar May-Lynn had zich voor de deur opgesteld, alsof ze bang was dat hij weer zou vertrekken. 'Hetzelfde als anders?' vroeg ze, terwijl ze haar pink tot aan de derde knokkel in haar mond stak om iets uit haar kiezen te peuteren.

'Alleen koffie, alsjeblieft,' zei hij. Esther snelde het trapje naar de ingang op, haar jas met beide handen voor haar borst geklemd. De bel boven de deur rinkelde toen ze binnenkwam.

'Commissaris Tolliver,' zei Esther buiten adem, 'neem me niet kwalijk dat ik zo laat ben.'

'Geeft niet,' zei hij en hij gebaarde naar een stoel. Hij wilde haar jas aannemen, maar dat stond ze niet toe.

'Neem me niet kwalijk,' herhaalde ze terwijl ze achter de tafel schoof. Er ging iets gejaagds van haar uit, even tastbaar als de geur van gebakken uien die in de lucht hing.

Hij ging tegenover haar zitten. 'Vertel eens wat er aan de hand is.'

Een lange schaduw viel over de tafel en toen Jeffrey opkeek zag hij May-Lynn naast hem staan met een notitieblok in haar hand. Esther keek haar verward aan en vroeg toen: 'Zou ik wat water mogen, alstublieft?'

De serveerster trok een scheef gezicht, alsof ze haar fooi aan het uitrekenen was. 'Eén water.'

Jeffrey wachtte tot ze weer naar het buffet was geslenterd en vroeg toen aan Esther: 'Hoe lang wordt ze al vermist?'

'Sinds gisteravond nog maar,' zei Esther met trillende onderlip. 'Lev en Paul zeiden dat ik het een dag moest aanzien, dat ze misschien wel terugkomt, maar ik kan niet...'

'Ik snap het,' zei hij, en hij vroeg zich af hoe je in godsnaam tegen deze radeloze vrouw kon zeggen dat ze nog even moest wachten. 'Wanneer merkte u dat ze weg was?'

'Ik ging mijn bed uit om bij haar te kijken. Nu Abby...' Ze zweeg en slikte. 'Ik wilde bij haar gaan kijken om te zien of ze sliep.' Esther legde haar hand voor haar mond. 'Ik ging haar kamer binnen en...'

'Eén water,' zei May-Lynn. Het vocht klotste over de rand van het glas toen ze het voor Esther neerzette.

Jeffreys geduld begon op te raken. 'Kun je ons heel even met rust laten, alsjeblieft?'

May-Lynn haalde verongelijkt haar schouders op en sjokte terug naar het buffet.

'Sorry,' zei Jeffrey terwijl hij met een prop dunne papieren servetjes het gemorste water opdepte. 'Trek u van haar maar niks aan. De zaken gaan hier niet echt voor de wind.'

Esther keek naar zijn handen alsof ze nog nooit iemand een tafel had zien schoonmaken. Waarschijnlijk had ze nog nooit een man iets zien opruimen, besefte Jeffrey. 'Dus gisteravond ontdekte u dat ze verdwenen was?' vroeg hij.

'Ik heb eerst Rachel gebeld. Becca sliep bij mijn zus op de avond dat we ontdekten dat Abby weg was. Ik wilde niet dat ze met ons meeging zoeken daar in het donker. Ik moest weten waar ze was.' Esther zweeg en nam een slok water. Jeffrey zag dat haar hand beefde. 'Ik dacht dat ze misschien weer naar mijn zus was gegaan.'

'Maar dat was niet zo?'

Esther schudde haar hoofd. 'Toen heb ik Paul gebeld,' zei ze. 'Hij zei dat ik me niet druk moest maken.' Er klonk een geluid, van afkeer leek het wel. 'Lev zei hetzelfde. Ze is nog altijd teruggekomen, maar nu Abby...' Ze hapte naar lucht alsof haar keel dichtzat. 'Nu Abby er niet meer is...'

'Heeft ze nog iets gezegd voor ze vertrok?' vroeg Jeffrey. 'Gedroeg ze zich soms vreemd?'

Esther stak haar hand in haar jaszak en haalde er een blaadje uit. 'Dit heeft ze achtergelaten.'

Jeffrey nam het opgevouwen briefje van haar aan, ook al bekroop hem het gevoel dat hij werd beetgenomen. Het was een roze papiertje, beschreven met zwarte inkt. In een meisjesachtig krabbeltje stond er: 'Mama, maak je maar geen zorgen over mij. Ik kom wel weer terug.'

Jeffrey staarde naar het briefje en wist even niet wat hij moest zeggen. Het feit dat het meisje een briefje had achtergelaten wierp een heel ander licht op de zaak. 'Is dit haar handschrift?'

'Ja.'

'Maandag hebt u tegen mijn rechercheur gezegd dat Rebecca wel vaker wegloopt.'

'Maar nooit op deze manier,' zei ze en ze boog zich over de tafel heen. 'Ze heeft nog nooit eerder een briefje achtergelaten.'

Gezien de recente gebeurtenissen, bedacht Jeffrey, had het meisje waarschijnlijk rekening willen houden met de gevoelens van haar moeder. 'Hoe vaak is ze al weggelopen?'

'Vorig jaar in mei en in juni,' somde ze op. 'En toen in februari van dit jaar.'

'Enig idee waarom ze is weggelopen?'

'Hoe bedoelt u?'

Jeffrey probeerde zo zorgvuldig mogelijk zijn woorden te kiezen. 'Meestal lopen meisjes niet zomaar weg. Meestal is er een reden voor.'

Als hij de vrouw in het gezicht had geslagen, had hij haar niet dieper kunnen kwetsen. Ze vouwde het briefje op, kwam overeind en stak het in haar zak. 'Sorry dat ik uw tijd heb verspild.'

'Mevrouw Bennett...'

Ze was de deur al half uit. Hij had haar bijna te pakken, maar ze ontglipte hem en rende het trapje af.

'Mevrouw Bennett,' zei hij terwijl hij haar volgde naar het parkeerterrein. 'Ga nou niet zo weg.'

'Ze hadden me al gewaarschuwd dat u dat zou zeggen.'

'Wie hebben u gewaarschuwd?'

'Mijn man. Mijn broers.' Haar schouders schokten. Ze haalde een tissue te voorschijn en veegde haar neus af. 'Ze zeiden dat u de schuld op ons zou schuiven, dat het geen enkele zin had om met u te gaan praten.'

'Ik kan me niet herinneren dat ik het over schuld heb gehad.'

Hoofdschuddend draaide ze zich om. 'Ik weet heus wel wat u denkt, commissaris Tolliver.'

'Ik betwijfel...'

'Paul zei al dat u zo zou reageren. Buitenstaanders begrijpen het nou eenmaal niet. Dat hebben we leren aanvaarden. Ik snap niet dat ik het toch geprobeerd heb.' Ze perste haar lippen opeen, haar vastberadenheid gevoed door haar woede. 'Misschien bent u het niet eens met mijn levensovertuiging, maar ik ben nog altijd een moeder. Mijn ene dochter is dood en de andere wordt vermist. Ik weet dat er iets aan de hand is. Ik weet dat Rebecca niet zo egoïstisch zou zijn om me op zo'n moment in de steek te laten, tenzij ze niet anders kon.'

Jeffrey besefte dat ze zonder het toe te geven antwoord had gegeven op zijn eerdere vraag. Nu ging hij nog behoedzamer te werk. 'Waarom zou ze niet anders kunnen?'

Esther leek wanhopig naar een verklaring te zoeken, maar als ze die al vond liet ze Jeffrey er niet in delen.

Hij deed een nieuwe poging. 'Waarom zou ze van huis weglopen?'

'Ik weet wel wat u denkt.'

'Waarom zou ze weglopen?' drong hij aan.

Ze zweeg.

'Mevrouw Bennett?'

Ze gaf het op en haar handen ten hemel heffend riep ze: 'Ik weet het niet!'

Hij liet haar even begaan. De koude wind rukte aan haar kraag, haar neus was rood van het huilen en de tranen stroomden over haar wangen. 'Ze zou dit nooit doen,' snikte ze. 'Ze zou dit nooit doen, tenzij ze niet anders kon.'

Jeffrey wachtte een paar tellen en toen reikte hij langs haar om het autoportier te openen. Hij hielp Esther naar binnen en knielde naast haar neer zodat ze konden praten. Zonder op te kijken wist hij dat May-Lynn vanachter het raam het hele tafereel in de gaten hield, en hij wilde Esther tot elke prijs beschermen.

'Vertel eens waarom ze is weggelopen,' vroeg hij, en hij probeerde zo begaan mogelijk te klinken.

Esther droogde haar ogen en staarde naar de tissue in haar hand. Ze vouwde hem open en toen weer dicht, alsof het antwoord ergens op het verfrommelde vodje te vinden was. 'Ze is heel anders dan Abby,' zei ze ten slotte. 'Veel opstandiger. Ook heel anders dan ik op die leeftijd. Eigenlijk lijkt ze op niemand van ons.' Met klem voegde ze eraan toe: 'Het is zo'n schat. Ze heeft zo'n krachtige ziel, dat felle engeltje van me.'

'Waar kwam ze tegen in opstand?' vroeg Jeffrey.

'Tegen regels,' zei Esther. 'Tegen alles en iedereen.'

'Die andere keren dat ze is weggelopen,' begon Jeffrey, 'waar is ze toen naartoe gegaan?'

'Ze zei dat ze in het bos had gekampeerd.'

Jeffreys hart stond stil. 'Welk bos?'

'Het bos bij Catoogah. Toen ze klein waren, kampeerden ze daar altijd.'

'Dus niet in het nationale park bij Grant?'

Ze schudde haar hoofd. 'Hoe zou ze daar moeten komen?' vroeg ze. 'Dat is mijlenver van huis.'

Jeffrey vond het een akelig idee dat Rebecca in een of ander bos bivakkeerde, vooral na wat er met haar zus was gebeurd. 'Ging ze met jongens om?'

'Ik weet het niet,' bekende Esther. 'Eigenlijk weet ik niks over haar leven. Ik dacht dat ik alles over Abby wist, maar nu...' Ze sloeg haar hand voor haar mond. 'Ik weet niets.'

Jeffreys knie begon pijn te doen en hij ging op zijn hurken zitten om de druk te verlichten. 'Wilde Rebecca soms niet bij de kerk horen?' giste hij.

'We laten de keus aan hen. We dwingen ze niet tot ons soort leven. Mary's kinderen hebben gekozen voor...' Ze ademde diep in en liet de lucht langzaam ontsnappen. 'Ze mogen zelf kiezen als ze oud genoeg zijn om te weten wat ze willen. Lev heeft gestudeerd. Paul is een tijdlang het spoor bijster geweest. Hij is teruggekeerd, maar ik ben al die tijd van hem blijven houden. Hij is altijd mijn broer gebleven.'

Ze hief haar handen ten hemel. 'Ik begrijp het gewoonweg niet. Waarom is ze weggegaan? Waarom uitgerekend nu?'

In de loop van de jaren had Jeffrey talloze keren met vermiste kinderen te maken gehad. Gelukkig bleek zo'n zaak zich in de meeste gevallen op een vrij simpele manier vanzelf op te lossen. Het kind kreeg het koud of had honger en als het dan terugkwam wist het in elk geval dat er ergere dingen waren dan je kamer opruimen of je erwtjes opeten. Hoewel een stem Jeffrey influisterde dat Rebecca Bennett er niet vandoor was gegaan om onder een karweitje uit te komen, voelde hij zich geroepen Esthers angsten althans voor een deel te bezweren.

Hij probeerde zo vriendelijk mogelijk te klinken. 'Becca is weleens eerder weggelopen.'

'Ja.'

'Na een dag of twee komt ze altijd weer terug.'

'Ze komt altijd naar haar familie terug – naar haar hele familie.' Ze maakte een diepverslagen indruk, alsof Jeffrey haar niet begreep. 'Het is niet zoals u denkt.'

Eigenlijk wist hij niet wat hij dacht. Met tegenzin moest hij toegeven dat hij wel snapte waarom haar broers veel minder waren geschrokken dan Esther. Als Rebecca er een gewoonte van maakte om iedereen een doodsschrik te bezorgen door een paar dagen te verdwijnen en dan weer op te duiken, zou dit heel goed de zoveelste kreet om aandacht kunnen zijn. De vraag was waarom ze zo'n behoefte aan aandacht had. Was dit gewoon pubergedrag of ging er iets onheilspellenders achter schuil?

'Vraag maar wat u wilt,' zei Esther, zichtbaar moed scheppend. 'Ga uw gang.'

'Mevrouw Bennett,' begon Jeffrey.

Ze was weer enigszins gekalmeerd. 'Als u me wilt vragen of mijn dochters door mijn broers werden gemolesteerd, dan vind ik dat u op z'n minst Esther tegen me moet zeggen.'

'Ben je daar bang voor?'

'Nee,' zei ze zonder aarzelen. 'Maandag was ik bang dat u me ging vertellen dat mijn dochter dood was. Nu ben ik bang dat u me gaat vertellen dat er geen hoop is voor Rebecca. Ik ben bang voor de waarheid, commissaris Tolliver. Ik ben niet bang voor loze vermoedens.'

'Toch zul je mijn vraag moeten beantwoorden, Esther.'

Het duurde even voor ze reageerde, alsof ze van de gedachte alleen al misselijk werd. 'Mijn broers hebben zich nooit ongepast gedragen tegenover mijn kinderen. Ook mijn man heeft zich nooit ongepast gedragen tegenover mijn kinderen.'

'En Cole Connolly?'

Ze schudde haar hoofd. 'Neemt u van mij aan,' verzekerde ze hem, 'dat als iemand ook maar een vinger naar mijn kinderen uitstak – en niet alleen naar mijn kinderen, maar naar elk kind – dat ik hem dan met mijn blote handen zou vermoorden, en dan mag God over mij oordelen.'

Hij keek haar een paar tellen strak aan. Haar heldere groene ogen gloeiden van overtuiging. Hij geloofde haar, hij was er althans van overtuigd dat ze haar eigen woorden geloofde.

'Wat gaat u nu doen?' vroeg ze.

'Ik kan een opsporingsbevel uitsturen en een paar telefoontjes plegen. Ik zal de sheriff in Catoogah bellen, maar het is natuurlijk wel zo dat ze al vaker is weggelopen en dat ze een briefje heeft achtergelaten.' Hij liet zijn woorden bezinken en dacht er zelf ook nog eens over na. Als Jeffrey Rebecca Bennett had willen ontvoeren, zou hij het waarschijnlijk op precies dezelfde manier hebben aangepakt: hij zou een briefje hebben achtergelaten en door haar voorgeschiedenis zou hij zich een paar dagen lang geen zorgen hoeven te maken.

'Denkt u dat u haar vindt?'

Jeffrey weigerde bij de mogelijkheid stil te staan dat het veertienjarige meisje ergens in een ondiep graf lag. 'Als ik haar vind, wil ik met haar praten,' zei hij.

'U hebt al eens met haar gepraat.'

'Ik wil haar onder vier ogen spreken,' zei Jeffrey, ook al wist hij dat hij daar het recht niet toe had, zoals hij ook wist dat Esther altijd op haar belofte kon terugkomen. 'Ze is minderjarig. Volgens de wet mag ik niet met haar praten zonder de toestemming van minstens één ouder.'

Kennelijk woog ze de voors en tegens af, want het duurde

even voor ze antwoordde. Ten slotte zei ze: 'Mijn toestemming hebt u.'

'Waarschijnlijk zit ze ergens in een tentje,' zei hij. Hij voelde zich schuldig omdat hij misbruik maakte van haar radeloosheid en hij hoopte vurig dat hij gelijk had wat het meisje betrof. 'Waarschijnlijk komt ze over een dag of twee uit vrije wil weer aanzetten.'

Ze haalde het briefje uit haar zak. 'Probeer haar te vinden,' zei ze terwijl ze het blaadje in zijn hand duwde. 'Alstublieft. Probeer haar te vinden.'

Toen Jeffrey naar het politiebureau terugkeerde, stond er een grote bus achter op het parkeerterrein. Aan de zijkant las hij de woorden DE GEZEGENDE GROEI. Ondanks de kou liepen er buiten groepjes arbeiders rond en ook bij de balie was het een drukte van belang. Hij stapte uit zijn auto en terwijl hij een vloek onderdrukte, vroeg hij zich af of Lev Ward dit misschien als grap had bedoeld.

Eenmaal binnen moest hij zich een weg banen door het smerigste zootje ongeregeld dat hij onder ogen had gehad sinds hij voor het laatst in de binnenstad van Atlanta was geweest. Terwijl hij stond te wachten tot Marla op de knop had gedrukt om hem binnen te laten, hield hij zijn adem in, bang dat hij moest overgeven als hij nog lang in het benauwde vertrek bleef.

'Hallo chef,' zei Marla toen ze zijn jas aannam. 'U weet ongetwijfeld wat dit allemaal moet voorstellen.'

Frank kwam op hem af, een wrange uitdrukking op zijn gezicht. 'Ze zijn hier al twee uur. Het kost ons alleen al een hele dag om hun namen op te schrijven.'

'Waar is Lev Ward?' vroeg Jeffrey.

'Volgens Connolly kon hij niet van huis weg. Er was iets met een van zijn zusters.'

'Welke?'

'Al sla je me dood.' Franks humeur was er blijkbaar niet beter op geworden nu hij die ongewassen bende aan een verhoor moest onderwerpen. 'Hij zei dat ze diabetes had of iets dergelijks.'

'Shit,' mompelde Jeffrey. Die Ward nam inderdaad een

loopje met hem. Niet alleen betekende zijn afwezigheid dat ze hun tijd zaten te verdoen, maar ook dat Mark McCallum, de polygraafexpert die het GBI had gestuurd, nog een nacht in de stad zou moeten blijven op kosten van de politie van Grant County.

Jeffrey haalde zijn aantekenboekje te voorschijn en schreef de naam en het signalement van Rebecca Bennett op. Hij nam een foto uit zijn zak en gaf die ook aan Frank. 'Abby's zusje,' zei hij. 'Zet haar gegevens op de telex. Ze wordt sinds tien uur gisteravond vermist.'

'Shit.'

'Ze is al eens eerder weggelopen,' zei Jeffrey ter relativering, 'maar ik ben er niet blij mee zo vlak na de dood van haar zus.'

'Denk je dat ze iets weet?'

'Volgens mij is ze ergens voor op de loop.'

'Heb je Twee Cent al gebeld?'

Jeffrey fronste zijn voorhoofd. Onderweg naar het bureau had hij Ed Pelham gebeld. Zoals hij al had vermoed, kon de sheriff van het aangrenzende district met moeite zijn lachen inhouden. Jeffrey nam het de man niet kwalijk – het meisje was in het verleden vaker weggelopen – maar hij had wel verwacht dat Ed de zaak wat serieuzer zou opnemen na wat er met Abigail Bennett was gebeurd.

'Is Brad nog bij het meer aan het zoeken?' vroeg hij. Frank knikte. 'Zeg maar dat hij naar huis moet gaan en zijn rugzak of kampeerspullen of wat dan ook moet pakken. Stuur hem samen met Hemming naar het staatsbos bij Catoogah en zeg dat ze daar moeten gaan zoeken. Als iemand vraagt wat ze daar uitspoken, zeggen ze maar dat ze aan het kamperen zijn.'

'Oké.'

Frank wilde zich al omdraaien, maar Jeffrey hield hem tegen. 'En pas gelijk dat aanhoudingsbevel voor Donner even aan. Zet er maar bij dat hij misschien in gezelschap van een meisje is.' Schouderophalend onderving hij Franks volgende vraag. 'Je weet nooit wat het oplevert.'

'Komt voor elkaar,' zei Frank. 'Ik heb Connolly in verhoorkamer één. Neem jij hem zo meteen?'

'Laat hem maar een tijdje zweten,' antwoordde Jeffrey. 'Hoe lang denk je dat het gaat duren om de rest van de verhoren af te werken?'

'Uurtje of vijf, zes.'

'Heeft het tot nu toe nog iets interessants opgeleverd?'

'Nee, behalve dan dat Lena een van die lui een optater wilde verkopen als hij nog één keer over de Here Jezus begon te zaniken. Wat een stomme tijdverspilling!' voegde hij eraan toe.

'Wat je zegt,' beaamde Jeffrey. 'Als jij nou eens dat lijstje afwerkt van iedereen die cyanidezouten heeft gekocht bij die handelaar in Atlanta.'

'Doe ik, zodra ik met Brad heb gepraat en dat opsporingsbevel heb aangepast.'

Jeffrey ging naar zijn kamer en nog voor hij goed en wel zat, had hij de hoorn al van de haak genomen. Hij toetste het nummer van Lev Ward op De Gezegende Groei in en het schakelbord verbond hem door. Terwijl hij zat te wachten kwam Marla binnen en legde een stapel berichten op zijn bureau. Net toen hij haar wilde bedanken hoorde hij de stem van Lev Ward op de voicemail.

'Dit is commissaris Tolliver,' zei hij. 'Wilt u me zo spoedig mogelijk terugbellen?' Jeffrey sprak het nummer van zijn mobiele telefoon in zodat Lev zich er niet met een berichtje van kon afmaken. Hij hing op en pakte zijn aantekeningen van de vorige avond, hoewel er geen lijn viel te ontdekken in de lange lijsten die hij had opgesteld. Voor elk familielid had hij vragen bedacht, maar nu hij er met nuchtere blik naar keek besefte hij dat hij maar één vraag hoefde te stellen en Paul Ward zou op zijn stoep staan.

Volgens de wet hoefde niemand van hen met de politie te praten. Hij had geen gegronde reden om ze op het bureau te ontbieden en het was nog maar de vraag of Lev Ward zijn belofte gestand zou doen en zich aan een leugendetectortest zou onderwerpen. Het invoeren van hun namen in de computer had niet veel informatie opgeleverd. Van Cole Connolly wist hij geen tweede voorletter of iets specifiekers zoals een geboortedatum of voormalig adres, en toen hij zijn naam invoerde, kreeg hij wel zeshonderd Cole Connolly's die allemaal in het zuiden van de Verenigde Staten woonden. Toen hij zocht op Coleman Connolly kwamen er nog zo'n driehonderd bij.

Jeffrey keek naar zijn hand. Het verband begon weer los te raken. Esther had zijn hand vastgegrepen voor ze die ochtend wegreed, en ze had hem gesmeekt haar dochter te vinden. Hij was ervan overtuigd dat ze niets voor hem verzweeg, dat ze alles in het werk zou stellen om haar enige levende kind weer thuis te krijgen. Door contact met hem te zoeken was ze tegen de wil van haar broers en haar echtgenoot ingegaan, en toen hij haar had gevraagd of ze hun over het gesprek zou vertellen, was haar antwoord cryptisch geweest: 'Als ze ernaar vragen, vertel ik de waarheid.' Jeffrey betwijfelde of het ook maar bij de mannen zou opkomen dat Esther op eigen houtje en zonder hun toestemming iets had ondernomen. Het risico dat ze had genomen gaf aan dat ze wanhopig graag de ware toedracht wilde weten. Het probleem was dat Jeffrey geen idee had waar hij moest beginnen. De zaak leek op een gigantische cirkel en hij kon alleen maar in kringetjes ronddraaien tot iemand een fout beging.

Hij bladerde de berichten door, maar toen hij ze wilde lezen kostte het hem moeite om zijn blik op het papier gericht te houden. Hij was uitgeput en de wond in zijn hand klopte. Wat het er ook niet beter op maakte was dat de burgemeester al twee keer had gebeld en dat er een telefoontje was binnengekomen van de Dew Drop Inn over de rekening van Mark McCallum, de polygraafexpert die hij voor Lev Ward had besteld. Kennelijk was de jongeman dol op roomservice.

Jeffrey wreef in zijn ogen en richtte zijn blik op Buddy Confords naam. De advocaat was naar de rechtszaal ontboden, maar zou zo snel mogelijk naar het bureau komen voor het gesprek met zijn stiefdochter. Jeffrey had al een tijdje niet meer aan Patty O'Ryan gedacht. Hij schoof het briefje aan de kant en boog zich over de rest van de stapel.

Zijn hart stond stil toen hij de naam boven het op één na laatste bericht las. Sara's neef, dokter Hareton Earnshaw, had gebeld. In het aantekengedeelte had Marla geschreven: 'Hij zegt dat alles in orde is.' Zelf had ze eraan toegevoegd: 'Toch niks mis?'

Hij nam de hoorn van de haak en toetste Sara's nummer op de kliniek in. Nadat hij minutenlang in de wachtstand naar de klassieke rocksound van de Chipmunks had geluisterd, kwam ze aan de lijn.

'Hare heeft gebeld,' zei hij. 'Alles is in orde.'

Ze slaakte een diepe zucht. 'Dat is goed nieuws.'

'Ja.' Hij dacht terug aan die keer dat ze hem in haar mond had genomen, aan het risico dat ze had gelopen. Het klamme zweet brak hem uit, gevolgd door een overweldigend gevoel van opluchting, groter nog dan toen hij Hares bericht onder ogen kreeg. Hij had zich er min of meer bij neergelegd dat hem slecht nieuws te wachten stond, maar de mogelijkheid dat hij Sara in zijn val zou meesleuren was te pijnlijk om bij stil te staan. Hij had haar al genoeg verdriet bezorgd.

'Wat zei Esther?' vroeg ze.

Hij vertelde haar over het vermiste meisje en over Esthers angst. Sara nam het nogal laconiek op. 'En ze is tot nu toe altijd teruggekomen?' vroeg ze.

'Ja,' zei hij. 'Ik betwijfel of ik een rapport zou hebben opgemaakt als die zaak van Abby er niet geweest was. Soms denk ik dat ze zich gewoon ergens verstopt om aandacht te vragen en dan denk ik weer dat ze er een andere reden voor heeft.'

'Misschien omdat ze weet wat er met Abby is gebeurd?' opperde Sara.

'Of misschien is het iets anders,' zei hij, nog steeds twijfelend. Hij maakte haar deelgenoot van de gedachte die hij had proberen te onderdrukken sinds Esther hem die ochtend had gebeld. 'Misschien ligt ze ergens, Sara. Op net zo'n plek als Abby.'

Sara zweeg.

'Ik heb een heel team in dat bos. Ik heb Frank langs die juwelierszaken gestuurd. Het hele bureau zit vol met gewezen verslaafden en alcoholisten van de boerderij. En een lucht dat eraf komt!' Hij zweeg, want hij besefte dat hij nog wel een uur of twee kon doorgaan als hij alle doodlopende sporen bleef opsommen.

Volkomen onverwacht zei Sara: 'Ik heb tegen Tess gezegd dat ik vanavond met haar meega naar de kerk.'

Jeffreys maag kneep samen. 'Eerlijk gezegd heb ik dat liever niet.'

'Maar je kunt niet uitleggen waarom niet.'

'Nee,' beaamde hij. 'Het is pure intuïtie, maar met mijn intuïtie is niks mis.'

'Ik doe het voor Tess,' zei ze. 'En ook voor mezelf.'

'Je wordt toch niet opeens godsdienstig?'

'Er is iets wat ik met eigen ogen moet zien,' zei ze. 'Ik kan er nu niet over praten, maar ik vertel het je later wel.'

Hij vroeg zich af of ze nog steeds kwaad op hem was omdat hij op de bank had geslapen. 'Is er iets?'

'Nee, er is niks, echt niet. Ik moet er gewoon nog wat langer over nadenken voor ik erover kan praten. Hoor eens, er zit een patiënt op me te wachten.'

'Oké.'

'Ik hou van je.'

Een glimlach kroop over zijn gezicht. 'Tot straks.'

Hij legde de hoorn op de haak en staarde naar de knipperende lampjes. Op de een of andere manier had hij nieuwe energie gekregen en hij besloot dat nu het moment was aangebroken om met Cole Connolly te gaan praten.

Hij trof Lena op de gang bij het toilet. Ze stond tegen de muur geleund een colaatje te drinken en toen hij eraan kwam schrok ze zo dat ze het drankje over de voorkant van haar shirt morste.

'Shit!' mompelde ze terwijl ze de vlek wegveegde.

'Sorry,' zei Jeffrey. 'Wat is er aan de hand?'

'Ik had even behoefte aan wat frisse lucht,' zei ze en Jeffrey knikte. Naar hun lichaamsgeur te oordelen hadden de arbeiders van De Gezegende Groei de eerste ochtenduren in het zweet huns aanschijns op het veld lopen zwoegen.

'Zit er schot in?'

'In wezen draait het allemaal om hetzelfde. Het was zo'n aardig meisje, loof de Heer. Ze deed haar best, Jezus houdt van je.'

Jeffrey ging niet op haar sarcasme in, hoewel hij het van ganser harte met haar eens was. Zo langzamerhand vond hij het helemaal niet meer zo vergezocht dat Lena de boerderij een sekte had genoemd. Ze gedroegen zich in elk geval alsof ze gehersenspoeld waren.

Lena zuchtte. 'Weet je, als je door al die bullshit heen kijkt, moet het een heel aardig meisje zijn geweest.' Ze perste haar lippen op elkaar en tot zijn verbazing kwam er nu een heel andere kant van haar boven. Meer dan een vluchtige blik werd hem echter niet gegund, want Lena liet er snel op volgen: 'Nou ja. Ze zal wel iets te verbergen hebben gehad. Net als iedereen.'

Hij meende een zweem van schuld in haar blik te bespeuren, maar in plaats van naar Terri Stanley en de politiepicknick te vragen, zei hij: 'Rebecca Bennett wordt vermist.'

Ze keek hem geschokt aan. 'Sinds wanneer?'

'Sinds gisteravond,' zei Jeffrey. Hij overhandigde haar het briefje dat Esther hem buiten bij het restaurant had toegestopt. 'Dit heeft ze achtergelaten.'

Lena las het. 'Hier klopt iets niet,' zei ze en hij was blij dat iemand er serieus op inging. 'Waarom zou ze weglopen zo kort na de dood van haar zus?' vroeg ze. 'Zo egoïstisch was zelfs ik niet op mijn veertiende. Die moeder moet in alle staten zijn.'

'Haar moeder heeft het me verteld,' zei Jeffrey. 'Ze belde me vanochtend toen ik nog bij Sara was. Haar broers wilden niet dat ze aangifte deed.'

'Waarom niet?' Lena gaf hem het briefje terug. 'Dat kon toch geen kwaad?'

'Ze willen de politie er liever buiten houden.'

'O,' zei Lena. 'Nou, het zal mij benieuwen of ze de politie er nog steeds buiten willen houden als ze niet terugkomt.' Toen vroeg ze: 'Denk je dat ze ontvoerd is?'

'Abby had geen briefje achtergelaten.'

'Nee,' beaamde ze. 'Toch bevalt het me niet. Ik heb er geen goed gevoel bij.'

'Ik ook niet.' Jeffrey stopte het briefje in zijn zak. 'Straks met Connolly voer jij het woord. Hij vindt het vast niet leuk om door een vrouw ondervraagd te worden.'

Een glimlachje streek over haar gezicht en nu leek ze net een kat die een muis ziet. 'Zal ik hem eens lekker op de kast jagen?'

'Niet met opzet.'

'Waar zijn we naar op zoek?'

'Ik wil wat meer hoogte van hem krijgen,' zei hij. 'Probeer uit te vinden wat zijn relatie met Abby was. Laat Rebecca's naam eens vallen. Kijken of hij hapt.'

'Oké.'

'Ik wil ook weer een babbeltje maken met Patty O'Ryan. We moeten erachter zien te komen of Chip een vriendinnetje had.'

'Rebecca Bennett bijvoorbeeld?'

Soms was haar inzicht beangstigend. Hij haalde zijn schouders op. 'Buddy zei dat hij over een paar uur hier zou zijn.'

Ze wierp het colablikje in de afvalbak en begaf zich naar de verhoorkamer. 'Echt iets om je op te verheugen.'

Jeffrey hield de deur voor Lena open en zag haar voor zijn ogen veranderen. Nu was ze weer op en top de smeris. Haar tred werd zwaar, alsof ze koperen ballen tussen haar benen had hangen. Ze trok een stoel bij en ging zonder een woord te zeggen tegenover Cole Connolly zitten, zo'n halve meter van de tafel af, haar voeten een eind uit elkaar. Haar arm legde ze over de rug van de lege stoel naast haar.

'Hallo,' zei ze.

Coles blik schoot naar Jeffrey en toen weer naar Lena. 'Hallo.'

Ze bracht haar hand naar haar achterzak, haalde een notitieboekje te voorschijn en legde het met een klap op tafel. 'Ik ben rechercheur Lena Adams. Dit is commissaris Jeffrey Tolliver. Zou u ons uw volledige naam willen geven?'

'Cletus Lester Connolly, mevrouw.' Voor hem op tafel, naast een beduimelde bijbel, lagen een pen en een paar blaadjes papier. Terwijl Jeffrey met gekruiste armen tegen de muur leunde, legde Connolly zijn papieren recht. Hij was minstens vijfenzestig, maar zag er onberispelijk uit: zijn witte T-shirt was schoon en fris en in zijn spijkerbroek zaten scherpe vouwen. Door het werk op het land was hij fysiek in topconditie, zijn borst was gespierd en zijn mouwen spanden om zijn bicepsen. Overal had hij weerbarstig wit haar: het stak boven zijn shirt uit, groeide uit zijn oren en lag als een tapijtje over zijn armen. Zijn kale kop was zo ongeveer de enige plek die niet behaard was.

'Waarom wordt u Cole genoemd?' vroeg Lena.

'Zo heette mijn vader,' legde hij uit, en zijn blik dwaalde weer naar Jeffrey. 'Ik was het zat om altijd maar weer in elkaar te worden geslagen omdat ik Cletus heette. Lester is al niet veel beter, en daarom heb ik op mijn vijftiende mijn vaders naam aangenomen.'

Nu begreep Jeffrey waarom zijn naam niet was opgedoken op de computer. Hij twijfelde er niet aan of de man stond al jaren geregistreerd. Hij had iets alerts over zich, zoals je dat wel vaker zag bij mensen die in de bak hadden gezeten. Hij was voortdurend op zijn hoede, altijd op zoek naar een ontsnappingsmogelijkheid.

'Wat is er met uw hand gebeurd?' vroeg Lena, en Jeffrey zag dat er een sneetje van een paar centimeter op Connolly's rechterwijsvinger zat. Het stelde niet veel voor en het was zeker geen krab of wond die tijdens een worsteling was ontstaan. Het leek eerder iets wat je opliep als je met je handen werkte en even niet uitkeek.

'Dat krijg je met boerenwerk,' zei hij met een blik op het sneetje. 'Ik zou er eigenlijk een pleister op moeten doen.'

'Hoe lang bent u in het leger geweest?' vroeg Lena.

Hij keek verbaasd, en ze wees naar de tatoeage op zijn arm. Het militaire insigne was Jeffrey bekend, maar hij had geen idee bij welk onderdeel het hoorde. In de primitieve tatoeage eronder herkende hij de gevangenisvariant. Op zeker moment had Connolly met een naald in zijn huid geprikt en met de inkt van een balpen de woorden JEZUS REDT onuitwisbaar in zijn vlees gegrift.

'Ik had er twaalf jaar op zitten toen ik eruit geschopt werd,' antwoordde hij. Meteen voegde hij eraan toe, alsof hij vermoedde welke kant het op ging: 'Ik kon in behandeling gaan en anders vloog ik eruit.' Ter bekrachtiging sloeg hij zijn handen op elkaar. 'Oneervol ontslag.'

'Dat moet hard zijn aangekomen.'

'Reken maar,' beaamde hij en hij legde zijn hand op de bijbel. Jeffrey betwijfelde of de man nu de waarheid ging vertellen, maar een mooi plaatje was het wel. Cole wist blijkbaar heel goed hoe hij een vraag moest beantwoorden zonder al te veel prijs te geven. Zoals hij daar zat met zijn schouders naar achteren en zijn blik op hen gericht, was hij een school-voorbeeld van ontwijkend gedrag. 'Maar dat was nog niks vergeleken bij het leven in de burgermaatschappij,' deelde hij ongevraagd mee.

'Leg eens uit,' zei Lena, die het lijntje wat liet vieren.

Met zijn hand nog steeds op de bijbel vervolgde hij: 'Op m'n zeventiende werd ik opgepakt wegens autodiefstal. Van de rechter mocht ik kiezen tussen het leger of de bak. Ik werd zo door Uncle Sam van mijn moeders tiet geplukt, als ik het zo mag zeggen.' Zijn ogen schitterden toen hij het vertelde. Na een paar minuten met Lena liet zo'n vent zijn gereserveerde houding meestal varen en ging hij haar als een van de jongens beschouwen. Voor hun ogen veranderde Cole Connolly in een behulpzame oude man die hun vragen maar al te graag wilde beantwoorden – althans voorzover hij ze als ongevaarlijk beschouwde.

'Ik had geen benul hoe ik me moest redden in de echte we-reld,' vervolgde Connolly. 'Ik was het leger nog niet uit of ik had alweer contact met wat oude maten die wel zin hadden in een overval op de buurtwinkel.'

Als Jeffrey een dollar kreeg voor elke man in de dodencel die zijn carrière begonnen was met het beroven van buurt-winkeltjes, was hij rijk.

'Een van die jongens had ons al verlinkt voor we daar aan-kwamen. Zo regelde hij strafvermindering voor een drugs-veroordeling. Nog voor ik een stap in die winkel had gezet, had ik de boeien al om.' Connolly lachte en weer schitter-den zijn ogen. Hoe rot hij het ook had gevonden dat ze ver-raden waren, rancuneus was hij niet. 'De gevangenis was geweldig, alsof je in het leger zat. Drie stevige maaltijden per dag en je kreeg te horen wanneer je moest eten, wanneer je moest slapen en wanneer je moest schijten. Toen m'n straf in voorwaardelijk werd omgezet, wilde ik niet eens weg.'

'U hebt uw tijd dus helemaal uitgezeten?'

'Dat klopt,' zei hij en zijn borst zwol op. 'Die rechter moest niks hebben van m'n praatjes. Ik was nogal opvliegend toen ik in de bak zat, en daar hadden de bewakers ook niet veel mee op.'

'Dat kan ik me voorstellen.'

'Van dat daar heb ik ook m'n portie gehad.' Hij wees naar Jeffreys blauwe oog, waarschijnlijk om aan te geven dat hij zich van zijn aanwezigheid bewust was.

'Hebt u veel gevochten in de bak?'

'Dat soort dingen gebeuren, hè?' beaamde hij. Hij keek Lena onderzoekend aan, alsof hij haar de maat nam. Ze had het zelf ook door, merkte Jeffrey, en hij besefte dat het verhoor van Cole Connolly geen eenvoudige klus zou worden.

'Dus toen u achter de tralies zat hebt u Jezus gevonden,' zei ze. 'Toch grappig zoals die zich altijd in gevangenissen ophoudt.'

Connolly had zichtbaar moeite met haar woorden: hij balde zijn vuisten en zijn bovenlichaam werd één massief brok spier. Ze had precies de juiste snaar getroffen en Jeffrey ving een glimp op van de man op het veld, de man die geen zwakte duldde.

Zonder van onderwerp te veranderen zei Lena op wat gematigder toon: 'In de gevangenis heb je veel tijd om over jezelf na te denken.'

Connolly knikte afgemeten en dook ineen als een slang die wil toeslaan. Lena zelf leunde nog steeds nonchalant achterover, met haar arm over de rugleuning van de stoel naast haar. Jeffrey, die onder de tafel kon kijken, zag dat ze haar andere hand naar haar wapen had gebracht, want net als hij rook ze het gevaar.

Niettemin klonk ze luchtig toen ze Connolly's eigen retoriek op hem uitprobeerde. 'De gevangenis is een hele beproeving voor een mens. Je komt er sterker uit of zwakker, een van beide.'

'Wat u zegt.'

'Sommigen redden het niet. Met al die drugs die daar rondgaan.'

'Ja. In de bak kun je er makkelijker aan komen dan erbuiten.'

'En je hebt alle tijd van de wereld om lekker stoned te worden.'

Zijn kaak stond nog steeds strak. Jeffrey vreesde dat ze te ver was gegaan, maar hij was zo verstandig zich afzijdig te houden.

Verbeten zei Connolly: 'Zelf was ik anders ook niet vies van drugs. Dat heb ik nooit ontkend. Rotspul. Het gaat je beheersen, je gaat er verkeerde dingen van doen. Je moet wel heel sterk zijn wil je je ertegen verzetten.' Hij keek Lena aan en zijn overtuiging won het van zijn woede, zoals olie het altijd wint van water. 'Ik was een zwakkeling tot ik het licht zag. Ik heb de Heer om verlossing gevraagd en Hij heeft zich naar me toe gebogen en me Zijn hand gereikt.' Ter illustratie hield hij zijn eigen hand omhoog. 'Ik heb Zijn hand gepakt en gezegd: "Ja, Heer. Help me op te staan. Help me opnieuw geboren te worden."'

'Dat is me nogal een ommezwaai,' was Lena's commentaar. 'Waarom besloot u uw leven te veranderen?'

'In het laatste jaar dat ik daar zat, kwam Thomas vaak op bezoek. Hij is de spreekbuis van de Heer. Via hem heeft de Heer me een betere weg getoond.'

'U bedoelt de vader van Lev?' vroeg Lena voor de goede orde.

'Hij werkte voor het gevangenishulpprogramma,' legde Connolly uit. 'Oude bajesklanten zoals wij houden zich graag wat gedeisd. Als je naar de kerk gaat en bijbellezingen bijwoont, is de kans veel kleiner dat je je laat opnaaien door een of ander jong boefje dat zich waar wil maken.' Hij moest erom lachen en nu was hij weer de joviale oude man van voor zijn woede-uitbarsting. 'Toch had ik nooit gedacht dat ik zelf zo'n bijbelfanaat zou worden. Sommigen zijn voor Jezus en anderen tegen, en ik was tegen. Als loon voor mijn zonden zou ik zeker een eenzame, gruwelijke dood zijn gestorven.'

'Maar toen kwam u Thomas tegen?'

'Hij is al een poosje ziek, hij heeft een beroerte gehad, maar in die tijd was hij als een leeuw, God zegene hem. Hij heeft mijn ziel gered. Dankzij hem had ik een plek om naartoe te gaan toen ik uit de gevangenis kwam.'

'Drie stevige maaltijden per dag?' opperde Lena, verwijzend naar Connolly's eerdere opmerking over het goede leven in het leger en later in de gevangenis.

'Ha!' lachte de oude man en hij sloeg met zijn hand op tafel, zo grappig vond hij het. Hij streek de opwapperende papieren glad en maakte er weer een keurig stapeltje van. 'Zo zou je het inderdaad kunnen noemen. Eigenlijk ben ik nog altijd een oude soldaat, maar nu ben ik een soldaat van de Heer.'

'Hebt u de laatste tijd nog iets verdachts opgemerkt rond de boerderij?' vroeg Lena.

'Niet dat ik weet.'

'Niemand die zich vreemd gedroeg?'

'Niet om het een of ander,' waarschuwde hij, 'maar u moet niet vergeten wat voor soort lui we daar de hele tijd krijgen. Ze zijn allemaal een beetje vreemd. Anders zouden ze daar niet zijn.'

'Daar hebt u gelijk in,' beaamde Lena. 'Ik bedoel eigenlijk: zijn er mensen bij die zich verdacht gedragen? Alsof ze bij iets verkeerds betrokken zijn?'

'Ze hebben allemaal verkeerde dingen gedaan, en sommigen op de boerderij doen dat nog steeds.'

'Zoals?'

'Ze zitten bijvoorbeeld in een opvanghuis in Atlanta en hebben vreselijk met zichzelf te doen. Dan verlangen ze naar een andere omgeving, want zo kunnen ze hun leven beteren, denken ze.'

'Maar dat is niet zo?'

'Voor sommigen wel,' gaf Connolly toe, 'maar de meerderheid komt er hier algauw achter dat ze maar om één reden aan de drank en de drugs zijn geraakt en het slechte pad op zijn gegaan, en dat ze er om diezelfde reden ook niet vanaf komen.' Hij wachtte Lena's vraag niet af. 'Zwakte, jongedame. Een zwakke ziel en een zwakke geest. We doen ons uiterste best om ze te helpen, maar eerst moeten ze sterk genoeg zijn om zichzelf te helpen.'

'We hebben gehoord dat er wat geld uit de kas is gestolen,' zei Lena.

'Dat was alweer maanden geleden,' beaamde hij. 'We hebben de dader nooit gevonden.'

'Hadden jullie iemand op het oog?'

'Wel een stuk of tweehonderd,' zei hij lachend. Jeffrey vermoedde dat wederzijds vertrouwen ver te zoeken was als je met een stel alcoholisten en junks te maken had.

'Had niemand meer dan normale belangstelling voor Abby?' vroeg Lena.

'Het was een mooi meisje,' zei hij. 'De meeste jongens hadden wel oog voor haar, maar ik liet er geen misverstand over bestaan dat ze op afstand moesten blijven.'

'Was er iemand in het bijzonder tegen wie u dat moest zeggen?'

'Niet dat ik weet.' Gevangenisgewoonten waren hardnekkig en Connolly had met andere bajesklanten gemeen dat hij niet in staat was met een duidelijk ja of nee te antwoorden.

'Het viel u dus niet op dat ze met een speciaal iemand omging?' vroeg Lena. 'Of dat ze met dubieuze figuren optrok?'

Hij schudde zijn hoofd. 'Geloof me, sinds het gebeurd is heb ik me suf gepiekerd wie dat lieve meisje iets zou kunnen aandoen. Ook al ga ik jaren terug, ik kan niemand bedenken.'

'Ze ging er nogal vaak in d'r eentje met de auto op uit,' benadrukte Lena.

'Toen ze vijftien was heb ik haar leren autorijden in de ouwe Buick van Mary.'

'Waren jullie hecht met elkaar?'

'Alsof ze mijn eigen kleindochter was.' Hij knipperde zijn tranen weg. 'Op mijn leeftijd denk je dat je nergens meer van schrikt. Veel van je vrienden worden ziek. Maar toch was ik behoorlijk van de kaart toen Thomas vorig jaar een beroerte kreeg. Ik was degene die hem vond. Ik kan u verzekeren dat het hard aankwam toen ik die man zo onttakeld zag.' Met de rug van zijn hand veegde hij zijn tranen weg. Jeffrey zag Lena knikken, alsof ze het maar al te goed snapte.

'Maar Thomas was een oude man,' vervolgde Connolly. 'Je gaat er niet van uit dat het gebeurt, en toch kijk je er ook niet van op. Abby was gewoon een lief meisje. Gewoon een lief meisje. Ze had haar hele leven nog voor zich. Niemand verdient het om zo te moeten sterven, en zij zeker niet.'

'Van wat we hebben gehoord moet ze een heel bijzondere jonge vrouw zijn geweest.'

'Absoluut waar,' beaamde hij. 'Het was een engel. Zuiver als goud. Ik zou mijn leven voor haar gegeven hebben.'

'Kent u een jongeman genaamd Chip Donner?'

Weer leek Connolly na te moeten denken. 'Niet dat ik me herinner. Het is altijd een komen en gaan van mensen. Sommigen blijven een week, anderen een dag. Als ze geluk hebben blijven ze voor de rest van hun leven.' Hij krabde over zijn kin. 'Die achternaam klinkt wel bekend, al zou ik niet weten waarvan.'

'En Patty O'Ryan?'

'Zegt me niks.'

'Maar Rebecca Bennett kent u vast wel.'

'Becca?' zei hij. 'Natuurlijk.'

'Ze wordt sinds gisteravond vermist.'

Connolly knikte; kennelijk was dit geen nieuws. 'Wat een eigenzinnig kind is dat. Ze loopt weg, haar moeder weet van ellende niet waar ze het zoeken moet, dan komt ze terug en is weer even lief en aardig als altijd.'

'We weten dat ze al eens eerder is weggelopen.'

'Deze keer was ze tenminste zo fatsoenlijk om een berichtje achter te laten.'

'Hebt u enig idee waar ze naartoe is?'

'Meestal zit ze in het bos,' zei hij schouderophalend. 'Toen ik jonger was, nam ik de kinderen vaak mee de natuur in. Dan leerde ik ze hoe ze zich konden redden met het gereedschap dat God ons gegeven heeft. Zo leren ze respect voor Zijn goedertierenheid.'

'Had u een speciale plek waar u ze mee naartoe nam?'

Hij had de vraag al verwacht en knikte terwijl Lena nog aan het woord was. 'Ik ben er bij het krieken van de dag heen gegaan. Die kampeerplek is al jaren niet meer gebruikt. Ik heb geen idee waar dat meisje uithangt. Wist ik het maar,' voegde hij eraan toe. 'Dan kon ze een pak voor d'r billen krijgen omdat ze haar moeder zoiets aandoet, uitgerekend nu.'

Marla klopte op de deur en kwam binnen. 'Sorry dat ik stoor, chef,' zei ze en ze overhandigde Jeffrey een opgevouwen blaadje.

Terwijl Jeffrey het in ontvangst nam, vroeg Lena aan Connolly: 'Hoe lang hoort u al bij die kerk?'

'Dat wordt nu eenentwintig jaar,' luidde zijn antwoord. 'Ik was al lid toen Thomas het land van zijn vader erfde. In mijn

257

ogen was het een wildernis, maar Mozes is ook met een wildernis begonnen.'

Jeffrey keek de man aandachtig aan en probeerde iets in zijn gedrag te ontdekken wat hem verried. De meeste mensen hadden een of andere vreemde tic die zichtbaar werd als ze logen. Sommigen krabden aan hun neus, anderen werden onrustig. Connolly zat volkomen roerloos en staarde recht voor zich uit. Hij was een geboren leugenaar of anders een eerlijk man. Jeffrey zou voor geen van beide zijn hand in het vuur durven steken.

Connolly vervolgde zijn verhaal over het ontstaan van De Gezegende Groei. 'Toentertijd waren we met zo'n twintig man. Thomas' kinderen waren nog jong, daar had je nog niet veel aan, vooral niet aan Paul. Wat een luie bliksem was dat. Die ging er lekker bij zitten terwijl de anderen al het werk deden, en dan ging hij met de eer strijken. Echt een jurist.'

Lena knikte.

'We begonnen met veertig hectare soja. We hebben nooit chemicaliën of bestrijdingsmiddelen gebruikt. Iedereen verklaarde ons voor gek, maar tegenwoordig is biologisch helemaal in. Onze tijd is eindelijk aangebroken. Drong dat nog maar tot Thomas door. Hij was onze Mozes, letterlijk onze Mozes. Hij heeft ons verlost uit de slavernij – want we waren slaven van de drugs, van de alcohol, van het losbandige leven. Hij was onze verlosser.'

Lena maakte een eind aan zijn preek. 'Het gaat nog steeds niet goed met hem?'

Nu klonk Connolly nog plechtiger. 'Hij is in handen van de Heer.'

Jeffrey vouwde Marla's briefje open, wierp er een blik op en knipperde met zijn ogen. Een vloek onderdrukkend vroeg hij aan Connolly: 'Hebt u hier verder nog iets aan toe te voegen?'

Jeffrey klonk zo abrupt dat de man verbaasd opkeek. 'Niet dat ik weet.'

Lena begreep de hint. Ze ging staan en Connolly volgde haar voorbeeld. Jeffrey zei tegen hem: 'Ik zou u morgen nog graag even spreken als het uitkomt. Zullen we zeggen morgenochtend?'

Connolly keek alsof hij in de val was gelopen, maar had zichzelf weer snel in de hand. 'Geen probleem,' zei hij, met een glimlach die zo geforceerd aandeed dat Jeffrey bang was dat zijn tanden zouden afbreken. 'Morgen is de dienst voor Abby. Zou het daarna kunnen?'

'Eigenlijk willen we morgenochtend vroeg met Lev praten,' zei Jeffrey, in de hoop dat die mededeling Lev Ward ter ore zou komen. 'Als u nou eens met hem meekomt?'

'Ik zie wel,' zei Connolly, zonder zich ergens aan te verbinden.

Jeffrey deed de deur open. 'Ik waardeer het zeer dat u iedereen hiernaartoe hebt gebracht.'

Connolly maakte nog steeds een beduusde indruk. Hij wierp een nerveuze blik op het briefje in Jeffreys hand, alsof hij maar al te graag wilde weten wat erin stond. Jeffrey wist niet of het gewone nieuwsgierigheid was of een gewoonte die hij had overgehouden aan zijn leven als crimineel.

'Neemt u ze allemaal maar weer mee terug,' zei Jeffrey. 'Er is ongetwijfeld een hoop werk te doen. We willen uw kostbare tijd niet verder verspillen.'

'In orde,' zei Connolly en hij stak Jeffrey zijn hand toe. 'Zegt u het maar als ik verder nog iets voor u kan doen.'

'Dank u,' zei Jeffrey, die de botten in zijn hand voelde kraken. 'Dan zie ik u morgenochtend samen met Lev.'

De dreiging die achter zijn woorden school ontging Connolly niet. Hij liet zijn act van behulpzame oude man varen. 'Oké.'

Lena wilde hem al volgen, maar Jeffrey hield haar tegen. Zonder Connolly een blik te gunnen op Marla's keurige onderwijzeressenhandschrift liet hij haar het briefje zien dat de secretaresse hem gegeven had: 'Telefoontje van Cromwell Road 25. Hospita maakt melding van "verdachte geur".'

Chip Donner was gevonden.

Ooit, in de jaren dertig, was Cromwell Road 25 een mooi huis geweest, een perfect onderkomen voor een welgesteld gezin. In de loop der jaren waren de ruime salons aan de voorkant in kleinere kamers opgesplitst en waren de bovenverdiepingen verbouwd tot wooneenheden voor huurders die het geen bezwaar vonden om met z'n allen één badkamer te delen. Er waren niet veel plekken waar een ex-gevangene na zijn vrijlating terechtkon. Als hij voorwaardelijk had, moest hij zich in korte tijd ergens vestigen en een baan zien te krijgen om te voorkomen dat zijn reclasseringsambtenaar hem weer achter de tralies zette. Met de vijftig dollar die de staat hem toeschoof als hij de gevangenispoort verliet kwam hij niet ver en dan was hij al snel aangewezen op een huis zoals dat aan Cromwell Road.

Eén ding was zeker, vond Jeffrey: in deze zaak werd zijn reukzin in elk geval aan allerlei nieuwe sensaties blootgesteld. Het huis aan Cromwell rook naar zweet en gebraden kip, vermengd met een verontrustend vleugje rottend vlees afkomstig uit de kamer boven aan de trap.

De hospita deed open, een zakdoek tegen haar neus en mond gedrukt. Het was een forse vrouw met aan haar armen dikke huidplooien die heen en weer lilden als ze sprak. Jeffrey probeerde er niet naar te kijken.

'We hebben nooit geen problemen met die jongen gehad,' verzekerde ze Jeffrey toen ze hem voorging het huis in. De donkergroene vloerbedekking was ooit een mooi, hoogpolig tapijt geweest, maar door jaren van gebruik was het helemaal platgelopen en bevlekt met wat eruitzag als motorolie. De muren waren waarschijnlijk voor het laatst geschilderd toen Nixon nog in het Witte Huis woonde en alle hoeken en plinten zaten onder de zwarte vegen. Eens was het houtwerk schitterend geweest, maar nu gingen de versierde lijsten schuil onder verscheidene lagen verf. De prachtige kroonluchter van geslepen glas die in de hal hing, stamde waarschijnlijk nog uit de begintijd van het huis en viel inmiddels lelijk uit de toon.

'Hebt u gisteravond iets gehoord?' vroeg Jeffrey, die door zijn mond probeerde te ademen zonder op een hijgende hond te lijken.

'Geen kik,' zei ze. 'Behalve dan de tv van Harris, die naast Chip woont,' voegde ze eraan toe. Ze wees naar de trap. 'De laatste jaren wordt hij wat doof, maar hij zit hier langer dan de anderen. Tegen nieuwe jongens zeg ik altijd dat ze maar iets anders moeten zoeken als ze er niet tegen kunnen.'

Door de openstaande voordeur wierp Jeffrey een blik op straat en hij vroeg zich af waar Lena bleef. Hij had haar opdracht gegeven om Brad Stephens te halen, zodat die kon helpen met het sporenonderzoek op de plaats delict. Brad zat nog in het bos, samen met het halve team, speurend naar alles wat in de verste verte verdacht leek.

'Is er ook een achteringang?' vroeg Jeffrey.

'Als je de keuken door loopt,' zei ze, en ze wees naar het achterhuis. 'Chip zette zijn auto altijd onder de carport,' legde ze uit. 'Er loopt een steegje langs de achtertuin dat rechtstreeks op Sanders uitkomt.'

'Sanders loopt toch parallel aan Cromwell?' vroeg Jeffrey voor alle zekerheid. Ook als Marty Lam zijn bevel wel had opgevolgd en bij de voordeur had gepost, zou hij Chip niet hebben zien binnenkomen. Daar mocht Marty dan over nadenken terwijl hij thuis op zijn krent zat te wachten tot zijn week schorsing voorbij was.

'Broderick gaat na het kruispunt met McDougall over in Sanders,' zei de vrouw.

'Kreeg hij weleens bezoek?'

'Nee hoor, hij was erg op zichzelf.'

'Telefoontjes?'

'Er is een munttelefoon in de hal. Ze mogen de huislijn niet gebruiken. Die gaat hier dan ook niet vaak over.'

'Kreeg hij nooit damesbezoek?'

Ze giechelde, alsof hij iets gênants had gezegd. 'We laten hier geen vrouwelijk bezoek binnen. Er is hier maar één dame en dat ben ik.'

'Tja,' zei Jeffrey. Hij had het onvermijdelijke zo lang mogelijk voor zich uit geschoven, maar nu vroeg hij: 'Welke kamer is van hem?'

'De eerste deur links.' Met haar kwabbige arm wees ze langs de trap omhoog. 'Als u het niet erg vindt blijf ik beneden.'

'Hebt u al in de kamer gekeken?'

'Lieve hemel, nee,' zei ze hoofdschuddend. 'We hebben dit al een paar keer eerder bij de hand gehad. Ik hoef niet te kijken om te weten hoe het eruitziet.'

'Al een paar keer?' vroeg Jeffrey.

'Nou ja, ze zijn hier niet doodgegaan,' verduidelijkte ze. 'Nee, wacht eens, eentje wel. Ik meen dat ie Rutherford heette. Of Ratherford?' Ze maakte een achteloos gebaar. 'Hoe dan ook, de laatste was die vent die door de ambulance werd opgehaald. Dat was zo'n jaar of acht, negen geleden. De naald stak nog uit zijn arm. Ik ging naar boven vanwege de stank...' Haar stem werd zachter. 'Hij had zich helemaal ondergepoept.'

'Ah.'

'Ik dacht dat ie er geweest was, maar toen de broeders hem meenamen naar het ziekenhuis, zeiden ze dat hij nog een kansje had.'

'En de andere?'

'O, Schwartz,' herinnerde ze zich. 'Een heel aardige oude man. Volgens mij was hij joods, die arme ziel. Hij is in zijn slaap gestorven.'

'Wanneer was dat?'

'Mijn moeder leefde nog,' zei ze. 'Dat moet dan negentien...' Ze dacht even na. 'Zo rond 1986.'

'Gaat u weleens naar de kerk?'

'Naar de Primitive Baptist,' antwoordde ze. 'Ken ik u daarvan?'

'Zou kunnen,' zei hij, hoewel hij donders goed wist dat hij de afgelopen tien jaar slechts één keer in de kerk was geweest, en dat was om een glimp van Sara op te vangen. Met Kerstmis en Pasen schermde Cathy met haar culinaire gaven om druk op haar dochters uit te oefenen, en Sara liet zich op die dagen meestal overhalen mee naar de kerk te gaan, al was het alleen maar om na afloop bij wijze van beloning een heerlijk maal voorgeschoteld te krijgen.

Jeffrey keek langs de steile trap omhoog, maar bij de gedachte aan wat hem daar wachtte zonk de moed hem in de schoenen. Tegen de vrouw zei hij: 'Mijn collega kan elk moment hier zijn. Zeg maar dat ze meteen boven moet komen.'

'In orde.' Haar hand verdween in de voorkant van haar jurk en na wat rondgetast te hebben haalde ze een sleutel te voorschijn.

Zijn weerzin overwinnend nam Jeffrey de warme, enigszins vochtige sleutel van haar aan en beklom de trap. De losse leuning was op verschillende plaatsen van de wand gerukt en over het ongeverfde hout lag een vettige glans.

De stank werd erger naarmate hij hoger kwam en hij had de kamer ook zonder aanwijzingen kunnen vinden door gewoon zijn neus achterna te gaan.

De deur was aan de buitenkant met een hangslot en grendel afgesloten. Hij trok rubberen handschoenen aan en had razende spijt dat hij dat niet had gedaan voor hij de sleutel van de hospita in ontvangst had genomen. Het slot was verroest. Om te voorkomen dat hij vingerafdrukken uitveegde, probeerde hij het alleen bij de randen vast te houden. Hij stak de sleutel er met kracht in en hoopte dat het ding niet in het slot zou afbreken. Nadat hij een tijdje had staan bidden en zweten in de bedompte warmte van het huis klikte het slot tot zijn opluchting open. Hij pakte de metalen grendel eveneens bij de randen vast en schoof die open, waarna hij de deurknop omdraaide.

De inrichting van de kamer bood na de hal van het huis geen enkele verrassing meer. Op de vloer lag hetzelfde smerige groene tapijt. Voor het raam zat een goedkoop rolgordijn dat bij de randen met blauw afplakband was vastgezet om het zonlicht tegen te houden. Een bed ontbrak, maar wel was er een half uitgetrokken slaapbank, alsof iemand de matras had willen openklappen en halverwege de handeling was gestoord. Alle laden van de enige ladekast in het vertrek stonden open en de inhoud was over het tapijt verspreid. In de hoek lagen een kam en borstel naast een glazen schaal waarin wel duizend muntjes hadden gezeten. De schaal was in tweeën gebroken en de muntjes waren eruit gestroomd. Op de vloer lagen ook twee schemerlampen zonder kap, beide nog intact. Er was geen hangkast in de kamer, maar iemand had een stuk waslijn langs de muur gespannen om zijn overhemden aan op te hangen. De overhemden lagen met hun hangertjes op de vloer. Aan één kant zat de waslijn nog aan de muur vast. Chip Donner hield het andere uiteinde in zijn levenloze hand geklemd.

Achter Jeffrey liet Lena met een plof haar recherchekoffertje op de vloer vallen. 'Het dienstmeisje had zeker een dagje vrij.'

Hij had Lena wel de trap op horen komen, maar hij kon zijn blik niet van het lijk losmaken. Chips gezicht was net een stuk rauw vlees. Zijn onderlip was bijna volledig afgerukt en lag op zijn linkerwang, alsof iemand hem opzij had geveegd. In het vlees van zijn kin staken stukjes afgebroken tand. Wat er van zijn onderkaak over was, hing er scheef bij. Zijn ene oogkas was helemaal ingevallen, de andere was leeg en de oogbol hing aan een paar bloedige draadjes langs zijn wang naar beneden. Donner droeg geen shirt en zijn witte huid gloeide als het ware in het licht van de overloop. Kriskras over zijn bovenlichaam liepen wel dertig dunne, rode striemen, in een patroon dat Jeffrey niet herkende. Vanwaar hij stond leek het of iemand met rode viltstift lijnrechte strepen op Donners romp had getekend.

'Een boksbeugel,' opperde Lena en ze wees naar zijn borst en buik. 'Op de politieacademie hadden we een instructeur die zoiets op zijn nek had zitten. De dader was vanacht er een vuilnisbak te voorschijn gesprongen en had hem te grazen genomen voor hij zijn wapen kon trekken.'

'Ik kan niet eens zien of hij nog wel een nek heeft.'

'Wat steekt daar nou uit zijn zij?' vroeg Lena.

Jeffrey, die nog amper een stap in de kamer had gezet, ging nu op zijn hurken zitten. Turend probeerde hij te onderscheiden wat hij zag. 'Volgens mij zijn dat zijn ribben.'

'Jezus,' zei Lena. 'Met wie heeft hij het in godsnaam aan de stok gehad?'

Tien

Sara's benen begaven het bijna en ze verplaatste haar gewicht van de ene voet op de andere. Ruim drie uur geleden was ze aan de autopsie op Charles Donner begonnen en ze had nog niets gevonden wat licht op de zaak wierp.

Ze klikte de dictafoon weer aan en zei: 'Extraperitoneale ruptuur van de blaas door stomp trauma in neerwaartse richting. Geen zichtbare bekkenfractuur.' Tegen Jeffrey zei ze: 'Zijn blaas was leeg, daarom is die ook niet gescheurd. Misschien was hij net naar de wc geweest voor hij naar zijn kamer ging.'

Jeffrey schreef iets op in zijn aantekenboekje. Evenals Sara en Carlos droeg hij een operatiemasker en een beschermende bril. Toen Sara het huis aan Cromwell binnenliep was ze bijna over haar nek gegaan van de stank. Het was duidelijk dat Donner nog niet lang dood was, maar voor de geur was wel een wetenschappelijke verklaring. Zijn ingewanden en maag waren gescheurd en zijn buikholte had zich gevuld met gal en fecaliën, die door de gaten in zijn zij naar buiten waren gesijpeld. De hitte in zijn benauwde kamer was gaan inwerken op zijn inwendige organen, die in zijn romp begonnen te gisten als een etterende wond. Tegen de tijd dat Sara hem had laten overbrengen naar het mortuarium en hem opensneed, was zijn onderbuik zo opgezwollen geweest van de bacteriën dat de troep over de rand van de sectietafel was geklotst en op de vloer was gespetterd.

'Dwarse fractuur van het borstbeen, bilaterale ribfracturen, ruptuur van het longweefsel, oppervlakkige kapselscheurtjes in nieren en milt.' Ze zweeg, want ze had het gevoel dat ze een boodschappenlijstje opdreunde. 'De linkerkwab van de lever is afgeklemd en verbrijzeld tussen de voorste buikwand en de wervelkolom.'

'Denk je dat ze met z'n tweeën zijn geweest?' vroeg Jeffrey.

'Ik weet het niet,' zei ze. 'Op zijn armen en handen zitten geen wonden waaruit blijkt dat hij zich verweerd heeft, maar dat kan er ook op duiden dat hij overrompeld werd.'

'Kan dit echt het werk van één persoon zijn?'

Ze wist dat het geen retorische vraag was. 'De buikwand is slap en gemakkelijk in te drukken. Als er iets tegenaan komt, wordt de klap meestal meteen doorgegeven aan de buikorganen. Zoals wanneer je met de palm van je hand op een plas water slaat. Afhankelijk van de kracht van de klap kunnen holle organen zoals de maag en ingewanden barsten, de milt kan scheuren en ook de lever kan schade oplopen.'

'Zo is Houdini aan zijn eind gekomen,' zei Jeffrey, en al waren de omstandigheden er niet naar, toch moest Sara glimlachen om zijn voorliefde voor banale feiten. 'Hij daagde iedereen uit om hem keihard in zijn maag te stompen. Een of ander joch raakte hem terwijl hij even niet oplette en dat moest hij met de dood bekopen.'

'Dat kan heel goed,' beaamde Sara. 'Als je je buikspieren spant, verspreid je de klap. Als je dat niet doet, kan het je dood zijn. Ik betwijfel of Donner überhaupt de tijd heeft gehad om erover na te denken.'

'Als je moest raden, wat is dan de uiteindelijke doodsoorzaak geweest?'

Sara keek naar het lichaam, naar wat er restte van hoofd en nek. 'Als je me had verteld dat deze knaap een auto-ongeluk had gehad, zou ik je zonder meer geloofd hebben. Nog nooit in mijn leven heb ik zo'n extreem geval van stomp trauma gezien.' Ze wees naar de huidflappen die louter door de klap waren losgeraakt. 'De avulsie, de scheurtjes, het buikletsel...' Ze schudde haar hoofd, zo'n puinhoop was het. 'Hij heeft zo'n harde stomp tegen zijn borst gekregen dat de achterkant van zijn hart beschadigd werd door zijn wervelkolom.'

'Weet je zeker dat het gisteravond is gebeurd?'

'In elk geval in de afgelopen twaalf uur.'

'En is hij in zijn kamer gestorven?'

'Absoluut.' Donners lichaam had liggen rotten in de sappen uit zijn ingewanden die via de open wond in zijn zij naar beneden waren gedruppeld. Maagzuur had zwarte gaten uitgebeten in het tapijt. Toen Sara en Carlos het lichaam hadden willen verplaatsen, hadden ze ontdekt dat het aan de groene vloerbedekking zat vastgekleefd. Ze hadden de spijkerbroek van zijn lichaam moeten knippen en het deel van het tapijt dat aan hem vastzat moeten lossnijden om hem uit de kamer te kunnen wegdragen.

'Dus waar is hij aan doodgegaan?' vroeg Jeffrey.

'Kies maar,' zei ze. 'Door ontwrichting van het atlanto-occipitaalgewricht kan het ruggenmerg doormidden zijn gesneden. Misschien heeft hij een hersenbloeding opgelopen door excessieve rotatie.' Ze telde de mogelijkheden op haar vingers af: 'Hartritmestoornis, doorgesneden aorta, traumatische asfyxie, longbloeding.' Ze gaf het op. 'Het kan ook doodgewoon een shock zijn geweest. Te veel pijn, te veel trauma en het lichaam laat het afweten.'

'Denk je dat Lena gelijk had met die boksbeugel?'

'Het zou heel goed kunnen,' gaf ze toe. 'Dat soort wonden heb ik nog nooit eerder gezien. Ze hebben de juiste breedte en het zou verklaren hoe iemand dit met zijn vuisten voor elkaar heeft gekregen. Uitwendig is er dan weinig letsel, afhankelijk van de kracht van het metaal tegen de huid, maar inwendig...' Ze wees naar de ingewandenbrij die ze in het lichaam had aangetroffen. 'Dan zou ik iets dergelijks verwachten.'

'Wat een ellendige manier om dood te gaan.'

'Heb je verder nog iets gevonden in het appartement?' vroeg ze.

'Alleen de vingerafdrukken van Donner en de hospita,' zei hij, zijn aantekeningen doorbladerend. 'Een paar zakjes – waarschijnlijk heroïne – en een stuk of wat naalden die hij onder in de vulling van de bank had verstopt. In de voet van een lamp zat zo'n honderd dollar aan cash. Wat pornoblaadjes in de kast.'

'Dat maakt het plaatje dan compleet,' zei ze. Al heel lang

keek ze niet meer op van de hoeveelheid porno die mannen verslonden. Als een man niet een of andere vorm van pornografie tot zijn beschikking had, wekte dat tegenwoordig meteen haar achterdocht.

'Verder had hij een pistool,' zei Jeffrey. 'Een negen millimeter.'

'Had hij voorwaardelijk?' vroeg Sara, die wist dat Donner dan wegens wapenbezit weer achter de tralies zou belanden nog voor hij een verklaring kon verzinnen.

Jeffrey leek het geen punt te vinden. 'Als ik in die buurt woonde, zou ik ook een wapen willen hebben.'

'Geen teken van Rebecca Bennett?'

'Nee, geen enkel teken van wat voor meisje dan ook. Zoals ik al zei hebben we maar twee soorten vingerafdrukken in die kamer aangetroffen.'

'Dat zou op zich al verdacht kunnen zijn.'

'Precies.'

'Heb je zijn portefeuille gevonden?' Toen ze de broek hadden weggeknipt, was het Sara opgevallen dat Donners zakken leeg waren.

'Achter de ladekast hebben we wat los geld aangetroffen en een supermarktbonnetje voor cornflakes,' zei Jeffrey. 'Maar geen portefeuille.'

'Waarschijnlijk heeft hij zijn zakken leeggemaakt toen hij thuiskwam, toen is hij naar de wc gegaan en vervolgens naar zijn kamer, waar hij door de aanvaller werd verrast.'

'Maar wie was dat?' vroeg Jeffrey, meer aan zichzelf dan aan Sara. 'Het zou een dealer kunnen zijn die hij had verneukt. Een kennis die wist dat hij de zakjes in bezit had, maar niet waar hij ze had verstopt. Een dief uit de buurt op zoek naar wat geld.'

'Een barkeeper heeft volgens mij altijd wel wat geld in huis.'

'Ze hebben hem in elk geval niet te grazen genomen om hem aan de praat te krijgen,' zei Jeffrey.

Daar was Sara het mee eens. De aanvaller was niet halverwege gestopt om Chip Donner te vragen waar hij zijn waardevolle spullen bewaarde.

Jeffrey kon er tot zijn ergernis slechts een slag naar slaan.

'Het kan iemand zijn die Abigail Bennett kende. Of iemand die haar nog nooit gezien had. We weten niet eens of er verband bestaat tussen die twee.'

'Niks wijst op een gevecht,' zei Sara. 'Hoewel het vertrek kennelijk geplunderd is.'

'Zo geplunderd was het nou ook weer niet,' wierp Jeffrey tegen. 'Als iemand ergens naar op zoek was, heeft hij niet goed gekeken.'

'Een junk kan zijn blik niet goed focussen.' Meteen voegde ze eraan toe: 'Maar als iemand zo onder de drugs zit, mist hij natuurlijk de coördinatie voor een dergelijke aanval.'

'Ook met PCP?'

'Daar heb ik nog niet aan gedacht,' moest Sara bekennen. PCP was een onvoorspelbare drug waar gebruikers soms buitengewoon sterk van werden en zeer levendige hallucinaties van kregen. In de tijd dat Sara in het Grady Hospital in Atlanta werkte had ze op een avond een patiënt op de spoedafdeling binnengekregen die de metalen bedrail waaraan hij zat vastgeketend bij de lasnaad had losgebroken en daarmee het personeel had bedreigd.

''Het is mogelijk,' gaf ze toe.

'Degene die hem vermoord heeft, heeft de kamer misschien wel overhoopgehaald om het op roofmoord te doen lijken.'

'In dat geval is het iemand geweest die van plan was hem te vermoorden.'

'Ik snap niet dat hij zich zo te zien niet verweerd heeft,' zei Jeffrey. 'Hij gaat toch niet liggen om het over zich heen te laten komen?'

'Hij heeft een hoge dwarse fractuur van de maxilla, een LeFort III. Die ken ik alleen uit de boeken.'

'En nou in gewone taal.'

'Het vlees van zijn gezicht is zowat van de botten geslagen,' zei ze. 'Als ik moest raden, zou ik zeggen dat hij volkomen onverwacht is aangevallen en een stoot in zijn gezicht heeft gekregen waardoor hij buiten westen raakte.'

'Eén stoot maar?'

'Het is een tengere knaap,' legde ze uit. 'Door die eerste klap is zijn nek misschien gebroken. Zijn hoofd wordt met een ruk omgedraaid en dat is het.'

'Hij hield zich vast aan de waslijn,' benadrukte Jeffrey. 'Die zat om zijn hand gewikkeld.'

'Misschien heeft hij die in een reflex vastgegrepen toen hij viel,' wierp ze tegen. 'Maar in dit stadium kunnen we met geen mogelijkheid zeggen welke verwonding vóór en welke na de dood is toegebracht. Wel kunnen we vaststellen dat de dader wist hoe hij iemand onder handen moest nemen, dat hij snel en methodisch te werk is gegaan en zich vervolgens uit de voeten heeft gemaakt.'

'Misschien kende hij zijn belager.'

'Dat is mogelijk.' Toen vroeg ze: 'Wat weet je van zijn buurman?'

'Een jaar of negentig en zo doof als een kwartel,' zei Jeffrey. 'Ongelogen: naar de stank in zijn kamer te oordelen, komt hij er niet eens meer uit om naar de wc te gaan.'

Sara had zo'n vermoeden dat dat weleens voor alle bewoners van het pand kon gelden. Na een halfuur in Donners kamer had ze zich door en door smerig gevoeld. 'Was er gisteravond nog iemand thuis?'

'De hospita was beneden, maar die heeft de tv altijd heel hard aan. Verder wonen er nog twee kerels, en die hebben allebei een alibi.'

'Weet je dat zeker?'

'Een uur voor het gebeurde zijn ze opgepakt wegens dronkenschap en verstoring van de openbare orde. Ze hebben van jouw belastingcenten hun roes uitgeslapen in de gevangenis van Grant County.'

'Ben ik even blij dat ik iets terug kan doen voor de gemeenschap.' Met een ruk trok Sara haar handschoenen uit.

Carlos had zoals gewoonlijk zwijgend staan wachten en nu vroeg ze: 'Zou jij hem dicht willen naaien?'

'Ja, dokter,' zei hij, en hij liep naar de kast om de benodigde spullen te pakken.

Sara deed haar beschermende bril en hoofdkapje af en genoot even van de koele lucht tegen haar huid. Op weg naar haar kantoortje trok ze haar operatieschort uit en stopte het in de waszak.

Jeffrey volgde haar voorbeeld en ging mee naar binnen. 'Het is nu zeker te laat om nog met Tessa naar de kerk te gaan?' vroeg hij.

Ze ging zitten en wierp een blik op haar horloge. 'Valt wel mee. Ik kan nog net even naar huis om te douchen.'

'Ik heb liever niet dat je gaat.' Hij stond tegen haar bureau geleund. 'De gezichten van die lui staan me niet aan.'

'Denk je dat er een verband bestaat tussen de kerk en Donner?'

'Telt een vermoeden ook?'

'Heb je een speciaal iemand op het oog die dit volgens jou gedaan kan hebben?'

'Cole Connolly heeft in de gevangenis gezeten. Die weet als geen ander hoe je iemand te grazen moet nemen.'

'Je zei toch dat het een oude man was?'

'Hij heeft een betere conditie dan ik,' zei Jeffrey. 'Aan de andere kant heeft hij er geen geheim van gemaakt dat hij in de bak heeft gezeten. Zijn dossier is alweer oud, maar hij heeft er wel tweeëntwintig jaar zwaar regime in Atlanta op zitten. Die autodiefstal op zijn zeventiende moet ergens in de jaren vijftig zijn geweest. Die stond niet eens in de computer, maar toch verzweeg hij het niet.'

'Waarom zou hij Chip vermoorden? Of Abby trouwens? En hoe koppel je hem aan de cyanide? Hoe zou hij daaraan moeten komen?'

'Als ik die vragen kon beantwoorden, zouden we hier waarschijnlijk niet zitten,' gaf Jeffrey toe. 'Vertel eens: wat moet je nou zo nodig met eigen ogen zien?'

Ze herinnerde zich weer wat ze eerder die dag over de telefoon had gezegd en kon zichzelf nu wel een schop verkopen. 'Gewoon iets stoms.'

'Hoezo iets stoms?'

Sara stond op en sloot de deur, ook al was er op de hele wereld niemand zo discreet als Carlos.

Ze ging weer zitten, haar handen samengevouwen voor zich op het bureau. 'Gewoon iets stoms dat zomaar bij me opkwam.'

'Er komt anders nooit iets stoms zomaar bij je op.'

Ze wilde hem corrigeren en haar riskante gedrag van een paar avonden geleden als voorbeeld noemen, maar in plaats daarvan zei ze: 'Ik wil er nu niet over praten.'

Hij staarde naar de muur achter in het vertrek en klakte

met zijn tong. Ze wist dat het hem niet lekker zat.

'Jeff.' Met beide handen omvatte ze zijn hand en drukte die tegen haar borst. 'Ik beloof je dat ik het je zal vertellen, oké? Na vanavond zal ik je vertellen waarom ik dit moet doen, en dan moeten we er vast samen om lachen.'

'Ben je nog steeds kwaad op me omdat ik op de bank heb geslapen?'

Ze schudde haar hoofd, verbaasd dat hij dat idee maar niet uit zijn hoofd kon zetten. Het had haar verdriet gedaan toen ze hem op de bank aantrof, maar kwaad was ze niet. Kennelijk was ze een minder goede actrice dan ze dacht. 'Waarom zou ik om zoiets kwaad op je zijn?'

'Ik snap maar niet waarom je je met alle geweld met die mensen wilt inlaten. Als je bedenkt hoe Abigail Bennett aan haar eind is gekomen en dat er nog een meisje wordt vermist dat bij deze zaak is betrokken, dan zou je toch je uiterste best moeten doen om Tessa bij ze uit de buurt te houden?'

'Ik kan het nu niet uitleggen,' antwoordde ze. 'Het heeft niks met jou te maken of met hem' – ze wees naar de sectiezaal – 'en ook niet met deze zaak of met een of andere religieuze bekering die ik doormaak. Daar kun je van op aan. Ik zweer het.'

'Ik vind het niet prettig om erbuiten gehouden te worden.'

'Dat weet ik,' zei ze. 'En ik weet ook dat het niet eerlijk is. Maar het is belangrijk dat je me vertrouwt, oké? Je moet me wat ruimte geven.' Ze had er bijna aan toegevoegd dat ze dezelfde ruimte verlangde die zij hem de vorige avond had geschonken, maar besloot het onderwerp niet opnieuw aan te roeren. 'Vertrouw me nou maar.'

Hij staarde naar haar handen, die nog steeds om de zijne waren geslagen. 'Dit werkt behoorlijk op m'n zenuwen, Sara. Wie weet hoe gevaarlijk die mensen zijn.'

'Ga je het me verbieden?' vroeg ze plagerig. 'Ik zie anders geen ring om mijn vinger, meneer Tolliver.'

'Nu je het zegt.' Hij trok haar bureaula open. Voor ze aan een autopsie begon, deed ze altijd haar sieraden af en legde die in haar kantoortje. Zijn jaarring van Auburn lag naast de diamanten oorbellen die hij haar het vorige jaar voor kerst had gegeven.

Hij pakte de ring en ze stak haar hand uit zodat hij hem om haar vinger kon schuiven. Ze dacht dat hij haar weer zou vragen niet te gaan, maar het enige wat hij zei was: 'Wees voorzichtig.'

Toen Sara haar auto voor het huis van haar ouders parkeerde, zag ze tot haar verbazing haar neef Hare staan. Uitgedost als een model uit *GQ* leunde hij tegen zijn Jaguar cabriolet.

'Zo, Peentje!' wierp hij haar toe nog voor ze het portier van haar auto had gesloten.

Sara keek op haar horloge. Ze zou Tessa oppikken en was vijf minuten te laat. 'Wat voer jij hier uit?'

'Ik heb een afspraakje met Bella,' zei hij. Hij nam zijn zonnebril af en liep naar haar toe. 'Waarom zit de voordeur op slot?'

Ze haalde haar schouders op. 'Waar zijn mijn vader en moeder?'

Hij klopte op zijn zakken, alsof ze daar misschien zaten. Sara was dol op haar neef, zonder meer, maar soms kon ze hem wel wurgen, want hij was niet in staat om ook maar iets serieus te nemen.

Ze wierp een blik op het appartement boven de garage. 'Is Tessa thuis?'

'Als ze er is, dan draagt ze haar onzichtbare pak,' zei Hare, die zijn zonnebril weer op zijn neus schoof en nu tegen haar auto aan ging staan. Hij droeg een witte pantalon en heel even speet het Sara dat haar vader haar auto had gewassen.

'We zouden samen ergens naartoe,' zei ze. Ze was totaal niet in de stemming voor zijn grapjes en daarom zei ze niet waarheen. Weer keek ze op haar horloge. Ze gaf Tessa nog tien minuten en dan ging ze naar huis. Ze stond toch al niet te springen om die kerk te bezoeken, en hoe meer ze over Jeffreys bezwaren nadacht, hoe meer ze ervan overtuigd raakte dat het een slecht idee was.

Hare duwde zijn bril naar beneden, knipperde met zijn wimpers en vroeg: 'Zeg op: zie ik er niet schattig uit?'

Onwillekeurig sloeg Sara haar blik ten hemel. Wat haar

nog het meest aan Hare tegenstond was dat hij niet alleen zelf de pias uithing, maar er ook altijd weer in slaagde het kind in anderen boven te brengen.

'Als jij het tegen mij zegt, dan zeg ik het tegen jou,' stelde hij voor. 'Jij eerst.'

Hoewel Sara gekleed was voor de kerk, trapte ze er niet in. 'Ik heb met Jeffrey gesproken,' zei ze en ze sloeg haar armen over elkaar.

'Zijn jullie alweer getrouwd?'

'Nee, en dat weet je best.'

'Zul je eraan denken dat ik bruidsmeisje wil zijn?'

'Hare...'

'Heb ik je dat verhaal al eens verteld? Over die koe die gratis melk kreeg?'

'Koeien drinken geen melk,' luidde haar antwoord. 'Waarom heb je me niet verteld dat hij misschien besmet was?'

'Ik heb een of andere eed moeten afleggen toen ik afstudeerde als arts,' zei Hare. 'Iets wat rijmt op hydrostatisch...'

'Hare...'

'Plutocratisch...'

'Hare,' verzuchtte Sara.

'Hippocratisch!' riep hij uit en hij knipte met zijn vingers. 'Ik vroeg me al af waarom we allemaal met zo'n gewaad aan toastjes moesten eten, maar eigenlijk hoef ik jou niet te vertellen dat ik geen gelegenheid voorbij laat gaan om een jurk aan te trekken.'

'Sinds wanneer heb jij last van scrupules?'

'Die zijn ingedaald toen ik een jaar of dertien was.' Hij schonk haar een knipoog. 'Weet je nog dat je er altijd naar greep als we samen in bad zaten?'

'Dat was toen we twee waren,' zei ze, met een meewarige blik naar beneden. 'En nou moet ik opeens aan "speld in een hooiberg" denken.'

'O!' zei hij geschrokken en hij sloeg zijn hand voor zijn mond.

'Hoi!' klonk Tessa's stem. Ze kwam de straat af lopen, met Bella aan de arm. 'Sorry dat ik zo laat ben.'

'Geeft niet,' zei Sara, opgelucht maar ook een beetje teleurgesteld.

Tessa kuste Hare op de wang. 'Wat zie je er schattig uit!'

'Dank je,' zeiden Hare en Sara tegelijkertijd.

'Kom, dan lopen we naar het huis,' zei Bella. 'Hare, als jij nou eens een colaatje voor me haalt.' Ze zocht in haar zak en diepte een sleutel op. 'En neem dan gelijk mijn sjaal mee; die hangt over mijn stoel.'

'Ja, mevrouw,' zei hij, en hij rende naar het huis.

'We zijn al aan de late kant,' vond Sara. 'Misschien moeten we maar...'

'Een minuutje, dan heb ik me omgekleed,' zei Tessa, en voor Sara zich er op een elegante manier van kon afmaken, vloog ze de trap naar haar appartement op.

Bella sloeg haar arm om Sara's schouder. 'Wat zie jij er afgepeigerd uit.'

'Ik had gehoopt dat Tessa het ook zou merken.'

'Waarschijnlijk heeft ze het wel door, maar ze vindt het geweldig dat je met haar meegaat en ze laat zich nergens door weerhouden.' Bella pakte de leuning en liet zich op de traptreden zakken.

Sara ging naast haar tante zitten. 'Ik snap nog steeds niet waarom ze zo graag wil dat ik meega.'

'Het is iets nieuws voor haar,' zei Bella. 'Ze wil je erin laten delen.'

Sara leunde op haar ellebogen achterover. Wat haar betrof had Tessa haar in iets interessanters mogen laten delen. Bijvoorbeeld in de Hitchcock-retrospectief die op dat moment in de bioscoop werd vertoond. Of anders konden ze nog altijd leren borduren.

'Bella,' vroeg Sara. 'Waarom ben je hier eigenlijk?'

Bella liet zich nu ook achteroverzakken. 'Een dwaze liefde.'

Als iemand anders het had gezegd, was Sara in lachen uitgebarsten, maar ze wist dat haar tante Bella op het punt van romantiek heel gevoelig was.

'Hij was tweeënvijftig,' zei ze. 'Hij had mijn zoon kunnen zijn!'

Quasi-geschokt trok Sara haar wenkbrauwen op.

'Hij heeft me laten zitten voor een sloerie van eenenveertig,' zei Bella op droevige toon. 'Met rooie haren.' Waarschijnlijk bespeurde ze iets van solidariteit op Sara's gezicht, want ze haastte zich te zeggen: 'Niet zoals jij, hoor.' En toen, ter verduidelijking: 'De vloerbedekking vloekte nogal met de gordijnen, als je begrijpt wat ik bedoel.' Weemoedig staarde ze naar de straat. 'Maar wat een man. Zo charmant. En keurig dat ie was.'

'Jammer dat het uit is.'

'Het ellendige is dat ik voor hem door het stof ben gegaan,' bekende ze. 'Het is al erg genoeg om gedumpt te worden, maar als je dan ook nog eens smeekt om een tweede kans en een klap in je gezicht krijgt...'

'Hij heeft je toch niet...'

'O hemel, nee,' zei ze lachend. 'Wee de ongelukkige die zijn hand opheft tegen jouw tante Bella.'

Sara glimlachte.

'Zie dat maar als een goeie les,' waarschuwde ze. 'Je kunt niet eindeloos het lid op de neus krijgen.'

Sara beet op haar lip en besefte dat ze zo langzamerhand schoon genoeg kreeg van al die mensen die haar duidelijk probeerden te maken dat ze met Jeffrey moest trouwen.

'Als je mijn leeftijd hebt bereikt,' vervolgde Bella, 'zijn er andere dingen belangrijk dan toen je nog jong en ongebonden was.'

'Zoals wat?'

'Zoals kameraadschap. Praten over boeken en toneel en actuele gebeurtenissen. Iemand om je heen die je begrijpt, die dezelfde dingen heeft meegemaakt als jij en er ook wijzer van is geworden.'

Sara voelde het verdriet van haar tante, maar ze wist niet hoe ze het kon verlichten. 'Wat vervelend voor je, Bella.'

'Tja.' Ze klopte Sara op haar been. 'Maak je maar geen zorgen om je tante Bella. Die heeft het wel erger voor d'r kiezen gehad, neem dat maar van mij aan. Er is met me gesold als met een ouwe sok...' Ze knipoogde. 'Maar ik heb nog niks van mijn veerkracht verloren.' Bella tuitte haar lippen en bestudeerde Sara's gezicht alsof ze haar nu voor het eerst zag. 'Is er iets, liefje?'

Sara wist dat ze zich er niet met een leugentje af kon maken. 'Waar is mama?'

'Naar de Bond van Vrouwelijke Kiezers,' zei Bella. 'Ik heb geen idee waar die vader van je uithangt. Waarschijnlijk zit hij in het Waffle House met andere oude mannetjes over politiek te kletsen.'

Sara besloot het moment te benutten en haalde diep adem. 'Mag ik je iets vragen?'

'Laat maar horen.'

Sara keerde haar gezicht naar haar toe en dempte haar stem voor het geval Tessa haar ramen open had staan of Hare hen net op dat moment van achteren wilde besluipen. 'Je zei laatst dat papa mama had vergeven nadat ze was vreemdgegaan.'

Bella keek haar argwanend aan. 'Dat zijn hun zaken.'

'Dat weet ik,' beaamde Sara. 'Ik wou alleen maar...' Zonder er nog langer omheen te draaien zei ze: 'Het was Thomas Ward, hè? Ze had iets met Thomas Ward.'

Het duurde even en toen gaf Bella een knikje. Tot Sara's verbijstering zei ze: 'Hij was je vaders beste vriend, al vanaf dat ze schooljongens waren.'

Sara kon zich niet herinneren dat ze Eddie ooit zijn naam had horen noemen, maar gezien de omstandigheden was dat begrijpelijk.

'Door dat gedoe raakte hij zijn beste vriend kwijt. Volgens mij heeft dat hem bijna even erg geraakt als de mogelijkheid dat hij je moeder kwijt zou raken.'

'Thomas Ward staat aan het hoofd van die kerk waar Tessa zo enthousiast over is.'

Weer knikte ze. 'Dat was me bekend.'

'Het punt is,' begon Sara, en opnieuw vroeg ze zich af hoe ze het moest formuleren, 'dat hij een zoon heeft.'

'Volgens mij heeft hij er meer dan een. En ook nog wat dochters.'

'Tessa zegt dat ik op hem lijk.'

Bella's wenkbrauwen schoten omhoog. 'Wat zeg je me nou?'

'Ik durf het bijna niet te herhalen.'

Boven ging Tessa's deur open en sloeg weer dicht. Ze snelde de trap af. Sara voelde bijna hoe opgetogen ze was.

'Liefje,' zei Bella, en ze legde haar hand op Sara's knie. 'Niet alle hondjes die blaffen heten Fikkie.'

'Bella...'

'Ben je zover?' vroeg Tessa.

'Veel plezier, jullie tweeën,' zei Bella en toen ze opstond gaf ze Sara een kneepje in haar schouder. 'Ik zal het licht aan laten.'

De kerk zag er heel anders uit dan Sara had verwacht. Het gebouw stond aan de rand van het terrein dat bij de boerderij hoorde en deed haar denken aan de plaatjes van oude zuidelijke kerken die ze als kind in voorleesboeken had zien staan. In plaats van de gigantische, barokke bouwwerken die Main Street in Heartsdale sierden en waarvan het gebrandschilderde glas het hele hart van de stad van kleur voorzag, was de Kerk voor het Grotere Goed niet veel meer dan een houten optrekje met een blinkend wit geschilderde buitenkant en met een voordeur die nauwelijks verschilde van de voordeur van Sara's eigen huis. Het zou haar niet verbaasd hebben als de kerk nog met kaarsen verlicht werd.

Binnen was het een heel ander verhaal. Rood tapijt bedekte het brede middenpad en aan weerszijden verhieven zich houten banken in shakerstijl. Het hout was ongebeitst en Sara zag de kerven in de gekrulde handgesneden achterkant van de banken zitten. Aan het plafond hing een stel grote kroonluchters. De preekstoel was een indrukwekkende mahoniehouten constructie en het kruis dat achter de doopvont hing zag eruit alsof het van de berg Sinaï naar beneden was gedragen. Sara had wel rijker ingerichte kerken gezien die openlijker pronkten met hun kostbaarheden. Toch ging er van de sobere ruimte iets troostends uit, alsof het de opzet van de architect was geweest om de aandacht gericht te houden op wat er in het gebouw gebeurde in plaats van op het gebouw zelf.

Bij het betreden van de kerk pakte Tessa Sara's hand vast. 'Mooi, hè?'

Sara knikte.

'Ik ben echt blij dat je meegekomen bent.'

'Ik hoop dat ik je niet teleurstel.'

Tessa kneep in haar hand. 'Hoe kun jij me nou teleurstellen?' vroeg ze, terwijl ze Sara meetrok naar de deur achter de preekstoel. 'Het begint altijd in de broederschapszaal,' legde ze uit, 'en daarna komen we hier voor de dienst.'

Tessa deed de deur naar een grote, helder verlichte ruimte open. In het midden stond een lange tafel die plaats bood aan wel vijftig mensen. Boven de kandelaars dansten zachte vlammetjes. Aan tafel zaten enkele mensen, maar de meeste aanwezigen stonden rond een loeiend haardvuur achter in de zaal. Op een tafel onder een rij grote ramen stond een koffieketel en ook waren er de befaamde honingbroodjes waarover Tessa had verteld.

Toen Sara zich die avond gereed had gemaakt voor de kerk, had ze als concessie een panty aangetrokken. Bij het uitzoeken van haar kleren had ze opeens moeten denken aan wat haar moeder jaren geleden had gezegd: dat er een verband bestond tussen blote benen in de kerk en branden in de hel. Naar het publiek te oordelen had ze zich de moeite kunnen besparen. De meesten waren in spijkerbroek. Enkele vrouwen droegen een rok, van het zelfgemaakte soort dat ze bij Abigail Bennett had gezien.

'Kom, dan zal ik je aan Thomas voorstellen,' zei Tessa, en ze sleepte haar mee naar het hoofd van de tafel. In een rolstoel zat een oude man, geflankeerd door twee vrouwen.

Tessa boog zich naar hem toe en legde haar hand op de zijne. 'Thomas, dit is mijn zus, Sara.'

Aan één kant was zijn gezicht helemaal slap en zijn mond hing een beetje open, maar toen hij naar Sara opkeek fonkelden zijn ogen van plezier. Zijn lippen bewogen moeizaam en Sara verstond geen woord van wat hij zei.

Een van de vrouwen vertaalde het voor haar. 'Hij zegt dat je de ogen van je moeder hebt.'

Hoewel Sara niet de indruk had dat ze ook maar iets van haar moeder had geërfd, glimlachte ze beleefd. 'Kent u mijn moeder dan?'

Thomas glimlachte terug en de vrouw zei: 'Cathy was hier gisteren nog; ze kwam een verrukkelijke chocoladetaart brengen.' Ze gaf hem een klopje op zijn hand, alsof hij een kind was. 'Dat is toch zo, papa?'

'O.' Meer kreeg Sara er niet uit. Als Tessa al verbaasd was, dan liet ze het niet merken. Ze zei tegen Sara: 'Daar heb je Lev. Ik ben zo terug.'

Sara bleef achter, haar handen samengevouwen voor zich. Zo langzamerhand begon ze zich af te vragen wat ze in vredesnaam voor ogen had gehad toen ze besloot hier naartoe te komen.

'Ik ben Mary,' zei de vrouw die het eerst had gesproken. 'En dit is mijn zus Esther.'

'Mevrouw Bennett,' zei Sara, 'ik leef erg met u mee.'

'U hebt Abby gevonden, hè?' vroeg de vrouw. Ze keek Sara niet aan, maar staarde naar een punt ergens achter haar schouder. Na een paar tellen richtte ze haar aandacht weer op Sara. 'Ik ben u dankbaar dat u zo goed voor haar gezorgd hebt.'

'Ik wou dat ik meer had kunnen doen.'

Esthers onderlip begon te beven. Ook al leken ze in de verste verte niet op elkaar, toch deed de vrouw Sara aan haar eigen moeder denken. Ze straalde dezelfde rust uit als Cathy, een vastberaden kalmte die voortkwam uit onvoorwaardelijke spiritualiteit.

'Uw man en u zijn heel behulpzaam geweest,' zei Esther.

'Jeffrey doet alles wat in zijn vermogen ligt,' antwoordde Sara, die wijselijk zweeg over Rebecca of over de ontmoeting in het restaurant.

'Ik wilde u nog bedanken.' Een lange, goedgeklede man was ongemerkt naast haar komen staan en onderbrak nu hun gesprek. 'Ik ben Paul Ward,' zei hij. Ook als Jeffrey niets over hem verteld had, zou ze meteen hebben geweten dat hij jurist was.

'Ik ben Abby's oom,' zei hij. 'Een van de ooms.'

'Aangenaam kennis te maken,' zei Sara, die concludeerde dat hij wel heel erg uit de toon viel. Veel verstand van mode had ze niet, maar het was duidelijk dat het pak dat Paul droeg hem een bom duiten had gekost. Het zat hem als gegoten.

'Cole Connolly,' stelde de man naast hem zich voor. Hij was een stuk kleiner dan Paul en zo'n dertig jaar ouder, maar hij blaakte van energie en Sara moest denken aan wat haar moeder altijd zei over mensen die geraakt waren door de geest van de Heer. Ook schoten haar Jeffreys woorden over de man weer te binnen. Op haar maakte Connolly een onschuldige indruk, maar Jeffrey vergiste zich zelden in mensen.

'Zou jij nog even bij Rachel willen kijken?' vroeg Paul aan Esther.

Na enige aarzeling gaf Esther aan zijn verzoek gehoor. 'Nogmaals bedankt, dokter,' zei ze voor ze bij Sara wegliep.

'Lesley, mijn vrouw, kon er vanavond niet bij zijn,' liet Paul Sara plompverloren weten. 'Ze is thuis bij een van onze zoontjes.'

'Hopelijk is hij niet ziek.'

'De gebruikelijke narigheid,' zei hij. 'U snapt wel wat ik bedoel.'

'O ja,' antwoordde ze, maar onwillekeurig bekroop haar het gevoel dat ze op haar hoede moest zijn voor deze man. Hij kon moeiteloos voor een diaken doorgaan – wat hij waarschijnlijk ook was –, maar Sara moest niks hebben van de vertrouwelijke toon die hij aansloeg, alsof hij dingen over haar wist omdat hij toevallig op de hoogte was van haar beroep.

Paul ging nog een stapje verder en vroeg: 'U bent toch de plaatselijke lijkschouwer?'

'Ja.'

'Morgen is de dienst voor Abby.' Zijn toon werd nu gedempt. 'We zitten met de kwestie van de overlijdensakte.'

Eigenlijk vond Sara het stuitend dat hij haar ernaar vroeg, maar niettemin zei ze: 'Ik zal morgen een paar kopieën naar het uitvaartcentrum laten sturen.'

'Brock,' zei hij, doelend op de begrafenisondernemer. 'Dat zou ik zeer waarderen.'

Connolly schraapte gegeneerd zijn keel. Mary fluisterde: 'Paul!', en ze wees naar hun vader. Het was duidelijk dat zijn woorden de oude man hard hadden getroffen. Hij was gaan verzitten op zijn stoel en had zijn hoofd afgewend. Sara kon niet zien of er tranen in zijn ogen stonden.

'Dan hebben we dat ook maar weer afgehandeld,' zei Paul bij wijze van excuus. Vlug stapte hij op een ander onderwerp over. 'Weet u, dokter Linton, ik heb diverse keren op u gestemd.' Lijkschouwers werden door middel van stemming aangewezen, hoewel Sara het nauwelijks als een compliment beschouwde dat er al twaalf jaar geen tegenkandidaat was geweest.

'Woont u dan in Grant County?' vroeg ze.

'Mijn vader heeft er vroeger gewoond.' Hij legde zijn hand op de schouder van de oude man. 'Aan het meer.'

Sara's keel werd dichtgesnoerd. Vlak bij haar ouders.

Paul zei: 'Jaren geleden is de familie hiernaartoe verhuisd, maar ik heb nooit de moeite genomen om me hier te laten inschrijven.'

'Zal ik je eens wat vertellen?' zei Mary. 'Ken volgens mij ook niet. Dat is de man van Rachel,' verduidelijkte ze. 'Hij moet hier ook ergens rondlopen.' Ze wees naar een rondbuikig mannetje dat sprekend op de kerstman leek. Hij stond met een groepje tieners te praten. 'Daar is ie.'

'O,' was alles wat Sara kon zeggen. Het waren bijna allemaal jonge meisjes die om hem heen stonden, net zo gekleed als Abby en allemaal van Abby's leeftijd. Toen ze de zaal rondkeek viel het haar op dat er veel jonge vrouwen waren. Ze deed haar best om Cole Connolly te ontwijken, ook al was ze zich scherp bewust van zijn aanwezigheid. Hij zag er heel normaal uit, maar wat moest je je eigenlijk voorstellen bij een man die een jong meisje – misschien verscheidene jonge meisjes – had begraven en vervolgens vergiftigd? In elk geval had hij geen hoorntjes en giftanden.

Thomas zei iets en met moeite richtte Sara haar aandacht weer op het gesprek.

Opnieuw vertaalde Mary zijn woorden. 'Hij zegt dat hij ook op u heeft gestemd. Lieve help, papa, het is toch niet te geloven dat jullie je geen van allen hier hebben laten inschrijven? Dat is vast strafbaar. Cole, daar moet je werk van maken.'

'Ik sta in Catoogah geregistreerd,' zei Connolly verontschuldigend.

'Sta jij ook nog steeds in Grant ingeschreven, Lev?' vroeg Mary.

Sara draaide zich om en stootte tegen een man met een klein kind op zijn arm.

'Hola,' zei Lev en hij pakte haar bij de elleboog. Hij was groter dan zij, maar ze hadden dezelfde groene ogen en hetzelfde donkerrode haar.

'Dan bent jij dus Lev,' stamelde ze.

'Dat kan ik moeilijk ontkennen,' zei hij, en hij lachte een stel volmaakt witte tanden bloot.

Hoewel het tegen haar karakter indruiste, wilde ze die lach zo snel mogelijk van zijn gezicht vegen. Dat bereikte ze op een wel zeer ongepaste manier. 'Gecondoleerd met je nichtje.'

Zijn gezicht betrok. 'Dank je,' zei hij, met tranen in zijn ogen. Toen glimlachte hij naar zijn zoontje en even snel als ze waren opgekomen, onderdrukte hij zijn emoties weer. 'Vanavond zijn we bijeengekomen om het leven te vieren,' zei hij. 'We zijn hier bijeengekomen om onze stem te verheffen en uiting te geven aan onze vreugde in de Heer.'

'Amen,' zei Mary, en ter ondersteuning klopte ze op de metalen stang van haar vaders rolstoel.

'Dit is mijn zoontje Zeke,' zei Lev tegen Sara.

Sara glimlachte naar het kind en moest Tessa gelijk geven: hij was inderdaad het allerschattigste jongetje dat ze ooit had gezien. Voor een kind van vijf was hij aan de kleine kant, maar aan zijn grote handen en voeten kon ze zien dat hij binnen niet al te lange tijd een groeispurt zou maken. 'Leuk je te zien, Zeke,' zei ze.

Onder het toeziend oog van zijn vader stak de jongen Sara zijn hand toe. Ze pakte zijn vingertjes vast en voelde direct een band.

'Mijn lust en mijn leven,' zei Lev terwijl hij het kind over de rug streek, zijn blik vol onversneden geluk.

Sara knikte slechts. Zeke moest gapen en sperde zijn mond zo ver open dat je zijn amandelen kon zien.

'Heb je slaap?' vroeg ze.

'Ja, mevrouw.'

'Hij is bekaf,' zei Lev verontschuldigend. Hij zette Zeke op de vloer. 'Ga tante Esther maar zoeken en zeg dat je naar bed wilt.' Lev kuste hem op zijn hoofdje en stuurde hem met een tikje tegen zijn billen weg.

'We maken zware tijden door,' merkte Lev op. Zijn verdriet was bijna tastbaar, maar tegelijk vroeg Sara zich af of hij een show voor haar opvoerde omdat hij wist dat ze verslag zou uitbrengen aan Jeffrey.

Mary zei: 'We putten troost uit de gedachte dat ze nu op een betere plek is.'

Het leek of Lev niet begreep waar ze op doelde, want hij fronste zijn voorhoofd, maar toen herstelde hij zich en zei: 'Ja, ja. Dat is zo.' Sara concludeerde dat hij zich door de woorden van zijn zuster had laten overrompelen. Misschien had hij het over Rebecca gehad in plaats van Abby, maar dat kon ze onmogelijk vragen zonder Esther te verraden.

Aan de andere kant van de zaal zag ze Tessa. Ze peuterde het papiertje van een honingbroodje en stond onderwijl te praten met een eenvoudig geklede jongeman die zijn lange haar in een paardenstaart droeg. Tessa ving Sara's blik op, excuseerde zich en liep op haar af. Toen ze Zeke passeerde, streelde ze het jongetje even over zijn hoofd. Nog nooit was Sara zo blij geweest haar zus te zien – tot die haar mond opendeed.

Naar Sara en Lev wijzend zei ze: 'Jullie tweeën lijken meer op elkaar dan wij tweeën.'

Ze moesten lachen en Sara probeerde mee te doen. Lev en Paul waren beiden groter dan Sara, en ook Mary en Esther haalden met gemak haar een meter achtenzeventig. Deze keer was Tessa degene die met haar postuur uit de toon viel. Zelden had Sara zich zo slecht op haar gemak gevoeld.

'Je weet niet meer wie ik ben, hè?' vroeg Lev.

Sara keek om zich heen, gegeneerd dat ze zich een jongen die ze ruim dertig jaar geleden had gekend niet meer kon herinneren. 'Sorry, nee, inderdaad niet.'

'Van de zondagsschool,' zei hij. 'Hadden we niet een juffrouw Dugdale, pa?' Thomas knikte en de rechterkant van zijn gezicht plooide zich tot een glimlach. 'Je stelde de hele tijd vragen,' zei Lev. 'Het liefst had ik je mond dichtgeplakt, want we zouden vruchtensap krijgen als we ons bijbelversje hadden opgezegd, maar jij stak steeds je hand op en bleef vragen stellen.'

'Dat kan wel kloppen, ja,' zei Tessa. Ze knabbelde aan haar honingbroodje alsof er geen vuiltje aan de lucht was, alsof haar moeder geen relatie had gehad met de man die in een rolstoel naast haar zat, de man wiens zoon bijna als twee druppels water op Sara leek.

'We hadden een boek met een tekening van Adam en Eva,' zei Lev tegen zijn vader, 'en ze vroeg de hele tijd: "Juffrouw

Dugdale, als God Adam en Eva heeft geschapen waarom hebben ze dan een navel?"'

Thomas lachte voluit en zijn zoon deed mee. Misschien raakte Sara gewend aan Thomas' manier van spreken, wat ze verstond hem uitstekend toen hij zei: 'Dat is een goeie vraag.'

'Ik snap niet waarom ze niet gewoon tegen je zei dat het een kunstzinnige interpretatie was in plaats van een natuurgetrouwe weergave.'

Sara kon zich niet veel meer van juffrouw Dugdale herinneren dan dat ze altijd en eeuwig opgewekt was, maar wel stond haar antwoord haar nog bij. 'Volgens mij zei ze dat het een kwestie van geloof was.'

'Aha,' zei Lev peinzend. 'Bespeur ik hier een wetenschappelijke minachting voor religie?'

'Neem me niet kwalijk,' was Sara's antwoord. Ze was hier niet gekomen om mensen voor het hoofd te stoten.

'"Religie zonder wetenschap is blind,"' citeerde Lev.

'Je slaat het eerste gedeelte over,' liet ze hem weten. 'Einstein heeft ook gezegd dat wetenschap zonder religie mank gaat.'

Levs wenkbrauwen schoten omhoog.

Sara, die haar mond weer eens niet kon houden, voegde eraan toe: 'En hij zei bovendien dat we moeten zoeken naar wat is, niet naar wat zou moeten zijn.'

'Alle theorieën zijn in feite onbewezen ideeën.'

Weer moest Thomas lachen, hij had het duidelijk naar z'n zin. Maar Sara voelde zich opgelaten, alsof ze op aanstellerij was betrapt.

Lev probeerde haar nog wat uitspraken te ontlokken: 'Het is een interessante tweedeling, vind je niet?'

'Ik weet het niet,' mompelde Sara. Ze was niet van plan zich door deze man tot een filosofische discussie te laten verleiden in het bijzijn van zijn eigen familie, en al helemaal niet in de kerk die zijn vader waarschijnlijk eigenhandig had gebouwd. Bovendien wilde ze Tessa niet in verlegenheid brengen.

Lev leek zich van geen kwaad bewust. 'De kip of het ei?' vroeg hij. 'Heeft God de mens geschapen, of heeft de mens God geschapen?'

Sara weigerde zich uit de tent te laten lokken en zei iets wat hij waarschijnlijk graag wilde horen: 'Religie speelt een belangrijke rol in de maatschappij.'

'Ja, zeker,' beaamde hij, en ze wist niet of hij haar plaagde of uitdaagde. In beide gevallen irriteerde hij haar mateloos.

'Religie schept een gemeenschappelijke band,' zei ze. 'Zo krijg je groepen en families die samenlevingen vormen met gemeenschappelijke waarden en doelstellingen. Zulke samenlevingen doen het over het algemeen beter dan groepen zonder religieuze binding. Ze geven hun leefregels door aan hun kinderen, de kinderen geven ze weer door aan hun kinderen enzovoorts.'

'Het God-gen,' liet Lev zich ontvallen.

'Zo zou je het kunnen zeggen,' beaamde ze, maar ze had er alweer spijt van dat ze zich had laten strikken.

Opeens liet Connolly zich horen en Sara schrok van de woede die in zijn stem doorklonk. 'Jongedame, een mens zit aan Gods rechterhand of niet.'

Het bloed steeg Sara naar de wangen. 'Ik wilde alleen maar...'

'Je hoort bij de getrouwen of bij de trouwelozen,' zei Connolly met klem. Er lag een bijbel op tafel; hij nam het boek op en verhief zijn stem. 'Ik beklaag de trouwelozen, want zij erven een eeuwigheid in de vurige poelen van de hel.'

'Amen,' zei Mary, maar Sara hield haar blik op Connolly gericht. Van het ene op het andere moment was hij veranderd in de man voor wie Jeffrey haar gewaarschuwd had. Om hem te kalmeren zei ze snel: 'Het spijt me als ik...'

'Cole,' kwam Lev tussenbeide. 'We zitten elkaar alleen maar een beetje uit te dagen.' Het klonk plagerig, alsof hij het tegen een oude, tandeloze tijger had.

'Het geloof is geen spelletje,' pareerde Cole, en de aderen in zijn hals zwollen op. Nu richtte hij zich tot Sara. 'En jij, jongedame: met mensenlevens speel je niet! We hebben het hier over verlossing. Over leven en dood!'

'Cole, rustig nou,' probeerde Tessa de zaak te sussen. Sara kon heel goed voor zichzelf opkomen, maar ze was blij dat haar zus haar te hulp schoot, vooral omdat ze geen idee had waartoe die Connolly in staat was.

'We hebben een gast, Cole.' Lev hield zich in, hoewel zijn stem nu scherper klonk – hij dreigde niet, maar liet duidelijk zijn gezag gelden. 'Een gast die recht heeft op haar eigen mening, net als jij.'

Thomas Ward zei ook iets, maar Sara verstond slechts enkele woorden. Ze maakte eruit op dat God de mens had gezegend met de vrijheid om zelf te kiezen.

Zijn woede verbijtend zei Connolly: 'Ik ga maar eens kijken of Rachel hulp nodig heeft.' Hij beende weg, zijn vuisten gebald langs zijn zij. Sara zag dat hij opvallend brede schouders had en een gespierde rug. Ondanks zijn leeftijd zou Cole Connolly het met gemak tegen de helft van de aanwezige mannen kunnen opnemen.

Lev keek hem na. Ze wist niet of de predikant geamuseerd was of geërgerd, daarvoor kende ze hem niet goed genoeg, maar hij klonk oprecht toen hij tegen haar zei: 'Neem het hem maar niet kwalijk.'

'Waar sloeg dat in 's hemelsnaam op?' vroeg Tessa. 'Ik heb hem nog nooit zo kwaad gezien.'

'Met de dood van Abby hebben we een groot verlies geleden,' antwoordde Lev. 'Ieder van ons gaat op zijn eigen manier met zijn verdriet om.'

Het duurde even voor Sara haar stem terug had. 'Ik hoop niet dat ik hem beledigd heb.'

'Je hoeft je echt niet te verontschuldigen,' zei Lev, en Thomas bromde instemmend vanuit zijn rolstoel.

'Cole is nog van een andere generatie,' vervolgde Lev. 'Met zelfbeschouwing heeft hij niet veel op.' Hij glimlachte onbevangen. '"Vloek, grijsaard, tier aan het einde van de dag..."'

Tessa maakte het af: '"Raas, raas tegen het doven van het licht."'

Sara wist niet wat ze schokkender vond: Connolly's woede-uitbarsting of het feit dat Tessa Dylan Thomas citeerde. De ogen van haar zus schitterden en eindelijk snapte Sara waarom Tessa zo'n plotselinge bekering had doorgemaakt. Ze was verliefd op de dominee.

'Het spijt me als hij je gekwetst heeft,' zei Lev tegen Sara.

'O, ik ben niet gekwetst, hoor,' loog Sara. Ze probeerde

overtuigend te klinken, maar Lev vond het zichtbaar vervelend dat zijn gast beledigd was.

'Het probleem met religie,' zei hij, 'is dat je altijd een punt bereikt waarop de vragen niet beantwoord kunnen worden.'

'Dat heet geloof,' hoorde Sara zichzelf zeggen.

'Ja.' Hij glimlachte, maar ze wist niet of hij het met haar eens was. 'Geloof.' Met opgetrokken wenkbrauwen keek hij naar zijn vader. 'Geloof blijft een heikel onderwerp.'

De ergernis stond waarschijnlijk op haar gezicht te lezen, want Paul zei: 'Broer, het is een wonder dat je nooit voor de tweede keer getrouwd bent, want zoals jij met vrouwen omgaat...'

Thomas begon weer te lachen. Mary veegde snel een druppel kwijl weg die langs zijn kin naar beneden liep. Hij zei weer iets, een nogal lange zin die hem veel moeite kostte en waar Sara geen woord van verstond.

In plaats van zijn uitspraak te vertalen zei Mary vermanend: 'Papa!'

'Het komt erop neer,' lichtte Lev toe, 'dat je, als je dertig centimeter kleiner en iets lichtgeraakter was geweest, als twee druppels water op je moeder zou hebben geleken.'

Tessa moest ook lachen. 'Leuk om dat nou eens over iemand anders te horen.' Tegen Thomas zei ze: 'Iedereen zegt altijd dat ik op mijn moeder lijk en dat Sara van de melkboer is.'

Ze wist het niet zeker, maar Sara meende een zekere terughoudendheid in Thomas' glimlach te bespeuren.

'Helaas heb ik van mijn vader alleen zijn stijfkoppigheid geërfd,' zei Lev.

De hele familie lachte goedmoedig.

Lev wierp een blik op zijn horloge. 'Over een paar minuten beginnen we. Sara, zou jij bij mij vooraan willen komen zitten?'

'Zeker,' zei ze, hoewel ze niet hoopte dat hij hun gesprek voort wilde zetten.

Lev hield de deur naar het koor voor haar open en trok hem zachtjes achter hen dicht. Hij hield zijn hand op de knop, als om te voorkomen dat de anderen hen volgden.

'Hoor eens,' zei hij, 'het spijt me als ik je zo-even op de kast heb gejaagd.'

'Dat viel wel mee,' zei ze.

'Ik mis de theologische discussies met mijn vader,' legde hij uit. 'Hij kan niet goed meer praten, zoals je hebt gezien, en ik... Nou ja, misschien heb ik me daarnet iets te veel laten meeslepen. Mijn verontschuldigingen.'

'Ik ben niet beledigd, hoor,' zei ze.

'Cole is soms een kregel mannetje,' vervolgde hij. 'Hij ziet alles zo zwart-wit.'

'Dat heb ik gemerkt.'

'Je hebt een bepaald slag mensen...' Lev glimlachte zijn tanden bloot. 'Ik heb een paar jaar onder academici verkeerd. Toen ik psychologie studeerde.' Het leek wel of hij zich geneerde. 'Hoogopgeleiden zijn geneigd te denken dat iedereen die in God gelooft dom is of waanideeën koestert.'

'Het is nooit mijn bedoeling geweest dat te suggereren.'

Die was raak en hij kaatste de bal meteen terug. 'Ik heb begrepen dat Cathy zeer godsdienstig is.'

'Inderdaad,' beaamde Sara, ook al kon ze het niet uitstaan dat de man ook maar aan haar moeder dacht, laat staan haar naam uitsprak. 'Ze is een van de intelligentste mensen die ik ken.'

'Mijn eigen moeder is kort na mijn geboorte gestorven. Ik heb haar helaas nooit gekend.'

'O, wat erg,' zei Sara.

Lev keek haar aan en toen knikte hij, alsof hij tot een bepaalde conclusie was gekomen. Als ze zich niet in een kerk hadden bevonden en als hij geen gouden kruisje op zijn revers had gedragen, zou ze hebben gezworen dat hij met haar stond te flirten. 'Je man mag zich gelukkig prijzen,' zei hij.

In plaats van zijn vergissing recht te zetten antwoordde Sara: 'Dank je.'

Toen Sara thuiskwam lag Jeffrey in bed *Andersonville* te lezen. Ze was zo blij hem te zien dat ze heel even niets durfde te zeggen.

Hij sloeg het boek dicht, maar hield een vinger op de plek waar hij gebleven was. 'Hoe was het?'

Ze haalde haar schouders op en knoopte haar bloes los. 'Tessa was in elk geval gelukkig.'

'Mooi,' zei hij. 'Dat kan ze goed gebruiken.'

Ze trok de rits van haar rok naar beneden. Onderweg naar huis had ze haar panty al uitgedaan, die lag nu op de vloer van de auto.

'Heb je de maan gezien?' vroeg Jeffrey, en het duurde even voor ze doorhad waar hij op doelde.

'O.' Ze keek uit het slaapkamerraam en zag de volle maan bijna volmaakt weerspiegeld in het meer. 'Schitterend.'

'Er is nog niks bekend over Rebecca Bennett.'

'Ik heb vanavond met haar moeder gesproken,' zei Sara. 'Ze maakt zich grote zorgen.'

'Anders ik wel.'

'Denk je dat ze gevaar loopt?'

'Ik vrees dat ik pas weer rustig slaap als we weten waar ze is.'

'Dat onderzoek in het bos heeft zeker niks opgeleverd?'

'Nee,' beaamde hij. 'Frank heeft bij die juweliers ook niks kunnen vinden. Van het lab hebben we nog geen uitslag over het bloed in de tweede kist.'

'Dan heeft Ron het zeker druk gehad.' Ze vond het niets voor de patholoog om zijn beloften niet na te komen. 'Misschien kwam er een haastklus tussendoor of zo.'

Hij keek haar onderzoekend aan. 'Is er vanavond nog iets gebeurd?'

'Iets bijzonders, bedoel je?' vroeg ze. Sara moest aan haar botsing met Cole Connolly denken. Ze was nog steeds aangeslagen door die hele discussie en wist niet goed hoe ze haar gevoelens tegenover Jeffrey moest verwoorden; hoe langer ze erover nadacht, hoe meer ze ertoe neigde Levs uitleg van Connolly's houding als juist te beschouwen. Ook geneerde ze zich een beetje voor haar eigen gedrag en ze vroeg zich af of ze die woordenwisseling misschien met opzet had uitgelokt.

'Die ene broer, Paul, vroeg me om een kopie van de overlijdensakte,' zei ze.

'Vreemd,' vond Jeffrey. 'Waar zou dat voor zijn?'

'Misschien is er een testament of een fonds?' Terwijl ze haar beha losmaakte, liep Sara de badkamer in.

'Hij is jurist,' zei Jeffrey. 'Er zit vast een of andere juridische kwestie achter.' Hij legde het boek op zijn nachtkastje en ging rechtop zitten.

'En verder?'

'Ik heb Levs zoontje ontmoet,' zei ze, en tegelijkertijd vroeg ze zich af waarom ze het ter sprake bracht. Ze had nog nooit een kind gezien met zulke mooie lange wimpers en als ze bedacht hoe hij had gegeeuwd, zijn mondje vol overgave opensperrend, zoals alleen een kind dat kan, opende zich in haar hart een ruimte die ze heel lang geleden had proberen af te sluiten.

'Zeke?' vroeg Jeffrey. 'Leuk joch, hè?'

'Ja,' beaamde ze. Ze wroette in de wasmand op zoek naar een T-shirt dat schoon genoeg was om in te slapen.

'Verder nog iets gebeurd?'

'Ik heb me laten verleiden tot een religieuze discussie met Lev.' Sara dook een shirt van Jeffrey op en trok het aan. Toen ze overeind kwam zag ze zijn tandenborstel in het bekertje naast het hare staan. Ook zijn scheerzeep en scheermes had hij daar uitgestald, en zijn deodorant stond op het plankje naast die van haar.

'En, wie heeft gewonnen?' vroeg hij.

'Geen van beiden,' was haar antwoord. Ze deed wat tandpasta op haar tandenborstel en begon met haar ogen dicht te poetsen, opeens doodmoe.

'Ze hebben je toch niet overgehaald je te laten dopen, hè?'

Ze was te moe om erom te kunnen lachen. 'Nee. Ze zijn allemaal heel aardig. Ik snap wel waarom Tessa er graag komt.'

'Ze zwaaiden niet met slangen of spraken in tongen?'

'Ze zongen "Amazing Grace" en spraken over goede werken.' Ze spoelde haar mond en zette de tandenborstel weer in het bekertje. 'Het is daar een stuk leuker dan in de kerk van mijn moeder, dat kan ik je wel vertellen.'

'Echt?'

'Mm-mm,' zei ze. Ze schoof het bed in, genietend van de schone lakens. Alleen al het feit dat Jeffrey de was deed, was een reden om hem de meeste, zo niet al zijn gebreken te vergeven.

Hij nestelde zich tegen haar aan en leunend op zijn elleboog vroeg hij: 'Hoe bedoel je, leuker?'

'Geen hel en verdoemenis, zoals Bella zou zeggen.' Opeens schoot haar iets te binnen. 'Heb je trouwens tegen ze gezegd dat ik je vrouw ben?'

Hij keek opgelaten, zo fatsoenlijk was hij nog wel. 'Misschien heb ik het me laten ontvallen.'

Ze stompte hem zachtjes tegen zijn borst en hij viel op zijn rug, alsof ze hem een flinke dreun had verkocht.

'Het is een hechte club,' zei ze.

'Die familie?'

'Ik heb niet echt iets vreemds aan ze kunnen ontdekken. Nou ja, ze zijn niet vreemder dan mijn eigen familie, en voor je nu iets gaat zeggen, meneer Tolliver, moet je goed bedenken dat ik jouw moeder ken.'

Met een knikje aanvaardde hij zijn nederlaag. 'Was Mary er ook?'

'Ja.'

'Dat is de andere zus. Lev zei dat hij niet kon komen omdat ze ziek was.'

'Ze maakte op mij anders geen zieke indruk,' zei Sara. 'Maar het is ook weer niet zo dat ik haar onderzocht heb.'

'En de anderen?'

Ze moest even nadenken. 'Van Rachel heb ik niet veel gezien. Die Paul speelt inderdaad graag de baas.'

'Dat geldt ook voor Lev.'

'Hij zei dat mijn man zich gelukkig mocht prijzen.' Ze glimlachte, want ze wist dat hij dat niet zou kunnen uitstaan.

Jeffreys kaak verstrakte. 'O?'

Lachend legde ze haar hoofd op zijn borst. 'Ik zei dat ik me gelukkig mocht prijzen met zo'n rechtschapen man.' Als een rasechte zuiderling gaf ze een lijzige haal aan het woord 'ma-an'.

Zijn borsthaar kriebelde tegen haar neus en ze streek het glad. Jeffrey ging met zijn vinger over zijn jaarring uit Auburn, die ze nog steeds droeg. Ze sloot haar ogen en wachtte tot hij iets zei, wachtte op de vraag die hij haar het afgelopen halfjaar regelmatig had gesteld, maar het bleef stil.

Toen vroeg hij: 'Wat moest je vanavond nou zo nodig met eigen ogen zien?'

Ze besefte dat ze het onvermijdelijke niet veel langer voor zich uit kon schuiven en zei: 'Mijn moeder is ooit vreemdgegaan.'

Zijn hele lichaam spande zich. 'Jouw moeder? Cathy?' Hij kon het al evenmin geloven als Sara toen ze het hoorde.

'Ze heeft het me een paar jaar geleden verteld,' zei Sara. 'Ze zei dat het geen seksueel avontuurtje was, maar ze is wel een tijdje bij mijn vader weg geweest.'

'Dat zou ik nooit achter haar gezocht hebben.'

'Ik mag het aan niemand vertellen.'

'Ik zal het heus niet doorvertellen,' zei hij. 'Jezus, alsof ook maar iemand me zou geloven.'

Weer sloot Sara haar ogen. Had haar moeder het haar maar nooit verteld. Toentertijd had Cathy aan Sara proberen duidelijk te maken dat het weer goed zou komen met Jeffrey als ze het echt wilde, maar nu was het geheim dat ze haar had toevertrouwd haar even welkom als een theologische discussie met Cole Connolly.

'Het was met de man die de kerk gesticht heeft,' zei ze. 'Met Thomas Ward.'

Even hield Jeffrey zijn adem in. 'En?'

'Ik weet niet hoe het verder gelopen is, maar mijn vader en moeder zijn weer bij elkaar gekomen.' Ze sloeg haar blik op naar Jeffrey. 'Ze zei dat ze weer bij elkaar zijn gekomen vanwege mij. Ze was zwanger van mij.'

Het duurde even voor hij reageerde. 'Dat was vast niet de enige reden waarom ze weer naar hem terug is gegaan.'

'Kinderen veranderen alles,' zei ze, en nog nooit eerder had ze hun eigen kinderloosheid zo rechtstreeks durven benoemen. 'Een kind schept een band tussen twee mensen. Het brengt je voor het leven samen.'

'Dat doet de liefde ook,' zei hij. Hij legde zijn hand tegen haar wang. 'Liefde brengt je ook samen. De dingen die je meemaakt. Het leven dat je deelt. Elkaar oud zien worden.'

Sara liet haar hoofd weer zakken.

'Eén ding weet ik zeker,' vervolgde Jeffrey, alsof het niet over henzelf ging, 'namelijk dat je moeder van je vader houdt.'

Moed vattend zei Sara: 'Je zei laatst dat Lev mijn haar en mijn ogen heeft.'

Secondenlang hield Jeffrey zijn adem in. 'Jezus,' fluisterde hij verbijsterd. 'Je denkt toch niet...' Hij zweeg. 'Ik weet dat ik je toen alleen maar plaagde, maar...' Zelfs hij was niet in staat het hardop uit te spreken.

Met haar hoofd op zijn borst keek ze omhoog, naar zijn kin. Hij had zich geschoren; waarschijnlijk had hij gedacht dat ze die avond iets te vieren hadden na het goede nieuws over zijn bloedtest.

'Ben je moe?' vroeg ze.

'En jij?'

Ze draaide zijn haartjes om haar vingers. 'Misschien dat ik gevoelig ben voor enige overreding.'

'Hoe gevoelig?'

Sara rolde zich op haar rug en trok hem met zich mee. 'Waarom voel je zelf niet?'

Dat aanbod sloeg hij niet af en hij begon haar langzaam en zacht te kussen.

'Je weet niet half hoe blij ik ben,' zei ze.

'Als jij blij bent, dan ben ik het ook.'

'Nee.' Ze nam zijn gezicht in haar handen. 'Ik ben blij dat er niets met je is.'

Weer kuste hij haar, zonder enige haast, spelend met haar lippen. Sara ontspande toen ze de druk van zijn lichaam op het hare voelde. Heerlijk vond ze het als hij op haar lag en haar aanraakte, op precies de goede plekken. Als de liefde bedrijven een kunst was, dan was Jeffrey een meester. Zijn mond zocht zich een weg langs haar hals naar beneden en ze wendde net haar hoofd af, haar ogen half gesloten, genietend van het gevoel dat hij haar bezorgde, toen ze in haar ooghoek een merkwaardige lichtflits zag aan de overkant van het meer.

Sara kneep haar ogen tot spleetjes en vroeg zich af of het een speling van het maanlicht op het water was of iets anders.

'Wat is er?' vroeg Jeffrey toen hij merkte dat ze werd afgeleid.

'Ssst.' Ze keek naar het meer. Weer zag ze de lichtflits en met een duw tegen Jeffreys borst zei ze: 'Opstaan.'

'Wat is er aan de hand?' vroeg hij terwijl hij overeind kwam.

'Zoeken ze nog steeds in het bos?'

'Niet in het donker,' zei hij. 'Wat...?'

Sara klikte het lampje uit en stapte uit bed. Het duurde even voor haar ogen aan het donker gewend waren en met haar handen voor zich uit tastend liep ze naar het raam. 'Ik heb iets gezien,' zei ze. 'Kom eens hier.'

Jeffrey kwam ook uit bed en ging naast haar staan. Hij tuurde over het meer.

'Ik zie niet...' Hij zweeg.

Weer die flits. Het was een lamp, onmiskenbaar. Aan de overkant van het meer was iemand met een zaklantaarn. Het was op nagenoeg dezelfde plek waar ze Abby hadden gevonden.

'Rebecca.'

Alsof er een pistool was afgevuurd, zo snel kwam Jeffrey in actie. Hij had zijn spijkerbroek al aan nog voor Sara haar kleren had gevonden. Terwijl ze in een paar gymschoenen schoot hoorde ze zijn krakende voetstappen al op de dennennaalden in haar achtertuin en ze ging hem hollend achterna.

De volle maan verlichtte het pad dat langs het meer liep. Jeffrey had enkele meters voorsprong en Sara rende achter hem aan. Hij had niet eens een shirt aangetrokken en ze wist dat hij ook zijn schoenen niet aanhad, want die droeg zij. De achterkant van de rechtergymschoen zakte af en Sara stond even stil om hem omhoog te trekken. Dat kostte tijd die ze niet kon missen, en toen ze weer begon te rennen, spande ze zich tot het uiterste in tot ze haar hart in haar keel voelde bonken. 's Ochtends nam ze meestal deze route als ze ging hardlopen, maar nu leek het een eeuwigheid voor ze de overkant van het meer hadden bereikt.

Jeffrey was een sprinter, terwijl Sara een echte langeafstandsloper was. Pas toen ze het huis van haar ouders was gepasseerd, kreeg ze een nieuwe energiestoot en binnen enkele minuten had ze hem ingehaald. Bij het naderen van het bos minderden ze vaart. Opeens zagen ze het licht van een zaklantaarn over het pad voor hen schijnen en ze bleven als aan de grond genageld staan.

Jeffrey dook weg, uit het zicht, Sara met zich meesleurend. Haar ademhaling ging gelijk op met de zijne en ze was bang dat alleen al het geluid hen zou verraden.

Ze zagen hoe het licht van de zaklantaarn zich naar het bos verplaatste en tussen de bomen verdween, in de richting van de plek waar Jeffrey en Sara drie dagen eerder Abigail hadden gevonden. Even werd Sara door paniek bevangen. Misschien keerde de moordenaar op een later tijdstip naar de lijken terug. Misschien was er een derde kist, die ondanks al hun gespeur aan hun aandacht was ontsnapt, en was de ontvoerder nu teruggekomen om het volgende deel van het ritueel uit te voeren.

Jeffrey drukte zijn mond tegen haar oor. 'Hier blijven,' fluisterde hij en voor ze hem kon tegenhouden, liep hij ineengedoken van haar weg. Ze wist dat hij niets aan zijn voeten had en ze vroeg zich af of hij wel besefte wat hij deed. Zijn pistool lag thuis. Niemand wist dat ze hier waren.

Sara volgde hem op veilige afstand en probeerde nergens op te trappen dat geluid zou kunnen maken. Ze zag nu dat het licht van de zaklantaarn verderop tot stilstand was gekomen en op de grond scheen, waarschijnlijk in het gapende gat waar Abby had gelegen.

Een ijle kreet weergalmde door het bos en verlamd van schrik bleef Sara staan.

Toen volgde er een lach – of eerder een kakel – die nog angstaanjagender klonk dan de kreet.

'Staan blijven, verroer je niet,' zei Jeffrey met vaste, gebiedende stem tegen de figuur die de zaklantaarn vasthield, en een meisje gilde het uit. Het licht van de lantaarn scheen nu omhoog en Jeffrey zei: 'Haal dat ding uit mijn gezicht.' De onbekende gehoorzaamde en Sara zette weer een stap naar voren.

'Waar zijn jullie godverdorie mee bezig?' vroeg hij.

Nu kon Sara hen zien: voor hem stonden een jongen en een meisje, pubers nog. Ook al droeg Jeffrey alleen een spijkerbroek, er ging een onmiskenbare dreiging van hem uit.

Weer gilde het meisje toen Sara per ongeluk op een twijgje trapte.

'Jezus,' siste Jeffrey, nog buiten adem van het rennen. 'Weten jullie eigenlijk wel wat hier gebeurd is?' vroeg hij aan het stel.

De jongen was een jaar of vijftien en bijna even bang als het meisje naast hem. 'Ik w-wou haar alleen maar l-laten zien...' Zijn stem sloeg over, hoewel hij dat gênante stadium eigenlijk al gepasseerd was. 'Het was gewoon een geintje.'

'Vind je dit een geintje?' snauwde Jeffrey. 'Er is hier een vrouw gestorven. Ze is levend begraven.'

Het meisje begon te huilen. Meteen wist Sara wie het was. Ze huilde ook altijd als ze op de kliniek kwam, of het nu voor een injectie was of voor iets anders.

'Liddy?' vroeg ze.

Het meisje schrok, ook al had ze Sara al zien staan. 'Dokter Linton?'

'Rustig maar.'

'Niks rustig maar,' grauwde Jeffrey.

'Je bezorgt ze nog een doodsschrik,' liet Sara hem weten en toen vroeg ze aan het tweetal: 'Wat spoken jullie hier zo laat op de avond uit?'

'Roger wilde me... Hij wilde me... die plek laten zien,' snotterde ze. 'Het spijt me zo!'

Nu deed Roger een duit in het zakje. 'Het spijt mij ook. We waren gewoon een beetje aan het dollen. Het spijt me echt.' Hij struikelde over zijn woorden, waarschijnlijk in het besef dat Sara hem uit de problemen kon helpen. 'Het spijt me, dokter Linton. We waren niks verkeerds van plan. We wilden alleen maar...'

'Het is al laat,' onderbrak Sara hem. Eigenlijk kon ze die kinderen wel wurgen. Ze had een steek in haar zij van het rennen en voelde opeens hoe kil het was. 'Naar huis jullie tweeën.'

'Ja, mevrouw,' zei Roger. Hij pakte Liddy bij de arm en sleurde haar bijna mee naar de weg.

'Stomme kinderen,' mompelde Jeffrey.

'Gaat het?'

Nahijgend en zachtjes vloekend ging hij op een rotsblok zitten. 'Ik heb mijn voet opengehaald.'

Sara ging naast hem zitten en merkte nu pas dat ze zelf ook buiten adem was. 'Was je van plan om deze week elke dag een of andere wond op te lopen?'

'Je zou het wel zeggen,' gaf hij toe. 'Jezus. Wat hebben die me de stuipen op het lijf gejaagd.'

'In elk geval was het niet...' Ze maakte haar zin niet af. Ze wisten allebei maar al te goed wat ze hadden kunnen aantreffen.

'Ik moet zien uit te vinden wie haar dit heeft aangedaan,' zei Jeffrey. 'Dat ben ik aan haar moeder verplicht. Ze moet weten wat er gebeurd is.'

Sara keek naar de overkant van het meer en probeerde haar huis te onderscheiden – hun huis. De buitenlampen waren aangegaan toen ze de deur uit renden en terwijl Sara keek, floepten ze weer uit.

'Hoe staat het met je voet?' vroeg ze.

'Ik voel hem kloppen.' Hij zuchtte en zijn borst ging op en neer. 'Jezus, ik ben kapot.'

Ze wreef over zijn rug. 'Het komt wel goed.'

'Mijn knie, mijn schouder.' Hij tilde zijn been op. 'Mijn voet.'

'Je bent je oog vergeten,' hielp ze hem herinneren, en ze sloeg haar armen om zijn middel om hem wat op te beuren.

'Ik ben een oude man aan het worden.'

'Er zijn ergere dingen,' was haar commentaar, maar aan zijn zwijgen merkte ze dat hij niet in de stemming was voor plagerijtjes.

'Deze zaak raakt me, weet je.'

Al zijn zaken raakten hem; dat was een van de vele redenen waarom ze van hem hield. 'Ik weet het,' gaf ze toe. 'Ik zou me ook een stuk beter voelen als we wisten waar Rebecca was.'

'Ik zie iets over het hoofd,' zei hij. Hij nam haar hand in de zijne. 'Er moet iets zijn wat ik over het hoofd zie.'

Sara liet haar blik over het meer gaan en zag het maanlicht glinsteren op de golven die tegen de oever klotsten. Was dat het laatste wat Abby had gezien voor ze levend werd begraven? Was dat ook het laatste wat Rebecca had gezien?

'Ik moet je iets vertellen,' zei ze.

'Nog iets over je ouders?'

'Nee,' zei ze en ze kon zichzelf wel voor het hoofd slaan

omdat ze het hem niet eerder had verteld. 'Over Cole Connolly. Het zal wel niks te betekenen hebben, maar...'

'Vertel op,' onderbrak hij haar. 'Dan bepaal ik wel of het
iets te betekenen heeft.'

Donderdag

Elf

Lena zat aan de keukentafel en staarde naar haar mobiel. Ze moest Terri Stanley bellen. Ze kon er echt niet omheen. Ze wilde haar verontschuldigingen aanbieden, zeggen dat ze al het mogelijke zou doen om haar te helpen. Maar hoe het verder moest, was haar een raadsel. Hoe kon ze haar helpen? Hoe kon Lena Terri redden als ze niet eens in staat was zichzelf te redden?

Op de gang klonk een klik: Nan die de deur van de badkamer dichtdeed. Pas toen Lena het water van de douche hoorde stromen en daarbovenuit Nans gekwelde vertolking van de hit van dat moment klapte ze het telefoontje open en toetste het nummer van de Stanleys in.

Na de woordenwisseling bij het benzinestation had de nummercombinatie zich als een mantra in Lena's hoofd vastgezet, en toen haar vingers de knopjes indrukten, kreeg ze even een déjà vu.

Met het apparaatje tegen haar oor telde ze mee terwijl de telefoon overging. Toen er na zes keer werd opgenomen, stond haar hart bijna stil, zo vurig hoopte ze dat het Dale niet was.

Kennelijk was Lena's naam op de nummermelder van de Stanleys verschenen. 'Wat wil je?' siste Terri. Haar stem kwam amper boven gefluister uit.

'Mijn verontschuldigingen aanbieden,' zei Lena. 'Ik wil je helpen.'

'Je kunt me alleen maar helpen door me met rust te laten,' antwoordde ze, nog steeds gedempt.

'Waar is Dale?'

'Die is buiten.' Terri klonk steeds benauwder. 'Hij kan elk moment binnenkomen. Dan ziet hij je nummer op de melder.'

'Zeg dan maar dat ik gebeld heb om je te bedanken voor je bezoekje aan het bureau.'

'Dat gelooft hij toch niet.'

'Terri, luister eens...'

'Alsof ik een keus heb.'

'Ik had je geen pijn moeten doen.'

'Dat heb ik al vaker gehoord.'

Lena begreep waar ze op doelde en kromp ineen. 'Je moet daar weg.'

Het bleef een paar tellen stil. 'En waarom dacht je dat ik dat wil?'

'Omdat ik dat weet,' zei Lena. Haar ogen vulden zich met tranen. 'Jezus, Terri. Ik weet het gewoon, oké? Geloof me nou maar.'

De stilte duurde zo lang dat Lena bang was dat ze had opgehangen.

'Terri?'

'Hoe weet je dat dan?'

Lena's hart bonkte tegen haar ribben. Nooit had ze iemand over Ethan verteld en ze merkte dat ze nog steeds niet in staat was het hele verhaal op te biechten. Het enige wat ze tegen Terri kon zeggen was: 'Net zoals jij het weet.'

Weer bleef het stil aan de andere kant van de lijn. Toen vroeg Terri: 'Heb je weleens geprobeerd weg te gaan?'

Lena dacht aan al die keren dat ze ermee had willen kappen: dan nam ze de telefoon niet op, ze meed de sportschool, ze verschool zich achter haar werk. Hij wist haar altijd te vinden. Altijd wurmde hij zich haar leven weer in.

'Denk je heus dat je mij kunt helpen?' De vraag had een bijna hysterische ondertoon.

'Ik ben rechercheur.'

'Jij bent helemaal niks, mevrouwtje,' klonk het wrang. 'We zitten allebei in hetzelfde schuitje.'

Haar woorden waren als dolksteken. Lena probeerde nog iets te zeggen, maar ze hoorde een zachte klik en daarna niets meer. Tegen beter weten in wachtte ze nog even, tot een blikkerige vrouwenstem op een bandje haar opdroeg de verbinding te verbreken en het later nog eens te proberen.

Nan kwam de keuken in, haar chique roze kamerjas vastgesnoerd rond haar middel en een handdoek om haar hoofd gewikkeld. 'Eet je vanavond thuis?'

'Ja,' zei Lena, en meteen daarna: 'Nee. Ik weet het eigenlijk niet. Hoezo?'

'Ik wil wel weer eens bijkletsen,' zei ze terwijl ze de ketel op het fornuis zette. 'Horen hoe het met je gaat. Ik heb je niet meer gesproken sinds je terug bent van Hank.'

'Met mij gaat het prima,' verzekerde Lena haar.

Nan draaide zich om en keek haar onderzoekend aan. 'Je ziet er anders aangeslagen uit.'

'Het is nogal een heftige week geweest.'

'Ik zag Ethan net de oprit op fietsen.'

Lena schoot zo snel overeind dat het haar duizelde. 'Ik moet naar mijn werk.'

'Waarom vraag je hem niet binnen?' opperde Nan. 'Dan zet ik gelijk wat meer thee.'

'Nee,' mompelde Lena. 'Ik ben toch al aan de late kant.' Ze voelde zich altijd gespannen als Ethan met Nan in één ruimte was. Hij was te onberekenbaar en ze zou zich vreselijk schamen als Nan zag aan wat voor vent ze was blijven hangen.

'Tot ziens,' zei Lena, en ze stopte haar mobiel in haar jasje. Ze snelde de voordeur uit, maar toen ze Ethan bij haar auto zag, bleef ze als door de bliksem getroffen staan. Er zat iets op het linkerzijraampje geplakt en dat trok hij er nu af.

Zonder te laten merken dat haar hart in haar keel bonkte, daalde ze het trapje af.

'Wat is dit?' vroeg Ethan, en hij hield een envelop omhoog. Al op drie meter afstand herkende ze Gregs handschrift. 'Wie noemt je verder nog Lee?'

Voor hij haar kon tegenhouden had ze de envelop uit zijn hand gegrist. 'Zo ongeveer iedereen die me kent,' zei ze. 'Wat doe jij hier?'

'Ik wilde even bij je langs voor je naar je werk ging.'

Ze keek op haar horloge. 'Straks kom je nog te laat.'

'Maak je daar maar niet druk om.'

305

'Je reclasseringsambtenaar heeft anders gezegd dat ze het zou melden als je weer te laat kwam.'

'Die pot kan m'n reet likken.'

'Ze kan je weer in de bak zetten, Ethan.'

'Rustig een beetje, oké?' Hij probeerde de envelop uit haar hand te trekken, maar weer was ze hem te snel af. 'Wat zit erin?' vroeg hij fronsend.

Lena had wel door dat ze de oprit niet af kwam tenzij ze de envelop openmaakte. Ze keek op de achterkant en trok voorzichtig het plakband eraf, als een oud dametje dat de verpakking van een cadeautje intact wil laten.

'Wat zit erin?' herhaalde Ethan.

Ze maakte de envelop open, in de hoop dat er niet iets in zat wat haar in de problemen kon brengen. Ze haalde er een cd met een blanco label uit. 'Het is een cd,' zei ze.

'Wat voor cd?'

'Ethan,' zei Lena, die over haar schouder naar het huis keek. Ze zag Nan door het voorraam gluren. 'Instappen,' gebood ze.

'Hoezo?'

Ze klikte de kofferbak open zodat hij zijn fiets erin kon leggen. 'Omdat je anders te laat op je werk komt.'

'Wat is dat voor cd?'

'Weet ik veel.' Ze wilde zijn fiets pakken, maar hij duwde haar opzij. Zijn armspieren spanden zich onder de lange mouwen van zijn T-shirt. Toen hij nog een skinhead was had hij over zijn hele lichaam arische nazisymbolen laten tatoeëren, en tegenwoordig droeg hij zelden kleren die zijn huid bloot lieten – vooral niet tijdens zijn werk in de universiteitskantine.

Lena ging in de auto zitten wachten tot hij zijn fiets had vastgemaakt en naast haar plaatsnam. Ze schoof de cd boven de zonneklep in de hoop dat hij het ding zou vergeten. Ethan zat amper op zijn stoel of hij had hem alweer te voorschijn gehaald.

'Wie heeft je die gestuurd?' vroeg hij.

'Gewoon een bekende. Doe je gordel om,' gebood ze.

'Waarom zat ie dan aan je auto geplakt?'

'Misschien had hij geen zin om binnen te komen.'

Een seconde te laat besefte Lena dat ze 'hij' had gezegd.

Alsof ze van de prins geen kwaad wist, zette ze de auto in z'n achteruit en reed de oprit af. Terwijl ze zich weer omdraaide wierp ze een vluchtige blik op Ethan. Zijn kaak stond zo strak dat het haar verbaasde dat zijn kiezen niet braken.

Zonder een woord te zeggen zette hij de autoradio aan en drukte op EJECT. Zijn eigen Radiohead-cd schoof eruit. Hij hield hem bij de rand vast en duwde Gregs cd erin, als een pil die hij iemand door de strot wilde rammen.

Lena voelde zich verstarren toen ze gitaargetokkel hoorde, gevolgd door wat geruis. Na een korte, slepende intro van gitaar en drums klonk de unieke stem van Ann Wilson.

Ethan trok zijn neus op alsof hij iets smerigs rook. 'Wat is dat voor shit?'

'Heart,' zei ze en ze probeerde haar emoties in bedwang te houden. Haar eigen hart ging zo tekeer dat hij het ongetwijfeld boven de muziek uit kon horen.

'Ik ken die song helemaal niet,' klonk het stuurs.

'Het is een nieuw album.'

'Een nieuw album?' herhaalde hij en ook al keek ze strak naar de weg, toch voelde ze zijn borende blik. 'Zijn dat niet die twee meiden die met elkaar neukten?'

'Het zijn zussen,' zei Lena. Ze vond het walgelijk dat het oude gerucht nog steeds de kop opstak. Heart was in de rockwereld als een bom ingeslagen, en je kon er gif op innemen dat de grote jongens zich zo bedreigd voelden dat ze vuile roddels gingen verspreiden. Lena was zelf de helft van een tweeling en elke gore mannenfantasie waarin zussen een hoofdrol speelden had ze zo langzamerhand wel gehoord. Bij de gedachte werd ze al misselijk.

Ethan deed het volume wat harder toen ze de auto voor een stopbord in z'n vrij zette. 'Niet slecht,' zei hij, waarschijnlijk om Lena uit haar tent te lokken. 'Is dat de dikke die nu zingt?'

'Ze is helemaal niet dik.'

Ethan lachte schamper.

'Misschien is ze wel afgevallen, Ethan. Wat ben je toch ook een stomme lul.' Toen hij bleef lachen, voegde ze eraan toe: 'Alsof Kurt Cobain zo fantastisch was.'

'Ik heb die flikker nooit gemogen.'

'Hoe komt het toch,' vroeg Lena zich af, 'dat elke vrouw die niet met jou wil neuken een pot is en elke vent die minder cool is dan jij een flikker?'

'Ik heb nooit beweerd...'

'Toevallig was mijn zus lesbisch,' benadrukte Lena.

'Alsof ik dat niet weet.'

'Mijn beste vriendin is lesbisch,' zei Lena, ook al had ze Nan nooit echt als haar beste vriendin beschouwd.

'Jezus, wat is er met jou?'

'Wat er met me is?' herhaalde ze, en ze ging zo hard op de rem staan dat zijn hoofd bijna tegen het dashboard sloeg. 'Ik zei toch dat je die verrotte gordel om moest doen?'

'Oké, oké,' zei hij, met een vuile blik om aan te geven wat een onredelijke bitch ze was.

'Laat ook maar zitten,' zei ze en ze maakte haar eigen gordel los.

'Wat ben je van plan?' vroeg hij toen ze langs hem reikte om zijn portier open te maken. 'Jezus christus, wat...'

'Uitstappen,' beval ze.

'Wat zeik je nou?'

Ze gaf hem een duw en riep: 'Sodemieter mijn auto uit!'

'Mij best!' schreeuwde hij terwijl hij uitstapte. 'Je bent zo gestoord als de neten, weet je dat?'

Ze gaf plankgas en scheurde weg, zodat zijn portier dichtsloeg. Na een meter of twintig ging ze zo hard op de rem staan dat de banden snerpten. Toen ze uitstapte kwam Ethan aanlopen, zijn hele lijf trillend van woede. Zijn vuisten waren gebald en het speeksel vloog zijn mond uit. 'Waag het niet ooit nog eens zomaar weg te rijden, stomme teef die je bent!' riep hij.

Lena stond versteld van haar eigen kalmte toen ze zijn fiets uit de kofferbak trok en op straat smeet. Ethan zette het op een rennen om haar in te halen. Hij rende nog steeds toen ze net voor ze de hoek om ging in het spiegeltje keek.

'Wat lach je?' vroeg Jeffrey toen ze de recherchekamer binnenkwam. Hij stond bij de koffieautomaat en het leek wel of hij haar opwachtte.

'O, niks,' zei ze.

Hij schonk een kop koffie in en gaf die aan haar.

'Dank je.' Ze nam de kop van hem aan, maar ze bleef op haar hoede.

'Vertel maar eens hoe het zit met Terri Stanley.'

De moed zonk Lena in de schoenen.

Hij vulde zijn eigen kop bij en zei toen: 'In mijn kamer.'

Lena ging voorop. Het zweet liep langs haar rug, zo bang was ze dat ze het nu definitief bij hem verknald had. Ze was een smeris in hart en nieren. Verder kon ze niks. Dat had het verlof vorig jaar wel uitgewezen.

Met zijn armen op zijn bureau geleund wachtte hij tot ze had plaatsgenomen.

'Je bent vorig jaar helemaal niet op die picknick geweest,' zei hij.

'Nee,' gaf ze toe. Ze hield haar handen om de armleuningen van de stoel geklemd, net als Terri Stanley twee dagen eerder had gedaan.

'Wat is er aan de hand, Lena?'

'Ik dacht...' begon Lena, maar ze was niet in staat haar zin af te maken. Wat dacht ze eigenlijk? Wat kon ze tegen Jeffrey zeggen zonder al te veel over zichzelf te verraden?

'Gaat het om de drank?' vroeg hij, en heel even wist ze niet waar hij het over had.

'Nee,' zei ze toen. 'Dat heb ik verzonnen.'

Hij keek er niet eens van op. 'O?'

'Ja,' beaamde ze. Ze besloot een deel van de waarheid prijs te geven, te laten ontsnappen als een nietig luchtstootje uit een ballon. 'Dale slaat haar.'

Jeffrey wilde net een slok van zijn koffie nemen, maar zijn kop bleef halverwege in de lucht zweven.

'Ik heb de blauwe plekken op haar arm gezien.' Ze knikte, alsof ze ook zichzelf moest overtuigen. 'Ik herkende het meteen. Ik weet hoe het eruitziet.'

Jeffrey zette zijn kop neer.

'Ik heb tegen haar gezegd dat ik haar zou helpen als ze bij hem weg wilde.'

'En ze wilde niet,' raadde hij.

Lena schudde haar hoofd.

Hij ging verzitten en sloeg zijn armen over elkaar. 'Vind je dat jij de juiste persoon bent om haar te helpen?'

Hij keek haar doordringend aan. Nog nooit sinds ze een jaar geleden een relatie met Ethan was begonnen, hadden ze het zo rechtstreeks over hem gehad.

'Ik weet dat zijn handen heel los zitten,' zei Jeffrey. 'Ik heb het bewijs gezien. Ik heb je hier zien binnenkomen met een dikke laag make-up om de blauwe plekken onder je oog te bedekken. Ik heb je ineen zien krimpen als je inademde omdat hij je zo hard in je buik had gestompt dat je nauwelijks rechtop kon staan.' Hij voegde eraan toe: 'Je werkt op een politiebureau, Lena. Dacht je dat een stel smerissen het niet door zou hebben?'

'Over welke smerissen heb je het?' vroeg ze. Ze voelde zich naakt en werd door paniek overspoeld.

'Wat dacht je van deze smeris?' zei hij, en meer hoefde ze eigenlijk niet te horen.

Lena keek naar de vloer, elke centimeter van haar lijf pulserend van schaamte.

'Mijn vader sloeg mijn moeder,' zei hij, en hoewel ze dat al heel lang vermoedde, was Lena toch verbaasd dat hij het haar toevertrouwde. Jeffrey vertelde zelden iets over zijn privé-leven, tenzij het rechtstreeks met een zaak te maken had. 'Dan sprong ik ertussenin,' zei hij. 'Als hij mij sloeg, dacht ik, bleef er minder voor haar over.'

Lena streek met haar tong langs de binnenkant van haar lip en voelde de diepe littekens van alle keren dat Ethan haar huid had opengelegd. Een halfjaar geleden had hij een tand kapotgeslagen. Twee maanden later had hij haar zo'n harde klap tegen de zijkant van haar hoofd gegeven dat ze met haar rechteroor nog steeds niet goed hoorde.

'Niet dat het iets hielp,' zei Jeffrey. 'Hij werd razend op me, sloeg me tegen de grond en daarna nam hij haar nog even goed te grazen. Ik heb weleens gedacht dat hij haar wilde vermoorden.' Hij zweeg, maar Lena weigerde op te kijken. 'Tot het op een dag tot me doordrong.' Weer zweeg hij. 'Ze wilde het zelf,' zei hij, zonder een spoor van emotie in zijn stem. Hij klonk heel nuchter, alsof hij lang geleden had beseft dat hij er toch niets tegen kon uitrichten.

'Ze wilde dat hij er een eind aan maakte,' vervolgde hij. 'Ze zag geen andere uitweg.'

Onwillekeurig knikte Lena. Ze was nog lang niet van Ethan af. Het voorval van die ochtend maakte deel uit van een show die ze opvoerde om zichzelf ervan te overtuigen dat ze nog niet volledig afgeschreven was. Ethan zou terugkomen. Hij kwam altijd terug. Ze zou pas vrij zijn als hij klaar was met haar.

'Zelfs nu hij dood is,' zei Jeffrey, 'denk ik ergens nog steeds dat ze erop zit te wachten. Op die ene klap die een eind aan haar leven maakt.' Alsof hij het tegen zichzelf had, voegde hij eraan toe: 'Niet dat er nog veel leven over is.'

Lena schraapte haar keel. 'Ja,' zei ze. 'Zo zal Terri zich ook wel voelen.'

'Terri, zei je toch?' vroeg hij, hoorbaar teleurgesteld.

Ze knikte en toen ze opkeek dwong ze haar tranen terug. Ze voelde zich zo bezeerd dat ze zich nauwelijks kon verroeren. Als ze iemand anders tegenover zich had gehad, zou ze nu instorten en alles eruit gooien. Maar bij Jeffrey was dat onmogelijk. Zo mocht hij haar niet meemaken. Nooit ofte nimmer mocht ze hem laten merken hoe zwak ze was.

'Volgens mij weet Pat er niks van,' zei ze.

'Nee,' beaamde Jeffrey. 'Als Pat het wist zou hij Dale meteen inrekenen. Ook al is het zijn broer.'

'Dus hoe pakken we dit aan?'

'Je weet hoe het is.' Hij haalde zijn schouders op. 'Je werkt hier lang genoeg om te weten hoe het in zijn werk gaat. We kunnen er wel een zaak van maken, maar we kunnen pas iets doen als Terri in het getuigenbankje plaatsneemt. Ze zal tegen hem moeten getuigen.'

'En dat doet ze niet,' zei Lena. Ze herinnerde zich hoe ze de vrouw voor lafaard had uitgemaakt. Hoe ze zichzelf voor lafaard had uitgemaakt. Zou zij in de rechtszaal Ethan durven beschuldigen? Zou zij hem willen aanklagen, hem willen laten opsluiten? Alleen al bij de gedachte dat ze tegenover hem zou komen te staan liepen de koude rillingen over haar rug.

'Eén ding heb ik van mijn moeder geleerd,' zei Jeffrey. 'Dat je niemand kunt helpen die niet geholpen wil worden.'

'Dat is zo,' beaamde ze.

'Statistisch is het ook nog eens zo dat een mishandelde vrouw de grootste kans loopt om vermoord te worden als ze bij haar vent wegloopt.'

'Precies,' zei ze, en in een flits zag ze Ethan weer voor zich toen hij die ochtend achter haar auto aan had gerend. Had ze echt gedacht dat het zo eenvoudig zou zijn? Had ze echt gedacht dat hij het daarbij zou laten? Waarschijnlijk zon hij nu op wraak, bedacht hij hoe hij haar pijn kon doen om haar te straffen voor de simpele gedachte dat ze bij hem weg zou gaan.

'Je kunt niemand helpen die niet geholpen wil worden,' herhaalde hij.

Lena knikte. 'Je hebt gelijk.'

Weer keek hij haar strak aan. 'Ik sluit het kort met Pat als hij terug is, dan vertel ik hem wel wat er aan de hand is.'

'Denk je dat hij iets zal ondernemen?'

'Ik denk dat hij in elk geval een poging zal doen,' zei Jeffrey. 'Hij houdt van zijn broer. Dat is iets wat de mensen niet snappen.'

'Welke mensen?'

'Mensen die het zelf niet hebben meegemaakt,' zei hij. Het duurde even voor hij zich nader verklaarde. 'Het is moeilijk om iemand te haten van wie je houdt.'

Ze knikte, bijtend op haar lip en niet in staat een woord uit te brengen.

'Buddy is er,' zei hij. 'Denk je dat het lukt?'

'Eh...' stamelde Lena. 'Ja hoor.'

'Mooi,' zei hij en hij deed de deur open, weer op en top de politieman. Toen Lena achter hem aan de kamer uit liep, wist ze nog steeds niet wat ze moest zeggen. Jeffrey deed alsof er niks was gebeurd en terwijl hij zich vooroverboog om met een druk op de knop Buddy de recherchekamer binnen te laten, flirtte hij met Marla en maakte haar complimentjes over haar nieuwe jurk.

Buddy kwam op één kruk binnenhobbelen. Zijn kunstbeen was nergens te bekennen.

'Is de vrouw er weer met je been vandoor?' grapte Jeffrey. Hij klonk nogal geforceerd, vond Lena, alsof er geen vuiltje aan de lucht was.

Buddy, meestal de beminnelijkheid zelve, zei nu: 'Laten we maar ter zake komen.'

Jeffrey deed een stap terug en liet Buddy voorgaan. Toen ze zich in beweging zetten, zag Lena dat Jeffrey hinkte, praktisch in de maat met Buddy. Die had het ook al opgemerkt en wierp Jeffrey een venijnige blik toe.

'Ik heb gisteravond mijn voet opengehaald,' zei Jeffrey gegeneerd.

Buddy trok zijn wenkbrauwen op. 'Kijk maar uit dat het niet geïnfecteerd raakt.' Hij tikte op het stompje van zijn been om de waarschuwing kracht bij te zetten. Jeffrey trok wit weg.

'Ik heb Brad opdracht gegeven om Patty in de achterste kamer te zetten,' zei hij.

Met Lena voorop begaven ze zich naar de verhoorkamer. Ze probeerde niet te denken aan wat Jeffrey daarnet in zijn kamer had gezegd en daarom richtte ze haar aandacht op het gesprek van de mannen, dat over het footballteam van de middelbare school ging. De Rebels hadden een zwaar seizoen voor de boeg en de mannen sloegen elkaar met cijfers om de oren, als een stel dominees die voorlazen uit de bijbel.

Nog voor ze de deur had geopend kon ze Patty O'Ryan al horen. Het meisje zat te krijsen als een hitsige heks.

'Haal me hieruit, godverdomme! Doe me die kutboeien af, godverdommese klootzakken!'

Lena wachtte voor de deur op de anderen. Jeffreys woorden bleven rondzingen in een deel van haar brein, en dat moest ze zien uit te schakelen. In geen geval mochten haar gevoelens haar belemmeren in het werk. De ondervraging van Terri Stanley had ze al gigantisch verknald en ze kon zich niet veroorloven hier ook een potje van te maken. Dat kon ze tegenover zichzelf niet verantwoorden.

Kennelijk voelde Jeffrey wat er door Lena heen ging, want hij keek haar met opgetrokken wenkbrauw aan, alsof hij wilde vragen of ze er klaar voor was. Ze gaf hem een knikje, waarop hij door het raampje in de deur tuurde en tegen Buddy zei: 'Ze heeft wat afkickproblemmpjes vanochtend.'

'Haal me hier weg, godverdomme!' O'Ryan schreeuwde

zich de longen uit het lijf – althans, Lena hoopte dat ze alle registers had opengetrokken, want het glas rammelde nu al in de deur.

'Wil jij eerst naar binnen en even met haar praten voor we aan de slag gaan?' stelde Jeffrey aan Buddy voor.

'Jezus, nee,' zei hij geschrokken. 'Haal het niet in je hoofd om me met haar alleen te laten.'

Jeffrey deed de deur open en liet Buddy en Lena voorgaan.

'Papa,' zei O'Ryan, haar stem hees van het schreeuwen. 'Ik moet hier weg. Ik heb een afspraak. Ik moet naar een sollicitatiegesprek. Als ik nou niet ga, kom ik te laat.'

'Misschien moet je eerst even naar huis om je om te kleden,' opperde Lena, die zag dat O'Ryan het weinig verhullende stripperskostuum aan flarden had gescheurd.

'Nou moet jij eens goed luisteren,' zei O'Ryan, en al haar woede richtte zich op Lena. 'Je moet je gore bek houden, latino-bitch die je bent.'

'Rustig een beetje,' zei Jeffrey, die tegenover haar aan tafel plaatsnam. Meestal zat Buddy aan de andere kant, naast de verdachte, maar nu nam hij de stoel naast Jeffrey. Lena keek wel link uit voor ze zich nog eens binnen het bereik van het meisje begaf; ze stelde zich met over elkaar geslagen armen bij het spiegelraam op en hield zo de zaak in de gaten.

'Vertel eens over Chip,' zei Jeffrey.

'Wat is er met Chip?'

'Is dat niet je vriendje?'

Hulpzoekend keek ze Buddy aan. Het sierde hem dat hij geen duimbreed toegaf.

'Ik heb iets met hem gehad,' zei O'Ryan tegen Jeffrey. Het haar hing voor haar ogen en ze gaf een ruk aan haar hoofd. Onder de tafel wipte haar voet als een gestoord konijn op en neer. Haar hele lijf stond strak en Lena concludeerde dat het kind smachtte naar een fix. Ze had talloze junks gezien die het in de cel zonder hun drugs moesten stellen, en ze wist dat het meisje door een hel ging. Als O'Ryan niet zo'n kreng was geweest, zou ze medelijden met haar hebben gehad.

'Wat bedoel je met "iets"?' vroeg Jeffrey. 'Ging je weleens met hem naar bed, werden jullie samen high?'

Ze bleef Buddy aankijken, alsof ze hem wilde straffen. 'Zo-iets, ja.'

'Ken je een zekere Rebecca Bennett?'

'Wie?'

'Of Abigail Bennett?'

Ze snoof van afkeer, haar neusgaten opengesperd. 'Dat is een van die Jezus-freaks van de boerderij.'

'Had Chip een relatie met haar?'

Ze haalde haar schouders op en de handboei om haar pols sloeg tegen de metalen ring die aan de tafel zat vastgeklonken.

'Had Chip een relatie met haar?' herhaalde Jeffrey.

Ze antwoordde niet. Wel bleef ze met de handboei tegen de ring tikken.

Zuchtend leunde Jeffrey achterover, alsof hij helemaal geen zin had in wat hem nu te doen stond. Buddy wist kennelijk wat er komen ging en hoewel hij zich schrap zette, greep hij niet in.

'Herken je Chip?' vroeg Jeffrey, terwijl hij een polaroid op tafel liet vallen.

Lena reikhalsde om te zien welke van de politiefoto's die er van Chip Donners kamer waren genomen hij als eerste had gebruikt. Het waren geen van alle frisse opnamen, maar vooral deze – een close-up van het gezicht met de vrijwel afgerukte lippen – was gruwelijk om te zien.

Met een zelfgenoegzame grijns zei O'Ryan tegen Jeffrey: 'Dat is Chip helemaal niet.'

Hij gooide een tweede foto op tafel. 'En deze?'

Ze keek er even naar en wendde haar blik af. Lena zag Buddy naar de deur van het vertrek staren alsof hij er het liefst als de gesmeerde bliksem vandoor zou hinken.

'En wat dacht je van deze?' vroeg Jeffrey, terwijl hij er nog een bij deed.

Langzaam begon het tot O'Ryan door te dringen. Lena zag haar onderlip trillen. Sinds haar arrestatie had het meisje haar tranen rijkelijk laten vloeien, maar deze keer kreeg Lena de indruk dat ze het meende.

Haar lichaam verstijfde. 'Wat is er gebeurd?' fluisterde ze.

'Kennelijk heeft hij het met iemand aan de stok gehad,'

zei Jeffrey terwijl hij de rest van de polaroids op tafel deponeerde.

Ze trok haar benen op en hield ze tegen haar borst geklemd. 'Chip,' fluisterde ze, heen en weer schommelend. Lena had dit soort gedrag vaker bij verdachten gezien. Zo troostten ze zichzelf, alsof ze in de loop van de tijd waren gaan beseffen dat niemand anders het zou doen en dat ze zich op deze manier moesten behelpen.

'Had iemand het op hem voorzien?' vroeg Jeffrey.

Ze schudde haar hoofd. 'Iedereen mocht Chip graag.'

'Als ik die foto's zie, denk ik toch dat er ergens iemand rondloopt die daar anders over denkt.' Jeffrey zweeg even. 'Wie zou hem zoiets aandoen, Patty?'

'Hij probeerde zijn leven te beteren,' zei ze, haar stem nog steeds gedempt. 'Hij probeerde clean te worden.'

'Wilde hij van de drugs af?'

Zonder ze aan te raken staarde ze naar de polaroids. Jeffrey maakte er een stapeltje van en stopte ze weer in zijn zak. 'Vertel het maar, Patty.'

Er ging een huivering door haar heen. 'Ze hadden elkaar op de boerderij ontmoet.'

'Dat sojabedrijf in Catoogah?' vroeg Jeffrey voor de zekerheid. 'Kwam Chip daar weleens?'

'Ja,' zei ze. 'Iedereen weet dat je daar voor een paar weken terechtkunt als het moet. 's Zondags ga je naar de kerk, je plukt wat bonen en je krijgt eten en een plek om te slapen. Je doet net of je bidt en dat soort shit en in ruil daarvoor krijg je een veilige plek.'

'Had Chip behoefte aan een veilige plek?'

Ze schudde haar hoofd.

Jeffrey sloeg een verzoenende toon aan. 'Vertel eens over Abby.'

'Hij had haar op de boerderij ontmoet. Het was nog een kind. Hij vond haar grappig. En toen werd ie opgepakt voor drugshandel. Hij gaat voor een paar jaar de bak in en als hij weer op straat staat, is Abby een grote meid geworden.' Ze veegde een traan weg. Haar toon sloeg om en de oude verbolgen Patty kwam weer boven. 'Ze was gewoon een braaf trutje en hij ging voor de bijl. Hij ging finaal voor de bijl.'

'Vertel eens hoe dat ging.'

'Ze kwam naar de Kitty. Kun je je dat voorstellen?' Ze moest erom lachen, zo absurd was het. 'Daar stond ze dan in die lelijke suffe kleren en die platte schoenen en dan zei ze: "Kom je mee, Chip, kom je mee naar de kerk? Dan gaan we bidden." En dan liep hij als een hondje achter haar aan, zonder me ook maar gedag te zeggen.'

'Hadden ze een seksuele relatie?'

Ze lachte snuivend. 'Dan moeten ze eerst een koevoet uitvinden om die knieën uit elkaar te krijgen.'

'Ze was zwanger.'

O'Ryans hoofd schoot met een ruk omhoog.

'Zou Chip de vader kunnen zijn?'

Ze hoorde de vraag niet eens. Lena zag de woede in haar opborrelen als kokend water in een ketel. Ze had net zo'n opvliegend karakter als Cole Connolly, maar om de een of andere reden ging er van het meisje meer onderhuidse dreiging uit dan van de oudere man.

'Stomme slet,' siste ze tussen haar opeengeklemde tanden door. Ze sloeg met de handboei tegen de metalen ring en produceerde een geluid als van een snaredrum. 'Hij zal haar wel hebben meegenomen naar dat kutbos. Dat was godverdomme onze plek.'

'Het bos bij Heartsdale? Dat bos?'

'Stom kutwijf,' blies ze, zich niet bewust van het optelsommetje dat hij maakte. 'Toen we nog op school zaten, gingen wij daar altijd naartoe om high te worden.'

'Heb je met Chip op school gezeten?'

Ze wees naar Buddy. 'Tot die hufter me eruit mieterde,' zei ze. 'Hij heeft me op straat gezet. Ik moest me maar zien te redden.' Buddy gaf geen kik. 'Ik heb nog zo tegen hem gezegd dat hij bij haar uit de buurt moest blijven. Die hele kutfamilie is gestoord.'

'Over welke familie heb je het?'

'De Wards,' zei ze. 'Denk maar niet dat zij de enige was die in de Kitty kwam.'

'Wie kwam er dan nog meer?'

'Het hele zootje. Alle broers.'

'Welke?'

317

'Allemaal!' schreeuwde ze, en ze sloeg zo hard met haar vuist op tafel dat Buddy's kruk op de vloer kletterde.

Lena deed haar armen van elkaar, klaar om in te grijpen als O'Ryan iets stoms uithaalde.

'Ze doen alsof ze heel wat voorstellen, maar ondertussen zijn ze net zo ranzig als de rest.' Weer snoof ze, en nu leek ze net een varken. 'Die ene had ook nog eens een pikkie van niks. Hij kwam al na drie tellen klaar en dan begon ie te blèren als een meid.' Ze zette een jankerig toontje op. '"O Heer, nu ga ik naar de hel, o Heer, nu moet ik branden bij Satan." Godsklere, ik werd er niet goed van. Die klootzak dacht ook niet aan de hel als hij mijn kop greep en me liet doorslikken.'

Buddy verbleekte en zijn mond viel open.

'Over welke broer heb je het, Patty?'

'Over die kleine,' zei ze. De rode striemen stonden op haar arm, zo heftig krabde ze zich. 'Die met dat stekelhaar.'

Lena probeerde te bedenken wie ze bedoelde. Zowel Paul als Lev was even lang als Jeffrey en ze hadden allebei een volle bos haar.

O'Ryan bleef maar over haar arm krabben. Nog even en het zou gaan bloeden. 'Hij gaf Chip alles wat hij wilde. Smack, coke, wiet.'

'Handelde hij erin?'

'Hij gaf het weg.'

'Gaf hij drugs weg?'

'Niet aan mij, hoor,' zei ze met een woedende snauw. Ze keek naar haar arm en streek over de rode striemen. Onder de tafel begon haar been weer op en neer te wippen, en Lena vermoedde dat ze het niet lang meer uithield als ze niet heel snel een naald in haar arm kreeg.

'Alleen aan Chip,' zei het meisje. 'Mij gaf ie nooit wat. Ik heb hem weleens geld geboden, maar toen zei hij dat ik op kon rotten. Alsof hij zelf niet stinkt.'

'Weet je nog hoe hij heet?'

'Nee,' zei ze. 'Maar hij was er altijd. Soms zat hij de hele tijd aan het eind van de bar naar Chip te kijken. Die wou hij zeker ook neuken.'

'Had hij rood haar?'

'Nee, zeg,' antwoordde ze, alsof hij niet helemaal lekker was.

'Donker haar dan?'

'De kleur weet ik niet meer.' Haar ogen fonkelden, maar nu als van een hongerig dier. 'Ik heb niks meer te vertellen.' Tegen Buddy zei ze: 'Zorg dat ik hieruit kom.'

'Rustig een beetje,' zei Jeffrey.

'Ik heb een sollicitatiegesprek.'

'Dat zal wel,' antwoordde Jeffrey.

'Haal me hier weg!' schreeuwde ze en ze boog zich zo ver mogelijk over tafel naar Buddy toe. 'Nú, godverdomme!'

Met een smak deed Buddy zijn mond open. 'Volgens mij heb je nog niet alle vragen beantwoord.'

Ze bauwde hem na alsof hij een zeurderig kind van drie was: 'Volgens mij heb je nog niet alle vragen beantwoord.'

'Rustig jij,' waarschuwde Buddy.

'Hou je zelf rustig, stomme hinkepoot,' riep ze uit. Haar hele lichaam beefde en schokte, zo hard was ze aan drugs toe. 'Haal me hier weg, godverdomme! Nu!'

Buddy raapte zijn kruk van de vloer. Hij was zo verstandig om pas bij de deur zijn mond open te doen. 'Commissaris, je gaat je gang maar met die meid. Ik trek mijn handen van haar af.'

'Smerige laffe lul die je bent!' gilde O'Ryan en ze wilde op Buddy af stormen. Ze was vergeten dat ze nog steeds aan de tafel zat vastgeketend en werd met een ruk teruggetrokken, als een hond aan een te korte ketting. 'Klootzak!' krijste ze, en nu ging ze totaal over de rooie. Haar stoel was omgevallen en die schopte ze de kamer door, waarbij ze zo hard haar voet stootte dat ze het uitbrulde van de pijn. 'Ik klaag jullie aan, gore klootzakken!' riep ze, haar handen om haar voet geslagen. 'Smerige hufters!'

'Patty?' zei Jeffrey. 'Patty?'

Het meisje loeide als een sirene en Lena moest zich bedwingen om niet haar handen tegen haar oren te drukken. Fronsend kwam Jeffrey overeind en liep langs de muur van het vertrek naar de uitgang. Lena ging snel achter hem aan de gang op, zonder O'Ryan uit het oog te verliezen, tot er een stevige deur tussen hen in zat.

Jeffrey schudde zijn hoofd, alsof hij nauwelijks geloofde dat een menselijk wezen tot dat soort gedrag in staat was. 'Voor het eerst van mijn leven heb ik medelijden met die zak,' zei hij, doelend op Buddy. Hij liep de gang op, weg van het gekrijs. 'Denk je dat de Wards nog een broer hebben?'

'Dat moet wel.'

'Het zwarte schaap?'

Lena dacht terug aan het gesprek dat ze twee dagen eerder met de familie hadden gehad. 'Dat is Paul al, meen ik.'

'Wat?'

'Paul zei toch dat hij het zwarte schaap van de familie was?'

Jeffrey hield de branddeur naar de recherchekamer voor haar open. Ze zag Mark McCallum, de polygraafexpert van het GBI, in Jeffreys kamer zitten. Tegenover hem zat Lev Ward.

'Hoe heb je dat voor elkaar gekregen?' vroeg Lena.

'Goeie vraag,' zei Jeffrey. Hij keek de recherchekamer rond, waarschijnlijk op zoek naar Cole Connolly. Aan Marla, die achter haar bureau zat, vroeg hij: 'Is Lev Ward hier in z'n eentje gekomen?'

Ze wierp een blik door het raam van de receptie. 'Voorzover ik weet wel.'

'Hoe lang is hij hier al?'

'Een minuut of tien.' Hulpvaardig glimlachend zei ze: 'Ik dacht dat je het wel goed zou vinden als ik Mark alvast liet komen, zodat hij vóór de lunch aan de slag kon.'

'Bedankt,' zei hij en hij liep naar zijn kamer.

'Zal ik samen met Brad die Cole gaan halen?' bood Lena aan.

'Laten we daar nog maar even mee wachten.'

Jeffrey klopte aan en Mark wenkte hen binnen. 'Ik ben de boel nog aan het installeren,' liet hij hun weten.

'Fijn dat je zo lang in de stad wilde blijven, Mark.' Jeffrey schudde hem de hand. 'Ik begrijp dat je zeer te spreken bent over de roomservice in de Dew Drop.'

Mark kuchte en begon weer aan de knopjes van zijn apparaat te morrelen.

'Commissaris,' zei Lev. Hij maakte een ontspannen indruk, voorzover dat mogelijk was als je lichaam met draadjes aan een polygraaf zat bevestigd. 'Ik heb uw boodschap vanochtend ontvangen. Het spijt me dat ik gisteren niet kon komen.'

'In elk geval bedankt voor uw komst,' zei Jeffrey, en hij pakte zijn aantekenboekje. Al schrijvend zei hij: 'Ik waardeer het zeer dat u hier tijd voor hebt vrijgemaakt.'

'Over een paar uur komt de familie in de kerk bijeen om Abby de laatste eer te bewijzen.' Hij wendde zich tot Lena en zei: 'Goedemorgen, rechercheur', waarna hij zijn aandacht weer op Jeffrey richtte. 'Ik wil graag zo veel mogelijk tijd hebben om mijn verhaal voor te bereiden. Dit zijn zware dagen voor ons.'

'Ik had Cole Connolly hier ook verwacht,' zei Jeffrey zonder van zijn aantekeningen op te kijken.

'Dat spijt me dan,' zei Lev. 'Tegen mij heeft hij er niets over gezegd. Hij is straks wel bij de dienst. Ik zal tegen hem zeggen dat hij meteen na afloop bij u langsgaat.'

Jeffrey bleef schrijven. 'Is er geen begrafenis?'

'Helaas moest het lichaam gecremeerd worden. Er is een eenvoudige familiedienst waarin we over haar leven praten en hoe dierbaar ze ons was. We houden het graag simpel.'

Jeffrey was klaar met schrijven. 'Buitenstaanders zijn niet welkom?'

'Tja, het is geen reguliere kerkdienst, meer een familiebijeenkomst. Hoor eens...'

Jeffrey scheurde het blaadje af en gaf het aan Mark. 'We zorgen dat u hier zo snel mogelijk weer weg kunt.'

Met onverholen nieuwsgierigheid keek Lev naar het blaadje. 'Dat zou fijn zijn.' Hij leunde achterover op zijn stoel. 'Paul was ertegen dat ik hiernaartoe ging, maar zelf werk ik altijd liever mee.'

'Mark?' Jeffrey ging achter zijn bureau zitten. 'Het is toch niet te druk als wij erbij blijven?'

'Eh...' Heel even aarzelde Mark. Normaal was hij alleen in de kamer met degene die de leugentest onderging, maar aan de andere kant gold een polygraafuitslag in de rechtszaal niet als bewijs en bovendien was Ward geen arrestant. Lena vermoedde dat leugendetectors vooral werden gebruikt om mensen de stuipen op het lijf te jagen. Het zou haar niks verbazen als ze er eentje openmaakte en er allemaal muizen in aantrof die als gekken over schijfjes roetsjten.

'Nee hoor,' zei Mark. 'Geen probleem.' Hij prutste nog wat aan de wijzertjes en draaide toen de dop van zijn pen. 'Dominee Ward, bent u er klaar voor?'

'Zeg maar Lev.'

'Oké.' Naast de polygraaf had Mark een aantekenboek neergelegd, dat door het grote apparaat aan Levs oog werd onttrokken. Hij sloeg het open en schoof Jeffreys briefje in het zijvak. 'Ik wil je erop wijzen dat je moet proberen alleen met ja en nee te antwoorden. Je hoeft in dit stadium nergens over uit te weiden. Als je nadere uitleg noodzakelijk vindt, kun je dat na afloop met commissaris Tolliver kortsluiten. Het apparaat registreert alleen ja- en nee-antwoorden.'

Lev wierp een blik op de bloeddrukmanchet om zijn arm. 'Ik snap het.'

Mark haalde een schakelaar over en langzaam kwam er papier uit het apparaat rollen. 'Recht voor je uit kijken en je proberen te ontspannen.'

'Oké,' zei Lev, en de gekleurde naaldjes op het papier trilden.

Op vlakke toon las Mark de vragen voor. 'Je naam luidt Thomas Leviticus Ward?'

'Ja.'

Mark zette een tekentje op het papier. 'Je woont aan Plymouth Road 63?'

'Ja.'

Een tweede tekentje. 'Je bent achtenveertig jaar oud?'

'Ja.'

Weer een. 'Je hebt een zoon die Ezekiel heet?'

'Ja.'

'Je vrouw is overleden?'

'Ja.'

En zo ging het maar door: allerlei details uit Levs dagelijks leven passeerden de revue, zodat er een basislijn ontstond waaraan het waarheidsgehalte van zijn antwoorden getoetst kon worden. Lena had geen idee wat het gespring van de naaldjes betekende, en de krabbeltjes die Mark maakte hadden evengoed hiërogliefen kunnen zijn. Het kostte haar moeite om haar aandacht erbij houden, maar toen kwamen ze bij de kern van de zaak.

Marks toon bleef vlak en neutraal, alsof hij nog steeds vragen stelde over Levs achtergrond. 'Kun je iemand in Abigails leven bedenken die haar kwaad zou willen doen?'

'Nee.'

'Heeft iemand, voorzover je weet, ooit blijk gegeven van seksuele belangstelling voor haar?'

'Nee.'

'Heb je je nichtje Abigail vermoord?'

'Nee.'

'Heeft ze ooit blijk gegeven van belangstelling voor iemand die je misschien minder geschikt vond?'

'Nee.'

'Ben je weleens boos geweest op je nichtje?'

'Ja.'

'Heb je haar weleens geslagen?'

'Eén keer een tik op de billen. Ja, bedoel ik.' Hij glimlachte nerveus. 'Sorry.'

Mark negeerde de onderbreking. 'Heb je Abigail vermoord?'

'Nee.'

'Heb je ooit seksueel contact met haar gehad?'

'Nooit. Nee, bedoel ik.'

'Heb je ooit op ongepaste wijze contact met haar gehad?'

'Nee.'

'Ken je een zekere Dale Stanley?'

Lev leek verrast. 'Ja.'

'Ben je weleens in zijn garage geweest?'

'Ja.'

'Heb je een broer die Paul Ward heet?'

'Ja.'

'Heb je verder nog broers?'

'Nee.'

'Weet je waar je nichtje Rebecca Ward is?'

Verbaasd keek Lev Jeffrey aan.

Mark herhaalde: 'Weet je waar je nichtje Rebecca Ward is?'

Lev keek weer strak voor zich uit en zei: 'Nee.'

'Heb je ooit iets uit de garage van Dale Stanley meegenomen?'

'Nee.'

'Heb je Abigail in het bos begraven?'

'Nee.'

'Ken je iemand die je nichtje kwaad zou willen doen?'

'Nee.'

'Ben je ooit in de Pink Kitty geweest?'

Verward tuitte hij zijn lippen. 'Nee.'

'Heb je je ooit seksueel aangetrokken gevoeld tot je nichtje?'

Hij aarzelde. 'Ja, maar...'

Mark onderbrak hem. 'Ja of nee, alsjeblieft.'

Voor het eerst leek Lev iets van zijn kalmte te verliezen. Hij schudde zijn hoofd, alsof hij verbolgen was over zijn eigen antwoord. 'Dat moet ik uitleggen.' Hij keek Jeffrey aan. 'Kunnen we hiermee stoppen, alsjeblieft?' Zonder op een reactie te wachten rukte hij de plaatjes van zijn borst en vingers.

'Laat mij maar even,' bood Mark aan, kennelijk bezorgd om zijn apparatuur.

'Neem me niet kwalijk,' zei Lev. 'Ik wou alleen maar... Het wordt me gewoon te veel.'

Jeffrey gaf Mark een teken dat Lev zich van het apparaat mocht ontkoppelen.

'Ik probeerde eerlijk te zijn,' zei Lev. 'Lieve hemel, wat een puinhoop.'

Mark sloeg zijn aantekenboekje dicht. 'We komen zo bij je terug,' liet Jeffrey Lev weten.

De twee mannen liepen naar buiten voor overleg. Lena deed een stap opzij en nam plaats op Jeffreys stoel.

'Ik zou Abby nooit iets aandoen,' zei Lev. 'Wat een puinhoop. Wat een puinhoop.'

'Maak u maar niet druk,' zei Lena en ze leunde achterover. Ze hoopte dat de zelfvoldaanheid niet van haar gezicht droop. Diep vanbinnen voelde ze dat Lev bij de zaak betrokken was. Het was slechts een kwestie van tijd en dan zou Jeffrey hem een bekentenis afdwingen.

Lev klemde zijn handen tussen zijn knieën en boog zich voorover. Zo bleef hij zitten tot Jeffrey de kamer weer binnenkwam. Nog voor Jeffrey op Marks stoel was gaan zitten, begon Lev al te praten. 'Ik wilde eerlijk zijn. Ik wilde niet een of ander stom leugentje ophangen zodat u... O, Here God. Het spijt me. Ik heb er zo'n puinhoop van gemaakt.'

Jeffrey haalde zijn schouders op, alsof er hooguit sprake was van een misverstand. 'Leg het maar eens uit.'

'Ze was...' Hij sloeg zijn handen voor zijn gezicht. 'Ze was een heel aantrekkelijk meisje.'

'Ze leek veel op uw zus,' herinnerde Lena zich.

'O nee,' zei Lev met bevende stem. 'Ik heb me nooit ongepast gedragen tegenover mijn zus of mijn nichtje. Tegenover geen van mijn nichtjes.' Hij smeekte hun bijna hem te geloven. 'Ik kan me één keer herinneren – één keer maar – dat Abby door het kantoor liep. Ik wist niet dat zij het was. Ik zag haar van achteren en mijn reactie...' Hij richtte zich tot Jeffrey. 'U weet hoe zulke dingen gaan.'

'Zelf heb ik geen knappe nichtjes,' merkte Jeffrey op.

'O, Heer,' verzuchtte Lev. 'Paul zei al dat ik hier spijt van zou krijgen.' Met een gepijnigd gezicht richtte hij zich weer op. 'Hoor eens, ik heb ook de nodige misdaadverhalen gelezen. Ik weet hoe het in zijn werk gaat. Jullie zoeken het altijd eerst bij de familieleden. Die mogelijkheid wilde ik uitsluiten. Ik wilde zo eerlijk mogelijk zijn.' Hij sloeg zijn blik op naar het plafond, alsof hij hoopte op hulp van boven. 'Het was maar één keer. Ze liep over het gangetje bij het kopieerapparaat en ik herkende haar niet van achteren, en toen ze zich omdraaide viel ik bijna van mijn stoel. Niet dat...' Hij zweeg, want nu begaf hij zich op glad ijs. 'Niet dat ik het helemaal voor me zag, laat staan dat ik het ook echt overwoog. Ik zat alleen maar een beetje voor me uit te staren en dacht: wat een mooie vrouw is dat, en toen zag ik dat het Abby was en ik zweer het: ik heb wel een maand lang geen woord tegen haar kunnen zeggen. Nog nooit in mijn leven heb ik me zo geschaamd.'

Lev spreidde zijn handen. 'Toen de agent net die vraag stelde, was dat het eerste wat me te binnen schoot – die dag. Ik wist dat hij het zou merken als ik loog.'

Jeffrey nam er alle tijd voor en zei toen: 'Daar gaf de test anders geen uitsluitsel over.'

Lev maakte een uitgebluste indruk. 'Ik wilde het graag goed doen en daardoor heb ik alles verknald.'

'Waarom wilde je geen aangifte doen van de vermissing van je andere nichtje?'

'Het leek...' Hij zweeg, alsof hij vergeefs naar een antwoord zocht. 'Ik wilde uw tijd niet verdoen. Becca gaat er zo vaak vandoor. Het is een vreselijk melodramatisch typje.'

'Heb je Abigail ooit aangeraakt?' vroeg Jeffrey.

'Nooit.'

'Is ze ooit alleen met je geweest?'

'Ja, natuurlijk. Ik ben haar oom. Ik ben haar predikant.'

'Heeft ze u ooit iets opgebiecht?' vroeg Lena.

'Zo gaat dat niet in zijn werk,' antwoordde Lev. 'We praatten gewoon over allerlei dingen. Abby las graag in de bijbel. Samen analyseerden we de Heilige Schrift. Of we speelden scrabble. Dat doe ik met al mijn neefjes en nichtjes.'

'Je snapt zeker wel waarom ons dat wat vreemd in de oren klinkt,' zei Jeffrey.

'Dat spijt me dan vreselijk,' zei Lev. 'Ik heb het er dus niet beter op gemaakt.'

'Nee,' beaamde Jeffrey. 'Wat had je eigenlijk bij Stanley te zoeken?'

Het duurde even voor hij de gedachtesprong had gemaakt. 'Dale belde me omdat onze mensen zijn terrein soms als doorsteek gebruikten. Ik ben met hem gaan praten, we zijn langs de erfgrens gelopen en ik heb beloofd dat ik een hek zou zetten.'

'Merkwaardig dat je daar zelf werk van maakte,' meende Jeffrey. 'Want eigenlijk sta je aan het hoofd van de boerderij, toch?'

'Niet echt,' zei hij. 'We beheren allemaal een eigen afdeling.'

'Die indruk kreeg ik anders niet,' zei Jeffrey. 'In mijn ogen heb jij er de leiding.'

Aarzelend beaamde Lev: 'Ik ben verantwoordelijk voor de dagelijkse gang van zaken.'

'Het is een behoorlijk groot bedrijf.'

'Inderdaad.'

'Zo'n wandeling met Dale langs de erfgrens, zo'n gesprek over een hek, dat lijken me typisch dingen om te delegeren.'

'Daar zeurt mijn vader ook de hele tijd over. Ik vrees dat ik iets te veel een *control freak* ben. Daar zou ik aan moeten werken.'

'Dale is een forse kerel,' zei Jeffrey. 'Vond je het niet vervelend om er in je eentje op af te gaan?'

'Ik had Cole bij me,' zei hij. 'Dat is onze opzichter. Ik weet niet of u gisteren nog tijd hebt gehad om u daarin te verdiepen. Dat is een van de eerste succesverhalen van De Gezegende Groei. In de gevangenis was mijn vader zijn geestelijk leidsman. Meer dan twintig jaar later is Cole nog steeds bij ons.'

'Hij is ooit veroordeeld wegens een gewapende overval,' zei Jeffrey.

Lev knikte. 'Dat klopt. Hij wilde een buurtwinkel beroven. Iemand heeft hem toen verraden. De rechter had niet veel met hem op. Cole had het er ongetwijfeld naar gemaakt en hij heeft er dan ook zo'n twintig jaar voor moeten boeten. Je kunt hem niet meer vergelijken met de man die de overval hielp beramen.'

Jeffrey stuurde het gesprek een andere kant op. 'Ben je toen nog in Dales werkplaats geweest?'

'Sorry?'

'Dale Stanley. Ben je nog in zijn werkplaats geweest toen je met hem over dat hek ging praten?'

'Ja. Eigenlijk geef ik niet om auto's – ik heb er niks mee –, maar ik wilde hem een plezier doen.'

'Waar bleef Cole intussen?' vroeg Lena.

'Die zat in de auto,' zei Lev. 'Ik had hem niet meegenomen om Dale te intimideren. Ik wilde Dale alleen laten weten dat ik niet in m'n eentje was gekomen.'

'Cole bleef dus de hele tijd in de auto zitten?' vroeg Jeffrey.

'Ja.'

'Ook toen jullie langs de erfgrens tussen jullie terrein en dat van Dale liepen?'

327

'Ja. Het is trouwens het terrein van de kerk.'

'Heb je Cole ooit als intimidatiemiddel ingezet?' vroeg Jeffrey.

Lev keek wat onbehaaglijk en het duurde even voor hij antwoordde. 'Ja.'

'Hoe ging dat dan?'

'Soms krijgen we mensen die misbruik willen maken van het systeem. Cole gaat in zo'n geval met ze praten. Hij trekt het zich persoonlijk aan als iemand de kerk probeert op te lichten. Of eigenlijk de familie. Hij is buitengewoon trouw aan mijn vader.'

'Gebruikt hij weleens geweld tegenover mensen die de zaak proberen te beduvelen?'

'Nee,' zei Lev met klem. 'Absoluut niet.'

'Waarom ben je daar zo zeker van?'

'Omdat hij zich maar al te bewust is van zijn eigen probleem.'

'Wat bedoel je daarmee?'

'Hij is – hij was – heel opvliegend.' Kennelijk schoot Lev iets te binnen. 'Uw vrouw zal u ongetwijfeld verteld hebben over zijn uitbarsting gisteravond. Hij wordt altijd heel fel als het over zijn geloof gaat, neem dat maar van mij aan. Ik zal als eerste toegeven dat hij over de schreef is gegaan, maar ik had zeker ingegrepen als de situatie uit de hand was gelopen.'

Lena vroeg zich af waar hij het in vredesnaam over had, maar ze was zo verstandig zich er niet in te mengen.

Jeffrey zelf legde de opmerking ook naast zich neer. Wel vroeg hij: 'Hoe opvliegend was Cole eigenlijk? Je zei dat hij opvliegend was. Hoe erg was het?'

'Soms was hij gewelddadig. Niet sinds hij mijn vader kende, maar daarvoor. Hij is heel sterk,' voegde Lev eraan toe. 'Buitengewoon.'

Jeffrey trok de lijn iets aan. 'Ik wil je niet tegenspreken, Lev, maar gisteren had ik hem hier op het bureau. Op mij maakt hij een nogal ongevaarlijke indruk.'

'Hij ís ook ongevaarlijk,' zei Lev. 'Tegenwoordig.'

'Tegenwoordig?'

'In het leger zat hij bij de commando's. Hij heeft veel kwaad op zijn geweten. Je gebruikt geen duizend dollar aan heroïne per week omdat het zo lekker gaat in je leven.' Lev scheen te voelen dat Jeffreys geduld opraakte. 'Wat die gewapende overval betreft,' vervolgde hij. 'Waarschijnlijk was hij er met een lichtere straf afgekomen – hij was nog niet eens de deur van die winkel door – als hij bij zijn arrestatie geen verzet had gepleegd. Eén agent werd behoorlijk toegetakeld en verloor bijna een oog.' Met moeite liet Lev het beeld toe. 'Coles handen zaten behoorlijk los.'

Jeffrey ging rechtop zitten. 'Dat stond anders niet op zijn strafblad.'

'Daar heb ik geen verklaring voor,' zei Lev. 'Ik heb zijn strafblad uiteraard nooit ingezien, maar hij is heel eerlijk over zijn vroegere misstappen. Hij heeft het ook ten overstaan van de hele gemeente verteld, als onderdeel van zijn geloofsbelijdenis.'

Jeffrey zat nog steeds op het puntje van zijn stoel. 'Zei je net dat zijn handen behoorlijk loszaten?'

'Zijn vuisten,' verduidelijkte Lev. 'Voor hij de bak in ging, verdiende hij wat bij door met blote vuisten te boksen. Hij heeft een aantal mensen ernstig letsel toegebracht. Op dat deel van zijn leven is hij niet bepaald trots.'

Jeffrey liet dit even bezinken. 'Cole Connolly heeft zijn hoofd kaalgeschoren.'

Lev ging verzitten, want dit was wel het laatste wat hij had verwacht. 'Ja,' zei hij. 'Hij heeft het vorige week kaalgeschoren. Vroeger had hij altijd een crewcut.'

'Stekeltjes?'

'Zoiets. Soms droogde het zweet op en dan ging het een beetje overeind staan.' Hij glimlachte weemoedig. 'Abby plaagde hem er altijd mee.'

Jeffrey sloeg zijn armen over elkaar. 'Hoe zou je zijn relatie met Abby beschrijven?'

'Beschermend. Eerzaam. Zo is hij voor alle jongeren op de boerderij. Ik kan niet zeggen dat hij Abby een speciale behandeling gaf.' Hij voegde eraan toe: 'Hij houdt altijd een oogje op Zeke. Ik vertrouw hem volledig.'

'Ken je een zekere Chip Donner?'

Lev keek verbaasd op bij het horen van die naam. 'Die

kwam een paar jaar lang af en toe op de boerderij werken. Cole vertelde me dat hij wat kleingeld uit de kas had gestolen. We hebben hem toen weggestuurd.'

'Zonder de politie erbij te halen?'

'Meestal houden we de politie erbuiten als er problemen zijn. Ik weet dat het niet zo hoort...'

'Maak je maar niet druk over hoe het hoort, Ward, en vertel ons gewoon wat er gebeurd is.'

'Cole heeft die Donner laten weten dat hij kon vertrekken. De volgende dag was hij verdwenen.'

'Weet je waar Cole op dit moment is?'

'We hebben de hele ochtend vrijgehouden vanwege de herdenkingsdienst voor Abby. Hij zal wel in zijn flat boven de schuur zijn en zich voorbereiden.' Lev deed een laatste poging: 'Commissaris Tolliver, geloof me: dat is allemaal verleden tijd. Cole is een zachtaardige man. Hij is als een broer voor me. Voor ons allemaal.'

'Zoals je zelf al zei, Ward: eerst moeten we de familie uitsluiten.'

Twaalf

Jeffrey was al even gespannen als Lena toen ze het erf op reden naar de schuur waarboven Cole Connolly woonde. Het oplossen van een zaak was soms net een achtbaan, en nu vlogen ze met een vaart van honderdvijftig kilometer per uur steil naar beneden op de volgende lus af. Lev Ward had toevallig een groepsfoto van de hele familie in zijn portefeuille gehad en op haar eigen, kleurrijke wijze had Patty O'Ryan er prompt Cole Connolly uitgepikt als de gore klootzak die Chip in de Pink Kitty had opgezocht.

'Die snee in zijn vinger,' zei Lena.

'Wat is daarmee?' vroeg Jeffrey, maar toen snapte hij het. Connolly had gezegd dat hij de snee in zijn rechterwijsvinger had opgelopen bij het werk op het land.

'Als je bedenkt hoe Chip Donner eruitzag, zou je zeggen dat hij wel wat meer dan een sneetje in zijn hand had moeten hebben. Hoewel,' gaf ze toe, 'O.J. Simpson had ook alleen een sneetje in zijn vinger.'

'En Jeffrey McDonald niet te vergeten.'

'Wie is dat?'

'Die heeft zijn hele gezin op gruwelijke wijze doodgestoken,' zei Jeffrey. 'Twee kinderen en zijn zwangere vrouw. De enige wond die hij niet zelf had toegebracht, was een snee aan de bovenkant van zijn vinger.'

'Lekkere vent,' merkte Lena op. 'Denk je dat Cole Rebecca heeft ontvoerd?'

'Dat gaan we nu ontdekken,' zei Jeffrey. Hij hoopte vurig dat het meisje gewoon was weggelopen, dat ze op een veilige plek was en niet naar adem snakkend en biddend om bevrijding ergens onder de grond lag.

Hij draaide de auto het grindpad op waarover ze die maandag naar de boerderij waren gereden. Ze hadden Lev Wards oude Ford Festiva gevolgd. De predikant had zich de hele weg nauwgezet aan de maximumsnelheid gehouden, maar Jeffrey had het vermoeden dat hij dat ook zou doen als er geen smeris achter hem reed. Toen Lev de oprit naar de schuur insloeg, had hij zelfs zijn richtingaanwijzer gebruikt.

Jeffrey zette de auto in z'n vrij. 'Daar gaan we dan,' zei hij toen ze uitstapten.

Lev wees naar een trap binnen in de schuur. 'Hij woont daar boven.'

Jeffrey keek omhoog en zag tot zijn opluchting dat er aan de voorkant van het gebouw geen ramen zaten die hun komst hadden kunnen verraden. 'Jij blijft hier,' zei hij tegen Lena voor hij de schuur betrad. Lev volgde hem, maar Jeffrey hield hem tegen. 'Ik heb liever dat jij ook hier beneden blijft.'

Lev wilde protesteren, maar het enige wat hij uiteindelijk zei was: 'Volgens mij zit u er helemaal naast, commissaris Tolliver. Cole was dol op Abby. Hij is niet het soort man dat zoiets doet. Niet dat ik weet wat voor beest daartoe wel in staat is, maar Cole is niet...'

'Zorg ervoor dat niemand me stoort,' zei Jeffrey tegen Lena. En tegen Lev: 'Ik zou het prettig vinden als je hier bleef tot ik terugkom.'

'Ik moet mijn toespraak voorbereiden,' zei hij. 'We leggen Abby vandaag ter ruste. De familie verwacht me.'

Die familie telde een uiterst gewiekst jurist onder haar leden en het laatste wat Jeffrey kon gebruiken was dat Paul Ward kwam binnenvallen terwijl hij met Connolly in gesprek was. De ex-gedetineerde was een gladjakker en ook zonder dat Paul de zaak kwam afblazen, zou Jeffrey alles op alles moeten zetten om hem aan de praat te krijgen.

Jeffrey bevond zich niet in zijn eigen rayon, hij had geen arrestatiebevel op zak en de enige steekhoudende reden om Connolly een bezoek te brengen was het verhaal van een stripper die haar eigen moeder nog zou vermoorden om aan een fix te komen. 'Je gaat je gang maar,' was alles wat hij onder deze omstandigheden tegen Lev kon zeggen.

Met haar handen in de zij keek Lena de auto van de predikant na. 'Die gaat linea recta naar zijn broer.'

'Ook al moet je ze met handen en voeten aan elkaar binden,' zei Jeffrey, 'zorg dat ze niet die flat binnenkomen.'

'Komt voor elkaar, chef.'

Geruisloos beklom Jeffrey de steile trap naar Connolly's flat. Toen hij op de overloop was aangekomen, keek hij door het raam en zag Connolly voor de gootsteen staan. Hij stond met zijn rug naar Jeffrey toe en toen hij zich omdraaide, zag Jeffrey dat hij net een ketel gevuld had met water. Blijkbaar keek hij er niet van op dat iemand zomaar door zijn raam naar binnen gluurde.

'Kom binnen,' riep hij, en hij zette de ketel op het fornuis. Na een paar klikjes ging het gasvlammetje branden.

'Connolly,' begon Jeffrey. Hoe hij dit moest aanpakken was hem nog niet helemaal duidelijk.

'Zeg maar Cole,' liet de man hem weten. 'Ik wilde net koffie zetten.' Hij glimlachte naar Jeffrey en zijn ogen fonkelden, net als de vorige dag.

'Ook een kop?' bood hij aan.

Jeffrey zag een pot instantkoffie op het aanrecht staan en moest een gevoel van walging onderdrukken. Zijn vader had gezworen bij oploskoffie, volgens hem hét middel tegen een kater.

'Ja, lekker,' zei Jeffrey, al zou hij nog liever uit de wc-pot drinken.

Connolly nam een tweede beker uit het keukenkastje. Meer had hij er niet, zag Jeffrey.

'Gaat u zitten,' zei Connolly terwijl hij twee volle lepels korrelige zwarte koffie in de bekers schepte.

Jeffrey trok een stoel onder de tafel uit en liet zijn blik door Connolly's flat gaan. Die bestond uit één vertrek met aan de ene kant een keuken en aan de andere een slaapgedeelte. Op het bed lagen witte lakens en een eenvoudige deken, alle met militaire precisie bij de hoeken ingestopt. De man leefde Spartaans. Behalve het kruis boven het bed en een religieuze poster aan een van de witgesausde muren was er niets waaruit iets viel af te leiden over de man die deze plek als zijn thuis beschouwde.

'Woon je hier al lang?' vroeg Jeffrey.

'O.' Daar scheen Connolly over te moeten nadenken. 'Dat wordt nu zo'n jaar of vijftien, meen ik. Een hele tijd geleden zijn we allemaal op de boerderij komen wonen. Eerst woonde ik in het huis, maar toen werden de kleinkinderen groot en wilden allemaal een eigen kamer, ruimte voor zichzelf. U weet hoe kinderen zijn.'

'Ja,' zei Jeffrey. 'Je woont hier anders mooi.'

'Ik heb alles zelf verbouwd,' zei Connolly vol trots. 'Rachel bood me een kamer in haar huis aan, maar toen ik de ruimte hier boven zag, wist ik meteen dat ik er iets van kon maken.'

'Je bent een prima timmerman,' zei Jeffrey, die de kamer nog eens goed bekeek. De voegen van de kist waarin ze Abby hadden gevonden, waren keurig in verstek gezaagd, evenals die van de tweede kist. De man die de kisten in elkaar had gezet was nauwgezet te werk gegaan en had er de tijd voor genomen om alles zo goed mogelijk uit te voeren.

'Twee keer meten, één keer zagen.' Connolly ging aan tafel zitten. Hij zette de ene beker voor Jeffrey neer en hield de andere zelf. Tussen hen in lag een bijbel, boven op een stapel servetjes. 'Wat brengt u trouwens hier?'

'Ik had nog een paar vragen,' zei Jeffrey. 'Ik hoop dat je daar geen bezwaar tegen hebt.'

Connolly schudde zijn hoofd, alsof hij niets te verbergen had. 'Natuurlijk niet. Ik wil graag helpen. Vraag maar raak.'

Jeffrey ving de geur op van de oploskoffie die voor hem stond en hij verschoof de beker voor hij het woord nam. Hij besloot met Chip Donner te beginnen. O'Ryan had hun een concreet aanknopingspunt verschaft. De band met Abby was moeilijker aan te tonen en Connolly was niet het type dat zelf zijn nek in de strop stak. 'Heb je weleens gehoord van een bar die de Pink Kitty heet?'

Met vaste blik keek Connolly Jeffrey aan. 'Dat is een striptent aan de snelweg.'

'Klopt.'

Connolly schoof zijn beker een centimeter naar links, zodat hij midden voor de bijbel kwam te staan.

'Ben je daar weleens geweest, Cole?'

'Rare vraag om aan een christen te stellen.'

'Volgens een stripper die daar werkt ben je er weleens geweest.'

Connolly wiste het zweet van de bovenkant van zijn hoofd. 'Warm hier,' zei hij en hij liep naar het raam. Ze bevonden zich op de eerste verdieping en het raam was klein, maar Jeffrey zette zich schrap voor het geval Connolly een ontsnappingspoging zou wagen.

Hij draaide zich echter weer om. 'Ik zou niet op het woord van een hoer afgaan.'

'Nee,' gaf Jeffrey toe. 'Die vertellen je altijd wat je volgens hen wilt horen.'

'Precies,' zei hij en hij borg de pot met oploskoffie weg. Toen liep hij naar de gootsteen en waste de lepel af, die hij vervolgens met een versleten theedoek afdroogde en in de la legde. De ketel begon te fluiten en met de theedoek in zijn hand nam hij hem van het vuur.

'Geef eens aan,' zei hij tegen Jeffrey, die de bekers daarop over de tafel naar hem toe schoof.

'Toen ik in het leger zat,' zei Cole terwijl hij heet water in de bekers goot, 'was er in de wijde omtrek geen blotetietenbar die wij niet kenden. Poelen van verderf, stuk voor stuk.' Hij zette de ketel weer op het fornuis, pakte de lepel die hij net had schoongemaakt weer uit de la en roerde ermee in de koffie. 'Ik was in die tijd een zwakkeling. Een echte zwakkeling.'

'Wat had Abby in de Pink Kitty te zoeken, Cole?'

Connolly bleef roeren en de heldere vloeistof veranderde in onnatuurlijk zwart. 'Abby wilde anderen helpen,' zei hij en hij liep terug naar het aanrecht. 'Ze had geen idee dat ze zich in het hol van de leeuw begaf. Zo'n zuivere ziel was ze.'

Jeffrey keek toe terwijl Cole de lepel nogmaals afwaste. Hij legde hem in de la en ging toen tegenover hem zitten.

'Probeerde ze Chip Donner te helpen?' vroeg Jeffrey.

'Die was de moeite van het helpen niet waard,' antwoordde Cole en hij bracht de beker naar zijn lippen. Damp steeg op en hij blies in de koffie voor hij de beker weer neerzette. 'Nog te heet.'

Jeffrey leunde naar achteren om de geur maar niet te hoeven ruiken. 'Waarom was hij de moeite van het helpen niet waard?'

'Lev en de anderen zien het niet, maar sommige van die lui willen alleen maar van het systeem profiteren.' Hij richtte zijn vinger op Jeffrey. 'U en ik weten precies hoe die mensen in elkaar steken. Het is mijn taak om ze van de boerderij te verwijderen. Ze nemen alleen maar ruimte in beslag die iemand anders goed kan gebruiken, iemand die zijn leven wil beteren. Iemand die in de Heer is.'

Jeffrey greep de opening aan. 'Het enige wat die lui willen is alles naar hun eigen hand zetten. Ze pakken wat ze kunnen en gaan dan pleite.'

'Zo is het,' beaamde Cole. 'Het is mijn taak om ervoor zorgen dat ze weer heel snel vertrokken zijn.'

'Voordat ze het voor iedereen verpesten.'

'Precies,' zei hij.

'Wat heeft Chip met Abby uitgespookt?'

'Hij nam haar mee naar het bos. Ze was een onschuldig kind. Gewoon een onschuldig kind.'

'Heb je gezien dat hij haar meenam naar het bos?' vroeg Jeffrey, die het nogal bizar vond dat een man van tweeënzeventig de hele tijd achter een meisje aan liep.

'Ik wilde er zeker van zijn dat haar niks overkwam,' legde Connolly uit. 'Ik kom er rond voor uit dat ik vreesde voor haar ziel.'

'Voel je je verantwoordelijk voor de familie?'

'Zoals Thomas er nu aan toe is, moest ik wel een oogje in het zeil houden.'

'Ik zie het overal om me heen,' viel Jeffrey hem bij. 'Eén rotte appel, meer is er niet voor nodig.'

'Dat is de zuivere waarheid.' Connolly blies weer in zijn koffie en nam een voorzichtig slokje. Hij brandde zijn tong en vertrok zijn gezicht. 'Ik probeerde met haar te praten. Ze wilde er met die jongen vandoor. Ze was haar koffer al aan het pakken, ze wilde het pad naar de verdorvenheid inslaan. Dat kon ik niet laten gebeuren. Ik kon het Thomas niet aandoen, ik kon het de familie niet aandoen dat er weer een ziel verloren ging.'

Jeffrey knikte en opeens vielen alle stukjes in elkaar. Hij

zag Abigail Bennett haar koffer pakken in de veronderstelling dat ze een nieuw leven ging beginnen, en op dat moment kwam Cole Connolly binnen en alles veranderde. Wat zou er door Abby heen zijn gegaan toen hij haar meevoerde het bos in? Het meisje moest doodsangsten hebben uitgestaan.

'Wat ik niet snap is dat je haar dood wilde hebben,' zei Jeffrey.

Connolly's hoofd schoot met een ruk omhoog. Een paar tellen lang staarde hij Jeffrey aan.

'Jij hebt die kist getimmerd, Cole.' Hij wees om zich heen. 'Je weet hoe je zoiets moet aanpakken. Je vakmanschap heeft je verraden.' Jeffrey probeerde hem met een zacht lijntje in de val te lokken. 'Volgens mij was het niet je bedoeling dat ze doodging.'

Connolly antwoordde niet.

'Ik maak me zorgen om haar moeder,' zei Jeffrey. 'Esther is zo'n goede vrouw.'

'Nou en of.'

'Ze moet weten wat er met haar dochter is gebeurd, Cole. Toen ik bij haar thuis was en Abby's spullen doorzocht om te ontdekken wat er met haar gebeurd was, smeekte Esther me. Ze greep me bij mijn arm, Cole. De tranen stonden in haar ogen.' Hij zweeg. 'Esther moet weten wat er met haar kind is gebeurd, Cole. Anders heeft ze geen rust.'

Het enige wat Connolly deed was knikken.

'Ik heb nu het punt bereikt, Cole, dat ik mensen moet gaan oppakken,' zei Jeffrey. 'Ik ga zo langzamerhand eens wat netten uitzetten, kijken wat erin blijft hangen.'

Connolly liet zich achterover op zijn stoel zakken, zijn lippen op elkaar geperst.

'Mary wordt de eerste, dan Rachel.'

'Ik moet nog zien of Paul dat goedvindt.'

'Ik kan ze vierentwintig uur in voorarrest houden.' Hij voerde de druk nog wat op en zei: 'Ik heb zo'n idee dat Mary en Rachel weleens heel belangrijke getuigen kunnen zijn.'

'U gaat uw gang maar.' Hij haalde zijn schouders op.

'De arrestatie van Thomas, dat wordt nog het moeilijkst,' vervolgde Jeffrey, zijn blik strak op Connolly gericht om te zien hoe ver hij kon gaan. Toen de naam van zijn leidsman viel, verstrakte Connolly en Jeffrey vervolgde: 'We zullen het hem zo gerieflijk mogelijk maken. Die celdeuren zijn nogal smal, maar als zijn rolstoel er niet door kan, dragen we hem wel.'

De kraan van de gootsteen lekte een beetje, en in de stilte die op zijn woorden volgde hoorde Jeffrey het druppelen van het water weerklinken in de kleine ruimte. Hij hield zijn blik nog steeds op Connolly gericht en zag de gelaatsuitdrukking van de man veranderen terwijl hij het beeld dat Jeffrey hem schetste tot zich door liet dringen.

Hij rook zijn kans en deed er een schepje bovenop. 'Ik houd ze vast, Cole. Ik zal al het mogelijke doen om erachter te komen wat er is gebeurd. En dat zijn geen loze woorden.'

Connolly, die de koffiebeker eerst vast in zijn hand hield geklemd, leek tot een besluit te zijn gekomen en zijn greep verslapte. 'Zult u Thomas dan met rust laten?' vroeg hij.

'Mijn woord heb je.'

Connolly knikte. Toch duurde het even voor hij weer begon te praten. Jeffrey wilde hem al aansporen toen de oude man zei: 'Geen van de anderen is ooit heengegaan.'

Hoewel de adrenaline door zijn lichaam stroomde, deed Jeffrey zijn uiterste best de voortgang van het gesprek niet te verstoren. Niemand bekende ooit dat hij iets gruwelijks op zijn geweten had. Mensen probeerden er altijd omheen te praten; ze lieten zich tot een bekentenis verleiden en maakten zichzelf dan wijs dat ze in wezen goed waren, maar zich één keer vergist hadden en toen iets slechts hadden gedaan.

'Geen van de anderen is ooit heengegaan,' herhaalde Connolly.

Zonder verwijt in zijn stem te laten doorklinken vroeg Jeffrey: 'Met wie heb je dit verder nog gedaan, Cole?'

Heel langzaam schudde hij zijn hoofd.

'Hoe zit het met Rebecca?'

'Die duikt wel weer op.'

'Net zoals Abby weer is opgedoken?'

'Onkruid vergaat niet,' zei hij. 'Wat ik ook heb geprobeerd, het heeft bij die meid nooit iets geholpen. Die heeft nog nooit naar één woord van me geluisterd.' Connolly staarde in zijn koffie, maar van enige wroeging was geen sprake. 'Abby was zwanger.'

'Heeft ze je dat verteld?' vroeg Jeffrey. Hij kon zich voorstellen dat Abby had geprobeerd de gestoorde oude man op zijn gemoed te werken in de hoop dat hij haar dan niet in de kist zou stoppen.

'Mijn hart begaf het zowat,' zei hij. 'Maar het gaf me ook kracht om te doen wat nodig was.'

'Dus jij hebt haar daar bij het meer begraven. Op dezelfde plek waar Chip haar mee naartoe had genomen om seks met haar te hebben.'

'Ze wilde met hem weglopen,' herhaalde Connolly. 'Ik ging naar haar toe om met haar te bidden, en ze was net haar spullen aan het pakken om weg te lopen met dat stuk uitschot, en dan zou hun kind in zonde opgroeien.'

'Dat kon je niet laten gebeuren,' viel Jeffrey hem bij.

'Het was een onschuldig meisje. Ze moest een tijdje alleen zijn om na te denken over wat ze die jongen had toegestaan. Ze was bezoedeld. Ze moest verrijzen en opnieuw geboren worden.'

'Dus daar draait het om?' vroeg Jeffrey. 'Je begraaft ze om ze opnieuw geboren te laten worden?' Connolly zei niets en daarom vervolgde hij: 'Heb je Rebecca ook begraven, Cole? Ligt die daar nu ook?'

Hij legde zijn hand op de bijbel en sprak: '"De zondaren zullen van de aarde vergaan, en de goddelozen zullen niet meer zijn."'

'Waar is Rebecca, Cole?'

'Ik weet het niet, dat heb ik toch gezegd?'

Jeffrey bleef aandringen. 'Was Abby een zondares?'

'Ik heb het in de handen van de Heer gelegd,' luidde zijn antwoord. 'Hij zegt dat ik ze tijd moet geven om te bidden, om zich te bezinnen. Dat is Zijn opdracht aan mij, en ik stel de meisjes in de gelegenheid om hun leven te beteren.' Weer citeerde hij de bijbel: '"De Here bewaart allen die Hem liefhebben, maar Hij verdelgt alle goddelozen."'

'Had Abby de Heer dan niet lief?' vroeg Jeffrey.

De man leek oprecht bedroefd, alsof haar dood hem niet viel aan te rekenen. 'Het was de wil van de Heer om haar tot

Zich te nemen.' Hij droogde zijn ogen. 'Ik volgde alleen Zijn geboden op.'

'Heeft Hij je ook opgedragen Chip dood te slaan?' vroeg Jeffrey.

'Van die knaap viel toch niets goeds te verwachten.'

Jeffrey vatte dat op als een schuldbekentenis. 'Waarom heb je Abby vermoord, Cole?'

'Het was de wil van de Heer om haar weg te nemen.' Zijn verdriet was ongeveinsd. 'Ze kreeg gewoon geen lucht meer,' zei hij. 'Arm kind.'

'Jij hebt haar in die kist gestopt.'

Hij gaf een afgemeten knikje en Jeffrey voelde zijn woede aanzwellen. 'Inderdaad, ja.'

Jeffrey voerde de druk nog wat op. 'Je hebt haar vermoord.'

'"Ik heb geen behagen in de dood van de goddeloze,"' klonk het. 'Ik ben maar een oude soldaat. Dat heb ik u toch gezegd? Ik ben een spreekbuis van de Heer.'

'O, zit het zo?'

'Ja, dat zit zo,' snauwde Connolly toen hij het sarcasme in Jeffreys toon bespeurde. Hij sloeg met zijn vuist op tafel, zijn blik vlammend van woede. Pas na enige tijd had Jeffrey zichzelf weer in toom en hij moest aan Chip Donner denken, hoe zijn ingewanden door diezelfde vuisten tot moes waren geslagen. Onwillekeurig duwde Jeffrey zijn rug tegen de stoel, blij dat hij zijn pistool voelde.

Connolly nam nog een slok koffie. 'Zoals Thomas er nu aan toe is...' Hij legde zijn hand op zijn maag en een scherpe oprisping ontsnapte aan zijn keel. 'Neem me niet kwalijk,' zei hij. 'Slechte spijsvertering. Ik weet dat ik dat spul niet moet drinken. Mary en Rachel zitten me de hele tijd op m'n kop, maar het is de enige verslaving die ik niet kan opgeven.'

'Zoals Thomas er nu aan toe is...?' drong Jeffrey aan.

Connolly zette de beker neer. 'Iemand moet optreden. Iemand moet de leiding over de familie nemen, anders kunnen we alles waar we voor gewerkt hebben wel afschrijven. We zijn allemaal simpele soldaten,' zei hij. 'Wat we nodig hebben is een generaal.'

Jeffrey dacht aan wat O'Ryan had gezegd: dat de man in de Kitty Chip Donner van drugs voorzag. 'Een man kan moeilijk nee zeggen als iemand het spul voor z'n neus houdt. Waarom gaf je Chip drugs?' vroeg hij.

Connolly ging verzitten, alsof hij het zich gemakkelijker wilde maken. 'De slang bracht Eva in verleiding en ze nam van de vrucht. Chip was al net als de anderen. Ze kunnen de verleiding nooit lang weerstaan.'

'Wat je zegt.'

'God waarschuwde Adam en Eva niet van de boom te eten, maar ze deden het toch.' Cole trok een servet onder de bijbel vandaan en veegde er zijn voorhoofd mee af. 'Je bent sterk of je bent zwak. Die jongen was zwak.' Bedroefd voegde hij eraan toe: 'Ik denk dat onze Abigail dat uiteindelijk ook was. Zo zijn de wegen van de Heer. Het is niet aan ons om daaraan te twijfelen.'

'Abby is vergiftigd, Cole. Het was niet Gods wil dat ze stierf. Iemand heeft haar vermoord.'

Connolly keek Jeffrey onderzoekend aan, zijn koffiebeker roerloos voor zijn mond. Het duurde even voor hij antwoord gaf. Eerst nam hij een slok en toen zette hij de beker weer voor de bijbel neer. 'U vergeet tegen wie u het hebt,' waarschuwde hij, een dreigende ondertoon in zijn kalme stem. 'Ik ben niet zomaar een oude man, ik ben een oude bajesklant. Met leugens laat ik me niet strikken.'

'Ik lieg ook niet tegen je.'

'Neem me niet kwalijk, maar dat geloof ik niet.'

'Ze is vergiftigd met cyanide.'

Hij schudde zijn hoofd, nog steeds vol ongeloof. 'Als u me wilt arresteren, ga dan gerust uw gang. Ik heb hier verder niets aan toe te voegen.'

'Met wie heb je dit verder nog gedaan, Cole? Waar is Rebecca?'

Lachend schudde hij zijn hoofd. 'U denkt echt dat ik een laffe verrader ben, hè? Dat ik bij het minste of geringste doorsla om m'n eigen hachje te redden.' Hij wees naar Jeffrey. 'Laat ik u één ding vertellen. Ik...' Hij sloeg zijn hand voor zijn mond en begon te hoesten. 'Ik heb nog nooit...' Weer hoestte hij. Het hoesten ging over in kokhalzen.

Jeffrey sprong van zijn stoel en op dat moment vloog er een donkere sliert braaksel uit de mond van de man.

'Cole?'

Connolly begon zwaar te ademen en toen te hijgen. Even later greep hij naar zijn keel en sloeg zijn nagels in het vlees. 'Nee!' zei hij met verstikte stem, zijn blik in doodsangst op Jeffrey gericht. 'Nee! Nee!' Er trokken zulke heftige krampen door zijn lichaam dat hij op de vloer werd geworpen.

'Cole?' herhaalde Jeffrey. Als verlamd bleef hij staan en zag het gezicht van de oude man verstarren tot een gruwelijk masker van ondraaglijke pijn en angst. Zijn benen schoten met zo'n kracht naar voren dat de stoel tegen de muur kapotsloeg. Hij bevuilde zich en terwijl hij kruipend de deur probeerde te bereiken, smeerde hij zijn stront over de vloer uit. Opeens stopte hij, met schokkend lichaam en wegdraaiende ogen. Zijn benen beefden zo hevig dat een van zijn schoenen werd uitgetrapt.

Binnen een minuut was hij dood.

Toen Jeffrey de trap af kwam, drentelde Lena ongedurig bij zijn Town Car heen en weer. Hij haalde zijn zakdoek te voorschijn om het zweet van zijn voorhoofd te wissen en bedacht toen dat Connolly vlak voor hij doodging hetzelfde had gedaan.

Hij stak zijn hand door het open autoraampje en pakte zijn mobiel. Bij het vooroverbuigen voelde hij zich opeens misselijk worden en naar adem snakkend kwam hij weer overeind.

'Gaat het?'

Jeffrey trok zijn jasje uit en gooide het in de auto. 'Hij is dood,' zei hij tegen Lena terwijl hij Sara's nummer intoetste.

'Wat?'

'We hebben niet veel tijd,' liet hij haar weten, en meteen erop vroeg hij aan Sara's receptioniste: 'Wil je haar oproepen? Het gaat om een spoedgeval.'

'Wat is er gebeurd?' vroeg Lena. 'Probeerde hij je iets te flikken?' liet ze er fluisterend op volgen.

Het verbaasde hem nauwelijks dat ze hem ervan verdacht

een arrestant gedood te hebben. Hun gezamenlijke geschiedenis in aanmerking genomen had hij niet bepaald het goede voorbeeld gegeven.

Sara kwam aan de lijn. 'Jeff?'

'Je moet meteen naar de boerderij van Ward komen.'

'Wat is er?'

'Cole Connolly is dood. Hij zat koffie te drinken. Volgens mij zat er cyanide in. Hij ging zomaar...' Jeffrey probeerde het beeld te verdringen. 'Hij is pal voor mijn ogen doodgegaan.'

'Jeffrey, gaat het?'

Hij wist dat Lena stond te luisteren en ging daarom niet op haar vraag in. 'Het was nogal heftig.'

'O, liefje,' zei Sara. Om te voorkomen dat Lena de emotie van zijn gezicht kon lezen, richtte Jeffrey zijn blik op een punt voorbij zijn auto, alsof hij zich ervan wilde verzekeren dat er niemand aankwam. Cole Connolly was een walgelijk schepsel, een gestoorde klootzak die de tekst van de bijbel verdraaide om zijn gruwelijke daden te rechtvaardigen, maar hij was nog altijd een mens. Slechts weinig mensen verdienden een dergelijke dood, en hoewel Connolly zonder meer op het lijstje stond, had Jeffrey hem liever niet zien creperen.

'Kom zo snel mogelijk,' zei hij tegen Sara. 'Je moet even naar hem kijken voor we de sheriff erbij halen.' Omdat Lena meeluisterde, voegde hij er voor alle duidelijkheid aan toe: 'Dit is niet mijn rayon.'

'Ik kom eraan.'

Leunend tegen de auto klapte hij het telefoontje dicht en stopte het in zijn zak. Hij was nog steeds misselijk en in lichte paniek vroeg hij zich af of hij misschien toch een slok koffie had genomen, hoewel hij zeker wist dat dat niet het geval was. Dit was de enige keer in zijn leven dat die rotgewoonten van zijn vader hem iets anders dan ellende hadden gebracht. In stilte sprak hij een dankgebedje uit aan Jimmy Tolliver, ook al wist hij maar al te goed dat Jimmy, als er een hemel was, niet eens door de poort was gekomen.

'Chef?' vroeg Lena. Waarschijnlijk had ze al een tijdje tegen hem staan praten. 'Ik vroeg net naar Rebecca Bennett. Heeft hij nog iets over haar gezegd?'

'Hij zei dat hij niet wist waar ze was.'

'Juist.' Lena keek om zich heen en vroeg toen: 'Wat gaan we nu doen?'

Op dat moment wilde Jeffrey even geen beslissingen nemen. Het enige wat hij wilde was tegen de auto aan hangen, op adem komen en op Sara wachten. Was dat maar mogelijk.

'Zodra Sara hier is ga jij Twee Cent halen,' droeg hij haar op. 'Zeg maar dat je mobiel het hier niet deed. Neem er alle tijd voor, afgesproken?'

Ze knikte.

Hij keek de donkere schuur in, naar de nauwe trap die nu rechtstreeks uit Dante leek te komen.

'Heeft hij toegegeven dat hij dit ook met andere meisjes heeft gedaan?' vroeg Lena.

'Ja. Hij zei dat er nog nooit eerder iemand was doodgegaan.'

'Geloof je hem?'

'Ja,' antwoordde Jeffrey. 'Weet je nog van dat briefje dat Sara heeft ontvangen? Ergens loopt iemand rond die het overleefd heeft.'

'Rebecca,' giste ze.

'Het was niet hetzelfde handschrift,' zei hij, en hij zag het briefje dat Esther hem had gegeven weer voor zich.

'Zou een van de tantes het hebben geschreven? De moeder misschien?'

'Esther kan het onmogelijk geweten hebben,' zei hij. 'Dan zou ze het ons verteld hebben. Ze hield van haar dochter.'

'Esther is heel trouw aan haar familie,' redeneerde Lena. 'Ze voegt zich naar haar broers.'

'Niet altijd,' wierp hij tegen.

'Die Lev,' zei ze. 'Ik weet niet wat ik van hem denken moet. Ik krijg geen hoogte van hem.'

Hij knikte, maar onthield zich van een antwoord.

Lena sloeg haar armen over elkaar en zweeg. Jeffrey wierp weer een blik op de weg en sloot toen zijn ogen om het wrange gevoel in zijn maag te bedwingen. Het was trouwens geen gewone misselijkheid. Hij was ook duizelig, alsof hij elk moment kon flauwvallen. Zou hij echt niet van de koffie

344

hebben geproefd? Laatst had hij ook al van die zure limonade gedronken. Was het mogelijk dat hij een klein beetje cyanide had binnengekregen?

Lena begon weer te ijsberen en toen ze even later de schuur in liep, hield hij haar niet tegen. Na enkele minuten kwam ze weer buiten en keek op haar horloge. 'Hopelijk komt Lev niet terug.'

'Hoe lang zijn we hier nu?'

'Nog geen uur,' antwoordde ze. 'Als Paul hier eerder is dan Sara...'

'Kom,' zei hij, en hij liep bij de auto vandaan.

Lena volgde hem het gebouw in, voor de verandering zonder een woord te zeggen. Pas toen ze in de keuken stonden en ze de twee koffiebekers op tafel zag staan vroeg ze: 'Denk je dat hij het met opzet heeft ingenomen?'

'Nee,' zei Jeffrey, die nog nooit van zijn leven ergens zo zeker van was geweest. Cole Connolly's gezicht was van afschuw vervuld geweest toen hij besefte wat er met hem gebeurde. Jeffrey had zo'n vermoeden dat Connolly wist wie het gedaan had. Naar de paniek in zijn ogen te oordelen wist hij precies wat er aan de hand was. Zoals hij ook wist dat hij verraden was.

Behoedzaam liep Lena langs het lijk. Jeffrey vroeg zich af of de ruimte nu besmet was, of ze voorzorgsmaatregelen moesten treffen, maar al snel dwaalden zijn gedachten weer af. Hij kreeg die beker koffie maar niet uit zijn hoofd. Als hij iets van iemand te weten wilde komen, ging hij er ongeacht de omstandigheden altijd op in als hem iets te drinken werd aangeboden. Het was een van de eerste dingen die een politieman leerde: zorg dat de ander zich op z'n gemak voelt, geef hem het gevoel dat hij je helpt. Geef hem het gevoel dat je aan zijn kant staat.

'Moet je kijken.' Lena stond voor de kast en wees naar de kleren die keurig aan de stang hingen. 'Net als bij Abby. Weet je nog? Haar kleerkast zag er precies zo uit. Je had er een liniaal langs kunnen leggen, ik zweer het. Alles hing precies even ver uit elkaar.' Ze wees naar de schoenen. 'En dit hier al net zo.'

'Dan heeft Cole al haar spullen weer in de kast teruggehangen,' opperde Jeffrey, terwijl hij zijn das lostrok om lucht te krijgen. 'Hij kwam bij haar binnenvallen toen ze haar koffer aan het pakken was om ervandoor te gaan.'

'Oude gewoonten slijten niet.' Lena reikte achter in de kast en haalde een roze koffer te voorschijn. 'Die is vast niet van hem,' zei ze. Ze legde het kunststof geval op het bed en maakte het open.

Blijkbaar communiceerde Jeffreys brein niet meer met zijn voeten, want die weigerden naar voren te gaan. Hij week zelfs een paar stappen terug tot bijna bij de deur.

Lena scheen het niet te merken. Ze trok aan de voering van de koffer om te zien of er iets in verstopt zat en deed toen de rits van het buitenvak open. 'Bingo.'

'Wat heb je gevonden?'

Ze keerde de koffer ondersteboven en schudde. Een bruine portefeuille viel op het bed. Ze pakte hem bij de randen vast, sloeg hem open en las: 'Charles Wesley Donner.'

Weer gaf Jeffrey een ruk aan zijn das. Ook al stond het raam open, het vertrek ging zo langzamerhand op een sauna lijken. 'Verder nog iets?'

Met haar vingertoppen voelde Lena onder de voering en trok er iets uit. 'Een buskaartje naar Savannah,' zei ze. 'Van vier dagen voor ze werd vermist.'

'Staat er een naam op?'

'Abigail Bennett.'

'Hou dat maar bij je.'

Lena stopte het kaartje in haar zak en liep naar de commode. Ze trok de bovenste la open. 'Net als bij Abby,' zei ze. 'Het ondergoed is op precies dezelfde manier opgevouwen.' Ze trok de volgende la open, toen de daaropvolgende. 'Sokken, shirts, alles. Precies zoals bij haar.'

Jeffrey ging met zijn rug tegen de muur staan en voelde zijn ingewanden verkrampen. Hij kreeg bijna geen adem meer. 'Cole zei dat ze er met Chip vandoor wilde.'

Lena liep naar de keukenkastjes. 'Niks aanraken,' zei Jeffrey met een panisch hoog stemmetje.

Ze keek hem even aan en liep toen naar de andere kant van het vertrek. Met haar handen in de zij bleef ze voor de poster staan. Twee grote handen omvatten een kruis waarvan de vlammen als bliksemschichten af sloegen. Ze streek met haar hand over de poster, alsof ze er iets af veegde.

'Wat heb je daar?' vroeg Jeffrey, die zelf niet wilde gaan kijken.

'Wacht even.' Voorzichtig peuterde Lena aan een hoekje van de poster om het vastgeplakte randje niet kapot te scheuren. Langzaam pelde ze het papier terug. Er zat een gat in de achterliggende muur en aan de balken erachter waren planken bevestigd.

Jeffrey dwong zichzelf een stap naar voren te zetten. Op de planken lagen zakjes. Lena bracht ze naar hem toe, maar hij kon wel raden wat erin zat.

'Kijk,' zei ze en ze overhandigde hem een van de doorzichtige zakjes. Hij herkende de inhoud, maar interessanter nog was dat er een sticker op zat met daarop een naam.

'Wie is Gerald?' vroeg hij.

'En wie is Bailey?' Ze gaf hem nog een zakje en toen nog een. 'En Kat? En Barbara?'

Jeffrey schatte dat hij nu voor enige duizenden dollars aan drugs in zijn handen had.

'Sommige namen klinken bekend,' zei Lena.

'O ja?'

'Die lui van de boerderij die we verhoord hebben.' Ze liep terug naar het gat in de muur. 'Speed, coke, wiet. Er ligt hier van alles wat.'

Onwillekeurig keek Jeffrey naar het dode lichaam en hij merkte dat hij zijn blik er niet van kon losmaken.

'Hij gaf Chip drugs,' zei ze. 'Misschien voorzag hij die andere mensen ook van drugs?'

'De slang die Eva in verleiding bracht,' antwoordde Jeffrey, Connolly citerend.

Achter hem klonken voetstappen en toen hij zich omdraaide zag hij Sara de trap op komen.

'Sorry dat het zo lang duurde,' zei ze, hoewel ze in recordtijd was gearriveerd. 'Wat is er gebeurd?'

Hij stapte de overloop op. 'Dek dat maar weer af,' zei hij tegen Lena, doelend op het gat in de muur. De drugs stopte hij in zijn zak, want als hij op Ed Pelham moest wachten, kon het weleens heel lang duren voor ze onderzocht waren.

347

'Bedankt dat je gekomen bent,' liet hij Sara weten.

'Niks te danken,' was haar reactie.

Lena voegde zich bij hen op de overloop. 'Ga Twee Cent maar halen,' droeg hij haar op in de wetenschap dat er verder niet veel meer te vinden was. Zo langzamerhand werd het de hoogste tijd om de sheriff van Catoogah County in te schakelen.

Zodra Lena was vertrokken nam Sara zijn hand in de hare.

'Hij zat daar gewoon koffie te drinken,' zei Jeffrey.

Ze wierp een blik in de kamer en keek toen weer naar hem. 'Heb je zelf ook iets gedronken?'

Hij slikte en het was alsof hij glas in zijn keel had. Zo was het waarschijnlijk ook bij Cole begonnen: met een raar gevoel in zijn keel. Hij was gaan hoesten, toen begon hij te kokhalzen en uiteindelijk had de pijn hem zowat in tweeën gescheurd.

'Jeffrey?'

Hij kon alleen zijn hoofd schudden.

Sara hield nog steeds zijn hand vast. 'Je bent koud,' zei ze.

'Ik ben een beetje aangeslagen.'

'Heb je alles gezien?'

Hij knikte. 'Ik stond erbij, Sara. Ik stond gewoon naar hem te kijken terwijl hij daar lag dood te gaan.'

'Je had toch niks kunnen doen,' zei ze.

'Misschien was er...'

'Daarvoor ging het veel te snel,' onderbrak ze hem. Toen hij niet reageerde sloeg ze haar armen om hem heen en trok hem naar zich toe. 'Rustig maar,' fluisterde ze met haar mond tegen zijn hals.

Weer sloot Jeffrey zijn ogen en hij legde zijn hoofd op haar schouder. Sara rook naar zeep en lavendellotion en shampoo, naar schone dingen. Hij snoof haar geur op, al was het alleen maar om de dood weg te spoelen die hij het afgelopen halfuur had ingeademd.

'Ik moet met Terri Stanley praten,' zei hij. 'Die cyanide vormt de sleutel. Lena heeft niet...'

'Kom, we gaan.' Sara liet hem niet uitspreken.

Eerst verroerde hij zich niet. 'Wil je zien...'

'Ik heb al genoeg gezien,' zei ze en ze gaf een rukje aan zijn hand. 'Ik kan nu toch niks uitrichten. Hij vormt een chemisch gevaar. Dat geldt voor alles hier binnen.' Ze voegde eraan toe: 'Je had hier niet eens binnen moeten gaan. Heeft Lena iets aangeraakt?'

'Er hing een poster,' zei hij. 'Daar had hij drugs achter verstopt.'

'Was hij verslaafd?'

'Ik geloof het niet,' antwoordde Jeffrey. 'Hij bood ze anderen aan, om te zien of ze de verleiding konden weerstaan.'

In een wolk van stof kwam de sheriff van Catoogah County het erf op rijden. Jeffrey snapte niet hoe de man er zo snel kon zijn. Het was onmogelijk dat Lena in zo korte tijd naar zijn bureau was gereden.

'Wat is hier in jezusnaam aan de hand?' wilde Pelham weten. Hij sprong uit zijn auto en nam niet eens de tijd het portier te sluiten.

'Er heeft hier een moord plaatsgevonden,' zei Jeffrey.

'En toevallig was jij hier net?'

'Heb je met mijn rechercheur gesproken?'

'Ik kwam haar onderweg tegen en ze hield me aan. Je mag goddomme van geluk spreken dat ik al in de buurt was.'

Jeffrey had de energie niet om hem te vertellen dat hij de klere kon krijgen met zijn dreigementen. Hij liep naar Sara's auto, want hij wilde Cole Connolly liefst zo snel mogelijk ver achter zich laten.

'Zou je me kunnen uitleggen wat je godverdegodver zonder mijn toestemming in mijn rayon te zoeken hebt?' wilde Pelham weten.

'Ik wou net wegrijden,' zei Jeffrey, alsof dat niet duidelijk was.

'Jij gaat er niet vandoor,' beval Pelham. 'Kom als de sodemieter terug!'

'Wou je me soms arresteren?' vroeg Jeffrey terwijl hij het autoportier opende.

Sara stond vlak achter hem. Ze zei tegen Pelham: 'Ed, als ik jou was zou ik het GBI bellen.'

Hij zette een hoge borst op. 'Bedankt voor het advies, maar we weten zelf heel goed hoe we met een plaats delict moeten omgaan.'

'Ongetwijfeld,' verzekerde ze hem, op dat allervriendelijk- ste toontje dat ze altijd aansloeg als ze op het punt stond iemand tot gehakt te vermalen. 'Maar aangezien ik vermoed dat de man die boven ligt vergiftigd is met cyanide en aange- zien er slechts een concentratie van driehonderd per miljoen luchtdeeltjes voor nodig is om een mens te doden, zou ik je toch aanraden er iemand bij te halen die beter in staat is met een besmette plaats delict om te gaan.'

Pelham verschoof zijn holster. 'Volgens jou is het gevaar- lijk?'

'Ik denk niet dat Jim hier zin in heeft,' zei Sara. Jim Ellers was de lijkschouwer van Catoogah. Hij was inmiddels ach- ter in de zestig en had tot zijn pensioen een goed lopende be- grafenisonderneming gedreven. De functie van lijkschouwer hield hij aan om er een zakcentje bij te verdienen. Hoewel hij geen medische opleiding had genoten, verrichtte hij af en toe graag een autopsie, al was het alleen maar om er zijn lidmaatschap van de golfclub van te betalen.

'Shit!' Pelham spuwde op de grond. 'Weet je wel hoeveel me dat gaat kosten?' Zonder het antwoord af te wachten liep hij met driftige passen terug naar zijn auto en pakte zijn por- tofoon.

Jeffrey stapte in en Sara volgde zijn voorbeeld.

'Wat een sukkel,' mompelde ze terwijl ze de motor start- te.

'Wil je me een lift naar de kerk geven?' vroeg hij.

'Ja hoor.' Ze zette de auto in z'n achteruit en reed bij de schuur weg. 'Waar is je eigen auto?'

'Ik neem aan dat Lena die nog heeft.' Hij keek op zijn hor- loge. 'Die kan hier elk moment zijn.'

'Gaat het?'

'Een stevige borrel kan ik wel gebruiken,' was zijn ant- woord.

'Die staat voor je klaar als je thuiskomt.'

Ondanks alles verscheen er een glimlach op zijn gezicht. 'Sorry dat ik je hiernaartoe heb gehaald; je kunt je tijd wel beter gebruiken.'

'Het is echt geen tijdverspilling,' zei ze. Ze parkeerde de auto voor een wit gebouwtje.

'Is dit de kerk?' vroeg Jeffrey.

'Ja.'

Hij stapte uit en keek op naar het kleine, pretentieloze bouwwerk. 'Na afloop kom ik naar huis,' zei hij tegen Sara.

Ze boog zich naar hem toe en kneep in zijn hand. 'Hou je taai.'

Hij keek haar na en pas toen hij haar auto niet meer kon zien, liep hij de stoep naar de kerk op. Even overwoog hij aan te kloppen, maar na enige aarzeling duwde hij de deur open en betrad de kapel.

De grote ruimte was leeg, hoewel Jeffrey verderop stemmen hoorde. Achter de preekstoel was een deur, en deze keer klopte hij wel.

Paul Ward deed open, een verbijsterde uitdrukking op zijn gezicht. 'Kan ik iets voor u doen?'

Hij versperde de deuropening, maar niettemin zag Jeffrey de familie aan een lange tafel zitten. Aan de ene kant zaten Mary, Rachel en Esther, en aan de andere Ephraim en Lev. Aan het hoofd van de tafel zetelde een oudere man in een rolstoel. Voor hem stond een metalen urn, die waarschijnlijk Abby's as bevatte.

Lev kwam overeind en zei: 'Kom binnen, alstublieft.'

Met zichtbare tegenzin deed Paul een stap opzij zodat Jeffrey kon doorlopen.

'Sorry dat ik stoor,' begon Jeffrey.

'Hebt u iets gevonden?' vroeg Esther.

'Er heeft zich een nieuwe ontwikkeling voorgedaan,' zei Jeffrey en hij liep op de man in de rolstoel af. 'Volgens mij hebben we nog niet kennisgemaakt, meneer Ward.'

De mond van de man bewoog krampachtig en in zijn gemompel meende Jeffrey zoiets als 'Thomas' te herkennen.

'Thomas,' herhaalde hij. 'Ik vind het heel erg dat we elkaar onder dergelijke omstandigheden ontmoeten.'

'Over welke omstandigheden hebt u het?' vroeg Paul. Jeffrey keek vragend naar zijn broer.

'Ik heb ze niets verteld,' zei Lev op defensieve toon. 'Ik heb u mijn woord gegeven.'

'Hoezo woord?' wilde Paul weten. 'Lev, wat heb je je in vredesnaam op de hals gehaald?' Hoewel Thomas met bevende hand tot kalmte maande, zei Paul tegen hem: 'Papa, dit is een ernstige zaak. Als ik als raadsman van de familie moet optreden, wil ik wel dat er naar me geluisterd wordt.'

Tot ieders verbazing snauwde Rachel: 'Jij bent niet de baas over ons, Paul.'

'Paul,' kwam Lev tussenbeide, 'ga zitten alsjeblieft. Volgens mij heb ik me helemaal niks op de hals gehaald.'

Daar dacht Jeffrey anders over. 'Cole Connolly is dood,' zei hij.

Hij hoorde iedereen naar adem happen en opeens beving hem het gevoel dat hij in een verhaal van Agatha Christie was beland.

'Heer in de hemel,' zei Esther en ze legde haar hand op haar borst. 'Wat is er gebeurd?'

'Hij is vergiftigd.'

Esther keek naar haar man, toen naar haar oudste broer. 'Maar dat snap ik niet.'

'Vergiftigd?' vroeg Lev terwijl hij zich op zijn stoel liet zakken. 'Hoe is dat in godsnaam mogelijk?'

'Ik weet bijna zeker dat het cyanide was,' zei Jeffrey. 'Dezelfde cyanide waarmee Abby aan haar eind is gekomen.'

'Maar...' Esther schudde haar hoofd. 'Ze was toch gestikt?'

'Cyanide brengt verstikking teweeg,' legde hij uit, alsof hij de waarheid niet opzettelijk voor haar had achtergehouden. 'Waarschijnlijk heeft iemand de zouten in water opgelost en door de buis naar beneden gegoten...'

'Buis?' vroeg Mary. Ze had nog niet eerder iets gezegd en Jeffrey zag haar wit wegtrekken. 'Wat voor buis?'

'De buis die aan de kist vastzat,' legde hij uit. 'De cyanide reageerde...'

'Kist?' herhaalde Mary, alsof ze het nu voor het eerst hoorde. Wellicht was dat ook zo, besefte Jeffrey. Bij zijn eerste bezoek was ze de kamer uit gerend toen hij wilde uitleggen wat er met Abby was gebeurd. Misschien hadden de mannen haar gevoelige oortjes tegen dergelijk nieuws willen beschermen.

'Van Cole heb ik begrepen dat hij dit vaker heeft gedaan,' zei Jeffrey en zijn blik ging van de ene zus naar de andere.

'Heeft hij de andere kinderen ook zo gestraft toen ze wat ouder werden?' Hij keek Esther aan. 'Heeft hij Rebecca ooit zo gestraft?'

Met moeite haalde Esther adem. 'Waarom zou hij in 's hemelsnaam...'

Paul snoerde haar de mond. 'Commissaris Tolliver, ik denk dat u ons nu beter alleen kunt laten.'

'Ik heb anders nog een paar vragen,' zei Jeffrey.

'Ongetwijfeld,' antwoordde Paul, 'maar we...'

'Trouwens,' onderbrak Jeffrey hem, 'een van die vragen is voor u bestemd.'

Paul knipperde met zijn ogen. 'Voor mij?'

'Is Abby een paar dagen voor ze verdween bij u langs geweest?'

'Tja...' Hij dacht even na. 'Ja, ik geloof het wel.'

'Ze heeft je die papieren gebracht, Paul,' zei Rachel. 'Voor de tractor.'

'Juist ja,' Paul herinnerde het zich weer. 'Die zaten in mijn aktetas die ik hier had laten staan. Er waren wat officiële documenten bij die voor het sluiten van de markt ondertekend moesten worden.'

'Kon ze die niet faxen?'

'Ik moest de originelen hebben,' legde hij uit. 'Ze ging even snel heen en weer. Dat deed Abby wel vaker.'

'Ook weer niet zo vaak,' wierp Esther tegen. 'Misschien één of twee keer per maand.'

'Dat zijn details,' zei Lev. 'Ze bracht Paul weleens documenten zodat hij geen vier uur aan reizen kwijt was.'

'Ze is met de bus gegaan,' zei Jeffrey. 'Waarom niet met de auto?'

'Abby reed liever niet op de snelweg,' antwoordde Lev. 'Is daar iets mee? Denkt u dat ze iemand ontmoet heeft in de bus?'

'De week dat ze verdween, was u toen in Savannah?' vroeg Jeffrey aan Paul.

'Ja,' antwoordde de jurist. 'Dat heb ik u al eens verteld. Ik zit daar om de andere week. Ik ben in m'n eentje verantwoordelijk voor alle juridische zaken van het bedrijf. Dat is heel tijdrovend.' Hij nam een aantekenboekje uit zijn zak en

353

krabbelde iets neer. 'Dit is het nummer van mijn kantoor in Savannah,' zei hij, terwijl hij het blaadje uitscheurde. 'Belt u gerust mijn secretaresse, Barbara. Zij kan u vertellen waar ik me bevond.'

'En 's avonds?'

'U wilt een alibi van me horen?' vroeg hij verbijsterd.

Lev zei: 'Paul...'

'Hoor eens,' zei Paul en vlak voor Jeffreys gezicht stak hij zijn vinger op. 'U hebt de dienst voor mijn nichtje verstoord. Ik begrijp dat u uw werk moet doen, maar dit is niet het juiste moment.'

Jeffrey liet zich niet intimideren. 'Haal die vinger weg.'

'Ik heb het zo langzamerhand gehad...'

'Haal die vinger weg,' herhaalde Jeffrey. Het duurde even, maar uiteindelijk was de man zo wijs om zijn hand te laten zakken. Jeffrey keek naar de zussen en toen naar Thomas aan het hoofd van de tafel. 'Iemand heeft Abby vermoord,' zei hij. Vanuit zijn binnenste kwam een verzengende, nauwelijks te beheersen woede opzetten. 'Ze is door Cole Connolly in die kist begraven. Zo heeft ze daar dagen en nachten achtereen gelegen tot er iemand kwam – iemand die wist dat ze daar begraven lag – en cyanide in haar keel goot.'

Esther sloeg haar hand voor haar mond en de tranen sprongen in haar ogen.

'Ik heb zojuist een man dezelfde dood zien sterven,' zei hij. 'Ik heb hem zien kronkelen op de vloer, happend naar lucht, in het volle besef dat hij ging sterven, God waarschijnlijk smekend om hem weg te nemen zodat hij van de pijn verlost was.'

Esther liet haar hoofd hangen en barstte in snikken uit. De rest van de familie leek zwaar geschokt, en toen Jeffrey zijn blik door het vertrek liet gaan, was Lev de enige die hem recht in de ogen keek. De predikant leek iets te willen zeggen, maar Paul legde zijn broer met een hand op de schouder het zwijgen op.

'Rebecca wordt nog steeds vermist,' benadrukte Jeffrey.

'Denkt u...' begon Esther, maar haar vraag stierf weg toen de vermoedelijke waarheid in volle omvang tot haar doordrong.

Jeffrey keek naar Lev in een poging zijn wezenloze blik te doorgronden. Pauls kaak verstrakte, maar Jeffrey wist niet of het van woede of zorg was.

Uiteindelijk stelde Rachel de onvermijdelijke vraag, en haar stem beefde nu ze besefte welk gevaar haar nichtje liep: 'Denkt u dat Rebecca ontvoerd is?'

'Ik denk dat iemand in dit vertrek precies weet wat er aan de hand is – en er waarschijnlijk deel aan heeft.' Jeffrey wierp een handvol visitekaartjes op tafel. 'Hier staan mijn telefoonnummers op,' zei hij. 'Bel maar als u achter de waarheid wilt komen.'

Vrijdag

Dertien

Sara lag op haar zij in bed en keek uit het raam. Ze hoorde Jeffrey in de keuken met pannen rammelen. Die ochtend om een uur of vijf had hij haar een doodsschrik bezorgd toen hij op en neer dansend in het donker zijn sportbroekje stond aan te trekken. Zijn schaduw in het maanlicht leek net die van een moordenaar met een bijl. Een uur later had hij haar weer uit de slaap gehaald toen hij begon te vloeken als een dragonder nadat hij per ongeluk op Bob was gestapt. De windhond, door Jeffrey van het bed verbannen, had als nieuwe slaapplek de badkuip gekozen en was al even verontwaardigd als Jeffrey zelf toen ze zich opeens samen in de kuip bevonden.

Niettemin was ze blij met Jeffreys aanwezigheid in huis. Ze vond het heerlijk om zich midden in de nacht om te draaien en de warmte van zijn lichaam te voelen. Ze hield van de klank van zijn stem en van de geur van de haverlotion die hij op zijn handen smeerde als hij dacht dat ze niet keek. Wat ze nog het prettigst vond was dat hij haar ontbijt klaarmaakte.

'Kom je nest eens uit, dan mag je de eieren klutsen,' riep Jeffrey vanuit de keuken.

Sara mompelde iets wat haar moeder maar beter niet kon horen en kroop met tegenzin onder de dekens vandaan. Het was ijskoud in huis, ook al scheen de zon op het meer en wierpen de golven koperkleurige schitterlichtjes door de achterste ramen. Ze pakte Jeffreys kamerjas en sloeg die om zich heen voor ze de gang op stapte.

Jeffrey stond bij het fornuis bacon te bakken. Hij droeg een trainingsbroek en een zwart T-shirt, dat in het licht van de ochtendzon zijn blauwe oog nog extra accentueerde.

'Ik dacht al dat je wakker was,' zei hij.

'Driemaal is scheepsrecht,' antwoordde ze, met een aai voor Billy, die tegen haar aan was gaan staan. Bob lag languit op de bank met zijn poten in de lucht. Ze zag Bubba, haar kat, iets besluipen in de achtertuin.

Jeffrey had de eieren al te voorschijn gehaald en zette nu het doosje en een kom voor haar neer. Sara begon de eieren te breken, maar het kostte haar moeite om niet het hele aanrecht onder te spetteren. Jeffrey zag wat een troep ze ervan maakte. 'Ga jij maar zitten,' beval hij en hij nam het van haar over.

Sara installeerde zich op de kruk bij het keukeneiland en keek toe terwijl hij de kliederboel opruimde.

'Kon je niet slapen?' vroeg ze, hoewel ze het antwoord al wist.

'Nee,' zei hij, en hij gooide het keukendoekje in de gootsteen.

De zaak liet hem niet los, maar ze wist ook dat hij zich bijna evenveel zorgen maakte om Lena. Al die jaren dat ze elkaar kenden had Jeffrey op de een of andere manier over Lena Adams ingezeten. In het begin was het omdat ze bij het patrouilleren altijd zo'n heethoofd was en zich bij arrestaties veel te agressief opstelde. Vervolgens had Jeffrey zich zorgen gemaakt om haar wedijver, haar eeuwige streven om de beste van het team te zijn, waarbij ze soms wel erg kort door de bocht ging. Hij had haar vol toewijding tot rechercheur opgeleid en ook al had hij haar aan Frank gekoppeld, hij hield haar onder zijn hoede, alsof hij een bepaalde bedoeling met haar had, naar iets toe werkte wat Lena volgens Sara nooit zou kunnen bereiken. Lena was te rechtlijnig om leiding te kunnen geven en te egocentrisch om een ander te volgen. Indertijd had Sara al kunnen voorspellen dat hij zich jaren later nog zorgen om haar zou maken. Het enige wat Sara ooit van Lena verbaasd had, was dat ze zich inliet met die nazi-skinhead van een Ethan Green.

'Was je nog van plan met Lena te gaan praten?' vroeg ze.

'Ze is hier veel te intelligent voor,' zei Jeffrey zonder op haar vraag in te gaan.

'Volgens mij staat mishandeling los van intelligentie of het ontbreken daarvan,' merkte Sara op.

'Daarom geloof ik ook niet dat Cole Rebecca ontvoerd heeft,' antwoordde Jeffrey. 'Ze is veel te eigenzinnig. Hij zou nooit iemand uitkiezen die zich al te veel verzet.'

'Is Brad nog steeds in Catoogah aan het zoeken?'

'Ja,' zei hij, maar naar zijn toon te oordelen had hij niet veel hoop dat de speurtocht iets opleverde. Hij begon weer over Cole Connolly, alsof hij in gedachten een tweede gesprek voerde. 'Rebecca zou aan haar moeder hebben verteld wat er aan de hand was en Esther... Esther zou Cole naar de strot zijn gevlogen.' Met zijn goede hand brak hij de eieren één voor één boven de kom. 'Dat zou Cole nooit geriskeerd hebben.'

'Geweldplegers beschikken over een aangeboren talent om het juiste slachtoffer te kiezen,' beaamde Sara, die weer aan Lena dacht. Op zeker moment had haar beschadigde leven de overhand gekregen en werd ze een gemakkelijke prooi voor iemand als Ethan. Sara begreep heel goed hoe zoiets in z'n werk ging. Het was allemaal heel logisch, maar omdat ze Lena kende vond ze het moeilijk te accepteren.

'Ik zag hem vannacht de hele tijd voor me, de paniek in zijn ogen toen hij besefte wat er aan de hand was. Jezus, wat een gruwelijke manier om dood te gaan.'

'Met Abby ging het precies zo,' zei ze met klem. 'Maar zij was helemaal alleen in het donker en ze had geen idee wat er gebeurde.'

'Ik denk dat hij het wel wist,' zei Jeffrey. 'Tenminste, ik denk dat hij het op het laatst doorkreeg.' Er stonden twee mokken bij het koffiezetapparaat. Hij schonk ze vol en gaf er een aan Sara. Ze zag hem aarzelen voor hij een slok nam, en ze vroeg zich af of hij ooit weer koffie zou kunnen drinken zonder aan Cole Connolly te denken. Wat haar werk betrof had Sara het eigenlijk veel gemakkelijker dan Jeffrey. Hij bevond zich in de frontlinie. Hij zag de lijken het eerst, hij moest ouders en geliefden inlichten, hij voelde de last van hun wanhopige verlangen om erachter te komen wie hun kind of hun moeder of beminde van het leven had beroofd. Het was geen wonder dat het zelfmoordpercentage onder politiemensen hoger lag dan bij de meeste andere beroepsgroepen.

'Als je naar je intuïtie luistert, wat hoor je dan?' vroeg ze.

'Ik weet het niet,' zei hij, terwijl hij met een vork de eieren klutste. 'Lev heeft toegegeven dat hij zich tot Abby aangetrokken voelde.'

'Maar dat is normaal,' zei ze, om er meteen aan toe te voegen: 'Nou ja, als het echt zo is gegaan als hij het vertelde.'

'Paul zegt dat hij in Savannah was. Dat ga ik uitzoeken, maar dan weet ik nog steeds niet wat hij 's avonds heeft uitgespookt.'

'Dat zou dus ook op zijn onschuld kunnen duiden,' meende Sara. Lang geleden had ze van Jeffrey geleerd dat je iemand die meteen een alibi klaar had over het algemeen goed in de gaten moest houden. Zelf kon Sara ook niet meteen met een getuige op de proppen komen die ervoor zou durven instaan dat ze op de avond dat Abigail werd vermoord de hele tijd alleen thuis had gezeten.

'Er is nog niks bekend over die brief die je hebt ontvangen,' zei hij. 'Ik betwijfel trouwens of ze op het lab iets zullen vinden.' Hij fronste zijn voorhoofd. 'Dat kost me klauwenvol geld.'

'Waarom doe je het dan?'

'Omdat het me niet zint dat iemand jou benadert in verband met een zaak,' zei hij en ze hoorde de wrok in zijn stem. 'Jij bent niet bij de politie. Je bent hier niet bij betrokken.'

'Misschien wist de afzender dat ik het aan jou zou vertellen.'

'Dan had hij hem toch net zo goed naar het bureau kunnen sturen?'

'Mijn adres staat in het telefoonboek,' zei ze. 'Degene die de brief verstuurd heeft was misschien bang dat hij op het bureau zoek zou raken. Denk je dat een van de zussen het gedaan heeft?' vroeg ze.

'Die kennen jou niet eens.'

'Jij hebt ze verteld dat ik je vrouw was.'

'Toch bevalt het me niet,' zei hij terwijl hij de eieren over twee borden verdeelde en er een paar sneetjes toast bij deed.

Hij keerde terug naar het oorspronkelijke onderwerp. 'Neem nou die cyanide, daarvoor heb ik ook nog geen verklaring.' Hij hield haar de schaal met bacon voor en ze nam twee plakjes. 'Hoe meer we ons erin verdiepen, hoe waarschijnlijker het wordt dat Dale de enig mogelijke bron is. Maar Dale zweert dat hij de garage altijd op slot heeft,' voegde hij eraan toe.

'Geloof je hem?'

'Hij mag zijn vrouw dan slaan,' erkende Jeffrey, 'maar volgens mij heeft hij me de waarheid verteld. Dat gereedschap is z'n broodwinning. Hij laat die deur heus niet openstaan, zeker niet met al die figuren van de boerderij die over z'n erf lopen.' Hij reikte haar de jam aan.

'Kan het zijn dat hij er zelf iets mee te maken heeft?'

'Ik zie niet hoe,' zei Jeffrey. 'Er is geen enkele link tussen hem en Abby, hij heeft geen enkele reden om haar of Cole te vergiftigen. Eigenlijk zou ik die hele familie moeten oppakken,' opperde hij. 'Dan halen we ze uit elkaar en kijken wie het eerst zijn mond opendoet.'

'Ik betwijfel of Paul dat zou toestaan.'

'Misschien moet ik die oude baas maar eens inrekenen.'

'O Jeffrey,' zei ze. Om de een of andere reden had ze het gevoel dat ze Thomas Ward in bescherming moest nemen. 'Dat kun je niet doen. Zo'n hulpeloze oude man.'

'In die familie is niemand hulpeloos.' Hij zweeg even. 'Zelfs Rebecca niet.'

Sara dacht over zijn woorden na. 'Denk je dat zij erbij betrokken is?'

'Volgens mij houdt ze zich ergens schuil. Volgens mij weet ze iets.' Hij ging naast haar aan de bar zitten en begon aan zijn ene wenkbrauw te plukken, piekerend over al die irritante details die hem de hele nacht uit zijn slaap hadden gehouden.

Sara wreef over zijn rug. 'Er komt heus wel een doorbraak. Je moet gewoon terug naar het begin.'

'Je hebt gelijk.' Hij keek haar aan. 'Ik kom telkens weer bij die cyanide uit. Dat is de sleutel. Ik wil met Terri Stanley praten. Ik moet haar bij Dale weg zien te krijgen, horen wat ze dan zegt.'

'Ze heeft vandaag een afspraak op de kliniek,' zei Sara. 'Ik had alleen nog ruimte tijdens de lunchpauze.'

'Wat is er aan de hand?'

'Het gaat nog steeds niet goed met haar jongste kind.'

'Was je van plan het met haar over die blauwe plekken te hebben?'

'Wat dat betreft verkeer ik in dezelfde positie als jij,' zei ze. 'Het is echt niet zo dat ik haar klem kan zetten zodat ze me vertelt wat er aan de hand is. Als het zo simpel was, zou jij geen werk meer hebben.'

Die nacht had Sara met haar eigen schuldgevoelens geworsteld. Ze had zich afgevraagd hoe het mogelijk was dat ze Terri Stanley al jaren op het spreekuur kreeg en nooit enig vermoeden had gehad van wat er thuis speelde.

'Eigenlijk mag ik Lena's vertrouwen niet schenden,' vervolgde ze, 'en bovendien zou het haar waarschijnlijk afschrikken. Haar kinderen zijn ziek. Ze kan niet zonder de kliniek. Voor haar is het er veilig. Als ik ooit merk dat die kinderen ook maar een haar gekrenkt is,' verzekerde Sara hem, 'dan kun je ervan op aan dat ik er iets over zal zeggen. Dan komt ze het gebouw niet meer uit met de kinderen.'

'Gaat Dale weleens mee naar de kliniek?' vroeg hij.

'Voorzover ik weet niet.'

'Vind je het goed als ik langskom om een praatje met haar te maken?'

'Ik weet niet of ik dat wel zo prettig vind,' zei ze. Ze moest er niet aan denken dat haar kliniek als een tweede politiebureau werd gebruikt.

'Dale heeft een geladen pistool in zijn werkplaats,' zei hij, 'en ik heb zo'n vaag vermoeden dat hij niet moet merken dat zijn vrouw met een smeris praat.'

'O,' was haar reactie. Dat veranderde de zaak.

'Als ik nou eens op het parkeerterrein wacht tot ze naar buiten komt?' stelde hij voor. 'Dan neem ik haar mee naar het bureau.'

Sara wist dat dit veel veiliger zou zijn; niettemin vond ze het een akelig idee dat Terri Stanley met haar medeweten in de val werd gelokt. 'Ze heeft haar zoontje bij zich.'

'Marla is gek op kinderen.'

'Ik heb er geen prettig gevoel bij.'

'Dacht je dat Abby Bennett er een prettig gevoel bij had toen ze in die kist werd gestopt?'

Hij had gelijk, maar ze bleef het een rotidee vinden. Toch liet Sara zich tegen beter weten in vermurwen. 'Haar afspraak is om kwart over twaalf.'

Brocks uitvaartcentrum was gevestigd in een ouderwetse villa die in de eerste helft van de twintigste eeuw was gebouwd door het hoofd van het spoorwegonderhoudsdepot in Avondale. Helaas had hij zijn hand af en toe in de geldkist van de spoorwegen laten verdwijnen om de bouw te kunnen bekostigen en nadat hij betrapt was, werd het pand geveild. John Brock had de villa voor een belachelijk laag bedrag gekocht en er een van de mooiste rouwcentra in de wijde omtrek van gemaakt.

Toen John stierf liet hij de zaak na aan zijn enige zoon. Sara had samen met Dan Brock op school gezeten en het rouwcentrum lag op de route van haar schoolbus. Het gezin Brock woonde boven de zaak en elke doordeweekse ochtend kromp Sara altijd van ellende ineen als de bus voor het huis bleef staan – niet omdat ze zo teergevoelig was, maar omdat Brocks moeder in weer en wind buiten met haar zoon stond te wachten om hem een afscheidskus te geven. Na deze gênante vertoning klom Dan de bus in, waar hij door de andere jongens met luid gesmak werd begroet.

Meestal ging hij naast Sara zitten. Ze hoorde niet bij het populaire clubje of bij het drugsclubje en zelfs niet bij de nerds. Doorgaans zat ze met haar neus in een boek en merkte ze niet eens wie er naast haar zat, tenzij Brock zich met een plof op de stoel liet vallen. Ook toen al was hij een echte kletskous en op z'n zachtst gezegd een beetje vreemd. Sara had altijd met hem te doen gehad en dat was in de ruim dertig jaar sinds ze samen naar school waren gereden niet veranderd. Brock was een verstokte vrijgezel die in het kerkkoor zong en nog steeds bij zijn moeder woonde.

'Hallo!' riep Sara nadat ze deur had geopend en de imposante gang betrad die over de hele lengte van het huis liep. Audra Brock had niet veel aan de inrichting veranderd sinds haar man de villa had gekocht, en het zware tapijt en de gordijnen zouden in het Victoriaanse tijdperk zeker niet hebben misstaan. In de gang stonden hier en daar stoelen opgesteld, naast tafeltjes met discreet achter boeketten verscholen tissuedozen die de rouwenden verlichting moesten bieden.

'Brock?' zei ze. Ze zette haar koffertje op een van de stoelen en haalde de overlijdensakte van Abigail Bennett te voorschijn. Eigenlijk had ze Paul Ward beloofd de documenten de vorige dag al bij Brock te laten bezorgen, maar ze was er niet aan toegekomen. Toevallig had Carlos een vrije dag opgenomen, wat zelden gebeurde, en Sara wilde de familie niet nog langer laten wachten.

'Brock?' deed ze een nieuwe poging. Ze keek op haar horloge en vroeg zich af waar hij uithing. Nu zou ze wel erg laat op de kliniek komen.

'Hallo?' Op het parkeerterrein hadden geen auto's gestaan en Sara was ervan uitgegaan dat er geen begrafenis was. Ze liep de gang door en gluurde in elk van de rouwkamers. In de laatste trof ze Brock aan. Hij was een lange slungel van een man, maar was er toch in geslaagd met vrijwel zijn gehele bovenlijf te verdwijnen in een kist waarvan het deksel op zijn rug rustte. Naast hem stak een vrouwenbeen omhoog, gebogen bij de knie. Een bevallige, hooggehakte voet bungelde uit de kist. Als ze hem niet beter kende zou Sara er iets zeer pervers achter hebben gezocht.

'Brock?'

Hij schoot overeind en stootte zijn hoofd tegen het deksel. 'Lieve help,' zei hij lachend en hij greep naar zijn hart toen het deksel met een klap dichtsloeg. 'Ik schrik me dood.'

'Sorry.'

'Nou ja, dan ben ik in elk geval op de goeie plek!' grapte hij met een klap op zijn dij.

Sara lachte wat geforceerd. Brocks gevoel voor humor was van hetzelfde niveau als zijn sociale vaardigheden.

Met zijn hand streek hij over de glanzende rand van de lichtgele kist. 'Speciaal besteld. Mooi hè?'

'Eh... ja,' beaamde ze, omdat ze niks beters kon verzinnen.

'Ze was een fan van het Georgia Tech-basketbalteam,' zei hij, wijzend op de dunne zwarte streepjes die over het deksel liepen. 'Nu je er toch bent,' zei hij met een stralende glimlach, 'ik durf het bijna niet te vragen, maar zou je me een handje willen helpen?'

'Wat is er dan?'

Hij deed het deksel weer open en toonde haar het lichaam van een engelachtige dame van een jaar of tachtig. Haar grijze haren zaten in een knot en op haar wangen zat een dun laagje rouge dat haar een gezonde gloed gaf. Ze leek eerder bij Madame Tussaud thuis te horen dan in een citroengele kist. Een van Sara's bezwaren tegen balsemen was dat er zo veel kunstgrepen bij te pas kwamen: het blosje en de mascara, de chemicaliën die het lichaam voor ontbinding moesten behoeden. Ze vond het een akelige gedachte dat iemand – erger nog: Dan Brock – na haar dood watten in al haar lichaamsopeningen propte om te voorkomen dat ze balsemvloeistof zou gaan lekken.

'Ik wilde het naar beneden trekken,' zei Brock, doelend op het jasje van de vrouw dat rond haar schouders zat gepropt. 'Ze is nogal stevig. Als jij haar benen vasthoudt, dan trek ik...'

'Oké,' hoorde Sara zichzelf zeggen, al kon ze zich een betere tijdsbesteding voorstellen. Ze tilde de benen van de vrouw bij de enkels omhoog en Brock trok het jasje snel naar beneden zonder ook maar een moment zijn mond te houden. 'Ik voelde er niet veel voor om haar weer naar beneden te slepen en aan de takel te hangen, en mijn moeder kan me niet meer met dit soort dingen helpen.'

Sara liet de benen zakken. 'Hoe gaat het met haar?'

'Ze heeft last van ischias,' fluisterde hij, alsof zijn moeder zich voor haar kwaal zou moeten schamen. 'Oud worden is geen pretje. Hoe dan ook.' Hij ging de hele kist langs om de zijden voering recht te trekken. Toen hij klaar was wreef hij in zijn handen alsof hij ze waste na het klaren van een karwei. 'Bedankt voor je hulp. Wat kan ik trouwens voor je doen?'

'O!' Sara zou bijna vergeten waarvoor ze gekomen was. Ze liep terug naar het rijtje stoelen voor in de gang, waarop ze Abby's documenten had achtergelaten. 'Ik had tegen Paul Ward gezegd dat ik je donderdag de overlijdensakte zou laten bezorgen, maar er kwam iets tussen.'

'Geen enkel probleem,' zei Brock en weer schonk hij haar een stralende glimlach. 'Ik heb Chip nog niet eens terug uit het crematorium.'

'Chip?'

'Charles,' zei hij. 'Sorry, Paul noemde hem Chip, maar dat zal wel niet zijn echte naam zijn.'

'Wat moet Paul in vredesnaam met de overlijdensakte van Charles Donner?'

Brock haalde zijn schouders op, alsof iets dergelijks de gewoonste zaak van de wereld was. 'Als iemand van de boerderij sterft, krijgt hij altijd de overlijdensakte.'

Sara had het gevoel dat ze iets stevigs moest vastgrijpen en haar hand zocht steun bij de rugleuning van de stoel. 'Gaan er dan veel mensen dood op de boerderij?'

'Nee,' zei Brock lachend, hoewel ze niet snapte wat er zo grappig aan was. 'Sorry dat ik de verkeerde indruk wek. Zoveel zijn het er niet. Eerder dit jaar twee, met Chip erbij wordt dat drie. En vorig jaar waren er meen ik ook een paar.'

'Dat vind ik nogal veel,' zei Sara, die bedacht dat hij Abigail had overgeslagen, wat het totaal alleen al voor dat jaar op vier bracht.

'Tja, nou je het zegt,' zei Brock aarzelend, alsof het nu pas tot hem doordrong dat er toch iets merkwaardigs aan de hand moest zijn. 'Maar je moet niet vergeten wat voor lui ze daar krijgen. Meest zwervers. Ik vind het ware christenen, die familie, want zij nemen altijd de kosten voor hun rekening.'

'Waaraan zijn die mensen gestorven?'

'Laat 'es kijken.' Brock tikte met zijn vinger tegen zijn kin. 'Het was in alle gevallen een natuurlijke doodsoorzaak, dat kan ik je wel vertellen. Tenminste, als je je dooddrinken of doodspuiten een natuurlijke doodsoorzaak wilt noemen. Een van die kerels zat zo vol drank dat hij in minder dan drie uur gecremeerd was. Die had zijn eigen voorraadje brandstof meegebracht. Magere vent bovendien. Geen grammetje vet.'

Sara wist dat vet gemakkelijker brandde dan spieren, maar zo kort na haar ontbijt wilde ze daar liever niet aan herinnerd worden. 'En de anderen?'

'Ik heb de kopieën van hun overlijdensakte in mijn kantoor liggen.'

'Kwamen die allemaal van Jim Ellers?' vroeg Sara, verwijzend naar de districtslijkschouwer van Catoogah.

'Yep,' zei Brock, en hij wenkte haar weer mee naar achteren.

Terwijl Sara hem volgde bekroop haar een onbehaaglijk gevoel. Jim Ellers was een beste vent, maar evenals Brock was hij begrafenisondernemer, geen arts. Jim stuurde de ingewikkelder gevallen altijd naar Sara of naar het staatslaboratorium. Voorzover ze het zich kon herinneren had ze de afgelopen acht jaar vanuit Catoogah alleen iemand met een schotwond en het slachtoffer van een steekpartij onder ogen gehad. Jim had waarschijnlijk niets ongewoons aan de sterfgevallen op de boerderij kunnen ontdekken. Misschien klopte dat ook wel. Die arbeiders waren allemaal zwervers, daar had Brock gelijk in. Alcoholisme en drugsverslaving waren moeilijk te behandelen; als er niets aan gedaan werd, leidden ze over het algemeen tot rampzalige gezondheidsproblemen en uiteindelijk tot de dood.

Brock opende een stel grote houten schuifdeuren, die toegang gaven tot het vertrek dat ooit de keuken was geweest. Nu was het zijn kantoor. In het midden stond een zwaar bureau met daarop een uitpuilende bak ingekomen post.

'Mijn moeder is er eigenlijk te slecht aan toe om op te ruimen,' zei hij verontschuldigend.

'Geeft niet, hoor.'

Brock liep naar de rij archiefkasten achter in de kamer. In plaats van laden open te trekken begon hij weer met zijn vingers op zijn kin te trommelen.

'Is er iets?'

'Ik moet even nadenken, want ik kan niet meer op de namen komen.' Hij glimlachte beschroomd. 'Mijn moeder kan zich dat soort dingen altijd veel beter herinneren dan ik.'

'Brock, dit is belangrijk,' zei Sara. 'Ga je moeder halen.'

Veertien

'Ja, mevrouw.' Jeffrey was aan het bellen en wierp Lena een vertwijfelde blik toe. Ze concludeerde dat Barbara, de secretaresse van Paul Ward, hem op haar sofi-nummer na zo ongeveer alles vertelde wat ze wist. Op drie meter afstand kon Lena de schelle stem van het mens nog horen.

'Mooi,' zei hij. 'Zeker, mevrouw.' Zijn hoofd steunde inmiddels op zijn hand. 'O sorry, neemt u me niet kwalijk...' onderbrak hij haar en toen zei hij: 'Ik krijg net een ander telefoontje binnen. Bedankt hoor.' Terwijl Barbara onverminderd doorkakelde, liet hij de hoorn op de haak vallen.

'Jezus christus,' zei hij, over zijn oor wrijvend. 'Dat geloof je toch niet?'

'Wilde ze je ziel redden?'

'Laten we het er maar op houden dat ze heel blij is bij die kerk te horen.'

'En, probeerde ze Paul nog in te dekken?'

'Ik denk het wel,' zei Jeffrey, achteroverleunend. Hij keek naar zijn aantekeningen, die uit welgeteld drie woorden bestonden. 'Ze bevestigt dat Paul die dag in Savannah zat. Ze wist zich zelfs te herinneren dat ze samen hadden overgewerkt op de avond dat Abby stierf.'

Lena, die wist dat het vaststellen van het tijdstip van overlijden vaak nattevingerwerk was, schamperde: 'De hele nacht zeker?'

'Daar zeg je wat,' moest hij toegeven. 'Ze zei ook dat Abby een paar dagen voor ze vermist werd wat documenten was komen brengen.'

'Maakte ze toen een normale indruk?'

'Volgens Barbara was ze zoals altijd een zonnestraaltje. Paul heeft toen een paar papieren getekend, ze zijn gaan lunchen en daarna heeft hij haar weer naar het busstation gebracht.'

'Misschien hebben ze tijdens de lunch bonje gekregen.'

'Zou kunnen,' beaamde hij. 'Maar waarom zou hij zijn nichtje willen vermoorden?'

'Omdat ze zwanger van hem was?' opperde Lena. 'Dat soort zaken komt vaker voor.'

Jeffrey wreef over zijn kaak. 'Ja,' erkende hij en ze zag hem gruwen van het idee alleen al. 'Maar Cole Connolly was ervan overtuigd dat het kind van Chip was.'

'Weet je echt zeker dat Cole haar niet vergiftigd heeft?'

'Voor negenennegentig procent,' zei hij. 'Misschien moeten we die twee dingen scheiden, moeten we de moordenaar van Abby er voorlopig buiten houden. Wie heeft Cole vermoord? Wie zou hem dood willen hebben?'

Lena was er niet helemaal van overtuigd dat Cole de waarheid had gesproken over de dood van Abby. Jeffrey was nogal aangeslagen geweest nadat hij de man had zien sterven. Ze vroeg zich af of hij onder invloed van die schokkende ervaring in Coles onschuld was gaan geloven.

'Misschien wist iemand dat Cole Abby had vergiftigd,' opperde ze. 'En die besloot wraak te nemen door hem op dezelfde manier te laten creperen als Abby.'

'Pas toen Cole dood was heb ik de familie verteld dat ze vergiftigd was,' benadrukte Jeffrey. 'Aan de andere kant wist de dader dat hij elke ochtend koffie dronk. Hij zei dat de zussen hem altijd aan zijn kop zeurden om ermee te stoppen.'

Lena ging nog een stapje verder. 'Misschien wist Rebecca het ook wel.'

Jeffrey knikte. 'Die houdt zich niet zonder reden schuil.' Hij voegde eraan toe: 'Ik hoop tenminste dat ze zich uit vrije wil schuilhoudt.'

Lena dacht hetzelfde. 'Weet je zeker dat Cole haar niet ergens heeft achtergelaten? Als straf voor het een of ander?'

'Ik weet dat ik hem volgens jou niet op zijn woord moet geloven,' begon Jeffrey, 'maar ik denk niet dat hij haar ontvoerd heeft. Mensen als Cole weten altijd heel goed wie ze moeten kiezen.' Hij boog zich naar voren, handen samengevouwen op zijn bureau, alsof hij iets heel gewichtigs ging zeggen. 'Ze kiezen iemand als slachtoffer uit van wie ze zeker weten dat hij zijn mond houdt. Zo gaat het ook met Dale en Terri. Dat soort kerels weet maar al te goed met wie ze iets dergelijks kunnen flikken, wie het zonder iets te zeggen over zich heen laat komen en wie niet.'

Het bloed steeg Lena naar de wangen. 'Rebecca lijkt me een nogal opstandig typje. Die ene keer dat we haar gezien hebben, kreeg ik de indruk dat ze niet met zich liet sollen.' Ze haalde haar schouders op. 'Het punt is dat je zoiets nooit echt weet, hè?'

'Nee.' Hij keek haar onderzoekend aan. 'Voor hetzelfde geld is dit allemaal Rebecca's werk.'

Frank verscheen in de deuropening met een stapel documenten in zijn handen. Hij merkte iets op waaraan ze geen van beiden gedacht hadden. 'Gif is een echt vrouwenmiddel.'

'Rebecca was bang toen ze met ons sprak,' zei Lena. 'Haar familie mocht het niet weten. Maar aan de andere kant mochten ze het misschien niet weten omdat ze een spelletje met ons speelde.'

'Vind je haar er het type voor?' vroeg Jeffrey.

'Nee,' gaf ze toe. 'Lev of Paul, dat zou nog kunnen. En die Rachel moet je ook niet onderschatten.'

'Waarom woont de ene broer trouwens in Savannah?' wilde Frank weten.

'Het is een havenstad,' zei Jeffrey. 'Er wordt daar nog steeds veel handel gedreven.' Hij wees naar de papieren in Franks hand. 'Wat heb je daar?'

'De rest van de bankoverzichten,' zei hij en hij overhandigde ze aan Jeffrey.

'Ben je nog iets opvallends tegengekomen?'

Frank schudde zijn hoofd en op dat moment knetterde Marla's stem door de intercom. 'Chef, Sara op lijn drie.'

Jeffrey nam de telefoon op. 'Hoi.'

Uit respect voor zijn privacy maakte Lena aanstalten om te vertrekken, maar Jeffrey gebaarde haar weer te gaan zitten. Hij pakte zijn pen en vroeg: 'Wil je dat even spellen?'

Nadat hij het had opgeschreven zei hij: 'Oké. De volgende.'

Lena las de namen die hij noteerde op hun kop mee. Het was een hele rij, en allemaal mannen.

'Mooi zo,' zei Jeffrey tegen Sara. 'Ik bel je nog wel.' Hij hing op en in één adem door zei hij: 'Sara is bij Brock. Volgens haar zijn er de afgelopen twee jaar negen mensen gestorven op de boerderij.'

'Negen?' Lena wist zeker dat ze het verkeerd had verstaan.

'Brock heeft vier van de lichamen afgehandeld. Richard Cable kreeg de rest.'

Lena wist dat Cable in Catoogah County een uitvaartcentrum had. Ze vroeg: 'Waar zijn ze aan gestorven?'

Jeffrey scheurde het blaadje uit zijn schrijfblok. 'Alcoholvergiftiging, overdosis. Eentje kreeg een hartaanval. Jim Ellers in Catoogah verrichtte de lijkschouwing. Bij allemaal heeft hij een natuurlijke doodsoorzaak geconstateerd.'

Lena had haar twijfels, niet wat Jeffreys woorden betrof, maar over Ellers' deskundigheid. 'Hij beweert dus dat negen mensen, die allemaal op dezelfde plek woonden, in de loop van twee jaar een natuurlijke dood zijn gestorven?'

'Cole Connolly had een hele zooi drugs in zijn kamer weggestouwd,' zei Jeffrey.

'Denk je dat hij ze een handje heeft geholpen?' vroeg Frank.

'Chip zeker,' zei Jeffrey. 'Dat heeft Cole me zelf verteld. Hij zei dat hij hem de verboden vrucht of iets dergelijks had voorgehouden.'

'Dus,' concludeerde Lena, 'Cole pikte de "zwakken" eruit door ze drugs of wat dan ook voor de neus te houden om te zien of ze erin zouden stinken, en zo bewees hij zijn eigen gelijk.'

'En degenen die voor de bijl gingen, eindigden ten slotte bij hun Schepper,' zei Jeffrey, maar aan zijn brede glimlach zag ze dat hij iets achterhield.

'Zeg op,' gebood ze.

Hij zei: 'De Kerk voor het Grotere Goed heeft alle crematies betaald.'

'Crematies,' herhaalde Frank. 'Dus we kunnen geen lichamen opgraven.'

Lena voelde dat er meer achter zat. 'Zie ik iets over het hoofd?' vroeg ze.

'De overlijdensakten gingen naar Paul Ward,' zei Jeffrey.

'Wat moest hij nou...' begon Lena, maar de woorden waren haar mond nog niet uit of ze gaf zelf het antwoord al. 'De levensverzekering.'

'Bingo,' zei Jeffrey en hij reikte Frank het blaadje met de namen aan. 'Probeer Hemming te pakken te krijgen en spit het hele telefoonboek door. Hebben we er ook een van Savannah?' Frank knikte. 'Zoek de grote verzekeringsmaatschappijen op. Daar beginnen we mee. Niet de plaatselijke agenten bellen; neem contact op met de nationale fraudelijn. Die plaatselijke agenten kunnen ook in het complot zitten.'

'Geven ze dergelijke informatie over de telefoon?' vroeg Lena.

'Wel als ze denken dat ze er geld bij zijn ingeschoten,' zei Frank. 'Ik maak er meteen werk van.'

Frank verliet de kamer en Jeffrey wees met zijn vinger naar Lena. 'Ik wist dat het om geld draaide. Het ging om iets concreets, dat kon niet anders.'

'Je had gelijk,' moest ze toegeven.

'We hebben onze generaal gevonden,' vervolgde hij. 'Cole zei dat hij slechts een oude soldaat was die een generaal nodig had om hem te vertellen wat hij doen moest.'

'Een paar dagen voor haar dood is Abby in Savannah geweest. Misschien heeft ze die geschiedenis met de levensverzekeringen ontdekt.'

'Hoe dan?' vroeg Jeffrey.

'Volgens haar moeder heeft ze een tijdje op het kantoor gewerkt. Ze zei dat ze heel goed met cijfers was.'

'En Lev heeft haar ook op kantoor gezien, die keer bij het fotokopieerapparaat. Misschien heeft ze iets ontdekt wat ze niet mocht zien.' Hij zweeg en liet in gedachten alle mogelijkheden de revue passeren. 'Rachel zei dat Abby vlak voor haar dood naar Savannah is geweest omdat Paul zijn koffertje met paperassen was vergeten. Het zou heel goed kunnen dat Abby die polissen heeft gezien.'

Lena vroeg: 'Denk je dat Abby hem er in Savannah mee geconfronteerd heeft?'

Jeffrey knikte. 'En toen heeft Paul Cole gebeld en hem aangezet haar te straffen.'

'Of hij heeft Lev gebeld.'

'Of Lev,' beaamde hij.

'Cole wist al hoe het zat met Chip. Hij was Abby en hem naar het bos gevolgd. Maar toch weet ik het niet,' moest ze erkennen. 'Het blijft vreemd. Ik vond die Paul helemaal geen religieus type.'

'Waarom zou hij dat moeten zijn?'

'Hij droeg Cole toch op zijn nichtje in een kist in het bos te begraven?' zei ze. 'Lev lijkt me eerder de generaal die je zoekt.' Ze voegde eraan toe: 'Bovendien is Paul nooit in Dales garage geweest. Als de cyanide daarvandaan kwam, dan wijst alles naar Lev, want hij is de enige met een directe link naar de garage.' Ze zweeg even. 'Of Cole.'

'Volgens mij was het Cole niet,' hield Jeffrey vol. 'Heb je het daar eigenlijk ooit met Terri Stanley over gehad?'

Weer bloosde ze, deze keer van schaamte. 'Nee.'

Hij perste zijn lippen op elkaar, maar de opmerking die ze verwachtte bleef uit. Als ze die ene keer wel met Terri had gepraat, zaten ze hier nu misschien niet. Dan zou Rebecca misschien veilig thuis zijn, Cole Connolly zou nog leven en zelf zouden ze in de verhoorkamer met de moordenaar van Abigail Bennett praten.

'Ik heb het verknald,' zei ze.

'Ja, inderdaad.' Hij wachtte even en zei toen: 'Je luistert niet naar me, Lena. Ik moet ervan op aan kunnen dat je doet wat ik zeg.' Hij zweeg, alsof hij verwachtte dat ze hem in de rede zou vallen. Toen ze dat niet deed, vervolgde hij: 'Soms ben je een heel goede smeris, een buitengewoon slimme smeris. Daarom heb ik je ook tot rechercheur benoemd.' Ze sloeg haar ogen neer, niet in staat om het compliment in ontvangst te nemen, want ze wist wat erop ging volgen. 'Alles wat er in deze stad gebeurt valt onder mijn verantwoordelijkheid, en als er doden of gewonden zijn omdat jij mijn bevelen niet opvolgt, krijg ik het op mijn bord.'

'Ik weet het. Sorry.'

'Sorry is deze keer niet genoeg. Sorry betekent dat je begrijpt wat ik zeg en dat je het niet weer zult doen.' Hij liet zijn woorden bezinken. 'Ik heb zo langzamerhand iets te vaak sorry gehoord. Ik wil daden zien, geen loze woorden meer horen.'

Hij sprak op zachte toon, maar ze had liever gehad dat hij het op een schreeuwen had gezet. Lena keek naar de vloer en vroeg zich af hoe lang hij haar geknoei nog zou aanzien voor hij zijn handen definitief van haar af trok.

Hij kwam zo snel overeind dat Lena ervan schrok. Ze kromp ineen, om onverklaarbare reden panisch dat hij haar ging slaan.

Geschokt keek Jeffrey haar aan, alsof hij haar voor het eerst zag.

'Ik wou alleen maar...' Vergeefs zocht ze naar woorden. 'Ik schrok van je.'

Jeffrey stak zijn hoofd om de deur en zei tegen Marla: 'Er komt zo meteen een vrouw binnen. Laat haar maar doorlopen.' Tegen Lena zei hij: 'Mary Ward is er. Ik zag haar net het parkeerterrein op rijden.'

Lena probeerde zichzelf weer in de hand te krijgen. 'Ik dacht dat ze nooit autoreed.'

'Dan zal ze nu wel een uitzondering hebben gemaakt,' antwoordde Jeffrey. Hij keek haar nog steeds aan, alsof ze een gesloten boek was. 'Kun je dit wel aan?'

'Natuurlijk,' zei ze en ze stond op. Terwijl ze haar shirt instopte, besefte ze hoe rusteloos en ontredderd ze zich voelde.

Hij nam haar hand in de zijne en weer ging er een schok door haar heen. Hij raakte haar nooit op die manier aan. Dat was niks voor hem.

'Je moet je hoofd er nu bij houden, daar wil ik van op aan kunnen,' zei hij.

'Je kunt op me rekenen,' verzekerde ze hem en ze trok haar hand terug om haar shirt nogmaals in te stoppen, hoewel het al goed zat. 'Kom, dan gaan we.'

Zonder op hem te wachten rechtte Lena haar schouders en liep met gedecideerde pas door de recherchekamer. Marla's hand lag op de zoemer terwijl Lena de deur opendeed.

Mary Ward stond in de receptie, haar tas tegen haar borst geklemd.

'Commissaris Tolliver,' zei ze, alsof ze dwars door Lena heen keek. Ze had een oude, morsige zwart-met-rode sjaal om haar schouders geslagen en hoewel ze slechts een jaar of tien met Lena scheelde, leek ze nu meer dan ooit een oud vrouwtje. Ze voerde een show op of anders was ze een van de meelijwekkendste schepselen die er op aarde rondliepen.

'Kom maar mee naar mijn kamer,' zei Jeffrey. Hij nam Mary bij de elleboog en voor ze van gedachten kon veranderen loodste hij haar door de deuropening. 'Ken je rechercheur Adams nog?' vroeg hij.

'Lena,' schoot deze haar te hulp. 'Zal ik koffie of iets anders voor u halen?'

'Ik gebruik nooit cafeïne,' antwoordde de vrouw, nog steeds met verwrongen stem, alsof ze zich hees had geschreeuwd. Lena zag dat ze een verfrommelde tissue in haar mouw had gestopt en ze nam aan dat ze gehuild had.

Jeffrey liet Mary aan een tafeltje buiten zijn kamer plaatsnemen, waarschijnlijk uit tactische overwegingen, zodat ze wat minder op haar hoede zou zijn. Hij wachtte tot ze zat en nam toen de stoel naast haar. Lena hield zich afzijdig in de verwachting dat Mary dan ontspannener met Jeffrey kon praten.

'Wat kan ik voor je doen, Mary?' vroeg hij.

Ze nam er de tijd voor, en terwijl ze wachtten tot ze het woord zou nemen, hoorden ze haar ademen. 'U hebt gezegd dat mijn nichtje in een kist lag, commissaris Tolliver.'

'Ja.'

'Dat Cole haar in een kist had begraven.'

'Dat klopt,' bevestigde hij. 'Dat heeft Cole toegegeven voor hij stierf.'

'En hebt u haar zo gevonden? Hebt u Abby zelf gevonden?'

'Mijn vrouw en ik waren in het bos. We zagen de metalen buis uit de grond steken. We hebben haar zelf opgegraven.'

Mary haalde de tissue uit haar mouw en veegde haar neus af. 'Jaren geleden...' begon ze, maar toen zei ze: 'Laat ik maar bij het begin beginnen.'

'Doe maar rustig aan.'

Dat was precies wat ze deed en Lena perste haar lippen op

elkaar, zo sterk was de neiging om haar door elkaar te rammelen en het hele verhaal eruit te schudden.

'Ik heb twee zoons,' zei Mary. 'William en Peter. Ze wonen in het westen van het land.'

'Ik herinner me dat je ons dat verteld hebt,' zei Jeffrey, hoewel Lena er niets meer van wist.

'Ze hebben ervoor gekozen de kerk vaarwel te zeggen.' Ze snoot haar neus. 'Ik had het heel moeilijk toen ik mijn kinderen kwijtraakte. Niet dat wij ze de rug hebben toegekeerd. Iedereen beslist uiteindelijk voor zichzelf. We sluiten mensen niet uit omdat ze...' Haar stem stierf weg. 'Mijn zoons hebben ons de rug toegekeerd. Mij.'

Jeffrey zweeg, zijn ongeduld alleen merkbaar aan de hand waarmee hij de armleuning van de stoel vastklemde.

'Cole was altijd heel hard voor ze,' zei ze. 'Hij nam ze flink onder handen.'

'Heeft hij ze ook mishandeld?'

'Hij strafte ze als ze verkeerde dingen deden,' was het enige wat ze toegaf. 'Mijn man was overleden. Ik was blij met Coles hulp. Ik vond dat ze behoefte hadden aan een sterke man in hun leven.' Ze snotterde en snoot haar neus. 'Het waren andere tijden.'

'Ik begrijp het,' zei Jeffrey.

'Cole is – was – heel streng op het gebied van goed en kwaad. Ik vertrouwde hem. Mijn vader vertrouwde hem. Hij was vóór alles een man van God.'

'Is er iets gebeurd waardoor dat veranderde?'

Ze leek overmand te worden door verdriet. 'Nee. Ik geloofde alles wat hij zei. Ten koste van mijn eigen kinderen geloofde ik in hem. Ik heb me toen ook van mijn dochter afgekeerd.'

Lena's wenkbrauwen schoten omhoog.

'Hebt u dan een dochter?'

Ze knikte. 'Genie.'

Jeffrey leunde achterover, hoewel zijn lichaam strak stond van de spanning.

'Zij heeft het me verteld,' vervolgde Mary. 'Genie heeft me verteld wat hij met haar gedaan had.' Ze zweeg. 'Die kist in het bos.'

'Had hij haar daarin begraven?'

'Ze waren aan het kamperen,' legde Mary uit. 'Hij ging heel vaak met de kinderen kamperen.'

Lena wist dat Jeffrey nu aan Rebecca dacht, die zich al vaker in het bos had verscholen. Hij vroeg: 'Wat was er volgens je dochter gebeurd?'

'Ze zei dat Cole haar erin had laten lopen, dat hij had gevraagd of ze mee ging wandelen in het bos.' Ze zweeg even, maar dwong zichzelf toen door te gaan. 'Hij heeft haar daar vijf dagen laten liggen.'

'Wat deed je toen ze je dat verteld had?'

'Ik heb Cole ernaar gevraagd.' Ze schudde haar hoofd omdat ze zo stom was geweest. 'Hij zei tegen me dat hij niet langer op de boerderij kon blijven als ik Genies verhaal geloofde. Zo erg trok hij het zich aan.'

'Maar hij ontkende het niet?'

'Nee,' zei ze. 'Pas gisteravond besefte ik het. Hij heeft het nooit ontkend. Hij zei dat ik tot God moest bidden, dat God me moest vertellen wie ik kon geloven, Genie of hem. Ik vertrouwde hem. Hij heeft zo'n groot gevoel voor goed en kwaad. Ik heb hem altijd voor een godvrezend man aangezien.'

'Wist iemand anders in de familie ervan?'

Weer schudde ze haar hoofd. 'Ik schaamde me. Ze had gelogen.' Mary verbeterde zichzelf: 'Soms loog ze over dingen. Ik snap dat nu wel, maar toentertijd was het moeilijker. Genie was een heel opstandig meisje. Ze gebruikte drugs. Ze ging met allerlei jongens om. Ze zette zich af tegen de kerk. Ze zette zich af tegen haar familie.'

'Hoe heb je het vertrek van Genie aan de anderen uitgelegd?'

'Ik heb mijn broer om raad gevraagd. Hij zei dat ik iedereen moest vertellen dat ze er met een jongen vandoor was. Het klonk heel geloofwaardig. De waarheid was te beschamend en geen van beiden wilden we Cole kwetsen.' Met de tissue bette ze haar ooghoek. 'Hij betekende in die tijd zoveel voor ons. Mijn broers studeerden allebei. Wij vrouwen konden geen van allen de boerderij leiden. Cole runde het hele bedrijf, samen met mijn vader. Hij was de spil van de onderneming.'

Met een klap vloog de branddeur open en Frank kwam binnen. Toen hij Jeffrey en Mary Ward aan het tafeltje zag zitten, bleef hij eerst stokstijf staan en liep toen op Jeffrey toe. Hij legde zijn hand op zijn schouder en overhandigde hem een map. Jeffrey, die wist dat Frank hem niet zou storen tenzij het belangrijk was, sloeg het dossier open. Lena zag dat er verscheidene gefaxte blaadjes in zaten. Het budget van het bureau was aan de krappe kant en het apparaat, dat al een jaar of tien oud was, werkte nog met een thermische rol in plaats van gewoon papier. Jeffrey streek de blaadjes glad en liet zijn blik eroverheen gaan. Toen hij opkeek kon Lena niet zien of het goed of slecht was wat hij had gelezen.

'Mary,' zei Jeffrey, 'ik noem je steeds mevrouw Ward, maar heette je man niet Morgan?'

Ze was zichtbaar verbaasd. 'Ja,' zei ze. 'Hoezo?'

'En je dochter heet Teresa Eugenia Morgan?'

'Ja.'

Jeffrey zweeg even om haar in de gelegenheid te stellen haar gedachten te ordenen. 'Mary,' vervolgde hij, 'heeft Abby je dochter ooit ontmoet?'

'Natuurlijk,' zei ze. 'Genie was tien toen Abby werd geboren. Ze behandelde haar alsof het haar eigen kindje was. Abby was er kapot van toen Genie vertrok. Ze waren er beiden kapot van.'

'Is het mogelijk dat Abby bij je dochter op bezoek is geweest op de dag dat ze naar Savannah ging?'

'Naar Savannah?'

Hij haalde een van de gefaxte blaadjes uit de map. 'Volgens onze informatie woont Genie in Savannah, aan Sandon Square 241.'

'Nee hoor,' zei ze, en haar toon was gespannen. 'Mijn dochter woont hier in de stad, commissaris Tolliver. Ze is getrouwd en heet Stanley.'

Ze reden naar het huis van de Stanleys. Lena zat achter het stuur terwijl Jeffrey met Frank belde. Hij hield zijn spiraalschrift op zijn knie en schreef alles op wat Frank hem vertelde, met af en toe een grom ten teken dat hij hem goed had verstaan.

Lena wierp een blik in het spiegeltje om te controleren of Brad Stephens hen wel volgde. Hij reed in zijn patrouillewagen achter hen aan en Lena moest bekennen dat ze voor de verandering blij was de jonge agent in de buurt te hebben. Ook al was Brad een rare kwibus, hij deed de laatste tijd veel aan fitness en zijn spieren mochten er wezen. Jeffrey had hun verteld over de geladen revolver die Dale Stanley op een van de kastjes in zijn garage bewaarde. Niet dat ze zich op een confrontatie met Terri's echtgenoot verheugde, maar ergens hoopte ze dat hij hun een kunstje zou flikken zodat Jeffrey en Brad hem konden laten voelen hoe het was als je verrot werd geslagen door iemand die groter en sterker was dan jij.

'Nee,' zei Jeffrey tegen Frank, 'je moet haar niet in een cel stoppen. Geef haar maar wat melk en koekjes als het niet anders kan. Zorg wel dat ze uit de buurt van de telefoon en van haar broers blijft.' Lena wist dat het over Mary Morgan ging. De vrouw had geschrokken opgekeken toen Jeffrey haar vertelde dat ze het politiebureau niet mocht verlaten, maar gezagsgetrouw als ze was, had haar angst om de bak in te gaan het gewonnen en ze had knikkend ingestemd met alles wat hij zei.

'Goed gedaan, Frank,' zei Jeffrey. 'Als je nog iets vindt, laat het me dan even weten.' Hij verbrak de verbinding en zonder een woord te zeggen begon hij weer in zijn schrift te krabbelen.

Lena was te ongeduldig om te wachten tot hij klaar was met zijn aantekeningen. 'Wat zei hij?'

'Ze hebben tot nu toe zes polissen gevonden,' vertelde hij haar al schrijvend. 'Lev en Terri staan geregistreerd als begunstigde voor zowel Abby als Chip. Op twee polissen staat de naam van Mary Morgan, op twee andere die van Esther Bennett.'

'Wat had Mary daarop te zeggen?'

'Ze zei dat ze geen idee had waar Frank het over had. Paul regelt alle geldzaken voor de familie.'

'Geloofde Frank haar?'

'Hij twijfelt nog,' zei Jeffrey. 'Jezus, zelf twijfel ik ook en ik heb net een halfuur met haar gepraat.'

'Ze laten het anders niet breed hangen.'

'Volgens Sara maken ze hun kleren zelf.'

'Dat geldt niet voor Paul,' merkte ze fijntjes op. 'Hoeveel waren die polissen waard?'

'Elk zo'n vijftigduizend dollar. Ze zijn inhalig geweest, maar dom waren ze niet.'

Lena wist dat exorbitant hoge bedragen onmiddellijk het wantrouwen van de verzekeringsmaatschappijen zouden hebben gewekt. Niettemin was de familie erin geslaagd de afgelopen twee jaar bijna een half miljoen te incasseren, en nog belastingvrij bovendien.

'Hoe zit het met dat huis?' vroeg Lena. Volgens de polissen woonden alle begunstigden op een en hetzelfde adres in Savannah. Een telefoontje naar het provinciehuis van Chatham County had uitgewezen dat het huis aan Sandon Square vijf jaar eerder was gekocht door een zekere Stephanie Linder. Dat kon twee dingen betekenen: de Wards hadden een zus van wie Jeffrey nog nooit had gehoord of iemand haalde een rotstreek met de familie uit.

'Denk je dat Dale ook in het complot zit?' vroeg Lena.

'Frank heeft hun bankgegevens nagetrokken,' zei hij. 'Dale en Terri zitten beiden tot over hun oren in de schuld: creditcards, hypotheek, de aflossing van twee auto's. Ze hebben drie medische schuldvorderingen op hun naam staan. Van Sara heb ik begrepen dat het ene zoontje een paar keer in het ziekenhuis heeft gelegen. Die kunnen zeker wel wat geld gebruiken.'

'Zou Terri haar vermoord hebben?' vroeg Lena. Wat Frank gezegd had was waar: over het algemeen was gif een vrouwenmiddel.

'Waarom zou ze?'

'Ze wist wat Cole in z'n schild voerde. Misschien hield ze hem in de gaten.'

'Maar waarom zou ze Abby vermoorden?'

'Misschien was ze het ook niet.' Lena liet haar gedachten de vrije loop. 'Misschien heeft Cole Abby vermoord en Terri heeft toen besloten hem een koekje van eigen deeg te geven.'

Hij schudde zijn hoofd. 'Ik geloof niet dat Cole Abby heeft

vermoord. Hij was er helemaal kapot van.'

Lena ging er niet verder op in, maar in haar hart vond ze dat hij een van de smerigste hufters die ze ooit tegen het lijf was gelopen wel erg gemakkelijk het voordeel van de twijfel gunde.

Jeffrey klapte zijn mobieltje weer open en toetste een nummer in. Kennelijk werd er meteen opgenomen, want hij zei: 'Hé, Molly, zou je een boodschap aan Sara willen doorgeven?' Hij zweeg even. 'Zeg maar dat we op weg zijn naar het huis van de Stanleys. Bedankt.' Hij verbrak de verbinding en zei tegen Lena: 'Terri had rond lunchtijd een afspraak met Sara.'

Het was halfelf. Lena dacht aan het wapen in Dales garage. 'Waarom pakken we haar dan niet gewoon daar op?'

'Omdat Sara's praktijk verboden terrein is.'

Lena vond het een nogal slappe smoes, maar ze was zo wijs om hem er niet op aan te spreken. Jeffrey was de beste politieman die ze ooit had meegemaakt, maar zodra Sara Linton in beeld kwam, was hij net een geslagen hondje. Elke vent zou zich doodgeneren zoals zij hem aan de leiband hield, maar hij scheen er nog trots op te zijn ook.

Het leek of Jeffrey haar gedachten kon lezen – voor een deel tenminste – want hij zei: 'Ik heb geen idee waartoe Terri in staat is. Het laatste wat ik wil is dat ze door het lint gaat in een praktijk vol kleine kinderen.'

Hij wees naar een zwarte brievenbus die uit de berm stak. 'Het is hier rechts.'

Lena minderde vaart en draaide de oprit van de Stanleys in met Brad in haar kielzog. Ze zag dat Dale in de garage bezig was en haar adem stokte. Ze had hem één keer ontmoet, jaren geleden tijdens een van de politiepicknicks, toen zijn broer Pat nog maar net bij het team zat. Lena was vergeten hoe groot hij was. Niet alleen groot, ook sterk.

Jeffrey stapte uit, maar Lena aarzelde. Ze dwong haar hand de knop van het portier vast te pakken, ze dwong zichzelf het portier te openen en uit te stappen. Achter zich hoorde ze Brads portier dichtslaan, maar ze durfde haar blik geen seconde van Dale af te wenden. Hij stond in de deuropening van de garage en woog een zware moersleutel in zijn kolenschoppen van handen. Op nog geen meter afstand was het kastje met de revolver. Evenals Jeffrey had hij een bloeduitstorting onder zijn oog.

'Hallo Dale,' zei Jeffrey. 'Hoe kom je aan dat blauwe oog?'

'Tegen een deur aan gelopen,' antwoordde hij gevat. Lena wilde dolgraag weten hoe hij er in werkelijkheid aan kwam. Terri had op een stoel moeten staan om bij zijn hoofd te kunnen. Dale was een kleine vijftig kilo zwaarder dan zij en was wel een halve meter langer. Lena keek naar zijn handen en besefte dat hij moeiteloos met één hand haar hele hals kon omvatten. Hij kon haar in één beweging wurgen. Ze kon het niet uitstaan dat ze bang voor hem was, dat haar longen trilden in haar borstkas, dat haar ogen wegtrokken, dat alles begon te verdwijnen terwijl ze haar uiterste best deed om niet flauw te vallen.

Jeffrey stapte naar voren, geflankeerd door Brad en Lena. 'Kom die garage eens uit,' zei hij tegen Dale.

Dale klemde de sleutel nog steviger in zijn hand. 'Is er iets?' Een vluchtig glimlachje trok over zijn lippen. 'Heeft Terri jullie soms gebeld?'

'Waarom zou die ons moeten bellen?'

'Geen idee,' zei hij schouderophalend, maar te oordelen naar de sleutel in zijn hand had hij wel degelijk reden tot bezorgdheid. Lena wierp een blik op het huis om te zien of Terri er was. Als Dale een blauw oog had, was Terri er hoogstwaarschijnlijk tien keer erger aan toe.

Ook al deelde Jeffrey kennelijk haar vermoedens, toch zei hij: 'Je hoeft je nergens druk om te maken.'

Dale was niet zo dom als hij eruitzag. 'Daar lijkt het anders niet op.'

'Kom die garage uit, Dale.'

'Hier heb ik het voor het zeggen,' zei Dale. 'U hebt niet het recht om hier te komen. Van mijn erf af, nu!'

'We willen met Terri praten.'

'Niemand praat met Terri als ik het niet goedvind, en ik vind het niet goed, dus...'

Jeffrey bleef op ruim een meter afstand van Dale staan en Lena stelde zich links van hem op, want zo zou ze sneller bij het wapen kunnen dan Dale. Ze moest een vloek onderdrukken toen ze besefte dat het kastje veel te hoog voor haar was. Het was beter geweest als Brad op haar plek had gestaan. Hij was minstens dertig centimeter langer dan zij. Tegen de tijd dat Lena een kruk had aangesleept om de revolver te pakken, zou Dale al halverwege Mexico zijn.

'Leg die sleutel neer,' gebood Jeffrey.

Dales blik schoot van Lena naar Brad. 'Als jullie nou eens een paar stappen terug deden.'

'Jij deelt hier de bevelen niet uit, Dale,' zei Jeffrey. Lena wilde het liefst haar hand naar haar wapen brengen, maar ze wist dat ze op een teken van Jeffrey moest wachten. Hij liet zijn armen langs zijn zij hangen, waarschijnlijk omdat hij meende dat hij Dale wel zou kunnen bepraten. Lena was daar minder zeker van.

'Het wordt me hier een beetje te druk,' zei Dale. 'Daar hou ik niet van.' Hij hief de sleutel tot op borsthoogte, het uiteinde in de palm van zijn hand. Lena wist dat de man niet gek was. Die sleutel kon heel veel schade aanrichten, maar niet bij drie mensen tegelijk, en al helemaal niet als die drie mensen ook nog eens gewapend waren. Ze hield Dale scherp in het oog, want ze voelde dat hij een poging zou doen om de revolver te pakken.

'Ik zou maar niks proberen,' zei Jeffrey. 'Het enige wat we willen is met Terri praten.'

Dale was snel voor een man van zijn postuur, maar Jeffrey was sneller. Hij rukte de gummiknuppel uit Brads riem en terwijl de langere Dale met een sprong zijn revolver probeerde te pakken, gaf hij hem een keiharde mep in zijn knieholtes. Dale stortte als een stapel bakstenen op de grond.

Als verdoofd keek Lena toe terwijl de doorgaans wat gezapige Brad zijn knie in Dales rug ramde, hem tegen de grond drukte en in de boeien sloeg. Eén klap in zijn knieholtes had hem onderuitgehaald. Hij verzette zich niet eens toen Brad zijn handen naar achteren rukte en met een dubbel stel boeien zijn polsen achter zijn rug vastbond.

'Ik heb je gewaarschuwd,' zei Jeffrey tegen Dale.

Dale jankte als een hond toen Brad hem op zijn knieën trok. 'Jezus, kijk een beetje uit!' jammerde hij, en hij rolde met zijn schouders alsof hij bang was dat zijn armen uit de kom schoten. 'Ik wil mijn advocaat bellen.'

'Dat komt later wel.' Jeffrey gaf de gummiknuppel weer aan Brad en zei: 'Zet hem maar achter in de auto.'

'Oké, chef,' antwoordde Brad en hij trok Dale overeind, wat aanleiding gaf tot nog meer gekerm.

Schuifelend liep de grote vent naar de auto, wolken stof achter zich opwerpend.

Op gedempte toon, zodat alleen Lena het kon horen, zei Jeffrey: 'Toch niet zo stoer als hij eruitziet, hè? Daarom vindt hij het natuurlijk ook zo lekker om zijn vrouwtje te slaan.'

Lena voelde een zweetdruppel langs haar rug naar beneden glijden. Jeffrey sloeg het stof van zijn broekspijp en liep in de richting van het huis. 'Er zijn daar twee kinderen,' waarschuwde hij Lena.

Lena zocht naar woorden. 'Denk je dat ze zich gaat verzetten?'

'Ik heb geen idee wat ze gaat doen.'

Nog voor ze de veranda hadden bereikt, ging de deur al open. Terri Stanley stond in de hal, een slapende baby op haar heup. Naast zich had ze een kind van een jaar of twee. Hij wreef met zijn knuistjes in zijn ogen, alsof hij net wakker was. Terri's wangen waren ingevallen en onder haar ogen zaten donkere wallen. Haar lip was kapot, langs haar kaak liep een verse blauwgele bloeduitstorting en rond haar nek zaten felrode striemen. Lena begreep maar al te goed waarom Dale niet wilde dat ze met zijn vrouw gingen praten. Hij had haar bont en blauw geslagen. Lena snapte niet dat ze nog op haar benen kon staan.

Terri zag hoe haar man naar de patrouillewagen werd afgevoerd. Zonder Jeffrey en Lena aan te kijken zei ze op vlakke toon: 'Ik dien geen aanklacht in. Wat mij betreft mogen jullie hem weer laten gaan.'

Jeffrey keek over zijn schouder naar de auto. 'We laten hem gewoon een tijdje in zijn sop gaarkoken.'

'Daar wordt het alleen maar erger van.' Ze sprak de woorden voorzichtig uit om de barst in haar lip niet opnieuw open te trekken. Lena kende de truc en wist dat het een aanslag op je keel was, want je moest je stem enorm forceren om je verstaanbaar te maken. 'Zo heeft ie me nog niet eerder te

386

pakken gehad. Niet in m'n gezicht.' Haar stem haperde. Ze zat in de val, was volkomen verslagen. 'Dat mijn kinderen dit moesten zien.'

'Terri...' probeerde Jeffrey, vergeefs naar woorden zoekend.

'Hij vermoordt me als ik bij hem wegloop.' Door haar opgezwollen lip ging ze nog lijziger praten.

'Terri...'

'Ik dien echt geen aanklacht in.'

'Dat vragen we ook niet van je.'

Ze kreeg iets weifelends, alsof ze een andere reactie had verwacht.

'We moeten met je praten,' zei Jeffrey.

'Waarover?'

'Dat weet je maar al te goed.' Nu paste hij een beproefde tactiek toe.

Ze keek naar haar man, die inmiddels op de achterbank van Brads patrouillewagen zat.

'Hij zal je heus niks doen.'

Ze wierp hem een schuinse blik toe, alsof hij haar een mislukte mop had verteld.

'We gaan hier pas weg als we met je gepraat hebben,' zei Jeffrey.

Eindelijk zwichtte ze. 'Kom dan maar binnen,' zei ze en ze deed een stap naar achteren. 'Tim, mama moet even met deze mensen praten.' Ze pakte de jongen bij de hand en voerde hem mee naar een kamertje waarin een groot tv-toestel alle aandacht trok. Terwijl ze een dvd in het apparaat schoof, bleven Lena en Jeffrey onder aan de trap in de grote hal staan wachten.

Lena keek naar het hoge plafond dat tot op de overloop doorliep. Op de plek waar een kroonluchter had moeten hangen, staken alleen een paar losse draden uit de gipsplaat. Langs de trap zaten slijtplekken en bovenaan had iemand een klein gat in de muur geschopt. Het leek wel of de spijlen waaraan de trapleuning zat bevestigd verbogen waren, en vlak bij de overloop zag ze enkele gebarsten en gebroken exemplaren. Ze durfde er gif op in te nemen dat dat het werk van Terri was. Ze zag het voor zich: Dale die zijn vrouw de

387

trap op sleurde terwijl ze wanhopig met haar benen om zich heen schopte. Elk van de twaalf treden telde twee spijlen waaraan ze zich kon vastgrijpen om aan het onvermijdelijke te ontkomen.

De schelle stem van Spongebob werd weerkaatst door de kille tegels in de hal en op dat moment kwam Terri de kamer weer uit met haar jongste kind nog op haar heup.

'Waar kunnen we praten?' vroeg Jeffrey.

'Ik leg hem eerst even in bed,' zei ze, doelend op de baby. 'De keuken is achterin.' Ze liep de trap op en Jeffrey gebaarde Lena haar te volgen.

Het huis was groter dan de buitenkant deed vermoeden. De overloop boven aan de trap ging over in een lange gang waarop zo te zien drie slaapkamers en een badkamer uitkwamen. Terri ging de eerste kamer binnen, maar Lena volgde haar niet. Ze bleef bij de deur van de kinderkamer staan en keek toe terwijl Terri de slapende baby in zijn ledikantje legde. Het was een fleurig ingericht kamertje: er zaten wolken op het plafond en de muren toonden een landelijk tafereel vol vrolijke schaapjes en koeien. Boven het ledikantje hing een mobile met nog meer schaapjes. De moeder streelde over het hoofdje van het kind, dat Lena net niet kon zien. Wel zag ze hoe hij zijn kleine beentjes strekte toen Terri zijn gehaakte sokjes uittrok. Lena had nooit beseft hoe klein babyvoetjes waren, met teentjes als knopjes, voetjes die zich als bananenschilletjes kromden terwijl het kind zijn knieën tot aan zijn borst optrok.

Terri wierp een onderzoekende blik over haar schouder. 'Heb je zelf kinderen?' Ze stootte een hees geluid uit, alsof ze probeerde te lachen. 'Behalve dan dat kind dat je in Atlanta hebt achtergelaten, bedoel ik.'

Lena begreep dat het een bedekt dreigement was, dat ze Lena er op deze manier aan wilde herinneren dat ze beiden om dezelfde reden in die kliniek waren geweest. Terri Stanley was echter niet het type om de daad bij het woord te voegen. Toen de moeder zich omdraaide, voelde Lena slechts medelijden. De kamer was helder verlicht en het zonlicht accentueerde de bonte plek op Terri's kaak. Haar lip was weer opengebarsten en het bloed sijpelde over haar kin. Lena besefte dat ze een halfjaar geleden naar haar eigen spiegel-beeld zou hebben gekeken.

'Je hebt alles voor ze over,' zei Terri op droevige toon. 'Als het om je kinderen gaat, verdraag je alles.'

'Alles?'

Terri slikte en verbeet de pijn. Kennelijk had Dale haar de keel dichtgeknepen. Er waren nog geen blauwe plekken verschenen, maar die zouden niet lang op zich laten wachten en zich dan als een donkere halsband over haar keel verspreiden. Die kon ze nog onder een laag make-up bedekken, maar ze zou de hele week een stijve nek hebben, haar hoofd bijna niet kunnen draaien, het zou haar moeite kosten om niet te verkrimpen bij het slikken en ze zou geduldig moeten wachten tot de spieren zich weer ontspanden en de pijn wegtrok.

'Ik kan het niet uitleggen...' zei ze.

Lena was wel de laatste om haar de les te lezen. 'Dat hoeft ook niet, dat weet je toch?'

'Ja,' beaamde Terri. Ze draaide zich weer om en trok een lichtblauw dekentje tot aan de kin van de baby. Lena staarde naar haar rug en vroeg zich af of Terri tot moord in staat was. Als dat zo was, dan zou ze haar toevlucht tot gif nemen, zo'n type was het wel. Het was ondenkbaar dat Terri haar slachtoffer tijdens de daad in de ogen zou kunnen kijken. Wel was het duidelijk dat ze wraak had genomen op Dale. Die blauwe plek had hij niet bij het scheren opgelopen.

'Zo te zien heb je hem ook flink te pakken gehad,' zei Lena.

Verward draaide Terri zich om. 'Wat?'

'Dale,' zei ze, en ze wees naar haar oog.

Terri's glimlach kwam uit de grond van haar hart en op slag veranderde haar hele gezicht. Lena ving een glimp op van de vrouw die ze ooit geweest was, voor Dale haar begon te slaan, voor het leven iets werd wat je moest verdragen in plaats van koesteren. Ze was beeldschoon.

'Ik heb er duur voor moeten betalen,' zei Terri, 'maar het was een fantastisch gevoel.'

Ook Lena glimlachte, want ze wist hoe heerlijk het was om terug te vechten. Uiteindelijk moest je ervoor boeten, maar zolang het duurde was het verdomd lekker. Dan leek het wel of je high was.

Terri ademde diep in en liet de lucht weer ontsnappen. 'Laten we maar snel beginnen.'

Lena liep achter haar aan de trap weer af en hun voetstappen weerklonken hol op de houten planken. Op de benedenverdieping lag nergens tapijt en het leek wel of er een paard rondstampte. Waarschijnlijk had Dale het met opzet kaal gehouden, zodat hij altijd precies wist waar zijn vrouw zich bevond.

Ze liepen de keuken binnen. Jeffrey was de foto's en kindertekeningen aan het bekijken die op de koelkast zaten. De tekeningen moesten dieren voorstellen en Lena zag dat Terri er de namen bij had geschreven: leeuw, tijger, beer. Op de 'ij' had ze open puntjes gezet, zoals meisjes op de middelbare school dat doen.

'Ga zitten,' zei Terri terwijl ze op een van de stoelen aan tafel plaatsnam. Jeffrey bleef staan, maar Lena ging tegenover Terri zitten. Het vroege tijdstip in aanmerking genomen zag de keuken er netjes uit. De borden en het bestek van het ontbijt stonden te drogen op het afdruiprek en de aanrechtbladen waren schoon. Lena vroeg zich af of Terri van nature zo nauwgezet was of dat Dale het er bij haar in had geslagen.

Terri staarde naar haar handen, die samengevouwen voor haar op tafel lagen. Ze was een kleine vrouw en haar houding maakte haar nog kleiner. Verdriet omgaf haar als een aura. Lena snapte niet dat ze niet in tweeën brak als Dale haar sloeg.

'Willen jullie iets drinken?' bood Terri aan.

Lena en Jeffrey bedankten tegelijkertijd. Na wat er met Cole Connolly was gebeurd betwijfelde Lena of ze ooit nog iets van iemand zou aannemen.

Terri leunde naar achteren en Lena nam haar aandachtig op. Ze besefte dat ze ongeveer even groot waren en van hetzelfde postuur. Terri was zo'n vijf kilo lichter en een paar centimeter korter, maar verder was het verschil niet zo groot.

'Jullie zijn dus niet gekomen om over Dale te praten?' vroeg Terri.

'Nee.'

Ze peuterde aan de nagelriem van haar duim. Naar het korstje bloed te oordelen deed ze dat wel vaker. 'Ik had eigenlijk wel kunnen raden dat jullie op een keer zouden komen.'

'Hoezo?' wilde Jeffrey weten.

'Dat briefje dat ik aan dokter Linton heb gestuurd,' zei ze.

'Dat was geloof ik niet zo slim.'

Uiterlijk bleef Jeffrey onbewogen. 'Waarom denk je dat?'

'Tja, daar kunnen jullie toch allerlei bewijs uit halen?'

Lena knikte alsof ze het ermee eens was en ondertussen bedacht ze dat de jonge vrouw waarschijnlijk iets te veel misdaadseries had gezien over forensisch rechercheurs die op hoge hakken en in Armani-pakjes rondrenden, een minuscuul stukje nagelriem van de doorn van een roos plukten en vervolgens terugtrippelden naar hun laboratorium, waar ze dankzij het wonder van de wetenschap ontdekten dat de dader een rechtshandige albino was die postzegels verzamelde en nog bij zijn moeder woonde. Afgezien van het feit dat geen enkel forensisch laboratorium ter wereld zich de miljoenenapparatuur kon veroorloven die op tv werd vertoond, moest je er ook rekening mee houden dat DNA werd afgebroken. Uitwendige factoren konden de DNA-streng aantasten en soms was er ook niet genoeg voor een monster. Vingerafdrukken waren voor velerlei uitleg vatbaar en het kwam zelden voor dat er zo veel punten van overeenkomst waren dat ze in een rechtszaak de doorslag gaven.

'Waarom heb je dokter Linton die brief gestuurd?' vroeg Jeffrey.

'Ik wist dat zij er iets mee zou doen,' zei Terri, om er snel aan toe te voegen: 'Niet dat jullie dat niet zouden doen, maar dokter Linton is altijd heel goed voor iedereen. Ze zorgt echt voor je. Ik wist dat zij het zou begrijpen.' Ze haalde haar schouders op. 'En ik wist ook dat ze het aan u zou vertellen.'

'Waarom heb je het haar niet persoonlijk verteld?' vroeg Jeffrey. 'En je hebt mij maandagochtend nog in de kliniek gezien. Waarom heb je het toen niet aan mij verteld?'

Ze liet een vreugdeloos lachje horen. 'Dale zou me vermoorden als hij wist dat ik bij dat hele gedoe betrokken was. Hij heeft een hekel aan de kerk. Hij heeft een hekel aan alles eromheen. Het is gewoon...' Haar stem stierf weg. 'Toen ik hoorde wat er met Abby was gebeurd, vond ik dat jullie moesten weten dat hij het weleens eerder had gedaan.'

'Wie heeft wat weleens eerder gedaan?'

De spieren in haar keel spanden zich toen ze met moeite zijn naam uitsprak: 'Cole.'

'Heeft hij jou ook in een kist in het bos gelegd?' vroeg Jeffrey.

Ze knikte en haar haar viel voor haar ogen. 'We zouden gaan kamperen. Hij nam me mee voor een wandeling.' Ze slikte. 'Hij bracht me naar een open plek in het bos. Er zat een gat in de grond. Een rechthoek. En daar lag een kist in.'

'Wat heb je toen gedaan?' vroeg Lena.

'Dat weet ik niet meer,' antwoordde ze. 'Ik geloof dat ik niet eens tijd had om te schreeuwen. Hij gaf me een keiharde klap en duwde me erin. Ik haalde mijn knie open en had een schaafwond aan mijn hand. Ik begon te gillen, maar toen ging hij boven op me zitten en hief zijn vuist, alsof hij me wilde slaan.' Ze zweeg en probeerde zichzelf weer in de hand te krijgen voor ze haar verhaal vervolgde. 'Toen bleef ik gewoon liggen. Ik bleef gewoon liggen terwijl hij de planken over me heen legde en ze een voor een vastspijkerde...'

Lena keek naar haar eigen handen en dacht aan de spijkers die erdoorheen waren geslagen, aan het metalige geluid van de hamer op de ijzeren nagel, de onpeilbare angst die haar in zijn greep hield terwijl ze daar lag, niet in staat ook maar iets te ondernemen om zichzelf te redden.

'Hij was de hele tijd aan het bidden,' zei Terri. 'Hij zei van alles, over God die hem kracht schonk en dat hij alleen maar een werktuig van de Heer was.' Ze sloot haar ogen en de tranen drongen naar buiten. 'Het volgende moment kijk ik tegen die donkere planken aan. Er zal wel zonlicht doorheen zijn gekomen, maar alles was een vaag soort zwart. Het was vreselijk donker daar binnen.' Ze huiverde bij de herinnering. 'Toen hoorde ik aarde op de kist vallen, niet snel, maar langzaam, alsof hij alle tijd van de wereld had. En hij bleef maar bidden, steeds luider, alsof hij er zeker van wilde zijn dat ik hem kon horen.'

Ze zweeg en Lena vroeg: 'Wat heb je toen gedaan?'

Weer dat gespannen geslik. 'Ik begon te schreeuwen en het geluid werd door de kist weerkaatst. Het deed pijn aan mijn oren. Ik kon niks zien. Ik kon me haast niet bewegen. Soms hoor ik het nog,' zei ze. ''s Nachts als ik in slaap probeer te komen hoor ik nog het geplof van de aarde op die kist. De zandkorreltjes die tussen de planken door komen en die in mijn keel gaan zitten.' Alles kwam weer boven en ze begon steeds harder te huilen. 'Hij was een vreselijk slecht mens.'

'En ben je daarom van huis weggelopen?' vroeg Jeffrey.

Terri keek verbaasd op.

'Je moeder heeft ons verteld wat er gebeurd is, Terri,' legde hij uit.

Ze moest lachen, een hol geluid, zonder enige vreugde. 'Mijn moeder?'

'Ze kwam vanochtend naar het bureau.'

Nu bleven de tranen stromen en haar onderlip begon te beven. 'Heeft zij het u verteld?' vroeg ze. 'Heeft mama u verteld wat Cole heeft gedaan?'

'Ja.'

'Ze geloofde me niet,' zei Terri, zacht prevelend. 'Ik vertelde haar wat er gebeurd was en ze zei dat ik het allemaal verzon. Ze zei dat ik naar de hel zou gaan.' Ze keek om zich heen, naar de keuken, naar haar leven. 'Dat laatste kan wel kloppen.'

'Waar ben je naartoe gegaan toen je wegliep?' wilde Lena weten.

'Naar Atlanta,' zei ze. 'Ik was met een jongen, Adam heette hij. Ik gebruikte hem alleen maar om daar weg te kunnen. Ik kon daar niet blijven toen ze me niet geloofden.' Er klonk gesnotter en ze veegde met haar hand langs haar neus. 'Ik was zo bang dat Cole me zou vinden. Ik kon niet meer slapen. Ik kon niet meer eten. Ik kon alleen nog maar wachten tot hij me weer te pakken kreeg.'

'Waarom ben je dan teruggekomen?'

'Ik wou alleen maar...' Haar stem stierf weg. 'Ik ben hier opgegroeid. En toen ontmoette ik Dale...' Weer maakte ze

393

haar zin niet af. 'Toen ik hem leerde kennen was hij nog een goed mens. Zo lief. Hij is niet altijd zo geweest. Dat de kinderen steeds ziek zijn zet hem enorm onder druk.'

Ze dwaalde af en Jeffrey bracht het gesprek weer op het juiste spoor. 'Hoe lang zijn jullie nu getrouwd?'

'Acht jaar,' antwoordde ze. Acht jaar lang was ze half dood geslagen. Acht jaar lang had ze smoesjes verzonnen, zijn daden vergoelijkt, zichzelf wijsgemaakt dat het deze keer anders was, dat hij deze keer zijn leven zou beteren. Acht jaar lang had ze diep in haar hart geweten dat ze zichzelf iets voorloog zonder in staat te zijn er ook maar iets aan te veranderen.

Als Lena dat allemaal had moeten ondergaan, hadden ze haar na acht jaar weg kunnen dragen.

'Toen ik Dale ontmoette, was ik clean,' vervolgde Terri, 'maar ik was nog wel totaal verknipt. Ik had een heel lage dunk van mezelf.' Lena hoorde de spijt in haar stem. Niet dat ze zwolg in zelfmedelijden. Ze keek terug op haar leven en constateerde dat het gat dat ze voor zichzelf had gedolven niet veel verschilde van het gat waarin Cole Connolly haar begraven had.

Terri zei: 'Daarvóór spoot ik en was ik aan de speed. Ik heb vreselijke dingen gedaan. Ik ben bang dat Tim er nog het meest onder geleden heeft. Zijn astma is heel ernstig,' verduidelijkte ze. 'Wie weet hoe lang die drugs in je lichaam blijven zitten. Wie weet wat ze aanrichten daar binnen.'

'Wanneer ben je afgekickt?' vroeg Jeffrey.

'Op m'n eenentwintigste,' antwoordde ze. 'Ik ben gewoon gestopt. Ik wist dat ik de vijfentwintig niet zou halen als ik dat niet deed.'

'Heb je sindsdien nog contact met je familie gehad?'

Ze begon weer aan haar nagelriem te peuteren. 'Een tijdje terug heb ik mijn oom om geld gevraagd,' bekende ze. 'Ik had het nodig om...' Weer slikte ze moeizaam. Lena wist waar ze het geld voor nodig had gehad. Terri had geen baan. Waarschijnlijk hield Dale elke cent die het huis binnenkwam voor zichzelf. Ze had de kliniek moeten betalen en dat kon ze alleen als ze geld leende van haar oom.

Tegen Jeffrey zei Terri: 'Dokter Linton is altijd heel aardig voor me geweest, maar we moesten haar wel iets betalen voor alles wat ze voor ons heeft gedaan. Tims medicijnen worden niet door de verzekering vergoed.' Opeens keek ze op, haar ogen fel van angst. 'Niet tegen Dale zeggen,' smeekte ze Lena. 'Vertel hem alsjeblieft niet dat ik om geld heb gevraagd. Hij is heel trots. Hij wil niet dat ik ergens om bedel.'

Lena vermoedde dat hij zou willen weten waar het geld gebleven was. 'Heb je Abby nog weleens gezien?' vroeg ze.

Ze probeerde niet te huilen, maar haar lippen beefden. 'Ja,' antwoordde ze. 'Soms kwam ze overdag langs om te kijken hoe het met mij en de kinderen ging. Dan bracht ze eten voor ons mee, en snoep voor de kinderen.'

'Wist je dat ze zwanger was?'

Terri knikte en Lena vroeg zich af of Jeffrey het verdriet voelde dat om haar heen hing. Ongetwijfeld dacht ze nu aan het kind dat ze had verloren, daar in Atlanta. Lena betrapte zichzelf erop dat ze hetzelfde deed. Onwillekeurig zag ze de baby voor zich die boven lag, zijn kleine, kromme voetjes die in de lucht staken, Terri die het dekentje onder zijn zachte kinnetje stopte. Lena sloeg haar blik neer zodat Jeffrey niet de tranen zou zien die achter haar oogleden prikten.

Ze voelde dat Terri naar haar keek. Na jaren waarin ze haar uiterste best had gedaan om niks verkeerds te zeggen of te doen had de jonge moeder zoals veel mishandelde vrouwen een bepaalde radar ontwikkeld en nu pikte ze intuïtief elke stemmingswisseling op.

Jeffrey, die zich van dit alles niet bewust was, vroeg: 'Wat heb je tegen Abby gezegd toen ze je over de baby vertelde?'

'Ik had moeten weten wat er zou gaan gebeuren,' zei ze. 'Ik had haar moeten waarschuwen.'

'Waar had je haar voor moeten waarschuwen?'

'Voor Cole, ik had haar moeten vertellen wat hij met mij had gedaan.'

'Waarom heb je haar dat niet verteld?'

'Mijn eigen moeder geloofde me niet eens,' zei ze kortaf. 'Ik weet het niet... Het was alweer jaren geleden en soms dacht ik dat ik het misschien verzonnen had. Ik was toentertijd zo zwaar aan de drugs, ik gebruikte zo veel troep. Ik kon niet eens goed nadenken. Het was gemakkelijker om mezelf wijs te maken dat ik het verzonnen had.'

Lena wist wat ze bedoelde. Tot op zekere hoogte maakte je jezelf maar wat wijs omdat je anders het einde van de dag niet haalde.

'Heeft Abby je verteld dat ze met een jongen omging?' vroeg Jeffrey.

Terri knikte. 'Chip,' zei ze spijtig. 'Ik zei dat ze zich niet met hem moest inlaten. U moet begrijpen dat meisjes die van De Gezegende Groei komen niet weten wat er te koop is. Ze houden ons weg van de wereld, alsof ze ons willen beschermen, maar zo maak je het allerlei mannen juist gemakkelijker.' Weer klonk dat vreugdeloze lachje. 'Ik wist pas wat seks was toen ik het zelf deed.'

'Wanneer heeft Abby je verteld dat ze wilde weglopen?'

'Ongeveer een week voor haar dood kwam ze langs op weg naar Savannah,' vertelde Terri. 'Ze zei dat ze er een paar dagen daarna met Chip vandoor zou gaan, als tante Esther en oom Eph naar Atlanta waren.'

'Was ze overstuur, vond je?'

Daar moest ze even over nadenken. 'Ze maakte een wat afwezige indruk. Dat was niks voor Abby. Maar ze had natuurlijk heel veel aan haar hoofd. Ze was... Ze was ergens anders met haar gedachten.'

'Hoe bedoel je, ergens anders?'

Terri sloeg haar blik neer, en het was duidelijk dat ze iets achterhield. 'Gewoon, bij andere dingen.'

'Terri, we moeten weten bij wat voor dingen,' zei Jeffrey.

Nu kwam de woordenstroom los. 'We zaten hier in de keuken,' zei ze. Ze wees naar Lena's stoel. 'Zij zat daar. Ze had Pauls koffertje op schoot en klemde het vast alsof ze het nooit meer los wilde laten. Ik weet nog dat ik dacht dat ik mijn kinderen wel een maand te eten zou kunnen geven als ik dat ding verkocht.'

'Is het een mooi koffertje?' vroeg Jeffrey, en Lena wist dat hij precies hetzelfde dacht als zij. Abby had in het koffertje gekeken en iets gevonden wat ze niet had mogen zien.

Ze zei: 'Hij heeft er wel duizend dollar voor neergeteld. Hij geeft geld uit als water. Ik snap het gewoonweg niet.'

'Wat zei Abby?' vroeg Jeffrey.

'Dat ze naar Paul moest en dat ze er later met Chip vandoor zou gaan.' Ze haalde haar neus op. 'Ik moest van haar tegen haar vader en moeder zeggen dat ze heel veel van hen hield.' Ze begon weer te huilen. 'Dat moet ik nog altijd tegen ze zeggen. Dat ben ik Esther verschuldigd.'

'Denk je dat ze Paul heeft verteld dat ze zwanger was?'

Terri schudde haar hoofd. 'Ik weet het niet. Misschien ging ze wel naar Savannah om hulp te vragen.'

'Om zich van de baby af te laten helpen?' vroeg Lena.

'Lieve hemel, nee,' zei ze geschokt. 'Abby zou haar baby echt nooit doden.'

Lena voelde haar lippen bewegen, maar haar stem bleef ergens in haar keel steken.

'Wat wilde ze volgens jou van Paul?' vroeg Jeffrey.

'Misschien wilde ze hem om geld vragen?' giste Terri. 'Ik had tegen haar gezegd dat ze geld nodig had als ze er met Chip vandoor wilde gaan. Ze snapt niet hoe de echte wereld in elkaar steekt. Als ze honger heeft staat er eten op tafel. Als ze het koud heeft kan ze de thermostaat opdraaien. Ze heeft nooit voor zichzelf hoeven zorgen. Ik heb tegen haar gezegd dat ze wat geld te pakken moest zien te krijgen en dat voor Chip moest verbergen, dat ze wat achter de hand moest houden voor het geval hij haar liet zitten. Ze mocht niet dezelfde fout begaan als ik.' Ze veegde haar neus af. 'Het was zo'n lief meisje, zo vreselijk lief.'

Een lief meisje dat haar oom onder druk zette zodat hij haar met bloedgeld zou afkopen, dacht Lena. 'Denk je dat Paul haar het geld gegeven heeft?' vroeg ze.

'Ik weet het niet,' moest ze bekennen. 'Het was de laatste keer dat ik haar gezien heb. Daarna zou ze er met Chip vandoor gaan. Ik dacht ook echt dat ze weg was gegaan, tot ik hoorde... tot jullie haar afgelopen zondag vonden.'

'Waar was je zaterdagavond?'

Met de rug van haar hand veegde Terri haar neus af. 'Hier,' zei ze. 'Bij Dale en de kinderen.'

'Kan iemand anders dat bevestigen?'

Nadenkend beet ze op haar lip. 'Eens denken. Paul kwam langs,' zei ze. 'Heel even maar.'

'Zaterdagavond?' vroeg Jeffrey nog eens, en hij keek Lena even aan. Paul had een aantal keren met klem beweerd dat hij in Savannah was op de avond dat zijn nichtje stierf. Zijn babbelzieke secretaresse had dat zelfs bevestigd. Hij had gezegd dat hij zondagavond naar de boerderij was gereden om te helpen bij de zoektocht naar Abby.

'Wat kwam Paul hier doen?' vroeg Jeffrey.

'Hij bracht Dale dat ding voor een van zijn auto's.'

'Wat voor ding?' vroeg Jeffrey.

'Dat Porsche-ding,' antwoordde ze. 'Paul is gek op blitse auto's; jezus, hij is gek op alles waar hij de blits mee kan maken. Hij probeert het voor zijn vader en de anderen te verbergen, maar hij is dol op z'n speeltjes.'

'Wat voor speeltjes?'

'Hij brengt hier weleens ouwe roestbakken die hij op de veiling op de kop heeft getikt en dan knapt Dale ze met korting op. Tenminste, Dale zegt dat hij korting geeft. Ik weet niet wat hij ervoor vraagt, maar het is vast goedkoper om het hier te laten doen dan in Savannah.'

'Komt Paul hier vaak auto's brengen?'

'Het is twee of drie keer gebeurd voorzover ik me kan herinneren.' Terri haalde haar schouders op. 'Dat zou u aan Dale moeten vragen. Meestal zit ik achter, dan werk ik aan de bekleding.'

'Toen ik hem een paar avonden geleden sprak heeft Dale me niet verteld dat Paul langs was geweest.'

'Dat verbaast me niks,' zei Terri. 'Paul betaalt hem contant. Hij geeft het niet op voor de belasting.' Ze probeerde zijn gedrag goed te praten. 'Het incassobureau zit ons op de nek. Het ziekenhuis heeft al beslag laten leggen op Dales inkomsten, nog van vorig jaar toen Tim zo ziek was. De bank geeft alle inkomsten en uitgaven door. Zonder die extra contanten zouden we het huis kwijtraken.'

'Ik werk niet voor de belastingdienst,' zei Jeffrey. 'Het enige wat mij interesseert is zaterdagavond. Weet je zeker dat Paul zaterdag langs is geweest?'

Ze knikte. 'Vraag maar aan Dale,' zei ze. 'Ze zijn ongeveer tien minuten in de garage geweest en toen was hij weer weg. Ik heb hem alleen even door het raam van de voorkamer gezien. Paul en ik praten eigenlijk niet met elkaar.'

'Waarom niet?'

'Ik ben een gevallen vrouw,' zei ze zonder een zweem van sarcasme.

'Terri,' vroeg Jeffrey, 'is Paul ooit alleen in de garage geweest?'

'Ja hoor,' zei ze schouderophalend.

'Hoe vaak?' drong hij aan.

'Weet ik niet. Vaak.'

Opeens was Jeffreys toon een stuk minder verzoenend. Hij voerde de druk op. 'In de afgelopen drie maanden? Is hij in die periode hier geweest?'

'Vast wel,' herhaalde ze geïrriteerd. 'Wat maakt het uit of Paul in de garage is geweest?'

'Ik probeer er alleen maar achter te komen of hij de gelegenheid heeft gehad om er iets uit weg te nemen.'

Ze lachte snuivend. 'Dale zou hem gewurgd hebben.'

'Hoe zit het met die verzekeringspolissen?' vroeg hij.

'Welke polissen?'

Jeffrey haalde een opgevouwen vel faxpapier te voorschijn en legde het voor haar op tafel.

Fronsend las Terri het document door. 'Ik snap er niks van.'

'Dat is een levensverzekeringspolis voor vijftigduizend dollar, en jij staat als begunstigde vermeld.'

'Hoe komt u daaraan?'

'Laat de vragen maar aan ons over,' zei Jeffrey, en van zijn welwillende toon was niets meer over. 'Vertel ons maar eens wat er aan de hand is, Terri.'

'Ik dacht...' begon ze, maar toen zweeg ze en schudde haar hoofd.

'Wat dacht je?' vroeg Lena.

Opnieuw schudde Terri haar hoofd en ze begon weer aan de nagelriem van haar duim te peuteren.

'Terri?' drong Lena aan, want ze wilde niet dat Jeffrey haar te hard aanpakte. Het was zonneklaar dat ze iets wist en dit was niet het moment om ongeduldig te worden.

Jeffrey bond wat in. 'Terri, we hebben je hulp nodig. We weten dat Cole haar in die kist heeft gestopt, net als hij met jou heeft gedaan, alleen is Abby er niet levend uit gekomen. Met jouw hulp komen we er misschien achter wie haar heeft vermoord.'

'Ik weet niet...' Haar stem stierf weg.

'Terri, Rebecca wordt nog steeds vermist,' zei Jeffrey.

Ze mompelde iets, alsof ze ergens mee instemde. Opeens stond ze op en zei: 'Ik ben zo terug.'

'Ho even.' Ze wilde de keuken uit lopen, maar Jeffrey pakte haar bij de arm. Toen Terri ineenkromp liet hij haar weer los.

'Sorry,' zei ze en ze wreef over de plek op haar arm waar Dale haar te pakken had gehad. Lena zag tranen van pijn in haar ogen opwellen. Niettemin herhaalde Terri: 'Ik ben zo terug.'

'We gaan met je mee,' zei Jeffrey zonder haar verder aan te raken, maar op een toon waaruit bleek dat hij het niet voor de gezelligheid deed.

Terri aarzelde en gaf hem toen een afgemeten knikje. Ze keek de gang in alsof ze zich ervan wilde verzekeren dat er niemand was. Lena wist dat ze Dale zocht. Ook al zat hij geboeid in de patrouillewagen, ze was doodsbang dat hij haar te grazen zou nemen.

Ze deed de achterdeur open en weer keek ze vluchtig over haar schouder, deze keer om te zien of Lena en Jeffrey haar wel volgden. Tegen Jeffrey zei ze: 'Laat de deur maar op een kier staan voor het geval Tim me nodig heeft.' Om haar paranoïde angst niet te vergroten ving hij de hordeur op, zodat die niet met een klap zou dichtslaan.

Gedrieën liepen ze het achtererf op. De honden waren stuk voor stuk bastaarden, waarschijnlijk uit het asiel. Zachtjes jankend sprongen ze tegen Terri op, smekend om aandacht. Afwezig aaide ze ze in het voorbijgaan over de kop, waarna ze heel voorzichtig om de garage heen liep. Bij de hoek bleef ze staan. Achter de garage zag Lena een schuurtje. Als Dale hun kant op keek, kon hij zien dat ze naar het gebouwtje liepen.

Jeffrey besefte het op hetzelfde moment als Lena. 'Laat mij anders...' begon hij, maar op dat moment haalde Terri diep adem en liep het open erf op.

Lena volgde haar, en ook al keek ze niet naar de patrouillewagen, toch voelde ze Dales blik.

'Hij ziet het niet,' zei Jeffrey, maar Lena en Terri waren allebei te bang om zelf te kijken.

Terri haalde een sleutel uit haar zak en stak die in het slot van de schuurdeur. Toen ze de benauwde ruimte binnenging, knipte ze het licht aan. In het midden stond een naaimachine, tegen de muren waren rollen donker leer gezet en dat alles werd beschenen door een felle plafondlamp. Hier zat Terri dus de bekleding te naaien voor de auto's die Dale opknapte. Het was een bedompte, muffe ruimte, weinig beter dan een illegale werkplaats, en 's winters moest het er een verschrikking zijn.

Terri draaide zich om en nu keek ze eindelijk naar buiten. Lena volgde haar blik en zag het donkere silhouet van Dale Stanley achter in de patrouillewagen. 'Hij vermoordt me als hij hierachter komt,' merkte Terri op. 'Nou ja, dat kunnen we er ook nog wel bij hebben, hè?' zei ze tegen Lena.

'We kunnen je bescherming bieden, Terri,' zei Lena. 'We kunnen hem nu naar de gevangenis brengen en dan komt hij er nooit meer uit.'

'Die komt er gegarandeerd weer uit,' zei ze.

'Nee hoor,' verzekerde Lena haar, want ze wist dat er altijd een manier was om ervoor te zorgen dat een gevangene de bak niet meer uit kwam. Zet hem met de juiste persoon in de juiste cel en hij kon de rest van zijn leven afschrijven. 'Daar kunnen we voor zorgen,' zei ze, en toen ze de blik in Terri's ogen zag, wist ze dat de vrouw begreep waar ze op doelde.

Terwijl Jeffrey naar dit alles luisterde, liep hij de kleine ruimte door. Plotseling trok hij een paar rollen leer van de muur weg. Erachter klonk een geluid als van een wegschietende muis. Hij trok nog een rol weg en stak toen zijn hand uit naar het meisje dat ineengedoken tegen de muur zat.

Hij had Rebecca Bennett gevonden.

Vijftien

Jeffrey keek toe terwijl Lena met Rebecca Bennett bezig was. Zelfs na al die jaren zou hij nog het antwoord schuldig moeten blijven als iemand hem vroeg wat Lena dreef. Vijf minuten daarvoor, toen hij met Terri Stanley sprak, had ze als een angstig kind in diezelfde keuken gezeten en haar mond nauwelijks opengedaan. Maar nu, met dat meisje Bennett, had ze de touwtjes in handen en was ze weer op en top de rechercheur in plaats van de mishandelde vrouw die in haar schuilging.

'Vertel eens wat er gebeurd is, Rebecca,' zei ze op resolute toon, hoewel ze tegelijkertijd de hand van het meisje in de hare nam en zo een soort evenwicht creëerde tussen gezag en medeleven. Lena had al talloze malen met dit bijltje gehakt, maar de verandering die ze dan onderging was altijd weer ongelooflijk.

Rebecca aarzelde, nog steeds doodsbang. Ze was zichtbaar uitgeput; de tijd dat ze zich verscholen had gehouden voor haar oom had haar uitgesleten zoals een gestage waterstroom een steen in de rivier uitslijt. Ze zat met opgetrokken schouders en gebogen hoofd, alsof ze alleen nog wilde verdwijnen.

'Toen u weg was,' begon Rebecca, 'ben ik naar mijn kamer gegaan.'

'Nu heb je het over maandag?'

Rebecca knikte. 'Mama zei dat ik moest gaan liggen.'

'Wat gebeurde er toen?'

'Ik kreeg het koud en toen ik mijn dekens opensloeg vond ik daar wat papieren.'

'Wat waren dat voor papieren?' vroeg Lena.

Rebecca keek Terri aan en die gaf haar met een knikje te kennen dat ze door kon gaan. Even zweeg Rebecca, haar blik op haar nicht gericht. Toen stak ze haar hand in de zak van haar jurk en haalde er een keurig gevouwen stapeltje papieren uit. Lena wierp er een blik op en gaf ze aan Jeffrey. Hij zag dat het de originelen waren van de verzekeringspolissen die Frank inmiddels boven water had gekregen.

Lena leunde achterover en keek het meisje aandachtig aan. 'Waarom vond je ze toen pas en niet op zondag?'

Weer wierp Rebecca een blik op Terri. 'Zondagnacht heb ik bij mijn tante Rachel geslapen. Mijn moeder vond het niet goed dat ik mee ging zoeken naar Abby.'

Jeffrey herinnerde zich dat Esther in het restaurant iets van dezelfde strekking had gezegd. Toen hij opkeek van de documenten, ving hij nog net de blik op die de twee nichtjes wisselden.

Blijkbaar had Lena die ook gezien. Ze legde haar hand met de palm naar beneden op tafel. 'Wat nog meer, Becca? Wat heb je verder nog gevonden?'

Terri beet weer op haar lip terwijl Rebecca naar Lena's hand staarde.

'Abby vertrouwde erop dat ze die documenten in goede handen had achtergelaten,' zei Lena op onbewogen toon. 'Je mag dat vertrouwen niet beschamen.'

Rebecca staarde zo lang naar Lena's hand dat Jeffrey zich begon af te vragen of het meisje in trance was. Ten slotte sloeg ze haar blik op naar Terri en knikte. Zonder iets te zeggen liep Terri naar de koelkast en trok wat magneetjes weg die de kindertekeningen op hun plaats hielden. Pas nadat ze een hele laag papier had verwijderd werd het metalen oppervlak zichtbaar.

'Dale kijkt hier nooit,' zei ze terwijl ze vanonder een stakerige kindertekening van een kruisiging het opgevouwen blad van een grootboek te voorschijn haalde. In plaats van het papier aan Jeffrey of Lena te overhandigen gaf ze het aan Rebecca. Langzaam vouwde het meisje het open en schoof het toen over de tafel naar Lena toe.

Lena liet haar blik over het blad gaan. 'Lag dit ook in je

bed?' vroeg ze. Jeffrey keek over haar schouder mee en zag een lijst met namen, waaronder hij die van arbeiders op de boerderij herkende. De kolommen waren uitgesplitst naar geldbedragen en datums, sommige in het verleden, andere in de toekomst. In gedachten vergeleek Jeffrey de datums met de polissen. Met een schok besefte hij dat wat hij voor zich zag een soort inkomstenraming was waarop werd bijgehouden wie de begunstigde van welke polis was en wanneer het geld naar verwachting geïncasseerd kon worden.

'Dit heeft Abby voor me achtergelaten,' zei Rebecca. 'Om een of andere reden wilde ze dat ik dit kreeg.'

'Waarom heb je het aan niemand laten zien?' vroeg Lena. 'Waarom ben je weggelopen?'

Terri antwoordde voor haar nichtje. Ze sprak heel zacht, alsof ze bang was dat ze zich moeilijkheden op de hals zou halen. 'Paul,' zei ze. 'Dat is zijn handschrift.'

De tranen stonden in Rebecca's ogen. Lena keek haar vragend aan en toen ze knikte, voelde Jeffrey de spanning stijgen. De waarheid die eindelijk aan het licht kwam was totaal anders dan wat hij verwacht had. Het was duidelijk dat de meisjes doodsbang waren voor wat ze in hun handen hielden, en ook al hadden ze het nu aan de politie gegeven, dat nam hun angst geenszins weg.

'Zijn jullie bang voor Paul?' vroeg Lena.

Rebecca knikte, evenals Terri.

Weer bestudeerde Lena het papier, hoewel Jeffrey er zeker van was dat ze elk woord dat erop stond begreep. 'Dus je hebt dit maandag gevonden, en je wist dat het Pauls handschrift was.'

Toen Rebecca niet reageerde, zei Terri: 'Die avond kwam ze hier, ziek van ellende. Dale lag uitgeteld op de bank. Ik heb haar toen in de schuur verstopt, tot we hadden bedacht wat we moesten doen.' Ze schudde haar hoofd. 'Niet dat we ook maar iets kunnen doen.'

'Je hebt Sara die waarschuwing gestuurd,' hielp Jeffrey haar herinneren.

Terri haalde een schouder op, alsof ze wilde aangeven dat die brief een wel heel lafhartige manier was om de waarheid te onthullen.

Op vriendelijke toon vroeg Lena aan Terri: 'Waarom heb je hierover niks tegen je familie gezegd? Waarom heb je hun die documenten niet laten zien?'

'Paul is hun held. Ze zien niet wat hij in werkelijkheid is.'

'Wat is hij dan?'

'Een monster,' antwoordde Terri. Haar ogen vulden zich met tranen. 'Hij doet alsof je hem kunt vertrouwen, alsof hij je beste vriend is, en dan draait hij zich om en steekt een mes in je rug.'

'Hij is slecht,' mompelde Rebecca instemmend.

Terri's stem klonk krachtiger toen ze haar verhaal vervolgde, maar haar ogen stonden nog steeds vol tranen. 'Hij doet vreselijk aardig, alsof hij aan jouw kant staat. Willen jullie weten hoe ik aan mijn eerste drugs kwam?' Ze perste haar lippen op elkaar en keek naar Rebecca, waarschijnlijk omdat ze zich afvroeg of ze dit wel kon zeggen waar het meisje bij was. 'Van hem,' zei ze. 'Paul gaf me mijn eerste lijntje coke. We waren op zijn kamer en hij zei dat ik het gerust kon nemen. Ik wist niet eens wat het was, het had net zo goed aspirine kunnen zijn.' Woede welde in haar op. 'Hij heeft me aan de drugs geholpen.'

'Waarom deed hij dat?'

'Gewoon omdat hij het kon,' zei Terri. 'Daar krijgt hij echt een kick van: dat hij ons op het slechte pad kan brengen. Dat hij iedereen in zijn macht heeft en dan rustig kan toekijken hoe wij naar de bliksem gaan.'

'Hoe brengt hij jullie dan op het slechte pad?' vroeg Lena, en Jeffrey wist waar ze op aanstuurde.

'Niet zoals je denkt,' zei Terri. 'Jezus, het zou een stuk makkelijker zijn als hij ons neukte.' Rebecca verstarde en Terri matigde haar taal. 'Hij vindt het fijn om ons te vernederen,' zei ze. 'Hij kan meisjes niet uitstaan, hij haat ons allemaal, hij vindt ons stom.' De tranen begonnen te vloeien en Jeffrey zag dat haar woede voortkwam uit een schrijnend gevoel van verraad. 'Mama en de rest denken dat hij Jezus is. Nadat ik haar over Cole had verteld, is ze meteen naar Paul gegaan en Paul heeft toen gezegd dat ik het allemaal zat te verzinnen, en ze geloofde hem op z'n woord.' Ze snoof van afkeer. 'Het is zo'n gigantische klootzak. Hij doet heel vriendelijk, zodat je denkt dat je hem kunt vertrouwen, en als je dat doet, straft hij je.'

'Maar niet zelf, hoor,' zei Rebecca, nauwelijks verstaanbaar. Jeffrey merkte dat het het meisje moeite kostte om toe te geven dat haar oom tot zo veel slechts in staat was. Niettemin vervolgde ze: 'Dat laat hij Cole opknappen. En dan doet hij net alsof hij niet weet wat er aan de hand is.'

Terri, die met bevende handen haar tranen wegveegde, beaamde dat het zo in z'n werk ging.

Lena zweeg even en vroeg toen: 'Rebecca, heeft hij jou ooit begraven?'

Langzaam schudde ze haar hoofd en toen zei ze: 'Abby heeft me verteld dat hij dat met haar had gedaan.'

'Hoe vaak?'

'Twee keer. Plus deze laatste keer...' voegde ze eraan toe.

'O god,' zei Terri met verstikte stem. 'Ik had het kunnen tegenhouden. Ik had iets kunnen zeggen...'

'Je had niks kunnen uitrichten,' zei Lena, hoewel Jeffrey het betwijfelde.

'Die kist...' begon Terri, en bij de gedachte eraan kneep ze haar ogen dicht. 'Hij komt elke dag terug, om te bidden. Je kunt hem door de buis heen horen. Soms begint hij heel hard te schreeuwen en dan krimp je in elkaar, maar tegelijkertijd ben je vreselijk blij dat daarbuiten iemand is, dat je niet helemaal alleen bent.' Met haar vuist veegde ze haar ogen af en in haar stem klonk een mengeling van verdriet en woede. 'De eerste keer dat hij dat met me gedaan had, ging ik naar Paul, en Paul beloofde me dat hij met hem zou praten. Wat was ik stom. Het heeft ik weet niet hoe lang geduurd voor ik doorhad dat Paul hem daar opdracht toe gaf. Cole kon onmogelijk al die dingen over me weten: wat ik uitspookte en met wie. Het kwam allemaal van Paul.'

Rebecca snikte het nu uit. 'We konden nooit iets goeds doen. Hij zat Abby altijd op de huid, hij probeerde haar altijd onderuit te halen. Dan zei hij dat het niet lang meer zou duren of een of andere vent zou haar haar verdiende loon geven.'

'Chip.' Terri spuwde de naam uit. 'Met mij heeft hij hetzelfde gedaan. Hij heeft Adam op m'n pad gestuurd.'

'Heeft Paul ervoor gezorgd dat Abby iets met Chip kreeg?' vroeg Jeffrey.

'Hij hoefde er alleen maar voor te zorgen dat ze heel vaak samen waren. Mannen kunnen oerstom zijn.' Ze bloosde, alsof ze opeens besefte dat Jeffrey ook een man was. 'Ik bedoel...'

'Geeft niet,' zei Jeffrey, die haar er maar niet op wees dat vrouwen even stom konden zijn. Als dat niet zo was, zou hij zonder werk zitten.

'Hij vond het gewoon fijn als er rottigheid was,' zei Terri. 'Hij speelt graag de baas; dan zet hij mensen op een voetstuk en laat ze even hard weer vallen.' Ze beet op haar onderlip en uit het wondje sijpelde wat bloed. Met de jaren had haar woede kennelijk nog niets aan felheid ingeboet. 'Niemand zet hem ooit voor het blok. Iedereen gaat er gewoon van uit dat hij de waarheid spreekt. Hij wordt aanbeden.'

Rebecca had al een tijdje gezwegen, maar Terri's woorden leken haar nieuwe kracht te geven. Ze keek op en zei: 'Oom Paul liet Chip samen met Abby op het kantoor werken. Chip had geen greintje verstand van dat soort werk, maar Paul zorgde er wel voor dat ze vaak samen waren, zodat er allerlei dingen konden gebeuren.'

'Wat voor dingen?' vroeg Lena.

'Wat dacht je?' zei Terri. 'Ze verwachtte een kind.'

Rebecca hapte naar adem toen ze dit hoorde en ze keek haar nicht verbijsterd aan.

'Sorry, Becca,' haastte Terri zich te zeggen. 'Dat had ik je niet moeten vertellen.'

'Die baby,' fluisterde Rebecca met haar hand op haar borst. 'Haar baby is dood.' Tranen stroomden over haar wangen. 'O, lieve Heer. Hij heeft haar baby ook vermoord.'

Lena zei geen woord meer. Jeffrey observeerde haar nauwlettend en vroeg zich af waarom Rebecca's woorden haar zo diep raakten. Terri staarde al even wezenloos naar de koelkast, haar blik op de kleurige kindertekeningen gericht. Leeuw. Tijger. Beer. Allemaal roofdieren. Net als Paul.

Jeffrey had geen idee wat er aan de hand was, maar hij wist wel dat Lena een belangrijke vraag had gesteld. Nu nam hij het over en vroeg: 'Wie heeft haar baby vermoord?'

Rebecca keek naar Terri en toen richtten ze hun blik beiden op Jeffrey.

'Cole,' zei Terri, alsof dat nogal logisch was. 'Cole heeft haar vermoord.'

'Hij heeft Abby dus vergiftigd?' vroeg Jeffrey voor alle duidelijkheid.

'Vergiftigd?' herhaalde Terri beduusd. 'Ze is gestikt.'

'Nee, dat is ze niet, Terri. Abby is vergiftigd. Iemand heeft haar cyanide toegediend,' legde Jeffrey uit.

Terri zakte weg op haar stoel en naar haar gezicht te oordelen begreep ze eindelijk wat er gebeurd was. 'Dale heeft cyanide in zijn garage.'

'Dat klopt,' beaamde Jeffrey.

'Paul is er binnen geweest,' zei ze. 'Hij kwam er heel vaak.'

Jeffrey hield zijn blik op Terri gericht en onderwijl hoopte hij vurig dat Lena inzag hoe ze de zaak twee dagen daarvoor had verknald door na te laten Terri die ene simpele vraag te stellen. Nu stelde hij hem. 'Wist Paul van de cyanide af?'

Ze knikte. 'Ik kwam een keer binnen toen ze er allebei waren. Dale was onderdelen aan het verchromen voor een van Pauls auto's.'

'Wanneer was dat?'

'Een maand of vier, vijf geleden,' zei ze. 'Zijn moeder was aan de telefoon en ik ging erheen om hem te roepen. Dale werd woedend, want ik mocht daar helemaal niet komen. Paul vond het ook niet prettig dat ik er was. Hij wilde me niet eens aankijken.' Haar gezicht betrok en Jeffrey merkte dat ze het eigenlijk niet wilde vertellen waar haar nichtje bij was. 'Dale maakte een grapje over de cyanide. Gewoon om een beetje indruk op Paul te maken, om hem te laten zien hoe stom ik was.'

Jeffrey kon wel raden wat voor grapje het was, maar toch moest hij het uit haar eigen mond horen. 'En wat zei Dale, Terri?'

Weer beet ze op haar lip en er verscheen een vers straaltje bloed. 'Dale zei dat hij binnenkort cyanide in mijn koffie zou stoppen en dat ik het pas door zou hebben als het in mijn

maag terechtkwam en de maagsappen het gif activeerden.'
Haar onderlip beefde, maar nu was het van walging. 'Hij zei
dat ik een langzame dood zou sterven, dat ik me bewust zou
zijn van alles wat er gebeurde en dat hij dan zou toekijken
als ik op de vloer lag te kronkelen en in mijn broek scheet.
Hij zei dat hij me dan tot op de laatste seconde in de ogen
zou kijken, zodat ik wist dat hij degene was die het gedaan
had.'
    'Wat deed Paul toen Dale dat zei?' vroeg Jeffrey.
    Terri keek Rebecca aan, stak haar hand naar haar uit en
streelde haar haren. Het kostte haar nog steeds moeite om
slechte dingen over Dale te zeggen en Jeffrey vroeg zich af
waartegen ze het meisje wilde beschermen
    Jeffrey herhaalde zijn vraag: 'Wat deed Paul toen Dale dat
zei, Terri?'
    Terri liet haar hand op Rebecca's schouder vallen. 'Niks,'
zei ze. 'Ik dacht dat hij zou gaan lachen, maar hij deed helemaal niks.'

Voor de derde keer keek Jeffrey op zijn horloge en toen naar
de secretaresse die als een waakhond voor Pauls werkkamer
op de boerderij zat. Ze was niet zo'n kletskous als die in
Savannah, maar al even beschermend waar het haar baas betrof. De deur achter haar stond open en Jeffrey zag dure leren
stoelen en een bureau dat uit twee enorme brokken marmer
bestond die met een glasplaat waren afgedekt. Aan de muren
van de kamer waren planken bevestigd waarop in leer gebonden wetboeken en golftrofeeën pronkten. Terri Stanley
had gelijk: haar oom was gek op speeltjes.
    Pauls secretaresse keek op van haar computer en zei: 'Paul
kan hier elk moment zijn.'
    'Ik wil ook wel in zijn kamer wachten,' stelde Jeffrey voor,
want dan kon hij Pauls spullen eens wat beter bekijken.
    Alleen al bij het idee moest de secretaresse lachen. 'Hij
vindt het niet eens goed dat ik er binnenga als hij weg is,'
zei ze, zonder haar getyp te staken. 'Blijft u hier maar zitten
wachten. Hij is er zo.'
    Jeffrey sloeg zijn armen over elkaar en leunde achterover.
Hoewel hij er nog maar vijf minuten zat, besefte hij nu al

dat hij de jurist beter zelf kon gaan zoeken. De secretaresse had haar baas niet gebeld om het bezoek van de politiecommissaris aan te kondigen, maar zijn witte Town Car met het overheidsnummerbord zag je niet licht over het hoofd. Bovendien had Jeffrey de auto pal voor de hoofdingang van het gebouw geparkeerd.

Weer keek hij op zijn horloge en hij constateerde dat er opnieuw een minuut was verstreken. Hij had Lena in het huis van de Stanleys achtergelaten zodat zij een oogje op de twee dames kon houden. Hij wilde voorkomen dat Terri uit schuldgevoel iets doms zou doen, zoals haar tante Esther bellen, of erger nog: haar oom Lev. Jeffrey had tegen hen gezegd dat Lena achterbleef om hen te beschermen, en geen van beiden hadden ze hiertegen geprotesteerd. Brad had Dale ingerekend op beschuldiging van verzet, maar daar konden ze hem hooguit een dag voor vasthouden. Jeffrey betwijfelde ten zeerste of Terri haar medewerking zou verlenen aan een aanklacht. Ze was amper dertig, zat met twee zieke kinderen opgescheept en had bij zijn weten geen aantoonbare werkervaring. Misschien was het het beste als hij Pat Stanley belde en tegen hem zei dat hij bij zijn broer thuis orde op zaken moest gaan stellen. Als Jeffrey het voor het zeggen had, lag Dale nu op de bodem van een mijnschacht.

'Dominee Ward?' zei de secretaresse, en toen Jeffrey opkeek zag hij dat Lev zijn hoofd om de hoek van de deur had gestoken. 'Weet u waar Paul is? Hij heeft bezoek.'

'Commissaris Tolliver,' zei Lev. Hij stapte het vertrek binnen, zijn handen afdrogend aan een papieren handdoekje, en Jeffrey concludeerde dat hij van het toilet kwam. 'Is er iets?'

Jeffrey nam de man aandachtig op, want nog steeds was hij er niet honderd procent van overtuigd dat Lev van niks wist. Rebecca en Terri hadden met klem beweerd dat alles zich aan zijn waarneming onttrok, maar Jeffrey had wel begrepen dat Lev Ward het hoofd van de familie was. Hij kon zich niet voorstellen dat Paul onder de ogen van zijn oudere broer ongestraft dit soort streken kon uithalen.

'Ik ben op zoek naar je broer,' zei Jeffrey.

Lev keek op zijn horloge. 'Over twintig minuten hebben

we een vergadering. Hij is vast niet ver weg.'

'Ik moet hem nu spreken.'

'Kan ik u anders helpen?' opperde Lev.

Jeffrey was blij dat hij zo meewerkte. 'Laten we dan maar naar jouw kamer gaan,' zei hij.

'Gaat het over Abby?' vroeg Lev terwijl hij over de gang naar de achterkant van het gebouw liep. Hij droeg een verschoten spijkerbroek, een flanellen shirt en versleten cowboylaarzen die zo te zien al een keer of tien verzoold waren. Aan zijn riem had hij een leren schede gehaakt waarin een stanleymes met uitschuifbaar lemmet zat.

'Ben je tapijt aan het leggen?' vroeg Jeffrey met een achterdochtige blik op het stuk gereedschap, waarvan het buitengewoon scherpe mes werkelijk overal doorheen sneed.

Lev was even in de war. 'O dat,' zei hij en hij keek langs zijn zij naar beneden alsof het hem verbaasde het ding daar te zien hangen. 'Dat is om dozen mee open te snijden,' legde hij uit. 'Op vrijdag komen de bestellingen altijd binnen.' Voor een open deur bleef hij staan. 'Hier is het.'

Jeffrey las het bordje op de deur: PRIJS DE HEER EN TREED BINNEN!

'Mijn nederige verblijf,' zei Lev, om zich heen wijzend.

In tegenstelling tot zijn broer had Lev geen secretaresse die zijn territorium verdedigde. Zijn kamer was klein, niet veel groter dan die van Jeffrey. In het midden stond een metalen bureau met erachter een stoel op wieltjes, zonder armleuningen. Ervoor waren twee klapstoeltjes opgesteld en de hele vloer stond vol nette stapeltjes boeken. Kleurige kindertekeningen, waarschijnlijk van Zeke, zaten met punaises aan de muren.

'Excuses voor de troep,' zei Lev. 'Volgens mijn vader wijst een rommelig kantoor op een rommelige geest.' Hij moest lachen. 'Hij zal wel gelijk hebben.'

'De kamer van je broer is wel wat... imposanter.'

Weer moest Lev lachen. 'Toen hij klein was kreeg hij voortdurend van mijn vader op z'n kop, maar Paul is nu volwassen en een beetje te oud om nog over de knie te worden gelegd.' Zijn toon werd ernstig. 'IJdelheid is een zonde, maar hebben we niet allemaal onze zwakke plekken?'

Jeffrey keek over zijn schouder de gang op. Tegenover de kamer was een zijgangetje met een faxapparaat. 'Wat is jouw zwakke plek?' vroeg hij.

Daar moest Lev even over nadenken. 'Mijn zoon.'

'Wie is Stephanie Linder?'

Lev keek perplex. 'Waarom vraagt u dat?'

'Geef maar antwoord op mijn vraag.'

'Dat was mijn vrouw. Ze is vijf jaar geleden gestorven.'

'Weet je dat zeker?'

Nu werd hij verontwaardigd. 'Als er iemand is die weet of mijn vrouw dood is, dan ben ik het wel.'

'Ik was alleen maar nieuwsgierig,' zei Jeffrey. 'Weet je, je zus Mary kwam vandaag op het bureau en vertelde me dat ze een dochter heeft. Ik kan me niet herinneren dat dat ooit ter sprake is gekomen.'

Lev was zo verstandig een berouwvol gezicht te trekken. 'Ja, dat klopt. Ze heeft inderdaad een dochter.'

'Een dochter die haar familie ontvlucht is.'

'Genie – of Terri, zo wordt ze tegenwoordig liever genoemd – was een heel lastige puber. Ze heeft een zeer roerig leven achter de rug.'

'Je zou zeggen dat haar leven nog steeds roerig is. Vind je niet?'

Lev nam het voor zijn nichtje op. 'Ze is weer op het rechte pad. Maar het is een meisje met trots. Ik hoop nog steeds dat ze zich weer met de familie verzoent.'

'Haar man slaat haar.'

Levs mond viel open van verbazing. 'Dale?'

'Cole heeft haar ook in een kist gestopt, net als Abby. Ze was toen ongeveer even oud als Rebecca nu. Heeft Mary je dat nooit verteld?'

Lev legde zijn hand op het bureau, alsof hij niet zonder steun overeind kon blijven. 'Waarom zou...' Zijn stem haperde toen tot hem doordrong wat Cole Connolly al die jaren eigenlijk had uitgespookt. 'Mijn god,' fluisterde hij.

'Drie keer, Lev. Cole heeft Abby drie keer in die kist gestopt. De laatste keer kwam ze er niet levend uit.'

Lev sloeg zijn blik op naar het plafond, maar tot Jeffreys opluchting deed hij dat om de tranen in zijn ogen terug te dringen, niet om spontaan in gebed uit te barsten. Jeffrey gaf de man wat ruimte, liet hem een ogenblik worstelen met zijn emoties.

Ten slotte vroeg Lev: 'Met wie... Met wie heeft hij dat nog meer gedaan?' Jeffrey gaf geen antwoord, hoewel het hem deugd deed om de woede in Levs stem te bespeuren. 'Mary vertelde ons dat Genie naar Atlanta was gegaan om abortus te laten plegen.' Blijkbaar wilde hij anticiperen op Jeffreys volgende opmerking, want hij zei: 'Mijn vader houdt er nogal strikte ideeën omtrent het leven op na, commissaris Tolliver, evenals ik. Niettemin...' Hij zweeg, alsof hij zijn gedachten moest ordenen. 'We zouden ons nooit van haar hebben afgewend. Nooit. We doen allemaal weleens dingen die God niet goedkeurt. Dat wil nog niet zeggen dat we slechte mensen zijn. Onze Genie – Terri – was geen slecht meisje. Ze was gewoon een puber die iets verkeerds had gedaan – iets vreselijk verkeerds. We hebben naar haar gezocht. Ik heb naar haar gezocht. Ze wilde niet gevonden worden.' Hij schudde zijn hoofd. 'Als ik had geweten...'

'Iemand was ervan op de hoogte,' zei Jeffrey.

'Nee,' zei Lev met klem. 'Als iemand van ons had geweten wat Cole in zijn schild voerde, dan zouden er strenge maatregelen zijn genomen. Dan zou ik zelf de politie hebben ingeschakeld.'

'Je vindt het anders niet zo prettig om de politie ergens bij te betrekken.'

'Dat is ter bescherming van onze arbeiders.'

'Het begint erop te lijken dat je je familie aan gevaar hebt blootgesteld terwijl je een stel onbekenden probeerde te beschermen.'

Levs kaak verstrakte. 'Ik snap dat u er zo tegenaan kijkt.'

'Waarom wilde je de vermissing van Rebecca niet melden?'

'Die komt altijd terug,' zei hij. 'U moet weten dat het een heel eigenzinnig meisje is. We kunnen niks uitrichten...' Hij maakte zijn zin niet af. 'U denkt toch niet...' stamelde hij. 'Cole...?'

'Of Cole Rebecca ook heeft begraven, net als die andere meisjes?' Jeffrey maakte de vraag voor hem af en ondertussen keek hij Lev scherp aan om te ontdekken wat er in de man omging. 'Wat denk je zelf, dominee Ward?'

Langzaam ademde Lev uit, alsof het hem moeite kostte om alles te verwerken. 'We moeten haar vinden. Ze gaat altijd het bos in – mijn god, het bos...' Hij zette een stap in de richting van de deur, maar Jeffrey hield hem tegen.

'Ze is veilig,' zei Jeffrey.

'Waar is ze?' vroeg Lev. 'Breng me naar haar toe. Esther weet zich geen raad.'

'Ze is veilig,' was het enige wat Jeffrey erover losliet. 'Ik wil nog een paar dingen met je bespreken.'

Lev zag dat hij langs Jeffrey heen zou moeten als hij de deur uit wilde. Dat gevecht zou Jeffrey ongetwijfeld winnen, maar die was blij dat de ander het niet op de spits dreef.

'Zou u dan in elk geval haar moeder willen bellen?' vroeg Lev.

'Dat heb ik al gedaan,' loog Jeffrey. 'Esther was vreselijk opgelucht toen ze hoorde dat ze veilig was.'

Lev ging weer zitten, gerustgesteld maar nog zichtbaar verward. 'Dit verwerk je niet zomaar.' Net als zijn nichtje beet ook hij steeds op zijn onderlip. 'Waarom vroeg u zonet naar mijn vrouw?'

'Heeft ze ooit een huis in Savannah gehad?'

'Natuurlijk niet,' was zijn antwoord. 'Stephanie heeft haar hele leven hier gewoond. Volgens mij is ze zelfs nooit in Savannah geweest.'

'Hoe lang werkt Paul daar al?'

'Pak 'm beet een jaar of zes.'

'En waarom in Savannah?'

'Daar in de buurt zitten heel veel leveranciers en handelaars. Hij kan beter zaken met ze doen als hij ze persoonlijk kent.' Op enigszins schuldbewuste toon voegde hij eraan toe: 'De boerderij is te saai voor Paul. Die moet af en toe naar de stad.'

'Gaat zijn vrouw nooit met hem mee?'

'Hij heeft zes kinderen,' merkte Lev op. 'Hij is uiteraard ook heel vaak thuis.'

Jeffrey merkte dat hij de vraag verkeerd had begrepen, maar

misschien was het in deze familie normaal dat een man om de andere week zijn vrouw met de kinderen liet zitten. Jeffrey kon niet gauw een man bedenken die een dergelijke situatie niet toejuichte, maar hij wist geen enkele vrouw die er blij mee zou zijn.

'Ben je weleens in zijn huis in Savannah geweest?' vroeg hij.

'Heel vaak,' antwoordde Lev. 'Hij woont in een flat boven het kantoor.'

'Dus hij woont niet in een huis aan Sandon Square?'

Lev bulderde van het lachen. 'Dat dacht ik niet,' zei hij. 'Dat is een van de chicste straten van de stad.'

'En daar is je vrouw ook nooit geweest?'

Weer schudde Lev zijn hoofd, en lichtelijk geïrriteerd zei hij: 'Ik heb al uw vragen naar beste vermogen beantwoord. Wanneer gaat u me nou eindelijk eens vertellen waar dit allemaal op slaat?'

Jeffrey besloot dat het moment was aangebroken om een tipje van de sluier op te lichten. Hij haalde de originele verzekeringspolissen uit zijn zak en overhandigde ze aan Lev. 'Deze heeft Abby voor Rebecca achtergelaten.'

Lev nam de papieren aan, vouwde ze open en spreidde ze uit op zijn bureau. 'Hoezo achtergelaten?'

Jeffrey antwoordde niet, maar dat merkte Lev al niet meer. Gebogen over zijn bureau ging hij al lezend met zijn vinger over de pagina's. Het viel Jeffrey op hoe strak zijn kaak stond en wat een woede er uit zijn hele houding sprak.

Lev rechtte zijn rug. 'Deze mensen hebben allemaal bij ons op de boerderij gewoond.'

'Dat klopt.'

'Deze hier.' Hij hield een van de papieren omhoog. 'Dat is Larry. Die is weggelopen. Cole zei dat hij weggelopen was.'

'Hij is dood.'

Lev staarde hem aan; zijn blik streek over Jeffreys gezicht alsof hij ervan wilde aflezen welke kant dit op ging.

Jeffrey pakte zijn aantekenboekje en zei: 'Larry Fowler is vorig jaar op 28 juli gestorven aan alcoholvergiftiging. Hij is om negen uur 's avonds opgehaald door de lijkschouwer van Catoogah County.'

Lev bleef hem een paar tellen aanstaren zonder het hele-maal te kunnen geloven. 'En deze?' vroeg hij en hij hield het blad omhoog. 'Mike Morrow. Die reed vorig jaar op de trek-ker. Hij had een dochter in Wisconsin. Cole zei dat hij bij haar was gaan wonen.'

'Overdosis. Op 13 augustus, 's middags om twintig voor een.'

'Waarom zei hij tegen ons dat ze waren weggelopen terwijl ze in werkelijkheid dood waren?' vroeg Lev.

'Ik vermoed dat het moeilijk viel uit te leggen waarom er hier op de boerderij de afgelopen twee jaar zo veel mensen zijn gestorven.'

Hij keek weer naar de polissen en nam de papieren vluch-tig door. 'Denkt u... Denkt u dat ze...'

'Je broer heeft de crematie van negen lichamen betaald.'

Levs gezicht was al grauw, maar toen de betekenis van Jef-freys woorden tot hem doordrong, werd het lijkbleek. 'Deze handtekeningen,' stamelde hij en weer bestudeerde hij de documenten. 'Dat is mijn handtekening niet,' zei hij en hij wees naar een van de documenten. 'En deze,' zei hij. 'Dat is Mary's handtekening helemaal niet, ze is links. En die daar is absoluut niet van Rachel. Waarom zou ze een levensver-zekering nemen voor een man die ze niet eens kende?'

'Zeg het maar.'

'Dit is foute boel,' zei hij en hij verfrommelde de papieren in zijn vuist. 'Wie doet zoiets?'

'Zeg het maar,' herhaalde Jeffrey.

Op Levs slaap klopte een adertje. Met opeengeklemde ka-ken bladerde hij de documenten weer door. 'Had hij ook een polis voor mijn vrouw?'

'Dat weet ik niet,' antwoordde Jeffrey naar waarheid.

'Hoe komt u trouwens aan haar naam?'

'Alle polissen staan geregistreerd op een adres aan Sandon Square. Als eigenaar wordt Stephanie Linder vermeld.'

'Hij... gebruikte... dus...' Lev was zo razend dat hij er amper een woord uit kreeg. 'Hij gebruikte dus de naam van mijn... van mijn vrouw... voor dit hier?'

Jeffrey had tijdens zijn loopbaan al menig volwassen man in tranen zien uitbarsten, maar meestal was dat omdat zo iemand een beminde had verloren of – en dat was meer regel dan uitzondering – omdat hij besefte dat hij de bak in zou draaien en opeens vervuld was van zelfmedelijden. De tranen van Lev Ward kwamen voort uit pure woede.

'Rustig aan,' zei Jeffrey toen Lev hem aan de kant duwde. 'Waar ga je naartoe?'

Lev rende de gang door in de richting van Pauls kamer. 'Waar is hij?' wilde hij weten.

'Ik weet niet...' hoorde Jeffrey de secretaresse zeggen.

Lev was al op weg naar de voordeur met Jeffrey op zijn hielen. De predikant maakte geen al te fitte indruk, maar hij nam wel grote passen. Tegen de tijd dat Jeffrey het parkeerterrein had bereikt, stond Lev al bij zijn auto. Maar in plaats van in te stappen bleef Lev daar als versteend staan.

Jeffrey liep op een drafje naar hem toe. 'Lev?'

'Waar is hij?' grauwde hij. 'Laat me tien minuten met hem alleen. Tien minuten maar.'

Jeffrey had niet kunnen vermoeden dat de zachtaardige man van God het in zich had. 'Lev, ga nou weer naar binnen.'

'Hoe kon hij ons dit aandoen?' vroeg hij. 'Hoe kon hij...' Kennelijk begon het tot Lev door te dringen wat het mogelijk nog meer inhield. Hij keerde zich naar Jeffrey toe. 'Heeft hij mijn nichtje vermoord? Heeft hij Abby vermoord? En Cole ook?'

'Ik denk het wel,' zei Jeffrey. 'Hij wist hoe hij aan cyanide kon komen. Hij wist ook hoe hij die moest gebruiken.'

'Mijn God,' zei Lev, en het was niet zomaar een uitroep maar een oprechte bede. 'Waarom?' vroeg hij wanhopig. 'Waarom zou hij zoiets doen? Abby, die geen vlieg kwaad deed.'

Jeffrey deed geen poging om zijn vragen te beantwoorden. 'We moeten je broer vinden, Lev. Waar is hij?'

Lev was zo woedend dat de woorden stokten in zijn keel. Schokkend schudde hij zijn hoofd.

'We moeten hem vinden,' herhaalde Jeffrey, en op dat moment piepte zijn telefoontje in zijn zak. Hij keek naar de nummermelder en zag dat het Lena was. Hij deed een paar passen opzij, klapte het telefoontje open en vroeg: 'Wat is er?'

Lena fluisterde, maar hij kon haar heel duidelijk verstaan. 'Hij is hier,' zei ze. 'Pauls auto draait net de oprit in.'

Zestien

Lena's hart bonsde in haar keel en ze kreeg er amper een woord uit.

'Niks doen tot ik er ben,' beval Jeffrey. 'Verstop Rebecca. Hij mag haar niet zien.'

'En als...'

'En al helemaal geen ge-als. Doe wat ik zeg.'

Lena wierp een blik op Rebecca en zag de doodsangst in haar ogen. Ze kon er nu een eind aan maken: ze zou Paul tegen de vlakte werpen en de hufter arresteren. Maar dan? Dan konden ze een bekentenis wel vergeten. Dan zou de jurist lachend voor de jury verschijnen en die zou de zaak wegens gebrek aan bewijs niet-ontvankelijk verklaren.

'Begrepen?' vroeg Jeffrey.

'Ja.'

'Zorg dat Rebecca niets overkomt,' beval hij. 'Zij is onze enige getuige. Dat is nu je taak, Lena. Verknal die niet.' Met een luide klik verbrak hij de verbinding.

Terri stond voor bij het raam en bracht verslag uit van elke stap die Paul zette. 'Hij is in de garage,' fluisterde ze. 'Hij is in de garage.'

Lena greep Rebecca bij de arm en trok haar mee de hal in. 'Naar boven,' beval ze, maar het meisje was verlamd van angst.

'Hij gaat achterom,' zei Terri. 'O god, schiet nou op!' Ze rende de gang door naar achteren zodat ze hem in de gaten kon houden.

'Rebecca,' zei Lena met klem om het meisje in beweging te krijgen, 'we moeten naar boven.'

'Maar als hij nou...' stamelde Rebecca. 'Ik kan niet...'

'Hij is in de schuur,' riep Terri. 'Becca, alsjeblieft! Naar boven!'

'Wat zal hij kwaad zijn!' jammerde Rebecca. 'O Heer, alstublieft...'

Terri's stem sloeg over. 'Hij komt naar het huis toe!'

'Rebecca,' drong Lena aan.

Terri rende de hal weer in en samen duwden en trokken ze het meisje in de richting van de trap.

'Mammie!' Tim greep zijn moeder vast en sloeg zijn armpjes om haar been.

Op strenge toon zei Terri tegen haar zoontje: 'Naar boven jij!' Toen hij zich niet snel genoeg in beweging zette, gaf ze hem een tik voor zijn billen.

De achterdeur ging open en ze bleven verstijfd staan. 'Terri?' riep Paul.

Tim was nu boven aan de trap, maar Rebecca was als versteend blijven staan, hijgend als een gewond dier.

'Terri?' herhaalde Paul. 'Waar zit je, verdomme?' Ze hoorden hem op z'n dooie gemak door de keuken lopen. 'Allejezus, wat is het hier een bende.'

Met uiterste krachtsinspanning pakte Lena Rebecca beet en sleurde haar de trap op. Tegen de tijd dat ze boven was, was ze buiten adem en had ze het gevoel dat haar binnenste in tweeën was gereten.

'Hier ben ik!' riep Terri naar haar oom. Haar schoenen klikten over de plavuizen van de hal toen ze naar de keuken liep. Lena hoorde hun gedempte stemmen en duwde Rebecca en Tim de dichtstbijzijnde kamer in. Te laat besefte ze dat het het kinderkamertje was.

Uit het ledikantje klonk een kirgeluidje en Lena was ervan overtuigd dat de baby wakker zou worden en het op een huilen zou zetten. Nadat er voor haar gevoel een eeuwigheid was verstreken, draaide het kind zijn hoofdje om en sukkelde weer in slaap.

'O Heer,' bad Rebecca fluisterend.

Lena legde haar hand op de mond van het meisje en liep heel zachtjes met haar naar de kast, Tim met zich meetrekkend. Eindelijk leek het tot Rebecca door te dringen en voorzichtig deed ze de deur open, haar ogen dichtgeknepen, alsof ze wachtte op een geluid dat Paul op hun aanwezigheid zou attenderen. Toen het stil bleef, liet ze zich op de vloer zakken, nam Tim in haar armen en verschool zich achter een stapel winterdekens.

Zachtjes en met ingehouden adem klikte Lena de deur dicht, wachtend tot Paul binnen kwam stormen. Hoewel wat hij zei nauwelijks boven het gebonk van haar eigen hart uit klonk, hoorde ze ineens zijn voetstappen naar boven galmen.

'Het lijkt hier wel een zwijnenstal,' riep Paul. Hij liep het huis door en ze hoorde hem spullen omvergooien. Lena wist dat het overal even netjes was en dat Paul alleen maar hufterig deed. 'Jezus christus, Terri, ben je soms weer aan de coke? Moet je die troep zien. Hoe kun je hier kinderen grootbrengen?'

Terri mompelde iets, waarop Paul riep: 'Geen grote bek jij!' Ze hoorde hem nu op de plavuizen in de hal en zijn stem bulderde als een aanzwellende donder langs de trap omhoog. Lena sloop op haar tenen naar de muur tegenover de babykamer en drukte zich er plat tegenaan. Paul ging nog steeds tegen Terri tekeer. Lena wachtte een paar tellen en schuifelde toen naar links, in de richting van de overloop bij de trap, zodat ze kon zien wat er beneden gebeurde. Jeffrey had gezegd dat ze Rebecca moest verstoppen en wachten tot hij was gearriveerd. Eigenlijk moest ze in de kamer blijven, de kinderen rustig houden, zorgen dat ze veilig waren.

Met ingehouden adem schoof Lena nog wat dichter naar de trap en wierp een blik naar beneden.

Paul had zijn rug naar haar toe gekeerd. Terri stond pal voor hem.

Snel glipte Lena weer terug en verschool zich achter de hoek. Haar hart ging als een bezetene tekeer en ze voelde de slagader aan de zijkant van haar hals kloppen.

'Wanneer komt hij terug?' wilde Paul weten.

'Ik weet het niet.'

'Waar is het logo van mijn auto?'

'Ik weet het niet.'

Op al zijn vragen had ze hem steeds hetzelfde antwoord

gegeven en nu snauwde Paul: 'Wat weet je eigenlijk wel, Terri?'

Ze zweeg en weer keek Lena even naar beneden om zich ervan te vergewissen dat ze er nog was.

'Hij komt zo terug,' zei Terri. Haar blik schoot naar Lena. 'Wacht maar op hem in de garage.'

'Wil je me soms het huis uit hebben?' vroeg hij. Paul draaide zich om en Lena deed snel een stap naar achteren. 'Waarom eigenlijk?'

Lena legde haar hand op haar borst om haar hart tot bedaren te brengen. Mannen zoals Paul beschikten over een bijna dierlijk instinct. Ze konden door muren heen horen, ze zagen alles wat er gebeurde. Ze keek op haar horloge en probeerde te berekenen hoeveel tijd er was verstreken sinds ze Jeffrey had gebeld. Het zou nog minstens een kwartier duren voor hij er was, ook al kwam hij met zwaailicht en loeiende sirene.

'Wat is er aan de hand, Terri?' vroeg Paul. 'Waar is Dale?'

'Die is weg.'

'Niet zo bijdehand, hè?' Lena hoorde een luide pets, huid tegen huid. Haar hart stond stil.

'Alsjeblieft,' zei Terri. 'Wacht nou maar in de garage.'

Nu ging Paul op een gemoedelijker toon over. 'Waarom wil je me eigenlijk niet in huis hebben, Terri?'

Weer klonk er een pets. Lena hoefde niet te kijken om te weten wat er was gebeurd. Ze kende dat misselijkmakende geluid, ze wist dat het een klap met de volle hand in het gezicht was, zoals ze ook maar al te goed wist hoe het voelde.

Uit de babykamer klonk geluid: Rebecca of Tim die ging verzitten in de kast, en toen hoorde ze het gekraak van een vloerplank. Verstijfd sloot Lena haar ogen. Ze moest wachten, had Jeffrey gezegd, ze moest Rebecca beschermen. Hij had haar niet verteld wat ze moest doen als Paul hen vond.

Lena deed haar ogen weer open. Opeens wist ze wat haar te doen stond. Voorzichtig trok ze haar pistool uit de holster en richtte het op de ruimte boven de trap. Paul was een forse kerel. Het enige wat in Lena's voordeel werkte, was het verrassingselement en voor geen goud zou ze dat uit handen geven. Ze kon haar triomf al bijna proeven als Paul straks de hoek om kwam en in plaats van een angstig kind aan te treffen een Glock in zijn verwaande smoel kreeg geduwd.

'Dat is Tim maar,' haastte Terri zich te zeggen.

Paul antwoordde niet, maar nu hoorde Lena voetstappen op de houten trap. Trage, behoedzame voetstappen.

'Dat is Tim,' herhaalde Terri. De voetstappen hielden halt. 'Hij is ziek.'

'Je hele gezin is ziek,' schamperde Paul en met kracht zette hij zijn schoen op de volgende tree. Hij droeg Gucci-loafers, die evenveel hadden gekost als een maand hypotheek voor dit huisje. 'En dat komt allemaal door jou, Terri. Door al die drugs die je gebruikt hebt, door al die lui die je geneukt hebt. En maar pijpen en je in je kont laten neuken. Wedden dat het geil je van binnenuit verrot?'

'Hou op!'

Lena sloeg haar hand om het wapen en hield het recht voor zich uit. Ze richtte op de overloop en wachtte tot hij boven was aangekomen zodat ze hem z'n gore bek kon snoeren.

'Het duurt niet lang meer,' zei hij, weer een tree hoger. 'Het duurt niet lang meer of ik moet het aan Dale vertellen.'

'Paul...'

'Hoe denk je dat hij het vindt als hij hoort waar hij zijn pik in stopt?' vroeg Paul. 'Al die kwak die daar binnen rondzwemt?'

'Ik was nog maar zestien!' snikte ze. 'Wat moest ik anders? Ik had toch geen keus!'

'En nu zijn je kinderen ziek,' zei hij, hoorbaar genietend van haar angst. 'Ziek door wat jij allemaal gedaan hebt. Ziek van alle ellende en ranzigheid in je lijf.' Toen ze zijn toon hoorde voelde Lena haar maag samenballen van haat. Ze had bijna geluid gemaakt om hem sneller boven te krijgen. Het pistool brandde in haar hand, klaar om af te gaan zodra ze hem onder schot had.

Weer nam hij een paar treden. 'Je was gewoon een kuthoer.'

Terri reageerde niet.

'En hang je nog steeds de slet uit?' vroeg hij, nog dichterbij. Een paar stappen en dan zou hij boven zijn. Zijn woorden waren weerzinwekkend en klonken Lena maar al te bekend in de oren. Het had net zo goed Ethan kunnen zijn die het tegen haar had. Ethan die de trap op kwam om haar verrot te slaan.

'Denk je dat ik niet weet waar je dat geld voor nodig had?' vroeg Paul. Twee treden van boven bleef hij staan, zo dichtbij dat Lena zijn zoetige eau de cologne kon ruiken. 'Driehonderdvijftig dollar,' zei hij en hij gaf een klap op de trapleuning alsof het een goeie grap was. 'Dat is een hoop geld, Ter. Wat heb je met al dat geld gedaan?'

'Ik zei toch dat ik het je zou terugbetalen?'

'Zie maar wanneer je het terugbetaalt,' zei hij, alsof hij een goede vriend van haar was in plaats van haar kwelgeest. 'Vertel eens waar het voor was, Genie. Ik wilde je alleen maar helpen.'

Knarsetandend zag Lena zijn schaduw op de overloop tot stilstand komen. Terri had Paul om geld gevraagd zodat ze de kliniek kon betalen. Hij had haar ongetwijfeld eerst door het stof laten kruipen en haar toen een trap na gegeven.

'Waar had je het voor nodig?' vroeg Paul, en nu verwijderden zijn voetstappen zich weer, want beneden had hij een gemakkelijker prooi gevonden. In gedachten riep Lena hem een halt toe, maar een paar tellen later hoorde ze zijn schoenen al met een harde plof op de plavuizen in de hal neerkomen, alsof hij van vrolijkheid de laatste treden had overgeslagen. 'Waar had je het voor nodig, hoer?' Terri antwoordde niet en de klap die hij haar gaf weergalmde in Lena's oren. 'Geef antwoord, slet!'

Met bevende stem zei Terri: 'Van dat geld heb ik de ziekenhuisrekeningen betaald.'

'Van dat geld heb je je baby uit je lijf laten snijden.'

Hijgend haalde Terri adem. Lena liet het pistool zakken en kneep haar ogen dicht toen ze het smartelijke geluid hoorde.

'Abby heeft het me verteld,' zei hij. 'Ze heeft me alles verteld.'

'Niet.'

'Ze was zo bezorgd om haar nichtje Terri,' vervolgde hij. 'Zo bang dat ze naar de hel zou gaan voor wat ze van plan was. Ik heb haar beloofd dat ik er met je over zou praten.'

Terri zei iets en Paul moest lachen. Lena dook de hoek om, haar geheven pistool op Pauls rug gericht, maar op dat moment gaf hij Terri zo'n harde klap in het gezicht dat ze op de vloer viel. Hij greep haar beet en draaide haar met een ruk om. Lena dook weg.

Ze sloot haar ogen en in slowmotion zag ze het hele tafereel weer voor zich. Hij had zich gebukt om Terri vast te grijpen en terwijl hij zich naar de trap toe keerde had hij haar overeind gesleurd. Onder zijn jasje stulpte iets uit. Droeg hij een pistool? Was hij gewapend?

Vol walging zei Paul: 'Sta op, slet.'

'Jij hebt haar vermoord,' zei Terri vol verwijt. 'Ik weet dat jij Abby hebt vermoord.'

'Pas op wat je zegt,' waarschuwde hij.

'Waarom?' jammerde Terri. 'Wat had Abby je misdaan?'

'Ze had het aan zichzelf te wijten,' zei hij. 'Jullie moeten die ouwe Cole niet op stang jagen, dat zouden jullie toch zo langzamerhand moeten weten.' Lena wachtte op Terri's reactie. Ze zou ongetwijfeld zeggen dat hij erger was dan Cole, dat hij hem dat allemaal had opgedragen, dat hij Cole had aangepraat dat de meisjes straf verdienden.

Terri zweeg echter en het enige wat Lena hoorde was het aanslaan van de koelkast in de keuken. Net toen ze om de hoek gluurde, kreeg Terri haar stem weer terug.

'Ik weet wat je met haar gedaan hebt,' zei ze. Lena verwenste haar plotselinge moed en vroeg zich af waarom ze uitgerekend nu moest laten zien dat ze lef had. Nog hooguit vijf minuten, dan kon Jeffrey er zijn.

'Ik weet dat jij haar die cyanide hebt gegeven,' zei Terri. 'Dale had je verteld hoe je die moest gebruiken.'

'En?'

'Waarom?' vroeg Terri. 'Waarom moest je Abby vermoorden? Ze heeft je nooit iets gedaan. Ze hield alleen maar van je.'

'Ze was slecht,' zei hij, alsof dat reden genoeg was. 'Dat wist Cole ook.'

'Dat heb jij tegen Cole gezegd,' zei Terri. 'Denk maar niet dat ik niet weet hoe het gaat.'

'Hoe wat gaat?'

'Jij zegt tegen hem dat we slecht zijn. Jij praat hem al die vreselijke ideeën aan en vervolgens straft hij ons.' Ze lachte bitter. 'Grappig dat God nooit tegen hem gezegd heeft dat hij de jongens moest straffen. Heb jij weleens in die kist gelegen, Paul? Heeft hij jou weleens begraven omdat je in Savannah naar de hoeren gaat en coke snuift?'

Snerend zei Paul: '"Ziet toch om naar die vervloekte en begraaft haar..."'

'Waag het niet me met bijbelteksten om de oren te slaan.'

'"Ze is weerspannig geweest tegen haar God,"' citeerde hij. '"Door het zwaard zullen zij vallen."'

Het was duidelijk dat Terri het vers ook kende. Haar woede deed de lucht stollen. 'Bek houden, Paul.'

'"Hun kleine kinderen zullen worden verpletterd... Hun zwangere vrouwen zullen worden opengereten."'

Zelfs de duivel kan de bijbel citeren als het hem uitkomt.

Hij lachte, alsof ze hem had afgetroefd.

'Jij bent al eeuwen geleden van je geloof gevallen,' zei ze.

'Dat moet jij zeggen.'

'Ik doe tenminste niet schijnheilig,' beet ze terug. Haar toon werd nu krachtiger, scherper. Dit was de vrouw die Dale had teruggeslagen. Dit was de vrouw die voor zichzelf had durven opkomen. 'Waarom heb je haar vermoord, Paul?' Ze zweeg even en vroeg toen: 'Was het vanwege de levensverzekeringen?'

Paul verstarde. Toen Terri de cyanide ter sprake had gebracht, had hij zich niet bedreigd gevoeld, maar Lena vermoedde dat de verzekeringspolissen een compleet nieuwe draai aan het verhaal gaven.

'Wat weet jij daarvan?' vroeg hij.

'Abby heeft me erover verteld, Paul. De politie is ook al op de hoogte.'

'Wat weet die dan?' Hij greep haar arm en draaide hem om. Lena's spieren spanden zich. Weer richtte ze haar Glock, in afwachting van het juiste moment. 'Wat heb je verteld, gek die je bent?'

'Laat me los.'

'Ik draai je kop van je nek, stomme teef. Zeg op: wat heb je de politie verteld?'

Tot Lena's grote schrik dook Tim opeens als uit het niets op, rende langs haar en tuimelde bijna de trap af om bij zijn moeder te komen. Lena stak haar handen naar het jochie uit, maar greep mis en dook snel weer weg voordat Paul haar zag.

'Mama!' gilde het kind.

Terri stootte een verbaasd geluidje uit en toen hoorde Lena haar zeggen: 'Tim, ga weer naar boven. Mama moet even met oom Paul praten.'

'Kom eens hier, Tim,' zei Paul en Lena's maag draaide om toen ze zijn voetjes over de trap naar beneden hoorde trippelen.

'Nee!' riep Terri. 'Tim, blijf bij hem uit de buurt.'

'Kom eens hier, grote knul,' zei Paul. Lena keek even om de hoek. Paul hield Tim nu in zijn armen en het joch had zijn beentjes om zijn middel geslagen. Lena trok zich terug, want als Paul zich omdraaide zou hij haar zien. 'Fuck!' zei ze geluidloos, zichzelf vervloekend omdat ze niet had geschoten toen het nog kon. Ze keek naar de overkant van de gang en ving een glimp op van Rebecca in de babykamer, die haar arm uit de kast stak om de deur dicht te trekken. Inwendig vloekte Lena nog harder en ze verwenste het meisje omdat ze niet in staat was geweest het jongetje bij zich te houden.

Weer wierp ze een blik in de hal om de situatie in te schatten. Paul stond nog steeds met zijn rug naar haar toe, maar nu klemde Tim zich aan hem vast en met zijn spichtige armpje om Pauls schouders geslagen keek hij naar zijn moeder. Op deze afstand viel niet te voorspellen wat voor schade haar negen millimeter zou aanrichten. De kogel kon dwars door Pauls lichaam gaan en in dat van Tim verdwijnen. Het kind zou op slag dood zijn.

'Alsjeblieft,' smeekte Terri, alsof Paul haar leven in zijn handen hield. 'Laat hem gaan.'

'Zeg op: wat heb je de politie verteld?' zei Paul.

'Niks. Ik heb helemaal niks verteld.'

Daar trapte Paul niet in. 'Heeft Abby die polissen aan jou gegeven, Terri? Is het zo gegaan?'

'Ja,' zei Terri met bevende stem. 'Ik zal ze aan je teruggeven. Maar laat hem gaan alsjeblieft.'

427

'Je gaat ze eerst halen. Daarna praten we verder.'
'Alsjeblieft, Paul. Laat hem gaan.'
'Ga die polissen halen.'

Terri was geen door de wol geverfde leugenaar. 'Die liggen in de garage,' zei ze, maar Lena wist dat Paul haar doorzag. Niettemin zei hij: 'Ga ze halen. Ik pas wel op Tim.'

Blijkbaar aarzelde Terri, want nu verhief Paul zijn stem. 'Nu!' klonk het, zo luid dat Terri het uitgilde. Meteen sloeg hij weer een normale toon aan, maar op de een of andere manier vond Lena dat nog beangstigender. 'Je krijgt dertig seconden, Terri.'

'Ik wil niet...'

'Negenentwintig... achtentwintig...'

De voordeur vloog open en weg was ze. Lena bleef roerloos staan, haar hart roffelend als een drum.

Beneden was Paul zogenaamd met Tim aan het praten, maar zo luid dat hij door het hele huis te horen was. 'Wat denk je, Tim? Is tante Rebecca boven?' vroeg hij opgewekt, bijna plagerig. 'Zullen we eens gaan kijken of tante Rebecca boven is? Misschien verstopt ze zich wel, kleine rat die ze is...'

Tim maakte een geluidje dat Lena niet verstond.

'Wat je zegt, Tim,' zei Paul, alsof ze een spelletje aan het spelen waren. 'We gaan naar boven, een praatje met haar maken, en dan slaan we haar in haar gezicht. Vind je dat leuk, Tim? Dan slaan we haar in haar gezicht tot haar botten breken. We zullen zorgen dat dat mooie gezichtje van tante Becca straks zo kapot is dat niemand er ooit meer naar wil kijken.'

Lena spitste haar oren en wachtte tot hij de trap op kwam zodat ze zijn kop van zijn romp kon schieten. Maar hij kwam niet. Kennelijk hoorde het geschimp bij het spelletje dat hij speelde, en ook al wist ze dit, toch kon ze niets uitrichten tegen het afgrijzen dat haar vervulde bij het horen van zijn stem. Het liefst zou ze hem zo gruwelijk te pakken nemen dat hij voor eeuwig zijn mond zou houden en niemand ooit nog die stem zou hoeven horen.

De deur ging open en sloeg weer dicht. Terri was buiten adem en struikelend over haar woorden zei ze: 'Ik kon ze niet vinden. Ik heb overal...'

Fuck, dacht Lena. De revolver van Dale. O nee.

'Dat verbaast me niks, zoals je zult begrijpen,' zei Paul.

'Wat ga je nu doen?' Terri's stem beefde nog steeds, maar onder de angst ging iets anders schuil, iets wat alleen zij wist en wat haar kracht gaf. Waarschijnlijk had ze de revolver gepakt. Waarschijnlijk dacht ze hem daarmee tegen te kunnen houden.

Tim maakte een opmerking waar Paul om moest lachen. 'Dat klopt,' beaamde hij en toen zei hij tegen Terri: 'Volgens Tim zit zijn tante Rebecca boven.'

Lena hoorde een nieuw geluid, een klik deze keer. Ze wist meteen wat het was: de hamer van een wapen dat op scherp werd gezet.

Paul leek verbaasd, maar nauwelijks geschrokken. 'Hoe kom je daaraan?'

'Die is van Dale,' zei ze en Lena's maag kromp ineen. 'Ik weet hoe ik hem moet gebruiken.'

Paul lachte, alsof het om een plastic speeltje ging. Lena gluurde over de balustrade en zag hem naar Terri toe lopen. Ze had haar kans laten schieten. Nu had hij het kind. Ze had hem op de trap te pakken moeten nemen. Toen had ze hem moeten uitschakelen. Waarom had ze verdomme ook naar Jeffrey geluisterd? Ze had gewoon te voorschijn moeten springen en de borstkas van die hufter moeten doorzeven.

'Er is een groot verschil tussen weten hoe je met een wapen moet omgaan en het daadwerkelijk gebruiken,' zei hij. Zijn woorden klonken snijdend en Lena vervloekte zichzelf om haar besluiteloosheid. Die stomme Jeffrey met zijn bevelen. Ze had zichzelf prima in de hand. Ze had gewoon naar haar intuïtie moeten luisteren.

'Wegwezen, Paul,' zei Terri.

'Ga je dat ding echt gebruiken?' vroeg hij. 'En als je Tim raakt?' Hij plaagde haar, weer alsof het een spelletje was. 'Toe dan. Laat eens zien hoe goed je kunt schieten.' Lena had hem nu scherp in beeld en zag hoe hij met Tim in zijn armen steeds dichter naar Terri toe kwam. Hij liet het kind zelfs dansen op zijn arm terwijl hij Terri aanspoorde. 'Toe dan, Genie, laat eens zien wat je kunt. Schiet maar op je eigen kind. Je hebt er toch al een vermoord, nietwaar? Eentje meer of minder doet er niet toe.'

Terri's handen beefden. Ze hield de revolver recht voor zich uit en met haar benen iets uit elkaar ondersteunde ze de kolf van het wapen met haar handpalm. Bij elke stap die hij zette leek haar vastberadenheid verder af te brokkelen.

'Stomme hoer,' hoonde hij. 'Toe dan, schiet me dan neer.' Hij stond nog geen halve meter van haar af. 'Haal de trekker dan over, kleuter die je bent. Laat maar eens zien hoe flink je bent. Kom eens een keer voor jezelf op, zielenpoot.' Uiteindelijk stak hij zijn arm uit en griste het wapen uit haar handen. 'Stomme slet,' zei hij.

'Laat hem gaan,' smeekte ze. 'Laat hem gaan en ga dan weg.'

'Waar zijn die papieren?'

'Die heb ik verbrand.'

'Vuile leugenaar!' De revolver trof haar linkerwang. Terri viel op de vloer en het bloed spatte uit haar mond.

Lena voelde de pijn in haar eigen kiezen, alsof Paul haar had geslagen in plaats van Terri. Ze moest iets doen. Ze moest hier een eind aan maken. Zonder erbij na te denken liet ze zich op haar knieën zakken en ging toen plat op de vloer liggen. Volgens de regels moest ze haar aanwezigheid nu kenbaar maken en Paul in de gelegenheid stellen zijn wapen te laten vallen. Hij zou zich niet overgeven, dat kon ze wel vergeten. Mannen zoals Paul gaven niet op zolang er nog enige kans op ontsnappen bestond. Op dat moment had hij zelfs twee kansen: een op zijn heup, de andere op de vloer.

Lena kronkelde de gang over naar de trap. Ze klemde haar pistool met beide handen vast en liet de kolf op de bovenste tree rusten.

'Kom, kom,' zei Paul. Met zijn rug naar Lena toe gekeerd en Tims beentjes om zijn middel geslagen boog hij zich over Terri heen. Ze zag niet waar het lichaam van de jongen precies zat en ze kon er bij het richten niet honderd procent zeker van zijn dat ze het kind niet zou raken.

'Straks maak je je zoon helemaal overstuur.' Tim hield zich stil. Waarschijnlijk had hij zo vaak moeten toekijken terwijl zijn moeder in elkaar werd geslagen dat het niet langer tot hem doordrong.

'Wat heb je tegen de politie gezegd?' vroeg Paul.

Terri hield haar handen voor zich en Paul haalde uit met zijn voet om haar een trap te geven. 'Nee!' gilde ze toen zijn Italiaanse loafer haar gezicht raakte. Weer sloeg ze tegen de vloer en met een pijnlijke kreun die Lena door merg en been ging, verliet de lucht haar longen.

Lena keek langs de loop van haar pistool en richtte, haar handen onbeweeglijk. Stond Paul maar even stil. Als Tim zich wat liet zakken, kon ze een eind aan de ellende maken. Paul had geen idee dat ze zich boven aan de trap bevond. Voor hij wist wat hem overkwam zou ze hem neergeknald hebben.

'Toe dan, Terri,' zei Paul. Terri maakte geen aanstalten om overeind te komen, maar hij tilde zijn voet weer op en ramde hem in haar rug. Terri's mond ging open en kreunend ademde ze uit.

'Wat heb je tegen ze gezegd?' herhaalde hij, alsof het zijn mantra was. Lena zag dat hij de revolver naar Tims hoofdje bracht en ze liet haar eigen wapen zakken, want dat risico kon ze niet nemen. 'Je weet dat ik hem neerschiet. Je weet dat ik z'n kop van z'n romp knal.'

Moeizaam hees Terri zich op haar knieën overeind. Als een smekeling vouwde ze haar handen samen en zei: 'Alsjeblieft, alsjeblieft. Laat hem gaan. Alsjeblieft.'

'Wat heb je tegen ze gezegd?'

'Niks,' zei ze. 'Helemaal niks.'

Tim begon te huilen en Paul suste hem. 'Rustig maar, Tim. Laat oom Paul maar eens zien wat een flinke kerel je bent.'

'Alsjeblieft,' smeekte Terri.

Vanuit haar ooghoek zag Lena iets bewegen. Daar stond Rebecca weifelend in de deuropening van de babykamer. Lena schudde één keer haar hoofd en toen het meisje zich niet verroerde, trok ze een boos gezicht en gaf met een kernachtig gebaar te kennen dat ze terug moest gaan.

Lena keerde zich weer naar de hal toe en zag dat Tim zijn gezichtje in de holte van Pauls schouder had verborgen. Zijn lijfje verstarde toen hij opkeek en Lena boven aan de trap zag staan, haar pistool naar beneden gericht. Hun blikken verstrengelden zich.

Opeens draaide Paul zich razendsnel om, met geheven revolver, en vuurde recht op haar hoofd.

Terri gilde het uit toen het schot klonk en Lena rolde opzij, biddend dat ze uit de vuurlinie was. Op dat moment weerklonk er een tweede schot door het huis. Hout versplinterde en de voordeur vloog open. 'Staan blijven!' riep Jeffrey. Lena hoorde het als op grote afstand, want het geluid van het schot galmde nog na in haar oren. Ze wist niet of het zweet of bloed was dat langs haar wang droop toen ze weer naar beneden keek. Jeffrey stond in de hal, zijn pistool op de jurist gericht. Paul klemde Tim nog steeds tegen zijn borst en drukte de revolver tegen de slaap van de jongen.

'Laat hem gaan,' beval Jeffrey, met een snelle blik op Lena.

Lena bracht haar hand naar haar hoofd en voelde kleverig bloed. Haar oor zat er helemaal onder, maar pijn had ze niet.

Terri huilde klaaglijk en met haar hand op haar buik smeekte ze Paul haar kind te laten gaan. Het klonk als een gebed.

'Laat die revolver zakken,' beval Jeffrey.

'Dat zou je wel willen,' schamperde Paul.

'Je kunt nergens naartoe,' zei Jeffrey en weer keek hij op naar Lena. 'We hebben je onder schot.'

Pauls blik volgde die van Jeffrey. Lena deed een poging om overeind te komen, maar alles om haar heen begon te draaien. Ze liet zich op haar knieën zakken, het pistool langs haar zij. Ze kon niet eens haar blik scherpstellen.

'Zo te zien heeft ze hulp nodig,' zei Paul laconiek.

'Alsjeblieft,' smeekte Terri, bijna als vanuit een eigen wereld. 'Alsjeblieft, laat hem gaan. Alsjeblieft.'

'Je kunt geen kant op,' zei Jeffrey. 'Laat die revolver nou maar vallen.'

Lena kreeg een metalige smaak in haar mond. Ze bracht haar hand naar haar hoofd en betastte haar schedel. Ze vond niets afwijkends, maar haar oor begon nu wel te kloppen. Voorzichtig voelde ze aan het kraakbeen en toen ontdekte ze waar al dat bloed vandaan kwam. Er ontbrak een stukje van haar oorlel, ongeveer één centimeter in doorsnee. De kogel had haar geschampt.

Ze ging rechtop op haar knieën zitten. Alles was wazig en ze knipperde met haar ogen om het beeld scherp te krijgen. Terri keek naar haar op en haar borende blik smeekte haar er op de een of andere manier een eind aan te maken.

'Help hem toch,' klonk het wanhopig. 'Alsjeblieft, help mijn kind.'

Lena veegde een straaltje bloed uit haar ogen en zag eindelijk wat de uitstulping onder Pauls jasje veroorzaakte. Het was een mobiele telefoon. Die hufter had een mobiel aan zijn riem zitten.

'Alsjeblieft,' smeekte Terri. 'Lena, alsjeblieft.'

Lena richtte haar pistool op Pauls hoofd en terwijl haat haar keel dichtschroeide, zei ze: 'Laat vallen.'

Met Tim nog steeds in zijn armen draaide Paul zich vliegensvlug om. Hij keek op naar Lena en probeerde zijn kansen in te schatten. Lena zag dat hij maar moeilijk kon geloven dat een vrouw hem daadwerkelijk naar het leven stond en dat wakkerde haar haat alleen maar aan.

Met een dodelijke dreiging in haar stem zei ze: 'Laat vallen, klootzak.'

Voor het eerst leek hij nerveus.

'Laat dat wapen vallen,' herhaalde Lena. Zonder haar hand te bewegen kwam ze overeind. Als ze zeker was geweest van haar schot zou ze hem ter plekke hebben gedood, zou ze het hele magazijn in zijn kop hebben leeggeschoten tot er nog slechts een stompje ruggengraat uit zijn romp stak.

'Vooruit, Paul. Laat die revolver vallen,' zei Jeffrey.

Langzaam liet Paul het wapen zakken, maar in plaats van het op de grond te laten vallen, richtte hij het op Terri's hoofd. Hij wist dat ze hem niet konden neerschieten zolang hij Tim als schild had. Door het wapen op Terri te richten wilde hij alleen maar aantonen dat hij de situatie meester was.

'Als jullie dat zelf nou eens deden,' zei hij.

Terri zat op de vloer en stak haar handen naar haar zoontje uit. 'Doe hem alsjeblieft niets, Paul,' smeekte ze. Tim wilde naar zijn moeder toe, maar Paul hield hem stevig vast. 'Doe hem niets alsjeblieft!'

Paul liep achterwaarts naar de deur en zei: 'Wapens neer-leggen jullie. Nu!'

Jeffrey hield zijn blik op hem gericht, maar deed secon-denlang niets. Ten slotte legde hij zijn pistool op de vloer en toonde hem zijn lege handen. 'Er is versterking onderweg.'

'Maar niet snel genoeg,' raadde Paul.

'Niet doen, Paul,' zei Jeffrey. 'Laat hem hier.'

'En dan jullie achter mij aan krijgen?' schamperde Paul en hij verschoof Tim op zijn heup. Het jongetje besefte inmid-dels dat er iets aan de hand was en zijn ademhaling werd moeizaam, alsof hij bijna geen lucht kreeg. Zonder acht te slaan op de nood van het kind liep Paul op de deur af. 'Dat dacht ik niet.' Hij keek naar Lena. 'Jouw beurt, recher-cheur.'

Na een knikje van Jeffrey bukte Lena zich en legde haar wapen op de vloer. Ze bleef ineengedoken zitten, vlak bij het pistool.

Tims ademhaling ging steeds moeizamer, elke hap lucht was een worsteling en nu begon hij ook te hoesten.

'Rustig maar,' fluisterde Terri, op haar knieën naar hem toe kruipend. 'Gewoon ademhalen, schatje. Probeer maar gewoon te ademen.'

Stapje voor stapje naderde Paul de voordeur, zijn blik op Jeffrey gericht, want voor hem was hij nog het meest be-ducht. Lena daalde de trap een paar treden af, zonder te we-ten wat ze moest doen als ze beneden was aangekomen. Ze zou hem het liefst met haar blote handen verscheuren, ze wilde hem horen gillen van de pijn als ze hem openreet.

'Rustig maar, schatje,' murmelde Terri en op haar knieën kroop ze naderbij. Ze stak haar handen uit en raakte met haar vingertoppen het voetje van haar zoon aan. De jongen hapte nu naar adem en zijn iele borstje ging hijgend op en neer. 'Gewoon blijven ademen.'

Paul was bijna bij de deur. 'Waag het niet me achterna te komen,' zei hij tegen Jeffrey.

'Je neemt dat kind niet mee,' zei Jeffrey.

'Moet jij eens opletten.'

Hij wilde de deur uit lopen, maar Terri klemde Tims voetje in de palm van haar hand en zo hield ze ze tegen. Paul drukte de revolver tegen haar voorhoofd. 'Terug,' waarschuwde hij, waarop Lena roerloos op de trap bleef staan, want het was niet duidelijk tegen wie hij het had. 'Ga weg,' zei Paul dreigend tegen Terri en toen pas durfde Lena weer een stap te zetten. 'Aan de kant.'

'Hij heeft astma...'

'Kan me niet schelen,' blafte Paul. 'Aan de kant!'

'Mama houdt van je,' fluisterde Terri telkens weer, en zonder acht te slaan op Pauls dreigende taal klemde ze zich aan Tims voetje vast. 'Mama houdt heel veel van je...'

'Bek houden,' blafte Paul. Hij probeerde zich los te trekken, maar Terri wist van geen wijken en sloeg haar hand om Tims beentje om haar greep te verstevigen. Paul hief de revolver en liet de kolf met een harde klap op haar hoofd neerdalen.

In één vloeiende beweging raapte Jeffrey zijn pistool van de grond en richtte het wapen op Pauls borst. 'Staan blijven.'

'Schatje,' zei Terri. Door de klap was ze bijna onderuitgegaan, maar ze bleef op haar knieën zitten en hield nog steeds Tims been vast. 'Mama is bij je, kindje. Mama is bij je.'

Tim liep blauw aan en zijn tanden klapperden, alsof hij het koud had. Paul probeerde hem van zijn moeder weg te trekken, maar ze liet niet los en zei tegen haar zoontje: '"... Mijn genade is u genoeg..."'

'Laat los.' Paul probeerde het kind weg te rukken, maar nog steeds weigerde ze haar zoon te laten gaan. 'Terri...' zei Paul met een panische uitdrukking op zijn gezicht, alsof een of ander razend beest zich in hem had vastgebeten. 'Terri, ik meen het!'

'"... want de kracht openbaart zich ten volle in zwakheid..."'

'Laat los, godverdomme!' Weer hief Paul de revolver en nu sloeg hij haar nog harder. Terwijl ze achteroverviel stak Terri haar andere hand uit, greep Pauls shirt vast en probeerde zich zo overeind te houden.

Jeffrey had zijn pistool op Paul gericht, maar zelfs van zo dichtbij durfde hij niet te schieten. Het jongetje zat in de weg. Hij kampte met hetzelfde probleem als Lena. Een paar centimeter ernaast en hij zou het kind doden.

'Terri,' zei Lena, alsof ze haar kon helpen. Ze stond nu onder aan de trap, maar kon slechts toekijken terwijl Terri zich vastklampte aan Tim en haar bloedende voorhoofd tegen zijn been aan drukte. De oogleden van het jongetje trilden. Zijn lippen waren blauw en terwijl zijn longen vochten om lucht trok zijn gezichtje lijkbleek weg.

'Geen stap meer, Paul!' waarschuwde Jeffrey.

'"Als ik zwak ben,"' fluisterde Terri, '"dan ben ik machtig."'

Terwijl Paul zijn uiterste best deed om weg te komen, liet Terri haar greep niet verslappen en klampte zich nu vast aan zijn broekband. Paul hief de revolver hoog boven zijn hoofd en liet hem weer neerkomen, maar op het laatste moment trok Terri haar hoofd opzij. Het wapen schampte haar wang, sloeg tegen haar sleutelbeen en glipte bijna uit Pauls hand. De kogel die werd afgevuurd raakte Terri vol in het gezicht. Weer zwaaide de vrouw heen en weer, maar ze wist zich overeind te houden door zich aan Paul en haar zoontje vast te klemmen. Botsplinters staken uit het gapende gat in haar kaak. Bloed stroomde uit de open wond en spetterde op de plavuizen. De gewonde vrouw klemde zich instinctief nog steviger aan Pauls shirt vast en besmeurde de witte stof met bloederige handafdrukken.

'Nee,' zei Paul, naar achteren wankelend om aan haar te ontsnappen. Het tafereel vervulde hem met afgrijzen en op zijn gezicht stond een mengeling van angst en walging te lezen. Verdoofd liet hij de revolver zakken en Tim viel bijna uit zijn armen toen hij tegen de leuning van de veranda tuimelde.

Nog steeds klemde Terri Paul vast; met haar laatste krachten wist ze haar greep op hem te handhaven. Zijn shirt zoog het bloed op toen ze hem op de grond trok en zich boven op hem liet vallen. Ze bleef aan zijn shirt rukken en zo trok ze zich op naar haar zoon. Tim was doodsbleek en zijn ogen waren gesloten. Terri legde haar hoofd op Tims rug, met de verbrijzelde kant van haar gezicht van haar zoontje af gewend.

Jeffrey schopte de revolver bij Pauls hand weg en trok het kind toen onder zijn moeder vandaan. Hij legde Tim plat op de grond en begon hem te reanimeren. 'Lena,' zei hij en vervolgens op luidere toon: 'Lena!'

Lena schrok op uit haar trance en op de automatische piloot klapte ze haar telefoontje open en belde een ambulance. Ze knielde naast Terri neer, legde haar vingers tegen de hals van de vrouw en voelde een zwakke hartslag. Ze streek het haar uit haar vermorzelde gezicht en zei: 'Rustig maar.'

Paul probeerde zich onder haar uit te wurmen, maar Lena snauwde: 'Als je ook maar een vin verroert vermoord ik je.'

Paul knikte en zijn lippen trilden terwijl hij vol afschuw neerkeek op Terri's hoofd dat op zijn schoot lag. Nog nooit had hij iemand van zo nabij vermoord; altijd had hij zich aan de smerige realiteit van zijn daden weten te onttrekken. De kogel was door de zijkant van Terri's gezicht naar binnen gedrongen en aan de onderkant van haar nek weer naar buiten gekomen. Het kruit had zwarte stippen in de huid gebrand. Haar linkerwang was aan flarden en dwars erdoorheen was haar tong zichtbaar. Versplinterd bot had zich vermengd met bloed en hersens. In haar haar zaten stukjes kies.

Lena bracht haar gezicht naar dat van Terri en zei: 'Terri? Terri, nog even volhouden.'

Terri's ogen knipperden open. Ze ademde heel oppervlakkig en probeerde iets te zeggen.

'Terri?'

Lena zag haar tong bewegen in haar mond en de witte botdelen trilden van de inspanning.

'Rustig maar,' suste Lena. 'Er is hulp onderweg. Nog even volhouden.'

Traag bewoog haar kaak en ze spande zich tot het uiterste in om iets te zeggen. Eerst kreeg ze er geen woord uit, haar mond weigerde dienst. Met alle kracht die ze nog in zich had, zei ze uiteindelijk: 'Het is me... gelukt.'

'Het is je gelukt,' verzekerde Lena haar en heel voorzichtig, zonder haar aan te stoten, pakte ze haar hand. Letsel aan de wervelkolom was altijd heel lastig en hoe hoger het zat, hoe groter de schade. Ze wist niet eens of Terri haar kon voelen, maar ze moest zich ergens aan kunnen vasthouden.

'Ik heb je hand vast, Terri,' zei Lena. 'Volhouden, hoor!'

'Kom op, Tim,' mompelde Jeffrey. Ze hoorde hem tellen en

op de borst van het jongetje drukken om zijn hart weer op gang te krijgen.

Terri's ademhaling ging steeds langzamer. Weer trilden haar oogleden. 'Het is... me... gelukt.'

'Terri?' zei Lena. 'Terri.'

'Ademen, Tim,' drong Jeffrey aan. Zelf zoog hij lucht op en blies die in het slappe mondje van de jongen.

Belletjes helderrood bloed spatten uiteen op Terri's vochtige lippen. Uit haar borst steeg gegorgel op en haar gelaatstrekken vervaagden.

'Terri?' smeekte Lena. Ze hield nog steeds haar hand vast en probeerde het leven in haar terug te duwen. In de verte hoorde ze het waarschuwende geloei van een sirene. Lena wist dat het politieversterking was; zo snel kon de ambulance er niet zijn. Niettemin besloot ze te liegen.

'Hoor je dat?' vroeg Lena en ze pakte Terri's hand zo stevig mogelijk beet. 'De ambulance komt eraan, Terri.'

'Kom op, Tim,' spoorde Jeffrey de jongen aan. 'Kom op nou.'

Terri knipperde met haar ogen en Lena wist dat ze het geloei van de sirene kon horen, dat ze begreep dat er hulp op komst was. Hortend ademde ze uit. 'Het... is...'

'Een-en-twintig, twee-en-twintig,' telde Jeffrey al drukkend.

'Het... is...'

'Terri, zeg het dan,' smeekte Lena. 'Kom nou, meisje. Wat is je gelukt? Vertel maar wat je gelukt is.'

Ze worstelde met haar woorden, hoestte zachtjes en sproeide een fijne nevel van bloed over Lena's gezicht. Lena bleef zitten, heel dicht bij haar, en probeerde haar met haar blik vast te houden.

'Vertel het maar,' zei Lena, speurend in haar ogen naar een teken dat ze het zou redden. Ze moest haar aan de praat zien te houden, ze mocht niet opgeven. 'Vertel maar wat je gelukt is.'

'Ik...'

'Wat zeg je?'

'Ik...'

'Toe dan, Terri. Niet opgeven. Je mag nu niet opgeven.'

438

Lena hoorde de patrouillewagen met gierende banden voor het huis tot stilstand komen. 'Vertel maar wat je gelukt is.'

'Ik...' begon Terri. 'Ik... ben...'

'Wat ben je?' Lena's tranen brandden op haar wangen toen ze Terri's greep om haar hand voelde verslappen. 'Volhouden, Terri. Vertel nou: wat ben je?'

Haar lip krulde krampachtig; het leek wel of ze wilde glimlachen, maar niet meer wist hoe.

'Wat ben je, Terri? Wat ben je?'

'Ik... ben...' Ze hoestte weer een golf bloed op. '... vrij.'

'Goed zo,' zei Jeffrey toen Tim begon te hijgen en zijn eerste hap lucht nam. 'Fantastisch, Tim. Blijf ademen.'

Een stroompje bloed vloeide uit Terri's mondhoek en trok een dikke streep over haar wang, alsof een kind met een krijtje een felgekleurd spoor op een stuk papier tekende. Het restje kaak verslapte. Haar ogen werden glazig.

Ze leefde niet meer.

Rond een uur of negen die avond verliet Lena het politiebureau. Ze had het gevoel dat ze al in weken niet thuis was geweest. Haar hele lichaam was slap en elke spier deed pijn, alsof ze duizend kilometer had gerend. In het ziekenhuis was de wond van Pauls kogel gehecht en haar oor voelde nog verdoofd van de injectie. De hap die eruit was kon ze onder haar haren bedekken, maar Lena wist dat ze telkens als ze in de spiegel keek, telkens als ze het litteken aanraakte aan Terri Stanley zou denken, aan de uitdrukking op haar gezicht, die bijna-glimlach waarmee ze uit het leven wegleed.

Ook al was er geen spatje meer te bekennen, toch was het alsof Terri's bloed nog steeds op haar lichaam zat, in haar haren, onder haar nagels. Wat ze ook deed, ze kon het nog steeds ruiken, proeven, voelen. Het was loodzwaar, als een schuld die op haar drukte, en het had de bittere smaak van mislukking. Ze had de vrouw niet geholpen. Ze had niets gedaan om haar te beschermen. Terri had gelijk gehad: ze hadden allebei in hetzelfde schuitje gezeten en nu verzopen ze.

Toen ze haar wijk in reed, ging haar mobiel en Lena keek op de nummermelder, vurig hopend dat Jeffrey haar niet weer op het bureau ontbood. Ze tuurde naar het nummer, maar herkende het niet. Nadat het telefoontje nog een paar keer was overgegaan, wist ze het weer. Het was het nummer van Lu Mitchell. Ze was het na al die jaren compleet vergeten.

Terwijl ze het mobieltje openklapte, liet ze het bijna uit haar handen glippen en ze vloekte omdat ze het tegen haar gewonde oor had gedrukt. Lena wisselde van oor en zei: 'Hallo?' Er kwam geen antwoord; waarschijnlijk had de voicemail het overgenomen en de moed zonk haar in de schoenen.

Ze wilde de verbinding al verbreken toen ze opeens Greg hoorde. 'Lee?'

'Ja,' antwoordde ze, zo rustig mogelijk ademend. 'Hoi. Hoe gaat ie?'

'Ik heb net op het nieuws over die vrouw gehoord,' zei hij. 'Ben jij daarbij geweest?'

'Ja,' zei ze. Ze vroeg zich af hoe lang het al geleden was dat iemand naar haar werk had geïnformeerd. Ethan was te egocentrisch en Nan kon er niet tegen.

'Gaat het wel?'

'Ik heb haar zien doodgaan,' liet Lena hem weten. 'Ik kon alleen maar haar hand vasthouden en toekijken terwijl ze doodging.'

Ze hoorde hem ademen aan de andere kant van de lijn en dacht weer aan Terri en hoe haar ademhaling op het laatst had geklonken.

'Wat goed dat je bij haar was,' zei hij.

'Ik weet het niet.'

'Jawel,' drong hij aan. 'Het was heel goed dat er iemand bij haar was.'

'Ik ben anders niet zo'n goed mens, Greg.' Het was eruit voor ze er erg in had.

Weer hoorde ze slechts zijn ademhaling.

'Ik ben een paar keer zwaar de fout in gegaan.'

'Dat heeft iedereen weleens.'

'Niet zoals ik,' zei ze. 'Niemand maakt zulke grove fouten als ik.'

'Wil je erover praten?'

Ze wilde niets liever, ze wilde hem het hele verhaal vertellen, tot en met de schokkendste, gruwelijkste details. Maar ze kon het niet. Ze had hem te hard nodig, ze klampte zich vast aan de gedachte dat hij een paar huizen verderop woonde en zijn moeders garen vasthield terwijl Lu de zoveelste afgrijselijke sjaal voor hem breide.

'Goed,' zei Greg, en Lena probeerde wanhopig iets te bedenken om de stilte te verbreken.

'Ik vind het een prachtig cd'tje.'

'Heb je het gevonden?' Hij klonk verheugd.

'Ja,' zei ze, en ze probeerde een opgewekte toon aan te slaan. 'Vooral dat tweede nummer vind ik mooi.'

'Dat heet "Oldest Story in the World".'

'Had de titels nou maar opgeschreven, dan wist ik dat ook.'

'Dan moet je hem zelf maar kopen, sukkel.' Lena was vergeten hoe het was om geplaagd te worden, en iets van de last die op haar drukte gleed van haar af.

'De hoes is ook fantastisch,' vervolgde hij. 'Heel veel foto's van de dames. Die Ann, dat is me toch een stuk.' Hij grinnikte vol zelfspot. 'Ik zou Nancy ook niet mijn bed uit schoppen, maar je weet dat ik nou eenmaal gek ben op donkerharige vrouwen.'

'Ja hoor.' Onwillekeurig glimlachte ze. Konden ze maar eindeloos zo doorkletsen, dan hoefde ze niet aan Terri te denken die doodging waar ze bij zat, of aan Terri's kinderen die in de steek waren gelaten door de enige in de hele wereld die hun bescherming kon bieden. Nu hadden ze alleen nog Dale – Dale en de angst om ook vermoord te worden, net als hun moeder.

Ze probeerde de gedachte van zich af te zetten en zei: 'Dat twaalfde nummer is ook niet mis.'

'"Down the Nile", bedoel je,' zei hij. 'Sinds wanneer hou jij van ballads?'

'Sinds...' Ze had geen idee. 'Ik weet het niet. Ik vind deze gewoon goed.' Ze reed de oprit in en parkeerde haar auto achter Nans Toyota.

'"Move On" is cool,' zei Greg, maar ze luisterde al niet meer. Het licht op de veranda was aangegaan. Ethans fiets stond tegen het trapje.

'Lee?'

Haar glimlach loste op. 'Ja?'

'Gaat het?'

'Ja hoor,' fluisterde ze terwijl haar brein op volle toeren draaide. Wat had Ethan in huis te zoeken? Wat deed hij bij Nan?

'Lee?'

Ze slikte en zei met moeite: 'Ik moet ophangen, Greg. Oké?'

'Is er iets?'

'Nee hoor,' loog ze, hoewel haar hart bijna barstte. 'Er is niks. Ik kan nu even niet praten.' Ze verbrak de verbinding voor hij kon reageren, liet het telefoontje op de passagiersstoel vallen en duwde met bevende hand het portier open.

Lena had geen idee hoe ze het trapje naar de veranda had beklommen, maar het volgende moment hield ze de deurknop in de glibberige, zweterige palm van haar hand. Ze ademde diep in en opende de deur.

'Hoi!' Nan schoot van haar stoel overeind en ging erachter staan, alsof ze behoefte had aan een schild. Ze had ogen als schoteltjes en haar stem klonk onnatuurlijk hoog. 'We zaten al op je te wachten. O, lieve help! Je oor!' Ze sloeg haar hand voor haar mond.

'Het is minder erg dan het eruitziet.'

Ethan zat op de bank, zijn arm over de rugleuning geslagen en zijn benen wijd. Zijn houding straalde zo veel vijandigheid uit dat hij de hele kamer ermee vulde. Hij zei niets, maar dat was ook niet nodig. De dreiging droop uit zijn poriën.

'Gaat het wel?' drong Nan aan. 'Lena? Wat is er gebeurd?'

'We hebben een incidentje gehad,' zei Lena, haar blik op Ethan gericht.

'Op het nieuws waren ze nogal terughoudend,' zei Nan. Ze schuifelde nu in de richting van de keuken, zo gestresst als een kip. Ethan bleef op zijn plek zitten, zijn kaak strak en zijn spieren gespannen. Zijn boekentas stond naast hem op de grond en Lena vroeg zich af wat erin zat. Waarschijnlijk iets zwaars. Iets om haar mee te slaan.

'Heb je zin in thee?' vroeg Nan.

'Laat maar zitten,' antwoordde Lena en vervolgens zei ze tegen Ethan: 'Kom, dan gaan we naar mijn kamer.'

'Zullen we anders gaan kaarten, Lee?' Nans stem haperde. Ze was bezorgd, dat was duidelijk, maar ze weigerde zich te laten intimideren. 'Laten we met z'n allen gaan kaarten!'

'Laat maar zitten,' zei Lena, die wist dat ze tegen elke prijs moest voorkomen dat Nan iets overkwam. Lena had dit over zichzelf afgeroepen, maar Nan mocht er niet onder lijden. Dat was ze aan Sibyl verplicht. Dat was ze aan zichzelf verplicht.

'Lee?' vroeg Nan.

'Laat maar, Nan.' Weer zei ze tegen Ethan: 'Kom, dan gaan we naar mijn kamer.'

Om er geen misverstand over te laten bestaan dat hij de situatie meester was, verroerde hij zich eerst niet. Toen hij opstond, rekte hij zich op z'n dooie gemak uit en deed alsof hij moest gapen.

Lena keerde hem de rug toe zonder acht te slaan op de show die hij opvoerde. Ze liep naar haar kamer en ging op bed zitten wachten, hopend dat hij Nan met rust zou laten.

Ethan kwam haar kamer binnenslenteren en nam haar achterdochtig op. 'Waar heb jij gezeten?' vroeg hij terwijl hij de deur zachtjes dichtklikte. Zijn armen hingen langs zijn zij en hij hield met één hand zijn boekentas vast.

'Ik was aan het werk,' zei ze schouderophalend.

Hij liet de tas met een harde plof op de vloer vallen. 'Ik heb op je zitten wachten.'

'Je moet hier helemaal niet komen,' zei ze.

'O?'

'Ik zou je bellen. Ik was van plan later bij je langs te gaan,' loog ze.

'Je hebt de velg van mijn voorwiel verbogen,' zei hij. 'Ik heb tachtig dollar voor een nieuwe moeten dokken.'

Ze stond op en liep naar de ladekast. 'Ik betaal het je wel terug,' zei ze en ze trok de bovenste la open. Ze bewaarde haar geld in een oud sigarenkistje. Ernaast lag een foedraal van zwarte kunststof met daarin een mini-Glock. Nans vader had bij de politie gewerkt en na de moord op Sibyl had hij zijn dochter het wapen opgedrongen. Nan had het aan Lena gegeven en Lena had het in de la gelegd om het in ge-

443

val van nood achter de hand te hebben. 's Nachts lag haar dienstpistool altijd op het nachtkastje, maar ze kon alleen slapen in de wetenschap dat de andere Glock in de la lag, in het kunststof foedraal dat ze nooit op slot deed.

Ze zou het pistool nu kunnen pakken. Ze zou het kunnen pakken en het gebruiken, en dan zou Ethan voorgoed uit haar leven verdwijnen.

'Wat ben je aan het doen?' wilde hij weten.

Lena pakte het sigarenkistje en schoof de la weer dicht. Ze zette het kistje boven op de kast en maakte het deksel open. Ethans grote hand reikte langs haar heen en sloot het deksel.

Hoewel hij vlak achter haar stond, raakte zijn lichaam nauwelijks het hare. Zijn adem ruiste langs haar nek toen hij zei: 'Ik hoef je geld niet.'

Ze schraapte haar keel en zei toen: 'Wat wil je dan?'

Hij kwam dichterbij. 'Je weet best wat ik wil.'

Ze voelde zijn pik hard worden toen hij die tegen haar kont duwde. Hij sloeg zijn armen om haar heen en liet zijn handen boven op de kast rusten, zodat ze geen kant op kon.

'Nan wilde me niet vertellen wie de jongen van dat cd'tje was,' zei hij.

Lena beet tot bloedens toe op haar lip en voelde een steek van pijn. Ze zag Terri Stanley weer voor zich toen ze die ochtend bij haar hadden aangeklopt, ze zag hoe ze pratend zo weinig mogelijk haar kaak bewoog om te voorkomen dat de wond op haar lip openging. Dat hoefde Terri nu nooit meer te doen. Ze hoefde 's nachts nooit meer wakker te liggen, piekerend over wat Dale nu weer van plan was. Ze zou nooit meer bang hoeven te zijn.

Ethan begon tegen haar op te rijden. Ze werd er misselijk van. 'Nan en ik hebben een goed gesprek gehad.'

'Laat Nan erbuiten.'

'Moet ik haar erbuiten laten?' Zijn hand gleed om haar bovenlichaam en hij greep haar zo hard bij haar borst dat ze haar tanden weer in haar lip moest zetten om het niet uit te gillen. 'Dit is van mij,' liet hij haar weten. 'Hoor je me?'

'Ja.'

'Er is maar één die je mag aanraken, en dat ben ik.'

Lena sloot haar ogen en probeerde uit alle macht niet te

schreeuwen toen hij met zijn lippen langs haar hals streek.

'Als een ander je ook maar aanraakt, vermoord ik hem.' Hij kneep zijn vuist samen alsof hij haar borst eraf wilde rukken. 'Een lijk meer of minder maakt me ook geen sodemieter uit,' siste hij. 'Hoor je me?'

'Ja.' Haar hart sloeg één keer over en toen voelde ze het niet meer. Ze was verlamd van angst geweest, maar even plotseling voelde ze niets meer.

Langzaam draaide Lena zich om. Ze zag haar handen omhooggaan, niet om hem te slaan, maar om heel teder zijn gezicht te omvatten. Ze voelde zich licht in het hoofd, duizelig, alsof ze ergens anders in het vertrek was en zichzelf en Ethan gadesloeg. Toen haar lippen de zijne raakten, voelde ze niets. Zijn tong smaakte naar niets. Toen hij zijn eeltige vingers in de voorkant van haar broek schoof, kreeg ze er geen enkel gevoel bij.

In bed was hij ruwer dan ooit: hij drukte haar naar beneden, nog kwader dan anders omdat ze zich niet verzette. Tijdens het hele gebeuren hield Lena het gevoel dat ze buiten zichzelf was getreden, ook toen hij bij haar binnendrong en als een mes haar binnenste doorkliefde. Ze was zich bewust van de pijn, zoals ze zich ook bewust was van haar ademhaling; het was niet meer dan een feit, een onbeheersbaar proces door middel waarvan haar lichaam overleefde.

Ethan kwam in een mum van tijd klaar en terwijl Lena daar lag, had ze het gevoel dat er een hond over haar heen had gepiest. Zwaar hijgend draaide hij zich op zijn rug, volkomen verzadigd. Pas toen ze zijn zachte, regelmatige gesnurk hoorde, namen haar zintuigen geleidelijk aan weer bezit van haar. De stank van zijn zweet. De smaak van zijn tong. De plakkerige kledder tussen haar benen.

Hij had geen condoom gebruikt.

Voorzichtig rolde Lena zich op haar zij en voelde de rest van zijn vocht uit haar lichaam vloeien. Ze zag hoe de klok langzaam de tijd markeerde, eerst de minuten, toen de uren. Een uur. Twee uur. Toen er drie uur waren verstreken stond ze op van het bed. Ze hield haar adem in en dook ineen op de vloer, angstvallig luisterend of er iets veranderde in het ritme van Ethans ademhaling.

445

Ze bewoog heel traag, alsof ze zich door water verplaatste. Ze trok de bovenste la van haar ladekast open en haalde het zwarte kunststof foedraal eruit. Ze ging op de vloer zitten, met haar rug naar Ethan toe, en hield haar adem in toen ze het slotje openklikte. Het geluid vulde de ruimte als een pistoolschot. Ze probeerde niet naar adem te happen toen Ethan ging verliggen in bed. Lena sloot haar ogen en vechtend tegen de paniek wachtte ze op zijn hand tegen haar rug, zijn vingers om haar keel. Ze draaide haar hoofd om en keek over haar schouder.

Hij lag op zijn zij, met zijn gezicht van haar af gewend.

Het wapen was doorgeladen: in de kamer zat al een kogel uit het magazijn. Ze koesterde het pistool in haar handen, voelde het steeds zwaarder worden en liet haar handen toen op haar schoot zakken. Het was een kleinere uitvoering van haar dienstpistool, maar van dichtbij kon het evenveel schade aanrichten. Weer sloot Lena haar ogen en weer voelde ze de nevel van bloed die Terri over haar gezicht had gesproeid. Ze hoorde haar laatste, bijna triomfantelijke woorden: ik ben vrij.

Lena staarde naar het wapen, waarvan het zwarte metaal koud aanvoelde in haar handen. Ze draaide zich om en keek of Ethan nog sliep.

Zijn boekentas lag op de plek waar hij hem had laten vallen. Met opeengeklemde kiezen trok ze de rits open en het geluid trilde na in haar borstkas. Het was een mooie tas, een Swiss Army, met verscheidene grote vakken en heel veel bergruimte. Ethan bewaarde er alles in: zijn portefeuille, zijn studieboeken, zelfs gymkleren. Een pondje extra zou hij niet merken.

Lena stak haar hand in de tas en opende de rits van het grote achtervak dat langs de binnenkant liep. Er zaten potloden en een paar pennen in, meer niet. Ze stopte het pistool erin en trok de rits dicht, waarna ze de tas weer op de vloer legde.

Ze schoof achterwaarts naar het bed, duwde zich op haar handen omhoog en liet zich langzaam en uiterst behoedzaam naast Ethan zakken.

Hij ademde uit, snuivend bijna, rolde toen om en liet zijn arm over haar heen vallen. Lena draaide haar hoofd om en keek naar de klok. Ze telde de minuten af tot de wekker zou gaan en Ethan voorgoed uit haar leven zou verdwijnen.

Zaterdag

Zeventien

Bobs neus schoot in de richting van het veld naast de weg en Sara klemde zijn riem nog steviger vast. Bob was een windhond en had de onbedwingbare neiging om achter alles aan te jagen wat wegrende, en als Sara de riem losliet zou ze het beest waarschijnlijk nooit meer terugzien.

Jeffrey, die Billy's riem in een al even stevige greep hield, liet zijn blik ook over het veld gaan. 'Een konijn?'

'Een aardeekhoorn,' vermoedde ze, en ze trok Bob mee naar de andere kant van de weg. Aangezien luiheid bij windhonden al even genetisch bepaald is als het jachtinstinct, slenterde hij zonder protest de straat over, bij elke stap die hij zette wiegend met zijn ranke achterste.

Jeffrey sloeg zijn arm om Sara's middel. 'Heb je het koud?'

'Mm-mm,' zei ze en ze kneep haar ogen dicht tegen de felle zon. Ze waren vloekend en tierend wakker geworden van de telefoon die om vijf voor zeven die ochtend was gegaan, maar Cathy's uitnodiging voor een pannenkoekenontbijt hadden ze niet kunnen weerstaan en ze waren uit bed gerold. Hoewel ze dat weekend beiden een hoop achterstallig werk moesten verzetten, redeneerde Sara dat ze er met een volle maag beter tegen opgewassen waren.

'Ik heb eens nagedacht,' zei Jeffrey. 'Misschien moeten we nog een hond nemen.'

Ze keek hem vanuit haar ooghoek aan. Bob had die ochtend zowat een hartaanval gekregen toen Jeffrey de douche had aangezet zonder eerst te kijken of de hond misschien op zijn vaste plek lag te slapen.

'Of een kat?'

Ze lachte luid. 'Je kunt de kat die we nu hebben al niet uitstaan.'

'Tja.' Hij haalde zijn schouders op. 'Een nieuwe misschien, eentje die we samen hebben uitgekozen?'

Sara legde haar hoofd weer tegen zijn schouder. Ook al was Jeffrey van het tegendeel overtuigd, toch kon ze niet altijd zijn gedachten lezen. Maar nu wist Sara heel goed wat hem bezighield. Toen hij de vorige avond over Terri en haar zoontje had verteld, besefte Sara iets waarbij ze nooit eerder had stilgestaan. Jarenlang had ze haar ongewenste kinderloosheid als een persoonlijk verlies beschouwd, maar opeens besefte ze dat het ook Jeffreys verlies was. Ze kon het niet precies uitleggen, maar nu ze wist dat hij het net zo ervoer als zij, voelde ze zich niet zo'n mislukkeling, werd het iets waarmee ze samen in het reine moesten komen.

'Ik blijf een oogje op die jochies houden,' zei hij en ze wist dat hij op Terri's twee kinderen doelde. 'Reken maar dat Pat hem hard aan zal pakken.'

Sara betwijfelde of de man zich veel van zijn broer zou aantrekken. 'Blijft Dale nog in hechtenis?' vroeg ze.

'Ik weet het niet,' zei hij. 'Toen ik op zijn borst drukte...' begon Jeffrey, en weer merkte ze hoe vreselijk hij het vond dat hij bij het reanimeren twee van Tim Stanleys ribben had gebroken. 'Ze zijn zo klein. Die botjes zijn net tandenstokers.'

'Nog altijd beter dan hem laten doodgaan,' zei Sara. Toen ze besefte hoe hard haar woorden hem in de oren moesten klinken, voegde ze eraan toe: 'Gebroken ribben herstellen weer, Jeffrey. Je hebt Tims leven gered. Je hebt precies gedaan wat je moest doen.'

'Ik was anders blij toen ik die ambulance zag.'

'Over een paar dagen mag hij het ziekenhuis weer uit,' bezwoer ze hem en troostend wreef ze over zijn rug. 'Je hebt het heel goed gedaan.'

'Ik moest aan Jared denken,' zei hij, en nu hield ze haar hand stil. Jared: de jongen die hij jarenlang als een soort neefje had beschouwd, tot hij onlangs had ontdekt dat het zijn zoon was.

Hij zei: 'Ik weet nog dat hij klein was en dat ik hem dan

in de lucht gooide en weer opving. God, wat vond hij dat geweldig. Dan kreeg hij de hik van het lachen.'

'Nell had je vast wel kunnen vermoorden,' zei Sara, die besefte dat Jareds moeder waarschijnlijk de hele tijd met ingehouden adem had toegekeken.

'Als ik hem opving voelde ik zijn ribbetjes tegen mijn handen drukken. Wat kon dat joch lachen! Het ging hem nooit hoog genoeg.' Hij lachte flauwtjes en mijmerde: 'Misschien wordt hij later wel piloot.'

Zwijgend liepen ze door en een tijdlang hoorden ze alleen het geluid van hun voetstappen en het getingel van de metalen hondenpenningen. Sara drukte haar hoofd weer tegen Jeffreys schouder en verlangde niets meer dan het hier en nu. Hij trok haar nog dichter naar zich toe en terwijl ze naar de honden keek, vroeg ze zich af hoe het zou zijn om een kinderwagen voort te duwen in plaats van een hondenriem vast te houden.

Toen ze zes was had Sara heel wijsneuzig tegen haar moeder gezegd dat ze ooit twee kinderen zou krijgen, een jongen en een meisje, en dat de jongen blond en het meisje bruin haar zou hebben. Sara was de twintig allang gepasseerd toen Cathy haar nog steeds plaagde met haar jeugdige vastberadenheid. Toen ze medicijnen studeerde en later toen ze als coassistent werkte was het familiegrapje nog steeds in gebruik, vooral omdat Sara er op z'n zachtst gezegd een schamel liefdesleven op na hield. Jarenlang was ze genadeloos geplaagd omdat ze als kind zo'n bijdehandje was geweest, maar van het ene op het andere moment was het afgelopen. Op haar zesentwintigste gebeurde er iets waardoor Sara nooit kinderen zou kunnen krijgen. Op haar zesentwintigste verloor ze haar jeugdige overtuiging dat alles mogelijk was als je het maar heel graag wilde.

Terwijl ze daar liep met haar hoofd op Jeffreys schouder liet Sara zich weer eens tot dat riskante spelletje verleiden waarbij ze zich voorstelde hoe haar kinderen er zouden hebben uitgezien. Jared had de donkere teint van zijn vader en de felblauwe ogen van zijn moeder. Zou hun kind rood haar hebben gehad, een woeste bos roodbruine krullen? Of zou hij Jeffreys zwarte, bijna blauwige lokken hebben meegekregen, het soort haar waarvan je niet af kon blijven? Zou hij even vriendelijk en zachtaardig zijn geweest als zijn vader en zijn uitgegroeid tot het soort man dat een vrouw gelukkiger zou maken dan ze ooit voor mogelijk had gehouden?

Ze voelde Jeffreys borstkas op- en neergaan toen hij diep in- en uitademde.

Sara veegde de tranen uit haar ogen en hoopte dat hij niet zag hoe dom ze bezig was. 'Hoe is het met Lena?' vroeg ze.

'Ik heb haar vandaag vrij gegeven.' Jeffrey wreef ook al in zijn ogen, maar ze durfde niet naar hem op te kijken. 'Die heeft een medaille verdiend omdat ze eindelijk eens een bevel heeft opgevolgd.'

'De eerste keer is altijd heel bijzonder.'

Ze wist hem een wrang lachje te ontlokken. 'Jezus, wat maakt die er een puinhoop van.'

Met haar arm nog iets steviger om zijn middel bedacht ze dat zij er zelf niet veel beter aan toe waren. 'Je kunt er niks aan veranderen, hè?'

Weer zuchtte hij diep. 'Nee.'

Ze keek naar hem op en zag dat zijn ogen even vochtig waren als de hare.

'Tja,' zei hij nadat hij met een klak van zijn tong Billy tot de orde had geroepen toen die het veld in wilde duiken.

'Tja,' zei ze hem na.

Hij schraapte een paar keer zijn keel en zei toen: 'Rond de middag verwacht ik Pauls advocaat.'

'Waar komt die vandaan?'

'Uit Atlanta,' zei Jeffrey, twee woorden waarin hij al zijn afkeer van de stad wist te leggen.

Sara haalde haar neus op en probeerde weer greep op zichzelf te krijgen. 'Denk je echt dat Paul Ward ook maar iets zal toegeven?'

'Nee,' moest hij bekennen. Hij gaf een ruk aan Billy's riem toen de hond bleef staan om een pluk onkruid aan een nader onderzoek te onderwerpen. 'Vanaf het moment dat we Terri van hem weghaalden, heeft hij niets meer gezegd.'

Sara zweeg en dacht aan het offer dat de vrouw had gebracht. 'Denk je dat die aanklachten tegen hem ontvankelijk worden verklaard?'

'Wat de poging tot ontvoering en de schietpartij betreft, hangt hij,' antwoordde hij. 'Met twee smerissen als getuigen heb je niet veel meer te melden.' Hij schudde zijn hoofd. 'Wie weet welke kant het op gaat. Het was met voorbedachten rade, daar ben ik van overtuigd; ik was er zelf bij. Maar met een jury weet je het nooit...' Zijn stem stierf weg. 'Je veter zit los.' Hij gaf haar Billy's riem en knielde voor haar neer om de veter te strikken. 'Hij is in elk geval schuldig aan moord tijdens het plegen van een misdrijf en aan poging tot moord op Lena. Daarmee moet hij toch behoorlijk lang achter de tralies kunnen verdwijnen.'

'En Abby?' vroeg Sara. Ze keek naar zijn handen en dacht weer aan de eerste keer dat hij haar veter had gestrikt. Het was in het bos geweest en ze had aan haar gevoelens voor hem getwijfeld tot hij voor haar was neergeknield. Nu ze naar hem keek, snapte ze niet hoe ze zich ooit een leven zonder hem had kunnen voorstellen.

'Terug jullie.' Jeffrey joeg Billy en Bob naar achteren toen de honden de veters probeerden te pakken. Hij legde er een dubbele knoop in, kwam overeind en nam de riem weer van haar over. 'Van Abby weet ik het niet. Uit Terri's verhaal blijkt dat hij toegang had tot de cyanide, maar ze kan het niet meer navertellen. En Dale gaat echt niet zitten opscheppen dat hij Paul heeft verteld hoe hij het spul moest gebruiken.' Hij sloeg zijn arm weer om haar middel en trok haar onder het lopen tegen zich aan. 'Rebecca is erg labiel. Esther heeft gezegd dat ik morgen met haar kan praten.'

'Denk je dat je iets bruikbaars te horen krijgt?'

'Nee,' gaf hij toe. 'Het enige wat zij kan zeggen is dat ze papieren heeft gevonden die Abby voor haar had achtergelaten. Jezus, ze weet niet eens zeker of het Abby wel was die ze daar heeft achtergelaten. Ze heeft niet gezien wat er met Terri is gebeurd, want ze zat de hele tijd in de kast, en ze kan ook niet over die begraven meisjes getuigen, want dat zijn hooguit geruchten. Zelfs als een rechter ze in zijn overweging betrekt, was het nog altijd Cole die de meisjes in die kisten stopte. Paul maakte zijn handen er niet aan vuil. Die heeft zijn sporen goed uitgewist.'

Sara zei: 'Volgens mij kan zelfs een geslepen advocaat uit

Atlanta er geen positieve draai aan geven dat de hele familie van zijn cliënt bereid is tegen hem te getuigen.' Merkwaardig genoeg school daarin het grootste gevaar voor Paul Ward. Niet alleen had hij voor de polissen de handtekeningen van zijn hele familie vervalst, hij had ook cheques geïnd die op hun naam stonden en het geld in eigen zak gestoken. Alleen al door de fraudezaak zou hij tot aan zijn oude dag moeten zitten.

'Zijn secretaresse is ook op haar woorden teruggekomen,' zei Jeffrey. 'Nu zegt ze dat Paul die avond helemaal niet heeft overgewerkt.'

'En hoe zit het met al die mensen die op de boerderij zijn gestorven? Die arbeiders van wie Paul de verzekeringspolissen in bezit had?'

'Misschien zijn ze gewoon gestorven en dan heeft Paul gezwijnd,' zei hij, maar ze wist dat hij het zelf niet geloofde. Ook al zou hij er een zaak van willen maken, dan nog kon hij nergens enig bewijs vinden dat er sprake was van opzet. De negen lichamen waren gecremeerd en hun familie – als ze die hadden – had hun al heel lang geleden de rug toegekeerd.

'De moord op Cole is hetzelfde verhaal,' zei hij. 'De enige vingerafdrukken op die koffiepot waren van hemzelf. Weliswaar zijn Pauls vingerafdrukken in het appartement aangetroffen, maar ook die van alle anderen.'

'Cole heeft zijn gerechte straf ondergaan, vind ik,' zei Sara, zich bewust van haar harde oordeel. Voor ze Jeffrey ontmoette had ze in de luxe positie verkeerd er zeer rechtlijnige ideeën omtrent de wet op na te kunnen houden. Ze had erop vertrouwd dat de rechtbank zijn werk goed verrichtte en dat juryleden hun eed serieus namen. Sinds ze haar leven met een politieman deelde was ze er totaal anders over gaan denken.

'Je hebt goed werk verricht,' zei ze.

'Dat hoor je mij pas zeggen als Paul Ward in de dodencel zit.'

Wat Sara betrof mocht de man de rest van zijn leven achter de tralies slijten, maar ze had geen zin met Jeffrey een discussie over de doodstraf te beginnen. Wat dat onderwerp betrof bleef ze bij haar standpunt, hoe Jeffrey ook zijn best deed om haar van mening te doen veranderen.

Ze waren bij het huis van de Lintons aangekomen en Sara zag haar vader op zijn knieën voor de witte Buick van haar moeder zitten. Hij was de auto aan het wassen en boende met een tandenborstel de spaken van de velgen schoon.

'Dag pa,' zei Sara en ze drukte een kus op zijn hoofd.

'Je moeder is naar die boerderij geweest,' bromde Eddie, terwijl hij de tandenborstel in een emmertje sop doopte. Het zat hem duidelijk dwars dat Cathy haar oude vriendje had opgezocht, maar hij had besloten zijn ongenoegen op de auto af te reageren. 'Ik zei nog zo dat ze mijn pick-up moest nemen. Maar luisteren, ho maar.'

Zoals gewoonlijk gaf haar vader er geen blijk van Jeffreys aanwezigheid te hebben opgemerkt. 'Papa?' zei ze.

'Wat is er?' vroeg hij knorrig.

'Ik moet je nog iets vertellen...' Ze wachtte tot hij opkeek. 'Jeffrey en ik wonen nu samen.'

'Asjemenou,' zei Eddie en hij richtte zijn aandacht weer op het wiel.

'We zijn van plan nog een hond te nemen.'

'Gefeliciteerd,' was zijn reactie, maar vrolijk klonk het niet.

'En we gaan ook trouwen,' voegde ze eraan toe.

De tandenborstel bleef ergens in de lucht zweven. Naast zich hoorde ze Jeffrey naar adem happen.

Eddie begon met de tandenborstel op een teerspatje te poetsen. Hij keek Sara aan en toen Jeffrey. 'Hier,' zei hij, en hij stak Jeffrey de tandenborstel toe. 'Als je weer lid van de familie wordt, moet je ook een deel van de taken op je nemen.'

Sara nam Billy's riem van Jeffrey over zodat hij zijn jasje kon uittrekken. 'Je wordt bedankt,' zei hij terwijl hij het haar aanreikte.

'Het was me een genoegen.' Ze liet haar woorden vergezeld gaan van haar liefste glimlach.

Jeffrey pakte de tandenborstel aan, knielde naast haar vader neer en begon de spaken onder handen te nemen.

Het was Eddie nog niet naar de zin. 'Geef 'm eens flink van jetje. Dat doen m'n meiden beter.'

Sara sloeg haar hand voor haar mond om haar lachen in te houden.

Ze bond de honden vast aan de balustrade van de veranda en liet het aan de mannen over of ze vrede wilden sluiten of elkaar vermoorden. Uit de keuken steeg luid gelach op en toen Sara de gang door liep, waren er voor haar gevoel in plaats van zes dagen jaren verstreken sinds ze voor het laatst in huis was geweest.

Het leek wel of Cathy en Bella al die tijd niet van hun plaats waren geweest: Bella zat met een krant aan de keukentafel en Cathy was bezig bij het fornuis.

'Wat is er aan de hand?' vroeg Sara. Ze kuste haar moeder op de wang en pikte een stukje bacon van de schaal.

'Ik vertrek,' zei Bella. 'Dit is mijn afscheidsontbijt.'

'O, wat vervelend nou,' antwoordde Sara. 'Ik heb het gevoel dat ik je nog helemaal niet gesproken heb.'

'Dat voel je dan goed,' concludeerde Bella. Van Sara's verontschuldigingen wilde ze echter niets weten. 'Je hebt het ook veel te druk gehad met al dat gedoe op je werk.'

'Waar ga je naartoe?'

'Naar Atlanta,' zei Bella met een knipoog. 'Slaap eerst maar eens goed uit voor je bij me langskomt.'

Sara keek getergd.

'Ik meen het, liefje,' zei Bella. 'Je moet echt een keer langskomen.'

'Voorlopig kon ik het weleens te druk hebben,' begon Sara, hoewel ze niet goed wist hoe ze het nieuws moest brengen. Wat ongemakkelijk glimlachend wachtte ze tot ze hun onverdeelde aandacht had.

'Wat is er?' vroeg haar moeder.

'Ik heb besloten met Jeffrey te trouwen.'

Cathy keerde zich weer naar het fornuis. 'Nou, dat heeft dan lang geduurd. Het is een wonder dat hij je nog wil.'

'Reuze bedankt,' antwoordde Sara, die zich afvroeg waarom ze überhaupt de moeite had genomen.

'Let maar niet op je moeder, schat.' Bella stond op van tafel. 'Gefeliciteerd!' zei ze en ze sloot Sara in haar armen.

'Dank je.' Sara's afgemeten toon was vooral voor haar moeder bestemd, die zich echter van geen kwaad bewust leek.

Bella vouwde de krant op en stopte hem onder haar arm. 'Ik ga, dan kunnen jullie even praten,' zei ze. 'Geen lelijke dingen over me zeggen, tenzij ik er zelf bij ben.'

Sara keek naar haar moeders rug en vroeg zich af waarom ze bleef zwijgen. Toen ze de stilte niet langer kon verdragen, zei ze: 'Ik dacht dat je blij voor me zou zijn.'

'Ik ben blij voor Jeffrey,' zei ze. 'Je hebt hem wel heel lang aan het lijntje gehouden.'

Sara hing Jeffreys jasje over de rugleuning van Bella's stoel en ging zitten. Ze verwachtte een preek over al haar tekortkomingen en was zeer verbaasd toen ze Cathy's woorden hoorde.

'Van Bella heb ik begrepen dat je met je zus naar die kerk bent geweest.'

'Dat klopt,' zei Sara, benieuwd wat haar tante nog meer had verteld.

'Heb je Thomas Ward ontmoet?'

'Ja,' zei Sara. 'Het leek me een heel aardige man.'

Cathy tikte met haar vork op de rand van de braadpan en keerde zich naar haar toe. Ze sloeg haar armen over elkaar. 'Wil je me iets vragen of kies je voor de gemakkelijke weg en ga je er weer via je tante Bella naar vissen?'

Sara voelde het bloed via haar hals naar haar wangen stijgen. Op het moment zelf had ze er niet bij stilgestaan, maar haar moeder had gelijk. Sara had Bella haar bange vermoedens meegedeeld omdat ze wist dat haar tante het zou terugkoppelen naar haar moeder.

Diep inademend schraapte ze al haar moed bijeen. 'Was hij het?'

'Ja.'

'Lev is...' Kon ze het maar via haar tante spelen, dacht Sara terwijl ze wanhopig naar woorden zocht. Haar moeders blik sneed door haar heen. 'Lev heeft rood haar.'

'Ben je arts of niet?' vroeg Cathy bits.

'Tja, nou...'

'Heb je medicijnen gestudeerd?'

'Ja.'

'Dan zou je toch het een en ander van erfelijkheid moeten af weten.' Sara had Cathy in lange tijd niet zo boos gezien.

'Heb je er ooit bij stilgestaan hoe je vader het zou vinden als hij merkte dat je ook maar een seconde dacht...' Ze zweeg en probeerde haar woede onder controle te krijgen. 'Ik heb het toen al tegen je gezegd, Sara. Ik heb tegen je gezegd dat het puur een kwestie van gevoelens was. Het is nooit iets lichamelijks geweest.'

'Dat weet ik.'

'Heb ik ooit tegen je gelogen?'

'Nee, mama.'

'Je vaders hart zou breken als hij wist...' Ze had haar wijsvinger de hele tijd op Sara gericht, maar nu liet ze haar hand zakken. 'Soms vraag ik me af waar je verstand zit.' Ze richtte haar aandacht weer op het fornuis en pakte haar vork.

Sara incasseerde de vinnige kat, maar was zich er scherp van bewust dat haar moeder haar vraag niet echt had beantwoord. Voor ze het wist had ze het er uitgeflapt: 'Lev heeft rood haar,' herhaalde ze.

Cathy liet de vork vallen en keerde zich weer om. 'Dat had zijn moeder ook, stomkop!'

Tessa kwam de keuken binnen, met een dik boek in haar handen. 'Over wie zijn moeder hebben jullie het?'

Cathy hield zich in. 'Dat gaat jou niks aan.'

'Ben je pannenkoeken aan het bakken?' vroeg Tessa, die het boek op tafel liet vallen. Sara las de titel: *Het verzameld werk van Dylan Thomas.*

'Nee hoor,' zei Cathy spottend. 'Ik ben water in wijn aan het veranderen.'

Tessa wierp Sara een blik toe. Sara haalde haar schouders op, alsof zij er niets aan kon doen dat haar moeder zo kwaad was.

'Over een paar minuten is het ontbijt klaar,' deelde Cathy mee. 'Gaan jullie maar vast tafeldekken.'

Tessa verroerde zich niet. 'Ik had anders plannen voor vanochtend.'

'Wat voor plannen?' vroeg Cathy.

'Ik heb Lev beloofd dat ik naar de kerk zou komen,' zei ze. Sara wilde iets zeggen, maar slikte haar woorden bijtijds in.

Tessa zag het en zei op defensieve toon: 'Ze maken zware tijden door.'

Sara knikte. Cathy's kaarsrechte rug straalde slechts af-keuring uit.

'Dat Paul al die dingen op z'n kerfstok heeft, wil nog niet zeggen dat iedereen daar slecht is,' zei Tessa voorzichtig.

'Dat heb ik ook niet beweerd,' merkte Cathy op. 'Thomas Ward is een van de meest rechtschapen mensen die ik ooit heb ontmoet.' Ze keek Sara woedend aan, alsof ze het niet moest wagen haar mond open te doen.

'Sorry dat ik niet meega naar jouw kerk,' zei Tessa veront-schuldigend, 'maar ik wilde...'

'Denk maar niet dat ik niet weet waarom je daarnaartoe gaat, juffie,' snauwde Cathy.

Tessa keek Sara vragend aan, maar weer haalde Sara haar schouders op, blij dat haar moeder de strijd met haar zus aanbond.

'Het is het huis van God.' Nu richtte Cathy haar vinger op Tessa. 'De kerk is niet de zoveelste plek waar je je kunt laten versieren.'

Tessa begon hardop te lachen, maar hield zich in toen ze zag dat haar moeder het meende. 'Daar gaat het helemaal niet om,' verweerde ze zich. 'Ik kom er gewoon graag.'

'Je komt graag bij Leviticus Ward, zul je bedoelen.'

'Tja,' beaamde Tessa met een glimlach op haar lippen. 'Ja, maar ik vind het ook prettig in de kerk.'

Cathy zette haar handen in de zij en keek van de ene doch-ter naar de andere, alsof ze niet wist wat ze met hen aan moest.

'Ik meen het, mama,' zei Tessa. 'Ik kom er gewoon graag. Niet alleen vanwege Lev. Ook voor mezelf.'

Ondanks haar eigen gevoelens op dit punt schoot Sara haar zus te hulp. 'Dat is waar, mam.'

Cathy perste haar lippen op elkaar en heel even was Sara bang dat ze in huilen zou uitbarsten. Ze had altijd geweten dat het geloof heel belangrijk was voor haar moeder, maar Cathy had het hun nooit door de strot geduwd. Ze had er altijd op gestaan dat haar kinderen uit vrije wil voor een spi-rituele levenshouding kozen, en Sara zag hoeveel plezier het haar deed dat Tessa die keus had gemaakt. Sara voelde een steek van jaloezie omdat zij haar daarin niet kon volgen.

'Is het ontbijt al klaar?' riep Eddie nadat hij de voordeur achter zich had laten dichtvallen.

De glimlach verdween van Cathy's gezicht en fronsend draaide ze zich om naar het fornuis. 'Je vader denkt verdorie dat het hier een Waffle House is.'

Eddie kwam de kamer binnen, op sokken waar zijn tenen doorheen staken. Jeffrey volgde met de honden, die linea recta naar de tafel liepen en zich op de vloer installeerden in afwachting van restjes.

Kennelijk was de spanning om te snijden, want Eddie keek naar de stramme rug van zijn vrouw en toen naar zijn dochters. 'De auto is schoon,' liet hij weten. Hij scheen ergens op te wachten, maar als het een lintje was, dacht Sara, dan had hij de verkeerde ochtend uitgekozen.

Cathy schraapte haar keel en draaide een pannenkoek om in de pan. 'Dank je, Eddie.'

Opeens besefte Sara dat ze het goede nieuws nog niet aan haar zus had verteld. 'Jeffrey en ik gaan trouwen,' zei ze tegen Tessa.

Tessa stak haar vinger in haar mond en liet hem er met een knal weer uit schieten. 'Joehoe!' riep ze, maar erg opgetogen klonk het niet.

Sara liet zich achteroverzakken en legde haar voeten op Bobs buik. Na alle shit die ze de afgelopen drie jaar van haar familie over zich heen had gekregen, had ze nu minstens op een stevige handdruk gerekend.

'Vond je de chocoladecake lekker die ik je laatst gestuurd heb?' vroeg Cathy aan Jeffrey.

Sara staarde naar Bob, alsof de zin van het leven met grote letters op zijn buik stond geschreven.

'Ja-a,' klonk het aarzelend uit Jeffreys mond, en de blik die hij Sara schonk was zo scherp dat ze hem zonder op te kijken kon voelen. 'Zo lekker heb je hem nog nooit gebakken.'

'Er staat nog wat in de koelkast, als je zin hebt.'

'Fantastisch,' zei hij, en de schijnheiligheid droop eraf. 'Graag.'

Sara hoorde iets tringelen en het duurde even voor ze besefte dat het Jeffreys mobieltje was. Ze graaide in zijn jaszak,

haalde het telefoontje te voorschijn en reikte het hem aan.
'Tolliver,' zei hij. Even keek hij verward, toen betrok zijn gezicht. Hij liep naar de gang om ongestoord te kunnen praten. Niettemin verstond Sara alles wat hij zei, hoewel ze niet veel wijzer werd van zijn opmerkingen. 'Wanneer is hij weggegaan?' vroeg hij. En toen: 'Weet je zeker dat je dit wilt?' Na een korte stilte zei hij: 'Je hebt groot gelijk.'

Jeffrey kwam de keuken weer binnen en verontschuldigde zich. 'Ik moet ervandoor,' zei hij. 'Eddie, kan ik jouw pickup lenen?'

Tot Sara's verbazing hoorde ze haar vader zeggen: 'De sleutels hangen bij de voordeur', alsof hij Jeffrey de afgelopen vijf jaar niet met elke vezel in zijn lichaam had gehaat.

'Sara?' vroeg Jeffrey.

Ze pakte zijn jasje en volgde hem de gang op. 'Wat is er aan de hand?'

'Dat was Lena.' Hij klonk opgewonden. 'Ze zegt dat Ethan gisteravond een pistool van Nan Thomas heeft gestolen.'

'Heeft Nan dan een pistool?' vroeg Sara. Ze kon zich de bibliothecaresse niet voorstellen met iets gevaarlijkers dan een kartelschaar.

'Volgens haar zit het in zijn boekentas.' Jeffrey pakte Eddies sleutels van het haakje bij de voordeur. 'Hij is vijf minuten geleden naar zijn werk vertrokken.'

Ze reikte hem zijn jasje aan. 'Waarom vertelt ze dat aan jou?'

'Hij heeft nog steeds voorwaardelijk,' legde Jeffrey uit, nauwelijks in staat zijn vreugde te verbergen. 'Nu moet hij zijn hele straf uitzitten: nog eens tien jaar in de bak.'

Sara vertrouwde het niet. 'Ik snap nog steeds niet waarom ze jou heeft gebeld.'

'Waarom is niet belangrijk,' zei hij terwijl hij de deur opendeed. 'Wat telt is dat hij weer achter de tralies verdwijnt.'

Sara voelde een scheut van angst toen hij het verandatrapje afdaalde. 'Jeffrey.' Ze wachtte tot hij zich omdraaide. Het enige wat ze kon zeggen was: 'Doe je voorzichtig?'

Hij knipoogde naar haar, alsof hij een karweitje van niks ging opknappen. 'Over een uurtje ben ik terug.'

'Hij is gewapend.'

'Ik ook,' liet hij haar weten terwijl hij naar haar vaders pick-up liep. Met een handgebaar gaf hij aan dat ze weer naar binnen moest gaan. 'Ga nou maar. Voor je het weet ben ik weer terug.'

Het autoportier knarste open en met grote tegenzin draaide ze zich om en liep het huis in.

'Mevrouw Tolliver?' hoorde ze Jeffrey roepen.

Sara's dwaze hart sloeg over toen ze die naam hoorde en ze keerde zich om.

Hij schonk haar een scheve grijns. 'Bewaar een stukje cake voor me.'

Dankbetuiging

Inmiddels ben ik op het punt in mijn carrière beland dat ik een boek van drieduizend pagina's nodig zou hebben om iedereen te bedanken die me tijdens het schrijven tot steun is geweest. Op geen enkel lijstje mogen de namen ontbreken van Victoria Sanders en Kate Elton, wie ik hopelijk nog niet de keel uit kom. Al mijn vrienden bij Random House, hier en in de rest van de wereld, ben ik zeer veel dank verschuldigd. Het was een feest om met Kate Miciak, Nita Taublib en Irwyn Applebaum samen te werken. Als auteur prijs ik me buitengewoon gelukkig met zo'n team om me heen en ik ben dan ook heel blij bij Bantam onderdak te hebben gevonden. Ik kan geen beter compliment bedenken dan de uitspraak dat voor iedereen daar het leven om boeken draait.

In Engeland voel ik me door dik en dun gesteund door de hartverwarmende Ron Beard, Richard Cable, Susan Sandon, Mark McCallum, Rob Waddington, Faye Brewster, Georgina Hawtrey-Woore en Gail Rebuck (en iedereen die er verder nog bij hoort). Rina Gill is de beste regeltante die een vrouw zich kan wensen. Wendy Grisham dook midden in de nacht een bijbel op en voorkwam dat alle personages in deze roman als 'dinges' door het leven moesten.

Mijn verblijf Down Under het afgelopen jaar was een fantastische belevenis en graag wil ik de medewerkers van Random House in Australië en Nieuw-Zeeland bedanken voor hun bijdrage aan de reis van mijn leven. Ik was duizenden kilometers van huis, maar jullie hebben me met buitengewoon veel warmte omringd. Vooral Jane Alexander wil ik bedanken omdat ze me de kangoeroes heeft laten zien en ook omdat ze me waarschuwde dat koala's soms poepen als je ze vasthoudt, maar toen was het al te laat (zie de foto's op karinslaughter.com/australia). Margie Seale en Michael Moynahan verdienen alle lof. De energie waarmee ze me steunden stemt me nederig.

Ook Meaghan Dowling, Brian Grogan, Juliette Shapland en Virginia Stanley ben ik dankbaar voor hun steun door de jaren heen. Rebecca Keiper, Kim Gombar en Colleen Winters zijn gewoon onvervangbaar en ik prijs me zeer gelukkig met onze blijvende vriendschap.

Ook deze keer voorzag dokter David Harper me van de nodige medische informatie, zodat ik kon zorgen dat Sara wist wat ze deed. Als ik fouten heb gemaakt, komt dat doordat ik niet goed naar hem heb geluisterd of doordat het gewoon dodelijk saai is als een arts iets op de juiste wijze doet. Op het persoonlijke vlak bedank ik BT, EC, EM, MG en CL voor hun dagelijkse gezelschap. Als het nodig was, kon ik altijd een beroep doen op FM en JH. ML en BB-W hebben me hun namen geleend (sorry, jongens!). Patty O'Ryan had de pech de winnares te zijn van de loterij 'Je naam in een Grant County boek!' Ha! Dat krijg je nou van al dat gokken! Benee Knauer is een rots in de branding geweest. Renny Gonzalez verdient apart vermelding omdat hij altijd zo lief is. Ann en Nancy Wilson hebben de pijn van het ouder worden wat verzacht – ik vind jullie nog altijd even swingend. Mijn vader maakte soep voor me toen ik de bergen in trok om te schrijven. Toen ik thuiskwam was daar DA – zoals altijd mijn kern.